Den nya världen

LENNART PEHRSON

DEN NYA VÄRLDEN

Utvandringen till Amerika I

Albert Bonniers Förlag

THEY
HIP
WAS
IN THE
BUT THE
WAS
IN SW

SAY
HOP
BORN
BRONX
BRONX
BORN
EDEN

Zacke

PROLOG

Den långa resan över havet var över. När skeppet närmade sig den ö som de tidigaste invånarna gett namnet Mannahatta kunde han se den lilla staden. Nya Amsterdam dominerades på ett självklart sätt av fortet. Byggnaden, nära sydspetsen, hyste inte bara den gryende kolonins militära och administrativa ledarskap utan var också den centrala handelsplatsen. Det var till fortet indianerna kom norrifrån med de bäver- och minkpälsar som sedan skeppades över havet till välbärgade europeiska kunder.

Väster om fortet fanns en väderkvarn, som en påminnelse om det land han senast lämnat bakom sig. Kanske kunde han även skymta den kanal som delade staden utefter det stråk som senare blev gatan Broad Street.

Hans namn var Jonas Brunk och det var i början av sommaren 1639 som han kom inseglande från Amsterdam med det nederländska skeppet *De Brant Van Troyen*. Född på en bondgård i småländska Komstad, i nuvarande Sävsjö kommun, var han en av de första svenskarna som kom för att bosätta sig i den nya världen.

Det hade då bara gått trettio år sedan den förste europén vi känner till hade nått fram till Manhattan. Henry Hudson var en engelsk sjöfarare i nederländsk tjänst. Han anlände 1609, men utan att stanna. Förgäves sökande efter en Nordvästpassage till Asien, seglade han istället vidare med skeppet *Halve Maen* utefter den västra sidan av ön, uppför den flod som senare kom att bära hans namn.

När Jonas Brunk anlände var det heller inte mer än femton år sedan de första permanenta nederländska bosättarna hade kommit till Nya Nederland, *Nieuw Nederland*. Nya Amsterdam blev därefter huvudstad i vad som var en av de första europeiska kolonierna i Nordamerika. Men även om det var nederländarna som styrde var det redan nu en kosmopolitisk och mångkulturell liten stad. Trots att det fanns mindre än tusen invånare utgjorde platsen ett myller av nationaliteter. En del var sjömän som valde att stanna på landbacken istället för att mönstra på något nytt skepp. Där fanns engelsmän, fransmän, valloner, irländare, tyskar och skandinaver. Nederländarna var sannolikt inte ens i majoritet. Bara några år efter Jonas Brunks ankomst rapporterade en präst på besök från Frankrike att inte mindre än arton olika språk talades på de trånga gatorna på södra Manhattan.

Men Jonas Brunk stannade inte i staden, utan fortsatte med skeppet norrut, utefter floden på öns östra sida. Utanför stadsbebyggelsen fanns ett fåtal gårdar men allra största delen av Manhattan var fortfarande orörd natur, ett böljande kuperat landskap. Indianbefolkningen, lenni lenape, kallade det för »Kullarnas ö«, Mannahatta. Bland täta skogar och porlande vattendrag gick det att livnära sig på jakt och fiske. Det fanns gott om hjortar och rådjur, ostron och krabbor, vilda bär och frukter. Uppför ön gick en väg, eller snarare en indianstig, som nederländarna först kallade *Heere Straat* och därefter *Breede Wegh* och som engelsmännen senare döpte om till Broadway, den gata som än idag skär genom hela Manhattan, om än med en delvis annorlunda sträckning.

Brunks medresenär och gode vän, dansken Jochem Pietersen Kuyter, slog sig ned på norra Manhattan. Han blev en av de första bosättarna i den by som kom att döpas till *Nieuw Haarlem*, efter den nederländska staden. Den inmutade egendomen sträckte sig utefter Harlemfloden från vad som idag är 127:e gatan till 140:e gatan.

Jonas Brunk valde andra sidan av floden och blev därmed den förste europén som bosatte sig på den delen av fastlandet. Han hade anlänt till vad han betraktade som en jungfrulig, underbar och gudabenådad mark. Han anlade en egendom på flera hundra hektar där han började odla tobak, majs, vete och andra grödor.

*

Det finns idag inga spår av det för sin tid ansenliga bostadshus som han lät uppföra inom synhåll över vattnet från Harlem, intill vad som idag är 132:a gatan mellan Willis Avenue och Lincoln Avenue, ett länge förslummat område som tidvis fått tjäna som symbol för USA:s storstadsmisär. Men för Jonas Brunk var det en plats där han kunde börja om och bygga en ny tillvaro. Han döpte sin egendom till Emmaus, som också var namnet på den by nära Jerusalem där Jesus i Nya testamentet möter några av sina lärjungar efter sin återuppståndelse.

Jonas Brunk var inte den förste som invandrade till Amerika och han kom förstås att följas av många fler. Amerika har alltid befolkats av människor i rörelse. Varken de nordbor som kom till Newfoundland kring år 1000, eller Christofer Columbus som anlände till den nya världen 1492 »upptäckte« Amerika. Columbus trodde ju trots allt att han funnit en genväg till Indien, och därför kom även hans utpost för det spanska imperiet på de öar som utgör Karibien – och som var den första varaktiga europeiska bosättningen – att kallas Västindien. Den amerikanska ursprungsbefolkningen blev indianer. Columbus vision var ju att hitta en ny transportled till Indien genom att segla västerut. Senare har också hans historiska resa – kanske lite orättvist – beskrivits som att han inte visste vart han var på väg, att han inte visste var han var när han kom dit och att han inte heller visste var han varit när han återvände till Europa.

Själva namnet Amerika går visserligen inte längre tillbaka än till början av 1500-talet, då den florentinske sjöfararen Amerigo Vespucci fick vad som då sågs som en ny kontinent uppkallad efter sig. Det var först långt senare som det blev känt att en nordman vid namn Leif Eriksson varit den förste europén som landstigit i Amerika, nästan femhundra år före Columbus. Men historiska fynd visar att de första pionjärinvandrarna kommit långt tidigare, för fjorton- till femtontusen år sedan, kanske ännu längre tillbaka.

De kom inte för att kolonisera en ny kontinent utan tog sig över från Sibirien på vad som då var en landbrygga till Alaska. De närde ett hopp om att hitta nya jaktmarker. I takt med att de spred sig söderut bildade de på olika håll separata och distinkta samhällen och kulturer. Vid Columbus ankomst beräknas indianbe-

När Jonas Brunk närmade sig Manhattan sommaren 1639 kunde han se en ny stad, Nya Amsterdam, med fortet som centralpunkt och med en väderkvarn på västsidan.

folkningen i vad som idag utgör USA och Kanada ha uppgått till ungefär en miljon invånare. De talade flera hundra olika språk och dialekter.

Men så småningom skulle européerna ta över, om så krävdes med hänsynslös brutalitet. Det gamla spanska imperiet erövrade stora delar av den södra amerikanska kontinenten och tog besittningar norrut, inte bara i Mexiko utan även i Kalifornien, Florida och andra delar av vad som senare kom att bli USA. Fransmännen kom norrifrån, först till Quebec i Kanada, och tog sig vidare söderut utefter Mississippifloden. Engelsmännen upprättade sin första varaktiga koloni i Jamestown, Virginia, 1607. Lite senare grundlade nederländarna Nya Nederland. Även Sverige var som en av dåtidens europeiska stormakter delaktig i koloniseringen av Nordamerika. Svenska bosättare kom till Delawareflodens stränder där Nya Sverige för en tid var en avlägsen utpost för en liten nation med fåfänga koloniala stormaktsambitioner. Det var visserligen ett begränsat antal kolonisatörer som reste dit. Under de sjutton år som kolonin existerade under 1600-talet räknades antalet svenska invånare inte i tusental utan i hundratal.

De många svenskar som senare utvandrade till USA kände säkert inte till så mycket om den gamla kolonin. De kom ju också att i huvudsak söka sig till andra delar än området kring Delawarefloden. Men kolonialismen var ändå ett första steg som öppnade dörren mot det Amerika som senare skulle dra till sig en aldrig tidigare skådad flyttvåg. Under den stora massimmigrationens epok anlände under ett sekel – från början av 1800-talet och ett hundratal år framåt – hela 35 miljoner människor till USA, de allra flesta från Europa. Mer än 1,2 miljoner kom från Sverige, en hög andel i förhållande till landets invånare. Av totalt 4,6 miljoner svenskar lämnade 330 000 sitt hemland för USA bara under 1880-talet. Den europeiska utvandringen till Amerika var den största folkförflyttningen som förekommit i världshistorien.

Även om den svenska utflyttningen avstannade under 1920-talet har de gamla invandrarbanden på olika sätt präglat en djupgående relation mellan Sverige och USA. Det är uppenbart hur Hollywood och den amerikanska populärkulturen bidrar till att forma ett svenskt medvetande och USA-medierna spelar en betydande roll även för den svenska nyhetsförmedlingen. Ekonomiskt har Sverige, kanske mer än vad man officiellt vill erkänna, på senare år påverkats starkt av USA när det gäller synen på marknader, privatisering och avregleringar. De politiska partierna sänder inte sina valstrateger till Frankrike eller Tyskland för att lära sig på hur en modern högteknologisk valkampanj ska bedrivas, utan till USA.

Liksom i flera andra länder kan den svenska synen på USA ibland betecknas som ett slags hatkärlek. Men trots EU-medlemskapet är det ändå landet dit de många svenskarna en gång utvandrade som fortsätter att dominera världsbilden. Kanske har det åtminstone till viss del att göra med att svenskarna också varit delaktiga i USA:s utveckling.

*

Den amerikanske historikern Oscar Handlin, som på olika sätt dokumenterat och kartlagt immigrationen, har konstaterat att det är invandringen som är Amerikas historia. Invandrarna formades av det nya landet samtidigt som de själva formade Amerika.

Det var verkligen invandrarna som byggde landet. USA:s expansion västerut möjliggjordes av ett stort och stadigt inflöde av arbetskraft. Invandrarna byggde järnvägar och annan infrastruktur och utgjorde en förutsättning för det sena 1800-talets snabba industrialisering. Den moderna kapitalismen föddes när ny och billig arbetskraft bidrog till att USA kunde expandera både territoriellt och ekonomiskt. Ökad produktivitet pressade ned tillverkningskostnaderna och fler kunde konsumera mer. I det nya samhället levde tanken att det alltid är möjligt att klättra uppåt och få det bättre.

Den amerikanska drömmen har med tiden blivit ett mytomspunnet begrepp, sammanvävt med den seglivade föreställningen om en amerikansk exceptionalism där USA blir ett förlovat land, en frihetens fanbärare med oändliga möjligheter. Men för många invandrare var beslutet att bryta upp från det gamla landet hjärtskärande och resan över havet en svår strapats. Innan ångfartygen kom i bruk tog överresan två till tre månader, fyra om vindarna var ogynnsamma. Vid målet var det långt ifrån säkert att förväntningarna kunde uppfyllas. Det var inte så konstigt om en del blev besvikna. En invandrare sammanfattade sina intryck av det nya landet så här:

Well, I came to America because I heard
the streets were paved with gold. When I got here,
I found out three things: first, the streets weren't
paved with gold; second, they weren't paved at all;
and third, I was expected to pave them.

I Sverige har ingen påverkat den allmänna bilden av utvandringen till USA mer än Vilhelm Moberg. Förstärkt av Jan Troells filmatiseringar och Benny Anderssons och Björn Ulvaeus musikal *Kristina från Duvemåla* har hans Utvandrarserie fått ett enormt nationellt genomslag och har gett avtryck även utanför Sveriges gränser. I centrum hamnar uppbrottet från hembygden, svårigheterna i ett nytt och okänt land, en sentimental längtan hem. De många läsarna av Mobergs romanserie minns Kristinas främlingskap i den nya miljön och astrakanäpplet som en symbol för banden till det gamla landet; hur Karl Oskar, stolt över allt han åstadkommit i den nya världen, ändå drar sitt sista andetag långt borta i Minnesota med kartan över småländska Ljuders socken intill sig; hur den yngre brodern Roberts drömmar spricker när han otåligt åker vidare mot guldruschens Kalifornien. Var och en kan se att det inte riktigt blev som det var tänkt – »guldet blev till sand«.

Oscar Handlin, som med sin immigrationsforskning blev en av sin tids mer uppburna historiker, gav ut sin hyllade och inflytelserika bok *The Uprooted* 1951 och den är därmed samtida med *Utvandrarna* och *Invandrarna*. Handlin fick mycket beröm för hur han tog sig an sina forskningsresultat med en metod som nästan kunde framstå som mer litterär än akademisk. Men han kritiserades också för att romantisera livet i de gamla europeiska bondesamhällena och för att överdriva uppbrottens lidande och emigrationens smärta. De som utvandrade kunde hos Handlin framstå som passiva offer, tvingade att ge sig av, snarare än viljestarka individer som tog ett medvetet och djärvt beslut. Det passade inte riktigt in i ett amerikanskt perspektiv där framåt-anda, initiativstyrka och smältdegelns integrationskraft domine-rar invandrarberättelsen.

Den bild som framträdde i både Mobergs och Handlins verk är knappast felaktig men heller inte fullständig och den hade antag-ligen snarare sitt ursprung i betraktarnas ögon än i avsändarnas avsikter. Handlin har lite irriterat konstaterat att han självklart inte tagit ställning för det statiska bondesamhälle han skildrar. Och Moberg skrev själv att det var »de djärvaste som bröt upp först«. Det var de företagsamma som fattade besluten, och de oförvägna som gav sig ut på den farofyllda färden över havet.»De som stannade kvar, de tröga och de tvehågsna, kallade dem även-tyrslystna.«

Den stora utvandringen sammanföll med omvälvande föränd-ringar. En samhällsordning, som trots alla orättvisor gett stabi-litet och kanske också mening åt livet under århundraden, var i upplösning. Guds trygga hand blev mer otydlig när Sverige mo-derniserades, gick mot folkstyre och ökad valfrihet. När landet industrialiserades, om än senare än många andra länder, tvinga-des människor lämna vad som varit en kanske mager men på sitt sätt ändå förtröstansfull tillvaro på landsbygden för att istället söka en osäker utkomst i de framväxande städerna. Ståndssam-hället föll samman och även om det skulle leda till en modern demokrati innebar det för alla en smärtsam anpassning till en ny och då främmande ordning.

Mer än något annat var det ekonomiska skäl som drev så många svenskar att ta sig an den mödosamma Amerikaresan. Överbefolkning, missväxt och kristider under det sena 1800-talet förmörkade framtidsutsikterna i hemlandet. Rapporter om USA som de gyllene möjligheternas land drog som en magnet och när-de hoppet om en bättre tillvaro.

Men det fanns även andra orsaker till uppbrott. En del sökte en religiös frihet som då inte fanns i Sverige. Andra flydde ett sam-hällssystem de såg som politiskt korrupt. Några kände sig bara missförstådda och tog chansen att börja ett nytt liv långt borta, befriade från gamla bojor. Det var också en tid präglad av olika former av uppror, när förändringarna runt omkring ledde till omprövningar av jordbrukssamhällets gamla värderingar. Unga män ville inte självklart arbeta åt sina fäder i ett föråldrat patriarkaliskt system där de förväntades ta över familjegården. Unga kvinnor tog båten till Amerika för att revoltera mot föräldrarnas krav om arrangerade äktenskap som skulle gynna den egna familjens jordegendomar. Det fanns drömmare som bara ville något annorlunda, som sökte nya upplevelser.

Väl i USA var det många som liksom Karl Oskar och Kristina i Mobergs böcker tog möjligheten att bryta egen mark och bli jordbrukare. Men senare var de svenskar som kom till USA i hög grad en del av den industrialisering som redan höll på att tränga ut jordbruket som huvudnäring. De var arbetare, hantverkare och affärsmän. En del, om än en minoritet, hade god utbildning. De skapade företag och de var med och byggde Chicago och andra snabbväxande storstäder. Några var också, i bokstavlig mening, nyfikna upptäckare och äventyrare.

*

Under en relativt kort tidsrymd förlorade Sverige närmare en femtedel av befolkningen till Amerika innan massutvandringen avstannade en bit in på 1920-talet. Människor fortsatte förstås att flytta, men vad som var att betrakta som emigrationsperioden var då över. Det innebär att det idag knappast finns några svenskar kvar i livet med egna minnen från tiden för den stora utvandringen från Sverige.

Redan 1880 när två svenska författare, båda invandrare i USA, gav ut sitt verk *Svenskarne i Illinois – Historiska anteckningar* var de medvetna om att deras arbete försvårades av bristfälliga källor och osäkra minnesbilder. I sitt förord skrev Carl Fredrik Peterson och Eric Johnson, som båda var verksamma i den svenskamerikanska pressen i USA, att ett av »de största hindren vi mött för samlandet af materialerna för de historiska teckningarne har bestått uti frånvaron af äfven den minsta urkund att gå efter«. De försökte kompensera genom att göra personliga intervjuer med hundratals svenskamerikaner i Illinois, »ur hvilkas minnen vi måst hemta underrättelser om de olika nybyggarnas tidigaste öden«. Men redan vid denna tid var det så att många av »de första banbrytarna ha för länge sedan hänsofvit«. Andra hade flyttat vidare västerut och var omöjliga att nå. Det var också ofrånkomligt att de minnesbilder som kom att utgöra källmaterial »icke i hvarje fall kunnat blifva så fullständiga som möjligt«. Med tiden har det problemet förstås blivit än mer uppenbart.

Den svenska emigrationen till USA var en genomgripande händelse som lämnat djupa spår. Den har kartlagts och blivit omskriven av såväl akademiska historiker som skönlitterära författare. Jämfört med utvandringen från flera andra länder är den svenska Amerikaemigrationen ändå relativt väl dokumenterad. Men historien blir till stor del vad som skrivs ned. Det kan ofta, men inte alltid och säkert inte helt fullständigt, överensstämma med vad som verkligen hände. När pionjären Gustaf Unonius efter sin återkomst till Sverige 1858 skrev ned sina minnen från sina sjutton år i Amerika ville han säkert ge en sanningsenlig bild. Men källmaterialet var just hans egna minnen och de måste ha varit subjektiva och till viss del kanske också omedvetet tillrättalagda.

Av alla som utvandrade är det egentligen bara minnena av ett fåtal som levt vidare. De flesta har glömts bort. Sverige och vad som kallas Svensk-Amerika har också odlat sina egna myter. Liksom i andra länder med stor utvandring till Amerika har en idealiserad och kanske lite nationalromantisk bild formats. I det kollektiva minnet kan positiva faktorer lätt ha förstärkts medan de mer negativa bleknat eller försvunnit. De utvandrare som blev framgångsrika har också satt de tydligaste avtrycken. Manliga utvandraröden är som regel mer väldokumenterade än kvinnliga.

Denna framställning utgår inte från egen historisk forskning utan vilar på arbete som sedan lång tid utförts av andra – de må vara forskare, observatörer eller diktare. Det finns ingen strävan efter fullständighet. Många kan säkert sakna både individer och

---

Ett fredsfördrag slöts med ursprungsbefolkningen på
Johan Brunks egendom. Han stavade då sitt efternamn Bronck och kom
att ge namn till New Yorks stora stadsdel The Bronx.

21

geografiska orter som inte finns med och som kan ha sorterats bort, medvetet eller inte. Personer och platser har ibland valts för att de har en given roll i berättelsen. Men ibland också för att de passar väl in i ett sammanhang eller helt enkelt av det triviala skälet att ett bra källmaterial funnits tillgängligt. De citat som förekommer är hämtade från böcker, dokumentarkiv, officiella handlingar, utställningar, eller artiklar i tidningar och tidskrifter.

Den nya världen, som behandlar svenskarna som kom till Amerika från 1600-talets kolonialtid till 1800-talets inbördeskrig, är första delen i en trilogi. *Den nya staden* berör urbaniseringen och invandringen till Chicago som under en tid hade fler svenska invånare än någon annan stad vid sidan av Stockholm. *Den nya tiden* tar upp invandringsströmmen västerut i Amerika och utvecklingen under 1900-talet.

Vägledande har varit Oscar Handlins tes att invandringen är USA:s historia. Det innebär att betydande utrymme avsatts till inte bara svenska utvandraröden, utan även till delar av historien om USA; om det amerikanska styrelseskicket och om hur en territoriell och ekonomisk expansion både möjliggjorde och förutsatte ett stort inflöde av människor från andra länder.

När de första européerna kom för att bosätta sig i Amerika var det en i flera meningar ny värld de kom till. Även om en ursprungsbefolkning varit på plats i tusentals år, var det geografiskt en ny värld för kolonisatörerna från Europa. Det skulle också bli en ny värld i form av ett nytt samhälle som kom att utveckla den politiska demokratin, religionsfriheten, den nya marknadskapitalismen och en i den gamla världen då okänd social rörlighet. Invandrarna formade Amerika och Amerika förändrade invandrarna; det började redan när de första svenskarna anlände för närmare fyrahundra år sedan.

*

Det är idag omöjligt att exakt veta vad som fick Jonas Brunk att i början av 1600-talet slå in på den väg som ledde honom från en gård i Småland till en plats långt över havet. Vi kan bara ana.

Han måste tidigt ha fattat det inte helt givna beslutet att ge sig av från familjens gård för att gå till sjöss. Att han gick i tjänst i den danska handelsflottan var sedan kanske inte så konstigt för en smålänning. Det var nära till Danmark i och med att Skånelandskapen då ännu – fram till freden i Roskilde 1658 – utgjorde danskt territorium. Han tog senare tjänst i den nederländska handelsflottan, gjorde uppenbarligen väl ifrån sig och hamnade som sjökapten i Amsterdam, då kanske Europas mest kosmopolitiska och dynamiska stad. Som sjöfarare hade han fått se många avlägsna delar av världen under resor som kan ha tagit honom så långt som till Indien och Japan.

Det verkar som om han inför avresan till Amerika planerade att slå sig till ro. Närmare fyrtio år gammal var han till synes beredd att stadga sig när han sommaren 1638 ingick äktenskap med den unga nederländskan Teuntie Joriaens i *Nieuwe Kerk* i Amsterdam. Mindre än ett år senare seglade paret mot den nya världen för att slå sig ned i Nya Nederland. Resan gjordes säkert med officiell uppmuntran. Nederländerna var en imperiebyggande stormakt, men med en befolkning på bara 1,5 miljoner invånare och en stark inhemsk ekonomi var det inte alltid lätt att locka kolonisatörer som ville ge sig av och bygga en ny tillvaro där framtidsutsikterna inte var givna.

Jonas Brunk måste ha varit en relativt välbeställd och bildad invandrare. Med på skeppet till Amerika fanns både tjänstefolk och boskap till hans nya egendom, som även kom att utrustas med ett bibliotek med historisk och teologisk litteratur. Han måste ha sett att det fanns möjligheter till en bättre framtid i det nya landet samtidigt som cirkeln slöts när han började ägna sig åt det jordbruk han övergett i Sverige.

Egendomen förvärvades sannolikt i en uppgörelse med Nederländska Västindiska Kompaniet, men mån om goda relationer såg han också till att ersätta den lokala indianbefolkningen. Det bidrog säkert till att han 1642 fick vara värd för fredsförhandlingar med weckquaskeegindianerna som då kände sig hotade av de europeiska bosättarna. Fredsfördraget som slöts på hans egendom kom visserligen inte att bli varaktigt. Året därpå massakrerades Anne Hutchinson och hennes familj i en brutal attack på en granngård. Hon var en invandrare som kommit med de engelska puritanerna och bannlysts från New England när hon utmanat deras trosriktning och krävt ökad religionsfrihet. Ungefär samtidigt tvingades Brunks vän Jochem Pieterson Kuyter överge sin gård på andra sidan floden i Harlem när den attackerades av fientliga indianer. Kuyter klarade sig med nöd och näppe när han lyckades fly ned till staden Nya Amsterdam på nedre Manhattan.

Men det var inget som Jonas Brunk fick uppleva. Hans tid i Amerika blev kort. Han avled barnlös redan i början av 1643. Då hade han ändå kommit att lämna bestående avtryck i området. Under tiden i Nederländerna hade han ändrat stavningen av sitt efternamn. Vid tidpunkten för sitt giftermål skrev han sitt namn Jonas Jonasson Bronck. Det klingade mer nederländskt än det gamla Brunk. Fredsavtalet med indianerna slöts därmed i Broncks hus. Så småningom anglifierades stavningen till Bronx och det blev namnet på den intilliggande floden, The Bronx River.

Drygt tvåhundrafemtio år senare, när New York 1898 konsoliderades i en megastad som förutom Manhattan inkluderade Brooklyn, Queens och Staten Island, kom den femte stora stadsdelen i nordost att få namnet The Bronx, uppkallad efter den tidiga svenske invandraren från Småland.

Nya Amsterdam var en liten men ändå
kosmopolitisk stad i den nya världen, där en rad olika
nationaliteter och språk blandades.

TAKE UP THE WHITE
MAN'S BURDEN —
SEND FORTH THE
BEST YE BREED —
GO BIND YOUR SONS
TO EXILE TO SERVE
YOUR CAPTIVES'
NEED; TO WAIT IN
HEAVY HARNESS,
ON FLUTTERED FOLK
AND WILD —
YOUR NEW-CAUGHT,
SULLEN PEOPLES,
HALF-DEVIL AND
HALF-CHILD.

Rudyard Kipling

MÖRKRETS
HJÄRTA

Bland indianer och myterister
vid Delawares strand

När sommaren 1652 gått mot sitt slut räckte tålamodet inte längre till bland de kvarvarande kolonisatörerna i Nya Sverige. Flera hade redan gett sig av; de hade flytt till andra europeiska kolonier där det verkade som att nederländska eller engelska överherrar kunde erbjuda bättre framtidsmöjligheter. I den svenska kolonin hade man inte hört något från hemlandet på flera år. Utlovade skeppslaster med nybyggare och förnödenheter hade inte synts till och deras egen ledare, guvernören Johan Printz, hade blivit alltmer maktfullkomlig, vred och brutal i sitt styre.

Upproret låg i luften.

Ett tjugotal bosättare skrev under ett upprop, en protest mot rådande förhållanden som utgjorde en kraftfull kritik mot Printz styre. De krävde att deras budskap skulle framföras till guvernörens överordnade i Sverige. Reaktionen lät inte vänta på sig. För Johan Printz var detta inget annat än myteri och det kunde förstås inte tolereras. Det blev rättegång. Anders Jönsson, som betraktades som en ledarfigur bland upprorsmännen, dömdes till döden. Han avrättades med arkebusering. Exempel måste statueras. De kolonisatörer som färdats över havet till Nya Sverige måste veta sin plats även i den nya världen. Det var många faror som lurade. Johan Printz hade redan nog med det folk som funnits i trakterna kring Delawarefloden långt innan de styrande i det avlägsna Sverige fått för sig att det var Guds vilja att svenskarna skulle ta över och förvalta detta främmande land. Det fanns ett högre uppdrag och i kolonisatörernas ögon var ursprungsbefolkningen primitiva vildar som inte visste sitt eget bästa. De var heller inte att lita på.

Bland indianerna kring Delawarefloden hade den bastante Johan Printz vid denna tid blivit känd som den bleke fetknoppen. De gav honom ett eget namn, Stora Magen, och det var inte avsett som smicker. Med sina uppemot tvåhundra kilo och sitt vresiga temperament kunde han utan tvekan sätta skräck i sin omgivning. Enligt samstämmiga berättelser var han av den sort som, lite beroende på perspektiv, kan beskrivas både som en färgstark figur och en hänsynslös härskare. Med tiden kom såväl indianerna som hans svenska undersåtar att betrakta honom som inget mindre än en tyrann.

Mer än andra företrädare för europeiska kolonialmakter undvek han visserligen att ge sig in i våldsamma konfrontationer med indianbefolkningen. Men det hade nog mer att göra med brist på resurser än på medkänsla och omsorg. Han verkar inte ha haft mycket till övers för de indianer – lenni lenape – som länge levt i området som svenskarna nu betraktade som sitt eget territorium. Printz, som var son till en präst och välbevandrad i den svenska kyrkans lära, talade om indianerna som »djävulens tjänare«. Han förordade att de skulle tvångskonverteras till den rätta kristna tron. Men ännu bättre vore nog att se till att de på ett eller annat sätt försvann från trakten helt och hållet. I ett brev hem till sina överordnade i Sverige begärde han till och med att några hundra soldater skulle sändas över till kolonin för att, som han uttryckte det, »ta vildarna till floden och vrida nacken av dem«.

Till Printz försvar kan möjligen ändå anföras att han inte hade något lätt uppdrag. Han var utsänd för att upprätta en svensk utpost i en främmande, outforskad och avlägsen världsdel, men fick aldrig det stöd han behövde hemifrån. Det var inte bara hans begäran om soldater som kunde ta itu med indianerna som klingade ohörd. Bristen på gehör kunde nog ha frestat på tålamodet hos vem som helst.

Inte bara kolonins bosättare, utan även guvernören själv, måste ha förtvivlat när det gick flera år utan att något nytt skepp från hemlandet anlände till Nya Sverige, och de utlovade förstärkningarna och förnödenheterna aldrig kom. Hans frågor och önskemål ignorerades. Brev han skickade till Stockholm besvarades inte ens. Det var knappast underligt om stämningen både i det fort som byggts och ute bland nybyggena runt omkring i den svenska kolonin försämrades så till den grad att det uppstod en grogrund för ett uppror.

*

Ändå hade det funnits högtflygande planer för en svensk koloni i Nordamerika. Den europeiska kolonialismen växte fram i en känsla av självklar överlägsenhet, inte minst, men inte bara, i religiös bemärkelse. Såväl Sverige som andra europeiska länder var övertygade om att de hade Gud på sin sida när de i expansiv anda gav sig ut över världshaven.

Det fanns flera skäl bakom ambitionen att upprätta kolonier. Expeditioner som letts av en rad sjöfarare hade vid 1600-talets början drivit på en tidig globalisering. En alltmer inflytelserik ekonomisk teori – merkantilismen – visade hur inte bara individer utan även den framväxande nationalstaten, som ännu var i sin begynnelse, kunde bli både rikare och mäktigare genom att samla på sig egna tillgångar. Mer än något annat gällde det att sträva efter ett så stort överskott som möjligt i utrikeshandeln. Internationella transaktioner blev därmed centrala för det egna landets utveckling. Nya handelsvägar till Asien hade redan gett europeiska konsumenter smak för kryddor och siden och de var nu på väg att upptäcka te och andra nya exotiska varor.

Det var vid denna tid som det gick upp för européerna att Nordamerika och Sydamerika var stora kontinenter med väldiga råvarurikedomar, och inte bara en landmassa som kunde erbjuda en genväg till Asien. Vetenskapliga genombrott, tekniska framsteg, bättre organiserade samhällen och andra former av moderniseringar gjorde det samtidigt möjligt att söka avlägsna militära erövringar. Krigets geografi expanderade. Därtill förstärktes de ideologiska motiven av de religionskrig som pågick i Europa. Vid sidan av att öka det egna ekonomiska välståndet öppnade kolonialismen även dörren för att sprida den kristna läran. Folk som betraktades som ociviliserade vildar kunde omvändas till att bli goda protestanter eller katoliker. Det var nu Europa, och europeiska tankesätt och värderingar, som skulle dominera världen.

I Sverige inleddes stormaktstiden på allvar efter att Gustav II Adolf bestigit tronen 1611. Sverige och Finland var sedan länge ett sammanhållet rike och det utvidgades på slagfält i Polen och Ryssland, med militära segrar som gav territorier i och kring Baltikum. Sedan tillkom Pommern och andra tyska områden. Den storsvenska drömmen om att omsluta Östersjön var inte så långt från att förverkligas.

Men Gustav II Adolf närde förhoppningar om att bli kejsare över ett mycket större rike. Att leda ett regionalt storvälde var inte nog för hans höga ambitioner. Han kunde som mest mobilisera en armé på upp till 150 000 soldater, svenskar och inhyrda legoknektar. Det fanns i hans ögon stora expansionsmöjligheter, inte bara österut mot Polen och arvfienden Ryssland, utan även söderut, och han var knappast främmande för tanken att lägga under sig hela det löst sammanhållna tysk-romerska riket och mer därtill. Han skulle göra Sverige till bas för en dominerande världsmakt och hans målmedvetenhet stärktes när han kunde se hur hans europeiska rivaler utvidgade sina domäner. Om tanken på en svensk kolonialmakt i Nordamerika inte hade funnits tidigare, planterades den i alla fall hos den svenske kungen när han 1624 i Göteborg gav en audiens till Willem Usselinx, en flamländsk investerare, handelsman och diplomat med stora visioner.

Usselinx visste vad han talade om. Han hade varit en av grundarna till Nederländska Västindiska Kompaniet – det handelsbolag som nu styrde i Nya Amsterdam – men han hade blivit utmanövrerad och som en besviken man övergett Nederländerna. När han vände sig till den svenske monarken var Usselinx femtiosju år gammal och letade efter en möjlighet att förverkliga den dröm han själv haft för det Nya Nederland som höll på att upprättas i Nordamerika. Förutom att tjäna pengar på det projekt han planerade var det också ett viktigt mål för honom att använda kolonin som bosättningsplats för europeiska protestanter och på så sätt sprida den rätta kristna läran över världen.

Olika svenska ortnamn fick ge namn åt de befästningar och bosättningar som upprättades utefter Delawarefloden i kolonin Nya Sverige.

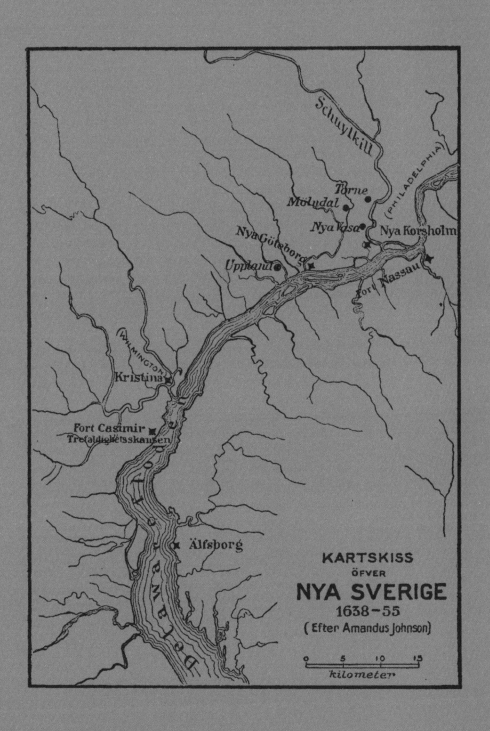

KARTSKISS
ÖFVER
NYA SVERIGE
1638—55
(Efter Amandus Johnson)

0   5   10   15
kilometer

Gustav II Adolf lyssnade länge och uppmärksamt under mötet som kom att pågå i åtskilliga timmar. Det är inte förvånande att religionsargumentet bet på kungen. Efter betydande militära framgångar hade han redan etablerat sig som en av Europas mest briljanta fältherrar. Några år senare skulle han ge sig in det trettioåriga kriget, tidens stora och blodiga uppgörelse inom kristendomen. Den svenske kungen visste att han var kallad som en av protestantismens ledande härförare i en historisk kamp mot den romerska katolicismen.

Nu fick han en beskrivning av hur Spanien hämtat hem väldiga rikedomar från sina erövringar i den nya världen. Det hade varit den spanska kronan som haft modet att en gång skicka iväg Christofer Columbus och det var spanska kolonisatörer som hade kunnat hämta hem guld och silver i stora mängder när de gjort sina erövringar, och när de besegrat inkafolket i Peru och aztekerna i Mexiko hade de dessutom fått möjligheten att sprida katolicismen över stora delar av Sydamerika. Redogörelsen fortsatte med hur den nederländska republiken, efter att ha förklarat sin självständighet från det försvagade spanska imperiet, var på väg att tjäna stora pengar som en växande protestantisk kolonialmakt. Nederländarna, skickliga handelsmän och sjöfarare, hade nu framgångsrikt utmanat Spaniens och Portugals pionjärimperier i Asien och Sydamerika och skulle så småningom också bli en stormakt i södra Afrika. Tack vare Västindiska Kompaniet hade Nederländerna redan en koloni i Nordamerika och från hamnen i Nya Amsterdam kunde begärliga varor skeppas till det europeiska hemlandet.

Usselinx kunde ha lagt till något om hur de brittiska imperiebyggarna också började få fotfäste på den nordamerikanska östkusten. Och om hur Frankrike etablerat en mycket lönsam handel efter att ha tagit över flera karibiska öar och också upprättat ett fäste i Quebec, varifrån Nya Frankrike sedan skulle expandera söderut utefter Mississippifloden ned till New Orleans i söder.

*

Kanske behövde inte Gustav II Adolf så mycket övertalning. Redan före det möte med Willem Usselinx som ägde rum 1624 verkar den svenske kungen ha sett en framtid på andra sidan det stora havet. Om inte annat skulle en svensk koloni tillföra viktiga kunskaper om handel och navigering, och om handeln gav ekonomiska vinster skulle det bidra till att stärka nationen och öka stödet för kungahuset. Adeln kunde räkna med belöningar och den övriga befolkningen skulle också gynnas när rikedomarna i toppen sipprade ned i samhället. Sedan handlade det förstås även om prestige. Varför skulle inte Sveriges stormaktskonung ha avlägsna kolonier när andra europeiska regenter byggde världsomspännande imperier?

Oavsett vilket skäl som vägde tyngst undertecknade Gustav II Adolf snart ett privilegiebrev. Det gav Willem Usselinx fullmakt att starta det handelsbolag som först kallades Söderkompaniet och som fick uppdraget att bedriva handel från främmande världsdelar. Förebilder fanns framförallt i England och Nederländerna. De tidiga europeiska kolonialmakterna hade upprättat ett system med särskilda handelsbolag som gavs långtgående befogenheter över avlägsna besittningar. Privata investerare bjöds in att satsa kapital under statligt beskydd. Det privata ägandet under statliga direktiv gav en möjlighet för nationer att indirekt styra över avlägsna territorier utan att statskassan belastades alltför mycket.

Bolagen kunde bli oerhört mäktiga. De tilldelades en monopolställning i handeln med olika varor, de kunde ta över och fördela stora landområden, bedriva finansiell verksamhet och hålla sig med en egen ordningsmakt. Om problem ändå uppstod kunde de räkna med statligt militärt beskydd.

Men för Söderkompaniet gick det ändå trögt. Trots att det fanns höga förväntningar – Gustav II Adolf satsade själv eget kapital – var det svårare än beräknat att locka investerare och att bygga upp en organisation. Det fanns inte tillräckligt med villiga och resursstarka kapitalister. Projektet drog ut på tiden. Det fanns också annat som krävde uppmärksamhet, angelägenheter på närmare håll, som distraherade ledarna för den svenska stormakten. Sverige gick snart in i det trettioåriga kriget och efter att Gustav II Adolf 1632 stupat i dimman på slagfältet i Lützen hade den planerade Amerikakolonin definitivt hamnat i skuggan. Några skepp kom aldrig iväg över Atlanten.

För Willem Usselinx var det ett ekonomiskt bakslag och en stor besvikelse att han själv aldrig fick vara med och förverkliga sin koloniala vision. Men han kom ändå att spela en fortsatt roll i och med att han uppmärksammade sin nederländske vän Peter Minuit på de planer som trots allt ändå inte helt hade glömts bort i Sverige. När den mäktige rikskanslern Axel Oxenstierna, som ledde drottning Kristinas förmyndarregering, återupplivade tanken på ett Nya Sverige i Amerika var det Minuit som utsågs att föra Sverige in i den nya världen.

Det fanns goda skäl till detta val. Peter Minuit hade en bakgrund i flera europeiska länder. Han kom från en fransk vallonfamilj, var född och uppväxt i den tyska staden Wesel dit hans protestantiske far flytt undan spanska katolska inkvisitorer. Som vuxen flyttade han över gränsen till Nederländerna. Han kunde beskrivas som en ambitiös och driven äventyrare, en individualist, sannolikt utan några starka lojaliteter. Han hade tröttnat på sitt arbete som diamantslipare när han 1624 fick höra talas om att en koloni med namnet Nya Nederland höll på att upprättas i Nordamerika. Han ansökte hos Västindiska Kompaniet om plats på en kommande expedition, som det verkar med en förhoppning om att på egen hand hitta affärsmöjligheter på andra sidan Atlanten.

Efter att ha tillbringat en kort tid i kolonin återvände Minuit till Amsterdam för att åter resa tillbaka till Nya Nederland 1626. Då hade just kolonins ledare, Willem Verhulst, dragit på sig de första bosättarnas missnöje och blivit avsatt. Det kan ha varit en slump, men Peter Minuit blev hans efterträdare. En av de första åtgärderna han sedan vidtog skrev in honom i den världshistoriska mytologin.

*

Det var Peter Minuit som gjorde vad som så småningom kom att kallas för historiens bästa och mest lönsamma markaffär. Han köpte Manhattan för vrakpriset 24 dollar. I efterhand låter det

Peter Minuit hade redan köpt Manhattan åt sitt nederländska handelsbolag när han 1638 gjorde upp den affär med lenni lenape-indianerna som blev grunden för Nya Sverige.

för bra för att vara sant och mycket riktigt finns en hel del som kan ifrågasättas. Även om uppgörelsen sattes på pränt finns inga handlingar bevarade som bevis. Det fanns olika indianstammar i området, men det mest sannolika är att affären gjordes upp med nordliga företrädare för lenni lenape, de indianer som också fanns längre söderut, kring Delawarefloden. Förvärvet av Manhattan var en av många liknande markaffärer som gjordes upp med ursprungsbefolkningen, även om ingen av de övriga blev lika berömd.

Rimligtvis förvärvade inte Minuit Manhattan med bara några värdelösa pärlor och annat krimskrams i utbyte som det ibland hävdats. Det var regel vid andra liknande markuppgörelser vid samma tid att indianerna tog emot knivar, yxor och andra verktyg, liksom vapen, grytor, filtar och kläder. Det samlade värdet på köpeskillingen beräknades av Västindiska Kompaniet till 60 nederländska gulden, vilket senare kom att översättas till summan 24 dollar. I mytbildningen har, även flera sekler senare, indianerna framstått som lättlurade och underlägsna de driftiga vita européer som anlände som självutnämnda civilisationsbärare.

Beloppet 24 dollar framstår förstås som uppseendeväckande men säger inte mycket om betydelsen mätt i dåtidens köpkraft. En köpeskilling i form av verktyg och vapen kan ha värderats högt av indianerna. Framförallt hade de inte samma syn på äganderätt som de europeiska kolonisatörerna. För indianerna var naturen inte något som kunde ägas. Människan kunde bara bruka jordens tillgångar.

Förvärvet av Manhattan räckte i vilket fall inte för att säkra Peter Minuits ställning i den nederländska kolonin. Han verkar inte ha varit någon vidare folkledare eller administratör och han fick snabbt fiender. Maktkamper och missnöje kom att prägla livet i Nya Amsterdam. Rapporter till moderlandet om att kaos var nära att bryta ut ledde till att Minuit mot sin vilja kallades tillbaka till Nederländerna 1631. Som om inte det skulle räcka blev förödmjukelsen än värre när skeppet *Eendracht* på hemvägen råkade ut för en svår storm utanför den engelska sydkusten och tvingades söka skydd i Plymouth. Skeppet beslagtogs på ett oväntat fientligt sätt för att det illegalt tagit sig in på brittiskt territorium. Peter Minuit sattes i fängelse. Det var en försmak av vad som senare skulle utvecklas till en betydligt större världsomspännande kraftmätning mellan de brittiska och nederländska imperierna.

Det dröjde till början av maj 1632 innan den nu frisläppte nederländaren kunde rapportera till sina överordnade på Västindiska Kompaniets ståtliga huvudkontor i Amsterdam. Det är möjligt att han försökte säga något till sitt eget försvar. Men beskedet han fick var att Storbritanniens kung Karl I meddelat att han gjorde anspråk på Nya Nederland och inte erkände området som nederländskt territorium. Peter Minuit fick därefter reda på att han var avskedad. Kolonin hade under hans ledning inte växt tillräckligt och hade för få invånare.

*

Kort därefter mötte han Willem Usselinx som även han hade anledning att känna en revanschlust mot Västindiska Kompaniet, och som nu berättade för Minuit att det fanns planer på att upprätta en svensk koloni. Minuit sammanfördes senare med Samuel Blommaert, en förmögen nederländsk handelsman och investerare som hade stora intressen i svensk kopparexport och mycket goda kontakter i den svenska huvudstaden. Han hade Axel Oxenstiernas öra. Trots att Blommaert var medlem i Västindiska Kompaniets ledning var han missnöjd med sin egen utdelning, och han var nu inte främmande för tanken att gå bakom ryggen på sin egen uppdragsgivare. För Blommaert var Minuit en given samarbetspartner och de utarbetade tillsammans en plan för imperiebyggande som de kunde presentera för Axel Oxenstierna.

Det ledde till att det gamla Söderkompaniet återuppstod, nu under namnet Nya Sverigekompaniet. Oxenstierna, en man med både väldiga ambitioner och höga tankar om sig själv, övertygades av vad han fick höra. Peter Minuit hade trots allt ingående kunskaper om situationen i Nya Nederland och kunde berätta att nederländarna inte hade kapacitet att kolonisera alla områden de gjorde anspråk på i Nordamerika. Söderut, kring Delawarefloden, fanns ledig mark. Det var bara att ta för sig. I ett memorandum till Oxenstierna om Nya Sverige var Minuit tydlig:

»Engelsmännen, fransmännen och nederländarna har ockuperat stora landområden i den nya världen. Sverige bör inte längre avstå från att göra sitt namn känt i främmande länder.«

Det var en uppmaning Oxenstierna inte kunde ignorera. Men även om de svenska stormaktsdrömmarna om en amerikansk koloni var beroende av den svenske rikskanslerns klartecken kom de i praktiken att realiseras med en stor andel nederländskt kapital och kunnande. Det var egentligen inte så konstigt. Sverige räknades visserligen vid tiden som en stormakt men var ändå långt ifrån något finanscentrum. Trots en imponerande militär styrka och en tämligen effektiv politisk administration var Sverige trots allt ett perifert land med en relativt outvecklad råvarubaserad ekonomi, beroende av utländska investerare och handelsmän. Det var naturligt att det i den meningen fanns nära band till Nederländerna. Amsterdam var en ledande finansmetropol och den nederländska ekonomin var redan starkt inriktad på internationell handel.

Nya Sverigekompaniet finansierades först med lika delar nederländskt och svenskt kapital. Det var en självklarhet att Peter Minuit skulle leda den första expeditionen till Nordamerika. Förberedelser gjordes så långt möjligt i hemlighet för att inte det Nederländska Västindiska Kompaniet skulle ana vad som var på gång. I slutet av november kom två skepp till slut iväg. Besättningarna var en blandning av svenskar och nederländare som redan hade tidigare erfarenheter av Atlantresor. De flesta soldaterna var svenskar.

Även om det är sannolikt att en och annan svensk bosatt sig i Nordamerika tidigare under 1600-talet, var de första svenskarna som slog sig ned permanent inte utvandrare i dagens bemärkelse. De var kolonisatörer med uppgift att staka ut nya territorier. De var på plats för att utvidga ett svenskt stormaktsimperium.

*

Deras resa över havet var lång och strapatsfylld men i mitten av mars 1638 – drygt ett år innan Jonas Brunk anlände till Manhattan – närmade sig de svenska skeppen *Kalmar Nyckel* och *Fogel Grip* sitt mål på den amerikanska östkusten. De fortsatte uppför

Delawarefloden, redo att sätta ned den svenska flaggan på nytt territorium. Med all säkerhet var det tur att det inte fanns vare sig lokala indianer eller andra europeiska kolonisatörer som var beredda att bjuda motstånd. Som främmande invasionsstyrka torde inte den svenska expeditionen ha utgjort någon direkt imponerande syn när den seglade vidare utefter bifloden Minquas Kill för att gå iland på den plats där staden Wilmington finns idag.

Det låg i kolonialismens natur att den inte tog någon särskild hänsyn till ursprungsbefolkningens rättigheter och villkor, eller vad som senare skulle kallas folkrättsliga aspekter. Även om mark oftast förvärvades mot betalning i varor fanns olika synsätt om vad som utgjorde rättmätiga anspråk och rimliga ersättningar.

Det område där svenskarna landsteg – i vad som senare skulle bli delstaten Delaware – var redan omstritt ur ägarsynpunkt. Engelsmännen menade att området var deras eftersom de »upptäckt« Nordamerika när sjöfararen John Cabot landsteg på Newfoundland 1497. Enligt teorier som bar upp kolonialismen och imperialismen hade den nation som »upptäckt« ett landområde rätten på sin sida, och engelsmännen hävdade att de var det första civiliserade folket i Nordamerika. Christofer Columbus hade trots allt aldrig nått fastlandet utan bara Karibien, eller vad som då fick namnet Västindien, och därmed skulle hela kontinenten räknas som engelskt territorium. Det spelade ingen roll att det – som det senare påpekats – fanns uppenbara svagheter i resonemanget. Som att John Cabot, även om han var i tjänst hos den brittiske kungen Henrik VII, kom från Italien där han var döpt till Giovanni Caboto eller att han själv trodde att ön Newfoundland där han landsteg var en avsides del av Asien.

Argumenten kunde lätt bli motsägelsefulla. Just när det gällde området kring Delawarefloden kunde Storbritannien även hänvisa till att det först »upptäckts« av engelsmannen Henry Hudson 1609, då han passerade strax innan han nådde fram till Manhattan. Men när han ledde denna expedition till Amerika var Hudson förstås i nederländsk tjänst.

Nederländerna avvisade i vilket fall de brittiska anspråken och drev uppfattningen att det inte räckte med att »upptäcka« ett landområde. Det krävdes också varaktiga bosättningar för att göra anspråk på territorier. Den flod som engelsmännen kallade Delaware – efter den tidige kolonisatören Thomas West, adlad som baron De La Warr – fick på nederländska namnet *Suyt Revier*, Södra floden, vilket markerade att området utgjorde den sydliga delen av Nya Nederland där Hudsonfloden då kallades *Noort Revier*, Norra floden.

Nederländarna hade via Västindiska Kompaniet redan 1631 uppfört en bosättning vid Delawarefloden med namnet Swaanendael. Bland initiativtagarna fanns ingen mindre än Samuel Blommaert, och en uppgörelse som gjordes med områdets indianer hade undertecknats av Peter Minuit när han fortfarande styrde i Nya Amsterdam. Men Swaanendael existerade bara en kort tid. Efter en konflikt med indianbefolkningen förintades kolonin i en brutal attack 1632. Alla bosättare dödades.

*

När han anlände under svensk flagg hade Peter Minuit alltså redan goda kunskaper om situationen i området och därmed också om den nederländska kolonins svagheter. Han kände till att Nederländska Västindiska Kompaniet hade förvärvat land öster om Delawarefloden i vad som senare blev delstaten New Jersey och att det fanns en befästning, Fort Nassau, längre norrut. Minuit började därmed bygga Nya Sverige på den västra sidan av floden. Han visste också att Nya Nederland hade problem med att få över egna bosättare och att det knappast fanns resurser att bekämpa nya svenska kolonisatörer söderut. Det fanns visserligen goda skäl att tro att engelsmännen hade ambitionen att binda ihop sina kolonier i New England med Virginia i söder. Men Storbritannien var då troligen mer upptaget med att bekymra sig om vad andra kolonialmakter som Nederländerna och Frankrike skulle ta sig för. Det fanns inga starka skäl att tro att det existerade några större hinder för en svensk etablering.

Nederländaren Peter Minuit ledde den första svenska expeditionen till den nya världen.

I den uppgjorda planen ingick att snabbt upprätta en bosättning vid Delaware som skulle bli ett Nya Stockholm. Till att börja med upprättades en befästning vid Minquas Kill som gavs namnet Fort Christina efter den ännu omyndiga drottning Kristina. Floden bär än idag namnet Christina River.

Därefter var det tänkt att Minuit skulle ta sig vidare ned till Florida för att även där upprätta en svensk koloni. Det är inte helt klart riktigt hur grandiosa visionerna egentligen var om ett svenskt välde i Amerika. Sannolikt fanns bara vaga uppfattningar om den nya kontinentens utbredning när det talades om hur Sverige skulle kunna »bemästra hela landet«, med kolonier från Florida i söder till Newfoundland i norr. Uppenbarligen fanns i alla fall drömmar om en vidare och tämligen långtgående expansion.

De erfarenheter som Peter Minuit skaffat sig när han gjorde Manhattanaffären kom nu väl till pass. Han hade sett till att skeppen *Kalmar Nyckel* och *Fogel Grip* var lastade med yxor, knivar och andra verktyg, liksom med speglar och smycken. Det var föremål som skulle kunna utgöra köpeskilling för markförvärv. Det stod också i hans instruktioner från Sverige att den lokala indianbefolkningen skulle behandlas väl. Det kan kanske verka framsynt i humanitär bemärkelse, men med tanke på den låga numerären i den svenska expeditionen fanns det nog även ett egenintresse i att undvika våldskonflikter.

Kort efter ankomsten fick Minuit och de svenska kolonisatörerna också besök av företrädare för de lokala indianerna, lenni lenape, som omedelbart fick en förfrågan om de var villiga att sälja mark. Ett köpslående inleddes. Den 29 mars 1638 gjordes en affär upp ombord på *Kalmar Nyckel* med de fem indianhövdingarna Mattahorn, Mitatsimint, Erupacken, Mahomen och Chiton. Det är okänt om uppgörelsen i pengar låg över eller under de 24 dollar Minuit tidigare betalat för Manhattan. Men det råder knappast någon tvekan om att båda affärerna – liksom andra liknande förvärv – gjordes utifrån olika förutsättningar hos de två parterna. Indianbefolkningen hade en helt annan syn på äganderätt än de europeiska kolonisatörerna. Det var olika världsbilder som ställdes mot varandra och de kom aldrig att mötas.

De kristna européerna var fostrade i en tidig kapitalism samtidigt som de hämtade stöd i Bibeln för sin övertygelse om att naturen var till för människan att utnyttja. För indianerna var naturen, dess djur och växter, ett levande andligt väsen. Allt liv hängde samman. Naturen gick därmed inte att äga i samma bemärkelse som ett dött ting. Det som svenskar och andra européer betraktade som en köpeskilling såg indianerna sannolikt mer som en gåva som togs emot i positiv anda. De visade att de var beredda att dela marken och låta den brukas även av de nya invånarna. Historikern Amy Schutt har liknat det upprepade mottagandet av verktyg och varor som en process som från indianernas sida syftade till att bygga och stärka en långvarig relation.

*

För lenapeindianerna, som också kallas delawarer efter det område där de hade många av sina bosättningar, var inte européer något nytt. Den första kontakten etablerades redan 1524 när Giovanni da Verazzano försökte utforska den nordamerikanska Atlantkusten. Olika lenapestammar levde då i vad som idag är nordöstra USA, framförallt i vad som blev delstaterna New York, Pennsylvania, New Jersey och Delaware, en region som ibland beskrivits som Lenapeland. De tillhör den större språkgruppen algonkiner som då även fanns längre norrut, i New England och södra Kanada. De flesta kvarvarande lenapeindianerna lever idag i reservat i delstaten Oklahoma.

Från svensk sida betonades – inte bara då utan även långt senare – att relationerna mellan svenskarna och lenapeindianerna var bättre och mer fredliga än de indianerna hade med engelsmän, nederländare och andra vita européer. Men i efterhand framstår det som lite långsökt att indianerna skulle ha betraktat just svenskarna som ett bättre slags europeiska kolonisatörer.

Det fanns trots allt ännu inget uttalat europeiskt intresse att fördriva indianerna som då sågs som viktiga handelspartners. I de handelsnätverk som uppstod blev alla grupper brickor i ett spel där det gällde att manövrera rätt för att få övertaget. Indianernas handelsintressen kunde gynnas av att det fanns andra på den nordamerikanska östkusten att göra affärer med, vid sidan av nederländarna och engelsmännen.

Under den tid Nya Sverige fanns är det hur som helst inte mycket som tyder på att svenskarna, mer än andra européer, gjorde några särskilda ansträngningar för att förstå lenapeindianernas religion, kultur och samhällsliv. Indianerna var aldrig något mer än primitiva vildar i svenskarnas ögon. Den svenske botanisten Pehr Kalm, Linnélärjungen som i mitten av 1700-talet vistades en längre tid i vad som varit Nya Sverige, återgav i sin reseberättelse en talande anekdot från den gamla kolonin: En svensk som vandrat med en indian i naturen upptäckte en rödspräcklig orm. Indianen förklarade att den var helig. Svensken dödade då omedelbart ormen och motiverade det med att det var nödvändigt eftersom indianen trodde på ormen i religiös bemärkelse.

Bland kolonisatörerna i Nya Sverige var det antagligen prästen Johannes Campanius som visade det mest aktiva intresset för indianerna. Han anlände några år efter Peter Minuit och ansträngde sig för att lära sig deras språk när han med mycket begränsad framgång försökte övertyga indianerna att bli goda lutheraner enligt den svenska statskyrkans lära.

Peter Minuit upprättade i alla fall en handel med lenapeindianerna i enlighet med sina instruktioner från Sverige. Medhavda varor byttes mot bäverskinn som i sin tur kunde bytas mot tobak som skulle levereras hem till Sverige där det fanns en stigande efterfrågan. Den nystartade svenska kolonin var också beroende av att kunna köpa majs och andra livsmedel från indianerna.

*

Samtidigt valde Minuit att helt ignorera de alltmer hotfulla territoriella krav som kom från hans efterträdare i Nya Nederland, Willem Kieft, som såg den svenska bosättningen som en aggressiv handling. Det fanns goda möjligheter till olika tolkningar av vilka befogenheter som gällde i sammanhanget. För koloniernas ledare var instruktionerna från hemländerna sällan glasklara. Även om Minuit utan tvekan gjorde anspråk på att företräda den svenska kronan var det inte helt självklart om det handlade om en potentiell konflikt mellan två nationer, Sverige och Nederländerna, eller mellan två internationella handelsbolag, Nya Sverigekompaniet och Nederländska Västindiska Kompaniet.

Redan den första sommaren gjorde sig Minuit i alla fall redo att återvända till Sverige för att avlämna en rapport om kolonin till sina överordnade. På vägen tillbaka stannade *Kalmar Nyckel* till vid den karibiska ön Saint Christopher – nu mer känd som Saint Kitts – för att handla tobak med hem till Sverige. I hamn bjöds Minuit i all vänskaplighet över till ett nederländskt skepp när en ovanligt våldsam orkan stormade fram. Det nederländska skeppet rycktes loss och fördes ut till havs där det gick under. Peter Minuit var borta. *Kalmar Nyckel*, som klarade stormen bättre, kunde några dagar senare fortsätta sin färd över Atlanten, men utan ledaren för den svenska utpost som just grundats.

Här kunde det svenska koloniala äventyret i Nordamerika ha fått ett snabbt och snöpligt slut. Det var knappast någon större skara som lämnats kvar och om kolonin skulle kunna utvecklas behövdes tillskott av både personella och materiella resurser. Det skulle också dröja till våren 1640 innan *Kalmar Nyckel* var tillbaka i Nya Sverige. Då hade det gått närmare två är efter att skeppet inlett den för Peter Minuit ödesdigra återresan till Sverige. Måns Nilsson Kling, som under tiden varit tillförordnad guvernör, fick nu avlösning av Minuits efterträdare Peter Hollander Ridder.

Den nye guvernören kunde visserligen konstatera att kolonin fanns kvar. Men den bestod bara av en handfull bosättare och soldater, jordbruket och handeln var det inte mycket med och Fort Christina hade förfallit. Även om den svenska kolonin etablerats i ett bördigt område fanns också svåra hinder och påfrestningar. Träskmarker och annan oländig terräng var inte bara svårforcerade utan bidrog också till att olika sjukdomar spreds. Temperaturväxlingarna kunde vara mer drastiska än i det skandinaviska klimatet. För att få kolonin att blomstra ställdes betydande krav på resurser, organisation och kunskap.

En besviken Ridder klagade bittert till sina överordnade i Sverige. Han var inte glad över situationen och påstod att det vore svårt att hitta dummare människor någonstans i Sverige än de han mötte i kolonin. Möjligen kan hans missnöje ha haft något att göra med att flera av de allra första kolonisatörerna från Sverige var brottslingar som mer eller mindre under tvång valt att flytta till Amerika för att undgå att hamna i fängelse. Det var inget som var unikt för den svenska kolonialmakten. England utnyttjade i ännu större skala sina kolonier som avstjälpningsplats för kriminella och andra icke önskvärda element. I åtminstone något fall hände det att en dömd svensk brottsling klarade sig undan dödsstraffet mot att förbinda sig till ett antal år i den avlägsna svenska kolonin. Det var uppenbarligen inte helt lätt att hitta kvalificerade svenskar som var beredda att ge sig av frivilligt. Den livskraftiga emigrantdrömmen om en bättre framtid i den nya världen var något som skulle få fäste först långt senare.

Men även om Ridder knappast fick fullt gehör för sina synpunkter måste det ha gått upp för Axel Oxenstierna och andra svenska makthavare att något måste göras. Som affär betraktad var Nya Sverige knappast lysande och de ursprungliga nederländska investerarna drog sig ur projektet när den förväntade avkastningen uteblev. Bråk mellan svenska och nederländska officerare på plats bidrog heller inte till att ingjuta någon respekt i militär bemärkelse. Mot den bakgrunden togs under 1642 beslutet att omstrukturera Nya Sverigekompaniet. Den svenska staten gick in som aktiv part och ägare vid sidan av kvarvarande privata investerare. Bolaget var nu helsvenskt och halvstatligt. Samtidigt utsågs officeren Johan Printz till ny guvernör.

Bakgrunden till utnämningen – som av allt att döma drevs igenom av Axel Oxenstierna personligen – kan tyckas en aning besynnerlig. Det fanns trots allt ett militärt misslyckande i bagaget. Printz var en ambitiös prästson från Småland som fått stipendier för att studera teologi vid tyska universitet. Avsikten var att han skulle följa i sin fars fotspår. Men under det trettioåriga kriget framstod militärtjänstgöring som ett oundvikligt uppdrag. Krig var då något som glorifierades och gav en ung man möjlighet att vinna heder och ära.

Printz hamnade ute i Europa som legoknekt, bland annat vid olika tyska förband. Han trivdes uppenbarligen med äventyret på slagfälten. Tillbaka i Sverige fortsatte han den militära karriären och sågs som ett lovande officersämne. Han gjorde bra ifrån

sig, deltog i de svenska erövringarna i Europa och utmärkte s
inte minst vid slaget i Wittstock 1636. Han hade då avancerat t
överstelöjtnant.

Men 1640 ställdes han inför ett stort personligt bakslag. Ha
föll i onåd hos den svenske fältmarskalken Johan Banér samtidigt som han tvingades ge upp den tyska staden Chemnitz som
Sverige tagit över året innan. Efter att ha kapitulerat återvände han av någon anledning, till synes i panik, på egen hand till
Stockholm utan att först ha införskaffat nödvändiga tillstånd och
dokument. Han greps, ställdes inför krigsrätt, fråntogs sin befälsroll, om än inte sin rang, och den nästan tjugo år långa militära
karriären tycktes vara ett avslutat kapitel. Besviken drog han sig
tillbaka till sin gamla hembygd i Småland.

Men bara ett och ett halvt år senare fick Printz återupprättelse
när han oväntat tilldelades posten som guvernör i Nya Sverige.
Den vanliga förklaringen är att Axel Oxenstierna gärna ville ge
Printz en ny chans och om han kunde leda den svenska Amerikakolonin skulle han visa att han ändå kunde klara ett svårt uppdrag. Hans tidigare insatser i kriget var trots allt uppskattade
och han kunde åberopa goda vitsord och rekommendationer. Inför
avresan blev Johan Printz till och med adlad, kanske delvis för
att det skulle framgå att den svenska stormakten inte sände vem
som helst som guvernör till sin koloni i Amerika. Men möjligen
kan det också ha varit så att det var viss brist på andra kvalificerade och villiga kandidater. Nya Sverige var ingen given språngbräda i en ämbetsmannakarriär.

*

Printz lämnade i vilket fall Göteborg i november med de två
skeppen *Fama* och *Svanen*. Expeditionen färdades utefter den
långa södra rutt som ansågs enklare att navigera, ned utefter
Portugals och Nordafrikas kuster och via Kanarieöarna över Atlanten. Julhelgen firades på den karibiska ön Antigua. Vid ankomsten till Nya Sverige den 15 februari 1643 tillträdde Johan
Printz direkt sin nya befattning.

Väl på plats tog han sitt uppdrag på djupaste allvar och kom

49

mer än någon annan enskild individ att sätta sin prägel på den svenska kolonin. Han tog omedelbart befälet och styrde verksamheten på militärt vis med fast hand och blev med tiden alltmer brysk i sitt ledarskap. Han har beskrivits som vildsint, ständigt svärande och oförsonlig mot alla som dristade sig att på något sätt ifrågasätta hans ledarskap.

Printz förvärvade nya angränsande landområden från lenapeindianerna. Med utvidgningen, som fortsatte även längre fram, expanderade Nya Sverige därmed territoriellt i ett område som numera inkluderar delar av delstaterna Delaware, Pennsylvania, New Jersey och Maryland. Vad som idag är delar av södra Philadelphia var under en tid svenskt territorium.

Under Printz styre uppfördes flera nya militära befästningar. Vid sidan av Fort Christina byggdes forten Nya Göteborg, Nya Elfsborg, och Nya Korsholm. Antalet bosättningar ökade. Det fanns gott om mark att fördela bland de kolonisatörer som fanns på plats och Printz själv byggde ett furstligt residens för eget bruk på ön Tinicum, intill fortet Nya Göteborg. Det fanns ingen anledning att tvivla på att han månade om sin status när den nya bostaden döptes till Printzhof (också beskrivet som Printz Hall).

De första åren under Printz styre kan beskrivas som kolonins storhetstid. Flera skepp anlände från Sverige med nya bosättare som förde upp antalet invånare till en högre nivå. Utrustning och varor levererades också vilket möjliggjorde både en utveckling av det egna jordbruket och en ökad handel med lenape och andra indianstammar i regionen.

I de instruktioner han hade med sig från Sverige uppmanades Printz – på samma sätt som hans företrädare – att verka för goda relationer med såväl andra europeiska kolonialmakter som med lokala indianstammar. Trots att både nederländare och engelsmän tyckte sig ha god anledning att se på de svenska anspråken kring Delawarefloden som en fientlig handling utbröt aldrig några stridigheter. Det var säkert inte bara Printz förtjänst. De två

Den respektingivande Johan Printz
var Nya Sveriges guvernör under drygt tio år.

andra kolonialmakterna såg med all rätt varandra som huvud-
rivaler när den nordamerikanska östkusten koloniserades. När
det gällde Nya Sverige valde de tills vidare att bida sin tid. Det
gällde också – om än bara till en början – när den nederländske
guvernören Willem Kieft i Nya Nederland 1647 tvingades bort
från sin post för att ersättas av en mer beslutsam och expansiv
efterträdare vid namn Peter Stuyvesant.

Men Johan Printz visade sig ändå vara en skicklig aktör när
olika grupper spelade ut varandra i skilda konstellationer. Han
visste att de motsättningar som fanns mellan engelsmän och ne-
derländare kunde utnyttjas till Nya Sveriges fördel. Även olika
indianstammar blev – ofta helt medvetet och till sin egen fördel –
deltagare i ett pågående maktspel. Även om våldsamma och blo-
diga konflikter senare utspelades mellan indianer och européer
utnyttjade de tills vidare varandra som handelspartners. För
svenskarna gällde att de knappast skulle ha överlevt utan majs
och andra livsmedel från lenapeindianerna. Även om de svenska
kolonisatörerna i brev hem till Sverige kunde beskriva det nya
landet som vackert och bördigt, som flödande av mjölk och ho-
nung, var de inte kapabla att bli självförsörjande. De var beroen-
de av indianernas leveranser av bäverskinn och andra djurpälsar
som kunde säljas i de övriga europeiska kolonierna eller, i mindre
utsträckning, skeppas hem till Sverige.

Om den utvidgning av Nya Sverige som skedde under Printz
styre – territoriellt, befolkningsmässigt och ekonomiskt – skulle
kunna fortsätta krävdes dock på nytt ett mer aktivt engagemang
från den ansvariga ledningen i Sverige, som åter hade tappat in-
tresset. När tiden närmade sig år 1650 tycktes det rentav som om
den avlägsna svenska kolonin helt glömts bort. Efter att *Svanen*
kommit tillbaka till Nya Sverige i början av 1648 skulle det dröja
mer än sex år innan de svenska kolonisatörerna vid Delaware-
floden fick se ett nytt skepp från Sverige lägga an. *Kattan* sän-
des visserligen ut 1649, men förliste utanför Puerto Rico. Lasten
beslagtogs av spanska kolonisatörer. Passagerare och besättning
lämnades att under avsevärda vedermödor försöka ta sig tillbaka
till Sverige. Det tog nästan ett år innan Johan Printz ens fick veta
vad som hade hänt med skeppet.

*

Det fanns en rad skäl till att de tidigare högtflygande Amerika-
planerna återigen hamnade i skuggan i Sverige och att åtmin-
stone en del av de brev som Johan Printz skickade från kolonin
lämnades olästa, eller i varje fall obesvarade. Viktigare och mer
närliggande problem krävde större uppmärksamhet när det tret-
tioåriga kriget gick mot sitt slut. Sverige behövde alla skepp som
gick att uppbringa för andra insatser. De utdragna och diploma-
tiskt krävande förhandlingar som pågått under flera år i de två
tyska städerna Osnabrück och Münster, och som resulterade i
den westfaliska freden, gjorde visserligen Sverige till en seger-
makt. Även om alla erövringsdrömmar knappast infriats tilldela-
des Sverige flera nya territorier i Pommern och andra delar av det
försvagade tysk-romerska riket.

Men den långvariga krigföringen hade också tärt på den svens-
ka ekonomin. Freden blev i den meningen ingen lättnad, snarare
tvärtom. Det fanns gott om kreditgivare som nu krävde återbe-
talning och det var en kostsam och utdragen process att ställa
om alla hemvändande soldater till det civila samhället, vilket i
de flesta fall innebar jordbruket. Problemen var av sådan omfatt-
ning att situationen i Sverige efter det långa kriget beskrivits
som en fredskris. När ekonomin försämrades ökade missnöjet i
landet med tilltagande politiska motsättningar mellan de fyra
stånden – adel, präster, borgare och bönder – och det blev i sig en
distraktion. Axel Oxenstierna var inte alldeles pigg på att ge upp
sin mycket starka position när drottning Kristina hävdade sina
maktanspråk efter att hon formellt tagit över regeringsansvaret
vid sin myndighetsförklaring 1644. Det fick också konsekvenser
för den politiska stabiliteten.

De ekonomiska och politiska problemen utlöste nu ändå ing-
en rusning bland befolkningen för att få plats på ett skepp till
Amerika. För ett land som ännu hade stormaktsambitioner var
Sveriges befolkning snarast så gles att det var något som väckte
oro i de styrande skikten. Det fanns skäl att inte uppmuntra till
utvandring. Därtill hade handeln med Amerika aldrig blivit rik-
tigt så lyckosam som man hoppats, kanske för att den inte var så

väl genomtänkt från början. Enligt plan skulle Nya Sverige i huvudsak leverera tobak och pälsar till moderlandet. Men även om det svenska bruket av tobak ökade kraftigt under 1600-talet var det fortfarande en lyxvara; efterfrågan var ännu begränsad till de högre samhällsskikten och en omfattande smuggling underminerade den svenska kolonins handelsprivilegier. Behovet av pälsar från bävrar och andra djur kunde täckas från mer närliggande marknader. Nya Sverige sålde istället vidare mycket av de pälsar som köpts från indianerna till de andra europeiska kolonierna. Stora delar av de leveranser som ändå skeppades från kolonin i Amerika över Atlanten såldes i Amsterdam och nådde aldrig den svenska hemmamarknaden.

De framsteg som gjorts under de första åren av Printz styre blev inte långvariga. Åren före 1650 började istället problemen hopa sig. Svenskarna hade, liksom andra europeiska kolonisatörer, på olika sätt bidragit till att förändra relationerna mellan olika indianstammar. Ett skäl till att Printz tidigare varit så missnöjd med lenapeindianerna att han ville vrida nacken av dem, var att den höga efterfrågan på bäverpälsar i kombination med växlingar i klimatet bidragit till en bristsituation. Bävrar och andra pälsdjur som funnits i överflöd nära Delawarefloden blev alltmer sällsynta i området. Svenskarna kunde nu bara köpa majs och andra jordbruksprodukter direkt från lenapeindianerna. Samtidigt visade lenni lenape prov på visst affärssinne när de började använda varor från den svenska kolonin för att köpa djurpälsar från susquehannockindianerna som levde på lite längre avstånd från den svenska kolonin. När pälsarna sedan såldes vidare till europeiska kolonisatörer var det en transaktion med förtjänst.

Algonkinerna lenape och susquehannock hade en komplicerad relation till varandra. Historiskt hade de utkämpat våldsamma konflikter samtidigt som de försökte leva i samexistens på delvis gemensamt territorium. Under den tidiga kolonialismen blev de konkurrenter på en marknad. När Printz försökte eliminera lenape som mellanled i handeln och göra affärer direkt med susquehannock och sedan sälja vidare till brittiska kolonisatörer norrut, väckte det rimligtvis ont blod. Lenapeindianerna försökte styra över sin handel till nederländarna och anklagade svens-

karna för att ha släppt loss en *manitou*, en ond ande som s
för ursprungsbefolkningen så ödesdigra sjukdomar som
med kolonisatörerna.

Även om Printz nu inte ägde sådana övernaturliga krafte
de han ändå vad han kunde för att hindra ett möjligt närmande
mellan lenape och Nederländska Västindiska Kompaniet. Han
drog sig inte för att sprida falska uppgifter om att Nya Nederland
planerade att sända soldater till området med uppdrag att utrota
lenapeindianerna. Johan Printz litade varken på lenape, susque-
hannock eller andra indianstammar och han var övertygad om
att de inte heller litade på honom.

I detta misstänksamma klimat försämrades grannsämjan även
av att svenskarna, liksom nederländare och engelsmän, i allt hög-
re grad började förse indianerna med alkohol och handeldvapen
som blev mer och mer vanliga betalningsmedel när transaktioner
gjordes. Pehr Kalm konstaterade senare »huru den europeiska ci-
vilisationen fysiskt och moraliskt neddrager, ja, fördärfvar de vil-
da folkslagen« genom att föra med sig sjukdomar och brännvinet.

Kolonisatörerna insåg själva faran. När spritdrycker introdu-
cerades ställde det inte bara till problem bland indianerna utan
förstärkte också ett våldshot mot de vita bosättarna. Om inte
annat gav indianledare européerna skulden när dryckenskapen
bland de egna gick överstyr. Försäljning av handeldvapen betrak-
tades först som otillåtet och svenskarna beskyllde engelsmännen
för att bryta mot ett förbud. Men indianerna krävde vapen för sin
jakt. Svenskarna verkar ha varit lika goda kålsupare som andra
kolonisatörer. De ignorerade riskerna och sålde gevär och am-
munition till indianerna trots att vapnen skulle kunna användas
mot dem själva.

Även om inga väpnade konflikter uppstod med lenapeindia-
nerna blev Johan Printz alltmer kringskuren och isolerad i sin
maktutövning. Det blev uppenbart att Peter Stuyvesant i Nya
Amsterdam smidde konkreta planer för att utvidga den neder-
ländska kolonin söderut enligt tidigare anspråk. Under våren
1651 tog Stuyvesant beslutet att avveckla det gamla Fort Nassau
på östra sidan av Delawarefloden, ett på flera sätt ofördelaktigt
läge. Framförallt låg det på fel sida för de indianer som hade päl-

sar att sälja. Istället upprättades en ny nederländsk befästning, Fort Casimir, på den västra sidan av floden och söder om Fort Christina. Det var en styrkedemonstration. I ett slag hade Stuyvesant i en viktig bemärkelse tagit kontroll över floden. Om nya svenska skepp skulle anlända var de tvungna att passera Fort Casimir för att nå fram till sina landsmän i Nya Sverige. Den svenska kolonin var i praktiken avskuren. Det var en provokation, men hur förödmjukad han än var kunde Johan Printz inget göra. Han hade varken de soldater eller den militära utrustning som skulle ha krävts för att sätta hårt mot hårt.

I själva verket hade han fullt sjå att bevara sin auktoritet bland sina egna kolonisatörer. Han visste inte längre riktigt vem han kunde lita på. Den tidiga pionjäranda som säkert präglat bosättarna efter att de anlänt började ge vika under allt större vedermödor. De vardagliga problemen trängde undan visionerna. Missnöjet växte. Som guvernör betraktades Printz alltmer som en grym despot som vägrade lyssna på kolonins invånare. Även om det knappast var enbart Printz fel att det inte kom några nya bosättare, att det fanns för få soldater och för lite varor kunde det inte hjälpas att framtidstron försvann. En del såg så dystra försörjningsmöjligheter att de valde att lämna kolonin. De flydde till Maryland eller till Nya Nederland. Det framstod som ett bättre alternativ att leva bland engelska eller nederländska kolonisatörer än att stanna kvar hos Printz som nu beskylldes för att vara både hänsynslös och brutal, en diktator som behandlade sina undersåtar som slavar.

*

Krisen blev akut hösten 1652. Det rådde revoltstämning när mer än tjugo bosättare året därpå skrev under det upprop som riktade stark kritik mot Printz ledarskap och som de krävde att få framföra till de högsta styrande i Sverige. De upproriska kolonisatörerna hävdade inte bara att de behandlades illa utan också att de i rådande läge var rädda för att förlora både egendom och liv.

Johan Printz vredesutbrott – som alltså följdes av en rättsprocess och en arkebusering – räckte inte för att stämma myteriet i bäcken eller för att tysta de missnöjda. Guvernörens undersåtar lät sig inte avskräckas.

Missnöjet med Printz fortsatte att växa och efter sommaren 1653 insåg han till slut att situationen var ohållbar och att det var lika bra att ge upp. Det fanns förstås inget svenskt skepp som kunde ta honom tillbaka till hemlandet. Men när hösten kom lämnade han ändå den koloni han lett under drygt tio år, en betydligt längre tid än han hade räknat med när han lämnade Sverige. Han kunde inte göra annat än att resa norrut till Nya Amsterdam och var denna gång tvungen att segla med ett nederländskt skepp för att kunna ta sig tillbaka till hemlandet.

Innan avresan hade Printz, kanske i ett uttryck av personlig fåfänga, försäkrat Nya Sveriges bosättare att han skulle komma tillbaka. Så blev det inte. I Sverige insåg man till slut att det krävdes nya initiativ och ny ledning om kolonin skulle överleva. Men Johan Printz befordrades i alla fall först till överste och kunde sedan avsluta sin karriär som landshövding i Jönköping.

Han hade lämnat Nya Sverige i dåligt skick och utsett sin svärson Johan Papegoja till ställföreträdande guvernör. Det fanns nu inte mer än kanske ett sjuttiotal bosättare kvar i kolonin där en hopplöshet bredde ut sig. Nederländarna väntade på rätt ögonblick att ta över. Det kunde tyckas som om det var lika bra att ge upp.

Men i Stockholm fanns ändå en vilja att gå vidare. De koloniala stormaktsdrömmarna hade inte försvunnit utan fortlevde i de ledande skikten. Erik Oxenstierna, den tidigare guvernören i Estland som snart skulle efterträda sin far Axel som rikskansler, hade nyligen utnämnts till chef för Kommerskollegium och började omedelbart att försöka övertyga drottning Kristina om vikten av en kolonial expansion i Amerika. Det låg i högsta grad i Sveriges intresse att stärka utrikeshandeln, hävdade han. Det fanns stora vinster att göra. Nya storstilade Amerikaplaner drogs upp. Sveriges tid som stormakt kunde inte vara över. En ny guvernör för Nya Sverige måste utses. Fler kolonisatörer skulle skeppas över Atlanten. Det fanns en vision. Den var säkert från början orealistisk och kanske naiv och det skulle inte dröja länge innan den krossades.

VÅRA MAKT-BEFOGENHETER HÄRLEDS TILL GUD OCH VÄSTINDISKA KOMPANIET – INTE FRÅN EN ÖNSKAN HOS ETT FÅTAL OKUNNIGA UNDERSÅTAR.

Peter Stuyvesant

IDAG JAG,
IMORGON DU

*Ömkligt slut för den svenska
kolonialismen i Amerika*

När slutet ändå kom var det snöpligt. Svenskarna i Amerika saknade helt kapacitet att bjuda motstånd och kunde inte göra annat än att ge upp utan att ett enda skott avlossades. Det för eftervärlden mest ärofulla ögonblicket i samband med kapitulationen kom nog när den nederländske guvernören Peter Stuyvesant förklarade sin avsikt att ockupera Nya Sverige vid ett möte med svensken Hendrick von Elswick. Denne svarade, visserligen uppgivet men ändå trotsigt, på latin: *Hodie mihi, cras tibi*. Idag jag, imorgon du.

Det var välfunnet och profetiskt sagt, om än kanske inte i den bemärkelse som var avsedd. Om det fanns ett undertryckt hot om en svensk revansch i den lågmälda varningen var det förstås bara tomma ord. Men som spådom var det ändå helt korrekt. Det var nu september 1655 och det skulle inte dröja många år innan även Stuyvesant tvingades kapitulera och det utvidgade Nya Nederland togs över av engelsmännen.

Hendrick von Elswick hade inte varit någon längre tid i Nya Sverige, men han hade ändå råkat ut för tillräckligt med äventyr och svårigheter. Som nära medarbetare till den nye guvernören Johan Claesson Risingh – Johan Printz efterträdare – var han en av ledarna för den expedition som 1654 till slut reste iväg med nya bosättare och behövlig utrustning till den svenska kolonin. Efter det långa avbrottet i kontakten mellan koloni och moderland, som varat över sex år, styrde två skepp kursen mot Nya Sverige. Johan Claesson Risingh fanns ombord på *Örnen* som lämnade Göteborg i februari, redan innan Johan Printz hunnit sätta sin fot i hemlandet. Hendrick von Elswick seglade några månader senare med *Gyllene Hajen* och med uppdraget att på vägen stanna till i Puerto Rico.

59

Det fanns ouppklarade affärer att ta hand om. Den svenska kronan ville ha skadestånd från det spanska imperiet för de förluster och det lidande som orsakats när *Kattan* förliste utanför Puerto Rico 1649. Skeppets last hade ju beslagtagits, passagerare och besättning hade farit illa. Spanien var inte främmande för att betala ersättning, men de krav som nu framfördes till den spanske guvernören i Puerto Rico bedömdes som orimligt höga. Det blev ingen uppgörelse, inga pengar betalades ut.

Det var bara att fortsätta resan till Nya Sverige. Men en felnavigering gjorde att *Gyllene Hajen* missade Delawarefloden och fortsatte norrut och istället seglade in i Nya Amsterdams hamn. Där kapades skeppet omedelbart på order av den nederländska kolonins högste chef, Peter Stuyvesant. Delar av besättningen fängslades en kortare tid. De protester Elswick framförde klingade ohörda. Vad som börjat som ett navigeringsmissöde slutade med att Nederländska Västindiska Kompaniet konfiskerade både last och skepp. Dessutom valde större delen av de passagerare som kommit från Sverige att stanna i Nya Amsterdam, uppmuntrade av det nederländska kolonialstyret. Även om den stad som senare skulle bli New York fortfarande var liten hade den redan ett lockande kosmopolitiskt drag med invånare av en rad olika nationaliteter.

Gyllene Hajen döptes om till *Diemen* och sattes in på en rutt till en annan nederländsk koloni, den karibiska ön Curaçao. Skeppet transporterade huvudsakligen salt på en linje fram och tillbaka till Nya Nederland. Det gick under i ett oväder bara några år efter övertagandet.

Elswick fick ta sig till Nya Sverige bäst han kunde och när han till slut kom fram till kolonin hade det gått mer än ett halvår sedan avresan från Göteborg. Det är rimligt att tro att han då inte hade särskilt mycket till övers för den nederländske guvernören som han skulle möta igen, mindre än ett år senare, och under minst lika dramatiska omständigheter. Men även om han hade goda skäl att vara misstänksam kunde Elswick ändå inte vid ankomsten till Delawarefloden ha känt till att Peter Stuyvesant redan vid det laget dragit upp långt framskridna planer för hur Nya Sverige skulle erövras.

*

I själva verket fanns nu än en gång storslagna svenska visioner för hur den amerikanska kolonin skulle utvecklas och expandera. När den nye guvernören Johan Claesson Risingh anlände med *Örnen* till Delawarefloden såg han ingen anledning att vika sig för den nederländska makten. Trots att han omedelbart kunde se hur den egna kolonin förfallit och till stora delar övergetts – första befästningen, Fort Nya Elfsborg, visade inga livstecken – valde han utifrån oklara direktiv från Sverige att snabbt erövra Fort Casimir. Enligt hans instruktioner var målet visserligen att få bort nederländarna från området, men Risingh var samtidigt anmodad att använda sig av diplomatiska påtryckningar, inte våldsmetoder. När han såg hur den nederländska befästningen, som upprättats vid floden söder om övriga svenska fort, var underbemannad och i praktiken försvarslös tvekade han inte att använda sitt övertag. Möjligen hade vetskapen om den svenska kolonins utarmning bidragit till att nederländarna försummat att upprätthålla en starkare bas vid Fort Casimir. Men när den svenska flaggan nu hissades och befästningen döptes om till Fort Trefaldighet var det inget som Peter Stuyvesant bara stilla accepterade i Nya Amsterdam. Risingh hade kastat tärningen och var kanske inte helt klar över vad hans provokation egentligen kunde få för konsekvenser.

Hur som helst var han nu på plats med nya bosättare. Intresset för Amerika hade inte bara ökat i Sverige; det hade den här gången varit så stort att skeppet *Örnen* fyllts till bristningsgränsen, med trehundrafemtio passagerare ombord. Åtskilliga villiga kolonisatörer hade inte fått plats på båten och det tycktes därmed som om det fanns goda förutsättningar för fler expeditioner.

Många som kom var finländare, erfarna svedjebrukare som var redo att tämja den amerikanska vildmarken. Det har varit svårt att exakt slå fast hur många av kolonisatörerna i Nya Sverige som härstammade från vad som då kallades den östra rikshalvan. De flesta av dessa finländare hade tidigare slagit sig ned i skogsområden i Värmland, Bergslagen och Norrland och då ofta bytt från finska till svenska namn. Men helt klart utgjorde de en betydande minoritet i kolonin. Den amerikanske historikern Bernard Bailyn har på senare tid beskrivit finländarna – oavsett

Efter en neslig kapitulation tvingades
svenskarna evakuera fortet Christina
och under förödmjukande former lämna
över kolonin till nederländarna.

om de kom från Finland eller de svenska finnskogarna – som en distinkt etnisk grupp bland svenskar och andra grupper från det baltiska imperiet. »Halvhedniska« och »anmärkningsvärt primitiva« med västeuropeiska mått mätt var de unikt rustade för ett pionjärliv i ett amerikanskt nybyggarland. De var individualister som var skeptiska mot all överhet och kunde möjligen, enligt Bailyn, mer än andra européer känna en viss naturlig samhörighet med den amerikanska ursprungsbefolkningen.

Färden över Atlanten med *Örnen* hade varit mycket mödosam för alla passagerare. En del hade blivit så sjuka att de bokstavligen ramlade över bord och drunknade, andra hade dukat under på skeppet i dysenteri och andra sjukdomar som lätt spreds när maten var dålig, vattnet unket, och det var så trångt om utrymme och det praktiskt taget var omöjligt att sköta den personliga hygienen. Kläder och filtar var fyllda med löss och annan ohyra. Men även om det var en högst medtagen skara som steg iland i maj 1654 hade den svenska kolonin i ett slag fått flera hundra nya bosättare.

När Risingh tog över befälet från den ställföreträdande guvernören Johan Papegoja visste han att förväntningarna på honom var mycket höga. De instruktioner han hade med sig från sina överordnade i Sverige angav tydligt att han skulle försvara och utvidga den svenska kolonin kring Delawarefloden, och det fanns till och med återupplivade idéer om en svensk koloni i Florida och även uppe vid Nova Scotia.

Vid Risinghs sida fanns en ny militär befälhavare, Sven Skute, som fört med både soldater och kanoner. Risingh bjöd snabbt in indianledare och förvärvade nya områden enligt mönster från tidigare affärsuppgörelser. Mark distribuerades till de nya kolonisatörerna. Jordbruk och hantverk skulle utvecklas och det lades ned mycket möda på att få en mer sammanhängande bebyggelse inom ett växande territorium. Planer drogs upp för en riktig hamnstad som skulle fungera som kolonins centrum och ges namnet Christinehamn.

Med de högtflygande ambitionerna fanns det också goda skäl att räkna med nya kapitaltillskott. Sveriges ekonomi skulle stärkas med en ökad handel med Amerika. Nya Sverige skulle framförallt bidra med leveranser av tobak och det var därmed viktigt inte bara med egen odling utan också att upprätta goda relationer med de engelska kolonierna Virginia och Maryland, som med sina stora tobaksodlingar var eftertraktade handelspartners.

*

Vid det här laget hade Sveriges koloniala ambitioner också utsträckts till Afrika. 1650 hade en liten svensk koloni etablerats på den västafrikanska Guldkusten, i ett område där Ghana idag är beläget. Liksom när det gällde kolonin i Amerika finansierades Sveriges afrikanska äventyr först till stora delar med nederländskt kapital. Svenska Afrikakompaniet kom till på initiativ av den från Nederländerna inflyttade handelsmannen och investeraren Louis De Geer som gavs ett privilegiebrev av drottning Kristina. Bolaget blev aktivt i vad som kallades triangelhandeln. Europeiska varor byttes i Afrika mot guld, elfenben, socker och slavar som fördes till kolonier på de karibiska öarna och det amerikanska fastlandet. Därifrån återvände båtarna till Europa med nya varor i lasten. Sverige var därmed tidigt involverat i slavhandeln över Atlanten, kanske inte som någon av de större aktörerna, men det skulle i alla fall ta lång tid innan Sverige otvetydigt kom att fördöma den för många investerare mycket lönsamma handeln med människor.

Även om det afrikanska koloniala engagemanget i sig blev kortvarigt och mer var att likna vid en affärsutpost än en bosättning, är det lätt att se hur Risingh inspirerats av den svenska satsningen på handel. Han var trots allt en hög tjänsteman på det då nystartade statliga Kommerskollegiet som efterhand fick allt större kontroll över de svenska kolonierna i både Afrika och Amerika.

Johan Claesson Risingh, som föddes kring 1617 i Östergötland, skilde sig på flera sätt från sin företrädare Johan Printz. Båda var visserligen prästsöner. Men Risingh var en mer modern figur, inte lika auktoritär i sitt ledarskap och han hade en akademisk snarare än militär bakgrund. Han hade studerat ekonomi, politik och filosofi vid olika universitet både i Sverige och i utlandet och var författare till flera för sin tid banbrytande nationalekonomiska skrifter. Han var kanske landets främste förespråkare för den merkantilistiska teorin, övertygad om att en stark stat behövdes för att främja ekonomisk utveckling och att utländska kolonier var viktiga för att öka handeln och nå överskott i utrikesbalansen. Kolonier kunde förse moderlandet med råvaror som kunde förädlas till attraktiva exportvaror och samtidigt minska behovet av import från andra nationer.

Som tjänsteman på Kommerskollegium gjorde han starkt intryck på sin chef Erik Oxenstierna, som rekommenderade honom till posten som guvernör för Nya Sverige. Risingh hade flera skäl att tacka ja. Han insåg vilken betydelse kolonin kunde få för Sveriges stormaktsprestige och han höll med om att det fanns ett högre uppdrag att sprida den protestantiska läran. Men framförallt lockades han nog av att inom ramen för en svensk kolonialism få möjligheter att omsätta sina merkantilistiska teorier i praktiken. Inte minst såg han möjligheter att binda samman Sveriges starka handelsposition runt Östersjön med en växande Atlanthandel. Det skulle ge en fastare ekonomisk grund för fortsatta stormaktsambitioner.

Men än en gång föll projektet när det inte kom uppbackning hemifrån i form av nya skepp med bosättare och utrustning. Utfästelser om nytt kapital hölls inte. För Risingh blev situationen ohållbar när han dessutom mötte en övermäktig motståndare, guvernör Stuyvesant i Nya Amsterdam.

*

Peter Stuyvesant, även han son till en präst, var inte mer än runt trettiofem år när han 1647 tillträdde befattningen som guvernör för Nya Nederland. Men han var redan en veteran inom Nederländska Västindiska Kompaniet. Han hade tjänstgjort i Brasilien och sedan styrt med järnhand över den karibiska kolonin Curaçao. Tre år innan han kom till Nya Amsterdam ledde han en styrka mot den karibiska ön Saint Martin som tidigare tillhört Nederländerna men sedan förlorats till Spanien. Stuyvesant var fast besluten att ta tillbaka ön från det nu försvagade spanska imperiet och gick till attack. Under striden krossades hans högra ben av en spansk kanonkula. Efter en amputation under högst primitiva former måste han i ett brev till sina överordnade i Nederländerna konstatera att den militära operationen i Saint Martin inte gått enligt planerna och att han dessutom råkat ut för det inte oväsentliga avbräcket att förlora ett ben.

Han tvingades återvända till Nederländerna för vård och smärtan måste ha varit olidlig i det oläkta benet under en lång och besvärlig färd över havet. Tuff och envis härdade han ut, förseddes med ett träben och anmälde sig till tjänstgöring på Västindiska Kompaniets huvudkontor i Amsterdam. I samma veva hade bolagets ledning mottagit det brev från Amerika där klagomål fördes fram mot dåvarande guvernören i Nya Nederland, Willem Kieft.

I efterhand kan det tyckas märkligt, men Manhattan sågs inte som särskilt betydelsefull i jämförelse med Nederländernas koloniala intressen i Brasilien och i Karibien, som då räknades som mer centrala brickor i ett globalt stormaktsspel mot länder som Spanien, Portugal och Storbritannien. Samtidigt ville inte de högsta cheferna ge intrycket att de gav efter för en missnöjd opinion i Nya Nederland. Att idéer om ett folkstyre skulle kunna få fäste i kolonin var för handelskompaniets ledare helt främmande.

Den hårdföre Peter Stuyvesant, som väntade på nya arbetsuppgifter, måste ha framstått som ett rimligt val till guvernörsposten. Han hade redan visat sig vara en både effektiv och auktoritär ledare i främmande land samtidigt som han ändå vunnit sina underordnades respekt. Det kan knappast ha funnits anledning till tvivel om vare sig hans lojalitet eller hans förmåga att uthärda påfrestningar.

Samtidigt som Stuyvesant snabbt upprättade disciplin och såg till att det blev ordning och reda i Nya Nederland, var han redan från början på det klara med att något måste göras åt svenskarna söderut. Inte för att han, eller hans överordnade i Amsterdam, på allvar befarade att Nya Sverige skulle utgöra något seriöst hot i en större kolonial kamp. De hade helt klart för sig att det på sikt var de brittiska kolonierna i Amerika som utgjorde fienden. Den hårdnande rivaliteten hade först kommit till ytan 1632. Det var

då britterna beslagtog det nederländska skepp som i hårt väder sökte skydd på väg från Amerika till hemlandet, och som hade den avsatte guvernören Peter Minuit som passagerare.

*

Nederländerna och Storbritannien hade tidigare varit allierade och tillsammans bekämpat det habsburgska imperiet och gått i gemensam strid mot den spanska armadan. Men vid mitten av 1600-talet hade Nederländerna etablerat sig som ledande handels- och sjöfartsnation och kunde dra nytta av den oreda som följde med det engelska inbördeskriget.

Den våldsamma maktkampen mellan det brittiska parlamentet och monarken Karl I underlättade nederländska handelspolitiska framsteg runtom i världen, även i Nordamerika där styret i England i flera avseenden tappat kontroll över de egna kolonierna.

Men England skulle snart komma ikapp och gå förbi i en för kolonialismen central strävan att dominera världshaven. En drastisk åtgärd som vidtogs var att försöka utestänga Nederländerna från den mycket lönsamma handeln med öarna i Karibien. Kort efter att den interna brittiska maktstriden kommit till ett slut var de två länderna 1652 i krig med varandra, den första av fyra stora militära kraftmätningar som skulle utkämpas mellan de två nationerna under mer än ett sekel framåt.

I Nya Nederland fick också Peter Stuyvesant annat att tänka på än den svenska kolonin i söder. En tilltagande rädsla för ett angrepp från de brittiska kolonierna i New England ledde till att invånarna i Nya Amsterdam i början av 1653 byggde en träpalissad, en skyddsmur som ett försvar mot militära angrepp norrifrån. Murens sträckning markerade stadsbebyggelsens norra gräns och den blev senare en gata med namnet Wall Street.

Men respiten för Nya Sverige blev kortvarig. Peter Stuyvesant hade hela tiden insett att det fanns en risk att engelsmännen

---

Peter Stuyvesant, guvernör i Nya Nederland, tog över den svenska kolonin 1655.

skulle ta över den svenska kolonin om han själv inte gjorde något. Delaware var en strategisk flod. Om området runt omkring föll i brittiska händer skulle Nya Nederland vara omringat och svårare att försvara mot expansiva brittiska kolonisatörer.

Det var dags att gå till handling. Mot slutet av sommaren 1655 tog Stuyvesant själv befälet över en flottstyrka som han styrde söderut mot Nya Sverige. En rad hinder var borta. Nederländernas första krig mot England hade blåsts av året innan. De höga koloniala ambitionerna i Brasilien var på väg att överges när portugisiska trupper trängde bort de nederländska inbrytarna. Samtidigt hade Nya Nederland blivit ekonomiskt starkare. Även om det var senkommet gavs kolonin i Nordamerika nu hög prioritet. Stuyvesant kunde räkna med uppbackning från sina överordnade i hemlandet. Om ryktena dessutom stämde, att Sverige hoppades koppla Atlanthandeln till sin dominans i Östersjön, var det också ett skäl för Nederländerna att sätta ned foten. Order hade kommit från Amsterdam om att svenskarna skulle drivas bort från Delawarefloden. Det fanns inte längre någon anledning att stillsamt tolerera hur svenskarna tidigare tagit över Fort Casimir.

Peter Stuyvesant kom med sju skepp och över trehundra beväpnade män. Han kastade ankar mellan vad som nu hette Fort Trefaldighet och Fort Christina där Johan Claesson Risingh huserade. Stuyvesant formerade sina trupper så att den svenska kommunikationslinjen bröts.

Nederländska kanoner riktades mot Fort Trefaldighet där befälhavaren Sven Skute hade order om att försvara den svenska befästningen. Men även om han inte omedelbart insåg det själv hyste hans underlydande soldater inga illusioner om att de stod inför något annat än en övermäktig fiende. Det var omöjligt att uppbåda en stridsvilja. Skute kapitulerade innan en belägring riktigt hunnit inledas, och bud om vad som hänt nådde Risingh i Fort Christina. Det var då den svenske guvernören skickade Hendrick von Elswick att konferera med Peter Stuyvesant. Olika språk användes i samtalet och kanske var det språkförbistring som fick Elswick att utnyttja sina språklärdomar och ta till latinet för sitt lågmälda hot: *Hodie mihi, cras tibi.*

Stuyvesant tvekade nu ändå inte att föra fram sitt ultimatum.

Han beordrade sina trupper norrut där Fort Christina omringades och utsattes för en belägring som var omöjlig att klara någon längre tid. De nederländska soldaterna härjade vilt bland de svenska bosättningarna som plundrades och förstördes.

Efter tre veckor kapitulerade Risingh, om än motvilligt och under protest. Han uttryckte sin djupa besvikelse över att Nya Sverige behandlats som om kolonin tillhört en ärkefiende. Det fanns inte heller, hävdade han, någon laglig grund för nederländarna att ta över den svenska kolonin. Det var trots allt Sverige som byggt varaktiga bosättningar i området. Det kunde tyckas som ett vanmäktigt argument när kolonialismen gick ut på att den starke tog för sig. Den 15 september 1655 var Nya Sverige i alla fall ett avslutat kapitel och det hade då inte gått mer än drygt sjutton år sedan de första svenska kolonisatörerna gått iland i den nya världen. En stormaktsdröm hade gått upp i rök.

*

För Risingh blev kapitulationen hans stora personliga bakslag i livet och något han aldrig kom att återhämta sig ifrån. När han några veckor senare, bitter och besviken, inledde sin återfärd till hemlandet tänkte han rimligtvis på hur han under sommaren rapporterat till Stockholm om läget i kolonin. Han hade haft anledning att vara relativt nöjd. Nya Sveriges territorium hade utvidgats, stora arealer hade röjts och majs, tobak och andra grödor hade planterats. Allvarligare konflikter med indianbefolkningen hade undvikits. Risingh hade vädjat om mer stöd hemifrån. Det behövdes fler bosättare, inte minst yrkesskickliga hantverkare, och mer kapital för att kunna bygga ut en infrastruktur. Han hade konstaterat att det fanns utmärkta möjligheter för en fortsatt ekonomisk utveckling som skulle gynna Sverige. Det hade funnits viss anledning till optimism. Ett nytt skepp, *Mercurius*, skickades också iväg över Atlanten innan beskedet om att Nya Sverige fallit nått fram till moderlandet. När det efter en långvarig resa anlände till Delawarefloden i mars 1656, hade de som fanns ombord ingen aning om att de färdats mot en koloni som nu var under nederländskt styre.

Hemma i Sverige gjorde Risingh allt han kunde för att övertala Karl X Gustav att med militära medel ta tillbaka det förlorade området i Amerika eller annars ta initiativ till en ny koloni någon annanstans. Enligt hans vision skulle ett svenskt näringsliv i Amerika leda till en omfattande handel med både andra kolonier och Europa. Det var hans övertygelse att Amerika var ingångsporten till en framtid där Sverige hade en roll som en betydelsefull ekonomisk stormakt.

Karl X Gustav, som efterträtt drottning Kristina på tronen när hon konverterat till katolicismen och abdikerat, var kanske inte helt ointresserad men han hade viktigare saker att tänka på. Sverige var fortfarande en offensiv militär stormakt runt Östersjön och han hade just inlett ett anfallskrig mot Polen. Snart skulle han också vända sig mot Danmark i det krig som ledde till att Skånelandskapen blev svenska.

För Risingh följde en olycklig tid. Det var inte bara det att hans koloniala visioner ignorerades. Han blev snarast en syndabock som gavs stor del av skulden för förlusten av Nya Sverige. Hade han trots allt inte i onödan provocerat nederländarna genom att erövra Fort Casimir? Det var kritik som slog hårdare när den dessutom kopplades till att han saknade militär utbildning. Risingh nekades nya tjänster i statsförvaltningen, hamnade i utdragna rättsprocesser och drog på sig stora skulder samtidigt som han förgäves försökte få kompensation för de ekonomiska förluster han gjort när den svenska kolonin föll och han tvingades överge privata tillgångar. Knäckt av alla motgångar avled han 1672, i fattigdom och misär. Han var då runt femtiofem år gammal.

Det har spekulerats en del i om det hade varit möjligt för Nya Sverige att leva vidare, åtminstone för en tid. Kanske hade det blivit annorlunda om Risingh undvikit att erövra Fort Casimir. Men närmast sanningen är nog att projektet snarare var dömt att misslyckas från början. Även om Sverige var starkt militärt och dess flotta byggdes ut ordentligt under 1600-talet – inte minst som en följd av trettioåriga kriget – var landet inte någon marin makt som på allvar kunde tävla med Nederländerna och England på de stora världshaven. Som mest var Sverige ett regionalt sjöimperium i norra Europa. Men fram till 1640-talet var det ändå

Danmark som hade den starkaste Östersjöflottan. Ett skäl till att Sverige aldrig helt lyckades göra Östersjön till ett innanhav var också att ledande sjöfartsnationer som England och Nederländerna var måna om att säkra leveranser av tjära, hampa och annat som de behövde för att tillverka och underhålla sina flottor med skepp som fortfarande var byggda av trä. Stormakterna stödde därför omväxlande Sverige och Danmark i olika konstellationer för att bevara en strategisk maktbalans kring Östersjön, något som bidrog till att gäcka de planer som fanns att införliva det danska riket med Sverige.

Vid Delawarefloden i Amerika hade Nya Sverige långt ifrån de resurser som skulle ha krävts för att kolonin skulle kunna överleva. Det saknades inte bara militär kapacitet utan även bosättare och kapital. Sveriges handel var fortfarande outvecklad. Exporten dominerades av råvaror som järn, koppar och tjära, och till skillnad från andra kolonialmakter fanns för Sverige inte givna vinster att göra på att exploatera och förädla råvaruresurser som kunde tas hem från avlägsna kolonier. Det var också tobak som dominerade leveranserna från Nya Sverige till moderlandet, och det var en vara som det säkert hade gått att importera från andra länder på ett mer kostnadseffektivt sätt.

Mot den bakgrunden är det svårt, för att inte säga omöjligt, att se hur Sverige på sikt skulle ha kunnat hejda de brittiska planerna för att binda samman alla kolonier utefter den nordamerikanska östkusten. Redan när Nya Sverige föll var England på god väg att passera Nederländerna både som sjöfartsnation och som ekonomisk stormakt. Efter segern i det första kriget mot Nederländerna var Oliver Cromwell – Englands starke man efter avrättningen av kung Karl I 1649 – inriktad på expansion, och en grund kom att läggas för det större världsomfattande och koloniala imperium som Storbritannien byggde ut under 1700-talet. Cromwell avled 1658, men när monarkin återupprättades fick hans vision uppbackning, inte i första hand av kungen Karl II men väl av hans bror Jakob som blev chef för den engelska flottan och också fick betydande kontroll över besittningarna i Nordamerika. Det hade då blivit alltmer uppenbart hur lönsam en Amerikahandel kunde bli – med såväl varor som slavar – och att det därmed varit ett misstag att låta nederländarna ta hand om Manhattan med sitt Nya Amsterdam. Handelsplatsen med det strategiska läget vid Hudsonfloden öppnade en väg västerut, mot kontinentens inre delar. Kolonierna i New England skulle inte kunna utvecklas till sin fulla potential utan Manhattan.

*

I september 1664 – exakt nio år efter Nya Sveriges fall – kunde Peter Stuyvesant från fortet på södra Manhattan se att en flottstyrka hade anlänt. Den hade kommit från New England och leddes av Richard Nicholls, en brittisk officer som sänts över från London. Kanoner var riktade rakt mot honom och det fanns fientliga styrkor på andra sidan floden, vid Breuckelen som senare skulle bli Brooklyn. Den försvarsmur som byggts för att skydda Nya Amsterdam mot attacker var till ingen nytta.

Peter Stuyvesant hade kanske varit beredd att kämpa, även om fienden tycktes övermäktig, men han insåg rätt snart att det var lika bra att ge upp. Vare sig han själv eller Nederländska Västindiska Kompaniet var särskilt omtyckt bland stadens befolkning som nu bara till mindre del bestod av nederländska bosättare. Bland invånarna fanns en rad andra nationaliteter och även en hel del engelsmän. Det fanns ingen vilja att gå i krig, att slåss och kanske dödas för ett högre mål. En vädjan om ge upp, och undvika misär och lidande, överlämnades till den isolerade guvernören. Närmare hundra av stadens ledande invånare hade undertecknat appellen och det måste ha varit extra bittert för Stuyvesant att se att hans egen son Balthasar fanns med på listan.

Utan att ett enda skott avlossats, på samma sätt som var fallet när Nya Sverige föll, lämnades Nya Nederland nu över till engelsmännen. Nya Amsterdam döptes om till New York, efter hertigen av York, Kung Karl II:s bror Jakob som sedan skulle krönas till kung av England 1685. Richard Nicholls blev ny guvernör under engelsk flagg. Kolonierna i New England var därmed sammanbundna med Virginia och de övriga engelska kolonierna i den amerikanska Södern.

Nya Nederlands fall innebar att Sverige till slut tvingades ge upp de krav på skadestånd som man envist drivit mot Nederländerna. Det fanns inte längre några rimliga möjligheter att erhålla kompensation för förlusten av Nya Sverige, särskilt som den nederländska kolonins öde blev en av flera faktorer som utlöste det andra stora kriget mellan England och Nederländerna.

För Peter Stuyvesant var den brist på patriotism han tyckte sig se hos sina egna undersåtar närmast en bekräftelse på den skepsis han känt inför blandningen av nationaliteter och religioner i kolonin. Men han återvände ändå inte till sitt hemland. Istället drog han sig tillbaka till sin stora farm norr om staden, belägen i ett område där gatan Bowery finns idag, döpt efter det nederländska ordet för bondgård, *bowerij*. Där bodde han fram till sin död 1672 och fick på nära håll se hur den nederländska koloni han försökt bygga upp steg för steg anglifierades.

Befolkningssiffror från den här tiden är inte helt tillförlitliga, men enligt en beräkning fanns det drygt 73 000 europeiska invånare i kolonierna utefter östkusten år 1660, fem år efter Nya Sveriges fall och fyra år innan Nya Nederland mötte samma öde. Närmare 70 000 var engelsmän, några tusen var nederländare, inte mer än 500–600 var svenskar.

*

I en bemärkelse hade Nederländerna samma problem som Sverige. För båda länderna var låga befolkningstal ett hinder för kolonial expansion. Det fanns helt enkelt inte tillräckligt många invånare som kunde eller ville ge sig av för att bli bosättare i främmande land. Sverige hade vid 1600-talets mitt inte mer än drygt en miljon invånare och ytterligare närmare en halv miljon när Finland, den östra rikshalvan, inkluderades. Det var inte mycket för en stormakt som skulle mobilisera väldiga krigshärar och bygga avlägsna kolonier. Det låga antalet invånare var något som i hög grad oroade de styrande. Men det skulle dröja till långt in på 1700-talet innan Sverige fick en mer ordentlig befolkningstillväxt.

Nederländerna hade ungefär samma antal invånare, runt 1,5 miljoner, om än på en mindre geografisk yta. Även om landet mot den bakgrunden blev en exceptionellt framgångsrik handelsnation, med Amsterdam som ledande finanscenter, fanns det inte så många nederländare som hade lust att söka lyckan långt bort i andra delar av världen. Bristen på nederländska bosättare i Nya Amsterdam var ett problem av generell natur. Eftersom levnadsstandarden i Nederländerna var hög, sannolikt högre än någon annanstans i Europa, fanns inte givna ekonomiska incitament att bryta upp från hemlandet. För sin tid kunde nederländarna också vara rätt nöjda med hur de kunde uttrycka avvikande uppfattningar och välja sin religion. Den decentraliserade republiken var det mest toleranta europeiska landet, både i politisk och religiös bemärkelse, och drog snarare till sig oliktänkande från andra håll. En del av de protestantiska pilgrimer som flydde England och dess anglikanska kyrka slog sig för en tid ned i den nederländska staden Leiden, innan de fortsatte för att bygga sin tillvaro i den nya världen.

England hade vid denna tid runt fem miljoner invånare och var därmed bättre rustat befolkningsmässigt samtidigt som dess militära och ekonomiska inflytande var på uppåtgående. Men antalet invånare är ändå bara en del av förklaringen till att det blev Storbritannien som till slut blev den vinnande europeiska kolonialmakten i Nordamerika. För Frankrike lyckades betydligt sämre, trots att landet hade mer än tjugo miljoner invånare och var en mäktig militärmakt med Europas största armé.

I både England och Frankrike ökade också befolkningen under 1600-talet utan att den ekonomiska utvecklingen hängde med. Det fanns inte tillräckligt med jobb när människor på landet blev jordlösa och började söka sig in till städerna. Allt fler levde i misär. Inom den brittiska aristokratin var det många som tyckte att det var en bra lösning om de fattiga flyttade till Virginia där det behövdes arbetskraft på tobaksplantagerna. Många gav sig också iväg, mer eller mindre frivilligt, till kolonierna på andra sidan Atlanten. I Frankrike fanns, kanske av traditionella och kulturella skäl, inte alls samma vilja eller uppmuntran att bryta upp. Bönderna var rotade till jorden även när den inte gav en försörjning, och fattigdomen var minst lika utbredd som i England. Trots en hög naturlig befolkningstillväxt fanns vid sekelskiftet 1700 inte mer än 15 000 bosättare i Nya Frankrike, kolonierna i Kanada och utefter Mississippifloden. I de engelska kolonierna utefter den nordamerikanska östkusten hade antalet vuxit till över en kvarts miljon när de 30 000 afrikaner som kommit med de första slavlasterna räknades in. Många av invånarna var nu födda i Amerika.

Det hjälpte också till att England hade ett friare politiskt klimat med en maktdelning mellan kungahus och parlament som inte fanns i den franska enväldiga monarkin. Det var lättare att lämna England av politiska och religiösa skäl. Medan puritanerna, de protestantiska fundamentalister som var i uppror mot den anglikanska statskyrkan, inte hindrades att skapa sitt New England på andra sidan Atlanten, förbjöds de franska hugenotterna att slå sig ned i Nya Frankrike. Hugenotterna utgjorde en förföljd protestantisk minoritet i det katolska Frankrike och var i sin tro besläktade med de engelska puritanerna. Trots förbudet att flytta till kolonin i Nordamerika var det ändå många som flydde Frankrike och först tog sig till andra europeiska länder. I hopp om att fritt få praktisera sin religion reste tusentals hugenotter sedan över till Amerika där de ofta hamnade i de brittiska kolonierna istället för i Nya Frankrike.

Möjligen hade det också en betydelse att England, och senare Storbritannien, så helhjärtat tog till sig imperialismen som ett ideal som överordnades andra nationella intressen. Målet var att dominera världshaven för att kunna exploatera koloniernas råvaror och få ett övertag i handeln med andra nationer. Det var på det sättet världen skulle erövras.

I den visionen var det också naturligt att kolonierna i Nordamerika måste befolkas med permanenta invånare. Det var därmed inte självklart ett problem när tyskar och andra européer började anlända i stora skaror. De svenskar som blev kvar efter att Nya Sverige och sedan Nya Nederland fallit kunde också fortsätta sin tillvaro som en minoritet, utan att avkrävas några mer smärtsamma omställningar. Inte minst viktigt var att det inte fanns några inskränkningar som hindrade dem från att behålla och utöva sin religion. I själva verket ökade den svenska befolkningen under senare delen av 1600-talet, och det var inte bara genom naturlig tillväxt. Flera skepp anlände med nya bosättare från Sverige och Finland trots att det inte längre fanns någon svensk koloni.

Svenskarna som kom tycks också ha mötts med viss respekt. Efter att William Penn några år tidigare grundat Pennsylvania på vad som tidigare delvis varit svensk mark, fann han 1687 anledning att uttrycka sin beundran inför svenskarna i en rapport till det engelska majestätet. Penn beskrev svenskarna som ordentliga och starka människor med fina barn. Det var svårt att hitta ett svenskt hus där det inte fanns tre eller fyra pojkar och lika många flickor, ibland till och med sex, sju eller åtta söner. Och Penn tillade att han måste medge att han sällan sett unga män som var lika »sansade och strävsamma«.

*

Än idag finns amerikaner som spårar sin släkthistoria till Nya Sverige och i åtminstone ett fall finns ett fascinerande populärkulturellt avtryck. Den tjugoåttaårige Peter Gunnarsson anlände till Nya Sverige 1640, med den andra resan som gjordes med skeppet *Kalmar Nyckel*, och blev en av de allra första svenska invandrarna som blev framgångsrika i Amerika.

Efter att först ha arbetat som dräng blev han sin egen jordbrukare, skaffade så småningom mark i ett område som senare skulle bli staden Philadelphia och tjänstgjorde även som lokal domare. Med sin hustru Brita Matsdotter fick han åtta barn. Han tog namnet Rambo efter Ramberget på Hisingen i hans hemstad Göteborg. Han ska också ha fört med sig äppelkärnor som han planterade. Ramboäpplet kom att odlas på olika håll i nordöstra USA.

Runt trehundra år senare fick författaren David Morrell ett äpple i sin hand från sin hustru när han brottades med att hitta ett bra namn till huvudpersonen i vad som skulle bli hans debutroman *First Blood*. Han bet i äpplet och frågade vad det kallades. Med svaret fick han det kraftfulla namn han letat efter för bokens plågade och våldsamma Vietnamveteran. Romanen kom ut 1972 och filmades tio år senare med Sylvester Stallone i huvudrollen som Rambo. Framgången var så stor att Hollywood följde upp med ytterligare tre kassasuccéer. De fyra Rambofilmerna har dragit in mer än 700 miljoner dollar i intäkter världen över.

Historien om Ramboäpplet vinner trovärdighet eftersom Pehr

Kalm, den djupt seriöse Linnélärjungen som reste i USA vid mitten av 1700-talet, noterade att han träffat en Peter Rambo i Philadelphia. Denne Rambo berättade då för Kalm att det var känt i hans familj att hans farfar, Peter Gunnarsson Rambo, från Sverige tagit med sig »äppelkärnor i en ask, samt åtskilliga andra träd- och kryddgårdsfrön«. Kalm lät sig även smaka av de äpplen som han fått veta hade sitt ursprung i Sverige.

Det finns också i vissa fall en tydlig vilja att spåra rötter ännu längre tillbaka, att finna nationella, rentav patriotiska kopplingar till det tidiga Amerika. Det är inget unikt för Sverige utan något som delas med andra europeiska länder. Det råder knappast någon tvekan om att nordiska vikingar nådde Newfoundland och kanske andra nordliga områden av den nordamerikanska kontinenten för mer än tusen år sedan, långt innan Christofer Columbus från Genua gjorde sin resa över Atlanten. Men det finns samtidigt betydligt mer spekulativa och ostyrkta teorier om att nordmännen inte stannade i vad som idag utgör östra Kanada. De ska också ha tagit sig betydligt längre söderut, in i de områden som blev USA. USA-historikern Roger Daniels har lite syrligt konstaterat att det varit uppenbart att forskare med skandinavisk bakgrund stöttat de mer extrema teorierna om vikingarnas utbredning i Amerika, medan forskare av italienskt ursprung varit de mest ivriga att till och med helt förneka existensen av tidiga vikingabosättningar. Det är därmed inte konstigt om det bland folk i allmänhet funnits en mottaglighet för myter och legender.

En del har till exempel haft märkligt svårt att släppa föreställningen att John Hanson härstammade från Sverige och att han egentligen var USA:s förste president. John Hanson föddes 1721 i den engelska kolonin Maryland. Han var son till en plantageägare, och han utmärkte sig som en patriot under den amerikanska revolutionen. 1781 valdes han på ett år till president i kontinentalkongressen, den politiska församling som bildades när de ursprungliga tretton kolonierna gick samman i en konfederation och begreppet Amerikas förenta stater etablerades. Från senare delen av 1800-talet, och mer än hundra år framåt, beskrevs Hanson också som en svenskättling med Gustav Vasa som en av sina anfäder. Hans farfarsfar skulle ha stupat vid Gustav II Adolfs sida i Lützen och hans farfar, överste John Hanson, skulle ha anlänt med ett av de första skeppen till kolonin Nya Sverige. Alltså måste USA:s förste president ha varit svensk. Det har skrivits biografier och andra böcker om detta, minnesmärken har rests och hyllningar framförts.

Men även om John Hanson i konfederationens kongress hade titeln president fanns då ingen exekutiv makt i USA. Det var ett av de problem som var nära att undergräva den nya nationens existens redan innan den riktigt hunnit ta form. Kongressen var också relativt maktlös, den saknade beskattningsrätt och var i stort sett utlämnad till beslut som fattades i de gamla kolonierna som nu var delstater som inte gärna gav upp vad som då var ett stort mått av självständighet. Funktionen som president var i sammanhanget mest ceremoniell och det rimliga är att översätta titeln med ordförande eller möjligen talman. Det skulle dröja till 1789 – efter att USA fått sin nuvarande konstitution – innan George Washington kunde tillträda som USA:s förste president med exekutiv makt.

Av allt att döma hade John Hanson heller inte någon svensk bakgrund, oavsett sitt efternamn. Även om idén om hans svenskhet varit seglivad står det numera klart att han härstammade från England sedan många århundraden tillbaka. Med all sannolikhet finns det inte någon koppling till tidiga svenska kolonisatörer vid Delawarefloden.

På senare tid har det även gjorts försök att spåra president George W. Bush och hans familj till de första bosättarna i Nya Sverige. En anfader ska ha varit Måns Andersson från Värmland, som kom med de första svenska pionjärerna ombord på *Kalmar Nyckel* och sedan blev ägare till en tobaksplantage i kolonin. Tanken på George W. Bush som värmlänning – må så vara på mycket långt håll – kan möjligen framstå som lite kittlande. Men den bygger mer på hoppfulla antaganden än verkliga dokument, och oavsett

---

John Hanson, en politisk ledare under
den amerikanska revolutionen, beskrevs länge felaktigt
som svenskamerikan med anor från Nya Sverige.

om den skulle stämma överens med verkligheten är kopplingen efter så många generationer i vilket fall knappast så mycket mer än ett kuriosainslag på ett idag mycket vittförgrenat släktträd.

*

Även om det kan finnas en viss fascination i sökandet efter nationella släkttrådar fångade nog Fredrika Bremer en korrekt bild när hon beskrev sin långa Amerikaresa, nästan tvåhundra år efter att Sverige tvingats överge sin koloni i området. Hon berättade om hur hon i Philadelphia 1850 bjudits in av en amerikansk präst som tjänstgjorde i vad som tidigare varit en svensk kyrka. Prästen, en mr Clay, hade försökt samla in så många som möjligt av ättlingarna till Nya Sveriges kolonisatörer för att möta den svenska gästen:»Det var en församling af femtio till sextio personer, och jag skakade hand med många rätt hyggliga människor, men som hade ingenting svenskt utom familjenamnen, af hvilka jag igenkände många. Men minnen af sin härkomst hade de inga, och språk, utseende, allt hade fullkomligt sammansmält i den nu rådande anglosaxiska folkstammen.« Med ett mer modernt språkbruk så hade svenskarna integrerats; de hade blivit amerikaner.

Den svenska stormaktsdrömmen överlevde bara en kort tid i Amerika. Nya Sverige blev ett misslyckande militärt, var politiskt betydelselöst och ett fiasko även i ekonomisk bemärkelse. Kolonin blev aldrig lönsam och verkar inte ha bidragit särskilt mycket till att utveckla Sveriges internationella handel.

Baron Axel Klinkowström, en av de allra tidigaste svenska USA-rapportörerna efter självständigheten, kunde när han anlände 1818 känna viss sorg över att Sverige en gång förlorat den gamla kolonin vid Delawarefloden. Som svensk officer hade han i uppdrag att studera hur den nya ångbåtstekniken användes i USA och hur den skulle kunna komma Sverige till nytta. Klinkowström förskräcktes av en del av vad han såg i den nya republiken men var också imponerad av mycket. När den svenske adelsmannen blickade framåt var han övertygad om att många fler européer skulle resa över Atlanten för att hämta hem nya kunskaper och erfarenheter. Det var ledsamt, tyckte han, att Sverige inte lyckats behålla sin amerikanska koloni fram till revolutionen. Då hade det svenska språket och en svensk kultur kunnat bevaras på ett annat sätt. Nu hade han svårt att se några spår av den svenska närvaron.

Men människorna som kommit till Nya Sverige och blev kvar var ändå med om att forma det Amerika som växte fram ur kolonialismen. Liksom senare invandrare förändrade de Amerika och Amerika förändrade dem, ett växelspel som sedan dess präglat USA:s utveckling och historia.

Om Axel Klinkowström under sina två år i Amerika hoppades finna det svenska i den nya världen, hade han säkert haft störst framgång om han sökt bland de kyrkor som i det längsta försökt sprida Luthers evangelium i svensk form. Det var ingen tillfällighet att det var just i en kyrka som Fredrika Bremer långt efter Klinkowströms USA-resa mötte svenskättlingarna i Philadelphia. När svenska staten och det privata kapitalet drog sig tillbaka från det koloniala äventyret stannade en annan mäktig institution kvar. Det var den svenska statskyrkans verksamhet som kom att bidra till att det svenska språket och en svensk kultur ändå levde vidare långt efter att kolonin i Amerika upphört att finnas till.

OM GUD ÄR FÖR OSS, VEM KAN DÅ VARA MOT OSS?

Gustav Vasa

MED GUD
PÅ VÅR SIDA

Utsända lutheraner tampas
med ny religionsfrihet

Ingen kan säga annat än att Johannes Campanius tog sitt hårda värv på djupaste allvar. Den svenske prästen var fyrtioett år när han i början av 1643 anlände till Nya Sverige ombord på skeppet *Fama* tillsammans med den nye guvernören Johan Printz. Han ersatte kolonins förste präst Reorus Torkillus som avlidit i en av de epidemier som då och då drabbade de nya bosättarna vid Delawarefloden.

Campanius skulle inte bara predika evangeliet för svenska kolonisatörer som hamnat långt från hemlandets kyrka och nu var spridda över ett relativt stort område. Hans uppdrag var också att verka för att konvertera indianerna till den rätta läran. I den svenska kyrkans ögon var lenapeindianerna som levde kring Nya Sverige inget annat än vilda hedningar. Det var Sveriges moraliska skyldighet att som den kristna civilisationens företrädare omvända de stackars indianerna till att bli renläriga lutheraner utifrån de bibliska ideal som uttryckts i Augsburgska bekännelsen.

Även långt in på 1900-talet kunde historikern George Stephenson beskriva Sverige som »ett av de mest intensivt protestantiska länderna i världen«. I hans ögon var svenskarna som kommit till Amerika därmed lika hängivna bärare av den protestantiska reformationen som ättlingarna till de engelska pilgrimer som tidigare på 1600-talet flytt den anglikanska statskyrkan och dess kvarlämnade rester av romersk katolicism.

Under den svenska stormaktstiden hade påståendet om Sverige som en protestantismens fanbärare framstått som en odiskutabel självklarhet. Sedan kyrkomötet i Uppsala 1593 var det fastställt att Sverige var en evangelisk-luthersk nation, en gemenskap som det knappast var möjligt att avvika från. Statens och kyrkans intressen var intimt sammanflätade i ett intolerant och teokratiskt styre. Undersåtarna skulle hållas på plats, vara trogna fosterlandet och kyrkan under en central och auktoritär doktrin. Prästerskapet bestämde över individens tro och religionen dominerade såväl den samhälleliga kulturen som den enskildes världsbild. Den var inte bara ett stöd utan ett förhållningssätt. Utan tron riskerade tillvaron att rämna. Den lutherska läran legitimerade även monarken. Kungen på tronen fick inte sin makt från folket utan från Gud. Det var i och för sig ingen ovanlig uppfattning när utdragna och blodiga religionskrig utkämpades mellan protestanter och katoliker runtom i Europa. Men även för sin tid stod Sverige för en aggressiv protestantisk fundamentalism. Sverige hade räddats från papismen, en befrielse som var så fullständig att den till och med kunde jämföras med Bibelns berättelse om hur den judiska befolkningen flytt från förtrycket i Egypten. Kungen kunde betraktas som inget mindre än härförare för ett svenskt Israel.

Det var därmed en tung börda som vilade på Johannes Campanius axlar när han på andra sidan Atlanten tog över som präst i Nya Sverige. I instruktionerna för kolonin framgick att »det vilda folket gradvis ska undervisas i den kristna religionens sanning och dyrkan och på andra sätt införlivas med civilisationen«. Han skulle sprida det svenska evangeliet i vildmarken och han gick till verket samvetsgrant och med ambitiöst nit. För att locka över indianerna till den protestantiska läran besökte han deras läger och studerade noggrant deras liv och kultur. Campanius försökte även lära sig att tala till dem på deras eget språk, något som knappast var vanligt bland de europeiska kolonisatörerna. I en pionjärinsats sammanställde han ordlistor och översatte till och med Luthers lilla katekes till lenapespråket som uppenbarligen fascinerade honom. Han fortsatte med översättningsarbetet även sedan han fem år senare lämnat kolonin och återvänt till Sverige, där han fick en tjänst som kyrkoherde i Uppland.

Trots alla ansträngningar finns dock inte mycket som tyder på att Campanius var särskilt framgångsrik i sitt missionerande.

Det är osäkert i vad mån hans version av katekesen verkligen nådde fram till indianbefolkningen och om den i så fall alls var begriplig. Översättningen har senare liknats vid dagens pidgin-engelska, det vill säga ett simpelt basspråk som ger möjlighet till enklare muntlig förståelse men knappast räcker till någon mer djupgående kommunikation.

Såvitt känt var det heller inte en enda lenapeindian kring Delawarefloden som blev lutheran som en följd av missionärs-arbetet. Men Campanius enträgna ansträngningar får nog ändå sägas vara värda viss beundran, särskilt som hans situation knappast stärktes av att de uteblivna skeppslasterna från hem-landet gjorde att svenskarna led brist på materiella ting att er-bjuda indianerna. Det var trots allt som regel genom handel och med gåvor, snarare än med kristen pådyvlan, som en långsiktig och förtroendefull relation med ursprungsbefolkningen kunde byggas upp.

*

Det fanns också egna själar att sörja för. Om lenapeindianerna visade begränsat intresse för den svenska statskyrkans budskap, var kolonins bosättare däremot i högsta grad angelägna om att få höra Guds ord på det sätt de var vana vid. Hos svenskarna existe-rade knappast några invändningar mot den officiella protestan-tiska läran. De hade inte – som puritanerna i New England – flytt den egna statskyrkan för att finna religiös frid i Amerika och till skillnad från nederländarna i Nya Nederland värderade de knappast religionsfrihet i sig.

När Johannes Campanius och Johan Printz anlände 1643 hade de med sig instruktioner inte bara från de världsliga myndighe-terna utan även från den svenska statskyrkan, författade av är-kebiskopen i Uppsala, Laurentius Paulinus Gothus. Den svenska

---

Thomas Campanius Holm kunde 1702 ge ut en
beskrivning av den svenska kolonin i Nordamerika,
baserad på material från hans farfar som var präst i Nya Sverige.

NOVÆ SVECIÆ
Seu
PENSYLVANIÆ
IN AMERICA
DESCRIPTIO

Kort Beskrifning

Om
PROVINCIEN

Nya Swerige

uti
AMERICA,

Som nu förtjden af the Engelske kallas

PENSYLVANIA,

Af lärde och trowärdige Mäns skrifter och berättelser ihopale-
tad och sammanskrefwen/ samt med åthskillige Figurer
utzirad af

THOMAS CAMPANIUS HOLM.

REMOTA ILLVSTRAT

Stockholm/ Tryckt uti Kongl. Boktr. hos Sal. Wankijfs
Änkia med egen bekostnad/ af J. H. Werner. Åhr MDCCII.

D G NESCHER

statskyrkans överhuvud var mån om att de officiella kyrkliga ceremonierna skulle följas även i Nya Sverige och han förlitade sig på att Printz – som ju studerat teologi innan han inledde sin militära karriär – skulle upprätthålla en nödvändig religiös disciplin i kolonin. Flera enklare kyrkor uppfördes för Campanius predikningar. Den första, kapellet Christina, byggdes för säkerhets skull innanför fortets skyddsvärn eftersom man inte var riktigt säker på om indianbefolkningen runt omkring var att lita på.

Den svenska statskyrkan fortsatte också att förse kolonin med präster. Campanius efterträddes av Lars Lock som under Nya Sveriges sista tid fick sällskap av ytterligare två präster, Mattias Nertunius och Peter Hjort. Den kyrkliga upprustningen bekräftar att det då fanns förnyade ambitioner för kolonin. När många tidigare kolonisatörer valt att ge sig av var ett närvarande och aktivt prästerskap ett sätt att vinna bosättarnas förtroende, ge dem en bättre möjlighet att förstå att det trots allt fanns hopp för en framtid på sikt i Nya Sverige.

Efter den svenska kolonins fall var det i ännu högre grad kyrkan och religionen som band samman den kvarvarande och växande gruppen av svenskar. Tron fungerade som både ett kulturellt och socialt kitt när det inte längre fanns en gemenskap utifrån administrativ eller militär makt. De kapitulationsvillkor som Johan Risingh så motvilligt accepterat hade också varit relativt milda. De svenska kolonisatörerna kunde, om de ville, leva kvar på sina egendomar utan problem. Varken nederländarna eller senare engelsmännen gjorde heller några allvarligare försök att tvinga på svenskarna en annan religion. Lars Lock stannade kvar som pastor och fortsatte att predika i de svenska församlingarnas kyrkor. I viss bemärkelse slöt sig svenskarna än mer samman kring sin gemensamma tro när de konfronterades med andra europeiska kolonisatörer som tillhörde olika och främmande religiösa samfund.

Men med tiden blev det ändå allt svårare att hålla fast vid språk och gamla traditioner. Lars Lock avled 1688 och en annan svensk pastor som anslutit, Jacob Fabricius, dog några år senare. I de svenska församlingarna började situationen bli smått förtvivlad.

Det fanns knappast några i svensk mening renläriga lutheranska präster i Amerika och det var praktiskt taget omöjligt att hitta någon som kunde predika på svenska. Vid gudstjänsterna fanns det inte ens tillräckligt med svenskspråkiga biblar eller psalmböcker för de egna församlingsmedlemmarna. Inget hördes längre från det gamla hemlandet.

På något sätt – via brev eller muntligt från tillbakavändande Amerikaresenärer – nåddes till slut postmästaren i Göteborg, Johan Thelin, i början av 1690-talet av budskapet att de bortglömda svenska utvandrarna var i desperat behov av andligt stöd från moderlandet. Det svenska arvet i Amerika var annars på väg att försvinna. Thelin vände sig till hovet i Stockholm. Kung Karl XI ville gärna räcka en hand till de gamla undersåtarna även om de inte längre var svenska medborgare. Han vände sig till ärkebiskopen som i sin tur överlämnade ansvaret till teologen, domprosten och hovpredikanten Jesper Swedberg, far till filosofen Emanuel Swedenborg.

Swedberg tog sig inte bara entusiastiskt an Amerikaprojektet. Det föll sig också så att Sverige 1695 antog en ny officiell psalmbok som även innehöll katekesen och andra texter. Det var Swedberg som först utarbetat den nya versionen och en större upplaga hade tryckts upp året innan. Karl XI hade först varit nöjd men fick kalla fötter när hård kritik kom från mer ortodoxa kyrkoledare som krävde rättning enligt en striktare och i kyrkan etablerad luthersk doktrin. Ett antal nyskrivna psalmer refuserades. Mycket av Swedbergs arbete fanns visserligen ändå kvar i den psalmbok som sedan blev den officiella, men den första upplagan fick inte användas i de svenska kyrkorna. De indragna psalmböckerna sändes istället till de svenska församlingarna i Amerika där de togs emot med stor tacksamhet.

*

Jesper Swedberg blev senare biskop i Skara men kallade sig även biskop för Amerika. Han utsåg tre präster – Anders Rudman, Erik Björk och Jonas Aurén – som skickades till Amerika där de anlände 1697, mer än fyrtio år efter Nya Sveriges fall. De hade kungens uppdrag att som den svenska statskyrkans utsända präster ansvara för att predika det sanna lutherska evangeliet bland kolonins ättlingar. Aurén fick till och med som uppgift att på nytt börja missionera bland indianbefolkningen. Björk blev kyrkoherde i församlingen i Christina, som nu fanns i den stad som engelsmännen döpt till Wilmington, medan Rudman blev kyrkoherde i församlingen i Wicaco som redan då blivit en del av Philadelphia. Beslut togs snabbt om att ersätta de gamla enkla träkapellen. Två nya stenkyrkor uppfördes. Båda finns fortfarande kvar, och de räknas idag bland USA:s äldsta kyrkobyggnader och har därmed getts skydd som historiska minnesmärken. Holy Trinity Church i Wilmington blev färdig 1699. Gloria Dei i södra Philadelphia invigdes året därpå, 1700. Kyrkorna är fortfarande i bruk även om de sedan länge övergått till att vara episkopalkyrkor, om än med tillägget »Old Swedes' Church«.

De mer än tjugo svenska präster som under närmare ett sekel framåt skickades över till Amerika bidrog säkert mer än något annat till att det svenska språket och svenska traditioner ändå till viss del bevarades. Som mest hade de svenska församlingarna kring tretusen medlemmar. Det var inte förrän 1775, just när den amerikanska revolutionen inleddes, som Gustav III tyckte det var dags att skära ned på kostnaderna för de svenska prästerna.

Först 1783 lade svenska kyrkan helt ned det Amerikaprojekt som fötts ur det egna landets kolonialism. Den svenska versionen av den lutherska läran fick då klara sig på egen hand i vad som blivit USA. Förutom att det fanns pengar att spara stod det nog också klart att svenskättlingarna på andra sidan Atlanten vid det laget – som Fredrika Bremer senare skulle upptäcka – blivit amerikaniserade. I den mån någon ny utvandring från Sverige överhuvudtaget förekom under 1700-talet var den mycket begränsad. För de flesta i de lägre samhällsklasserna var det i princip inte tillåtet att utvandra, det var till och med svårt att flytta inom landet utan tillstånd från kyrkan som inte gärna släppte greppet om sina själar. Rörelsefrihet var ett privilegium för adeln.

De till Amerika utsända prästerna hamnade i en i flera avseenden främmande miljö. Ett brev daterat den 17 juni 1702 från Andreas Sandell – som då efterträtt Anders Rudman som kyrkoherde i Gloria Dei i Philadelphia – visar att den religiösa mångfald han mötte var något nytt. Han var inte odelat positiv när han rapporterade hem till Sverige om de många religioner han fann sida vid sida. Även om han kunde vara kritisk till vissa ceremonier i den anglikanska kyrkan påminde den engelska statskyrkans protestantiska inriktning ändå en hel del om den svenska lutherdomen. Han kunde även någorlunda fördra presbyterianerna, men hade uppenbarligen svårare för kväkarna och vad han kallade anabaptisternas »välkända irrläror«. Det upprörde honom också att det fanns de som helgade sabbaten på lördag istället för att se söndagen som den heliga dagen. Sandell tillade att det fanns så många olika religioner att han inte hade tid att berätta om dem alla.

*

Den religiösa pluralism Sandell kunde observera på plats var då helt främmande och något otänkbart i Sverige. Amerika var på väg mot sin första stora väckelserörelse. Nya samfund med baptister och metodister fick fäste och gamla ritualer kastades överbord. Tyngdpunkten skiftade till en personlig relation till Gud och individuell frälsning. Lekmän kom att spela en större roll på prästerskapets bekostnad. 1700-talets väckelserörelse fick genomslag på olika håll i Europa men i Sverige stängdes dörren hårt. Allt som stred mot den rena evangeliska läran bannlystes. Religiös splittring kunde underminera nationens enhet.

De enda egentliga avvikarna från den påbjudna läran i Sverige var anhängarna av den pietistiska rörelsen, och när deras kritik av statskyrkans formalism och påstådda korruption började uppfattas som ett hot infördes 1726 konventikelplakatet, en strikt förordning som förbjöd alla religiösa möten som ägde rum i hemmen eller på andra ställen utanför kyrkans ram. Lagbrytare kunde dömas till kännbara straff, till och med landsförvisning på två år om den skyldige upprepat brottet tre gånger. En lagskärpning ett decennium senare gjorde det inte bara olagligt att sprida vad som kallades kätterska läror utan även att personligen ta till sig en avvikande trosuppfattning. Även om det var svårt att kartlägga och kontrollera en enskild individs tro, höll prästerna under lång tid husförhör med sina församlingsmedlemmar. Den som inte hade goda skäl att vara frånvarande kunde straffas med böter.

Det rådde alltså ett officiellt religions- och åsiktsförtryck som samlade ett brett politiskt stöd i ståndsriksdagen, trots att upplysningens betoning på förnuft, vidsynthet, tankefrihet och individens rättigheter samtidigt började få genomslag. Vad som kallas frihetstiden – ett begrepp som numera möjligen kan låta en aning paradoxalt – hade ju också inletts i och med att riksdagens makt stärkts. Men även om det ledde till en frihet från monarkistiskt envälde var vad som idag avses med individuella fri- och rättigheter mycket kraftigt beskurna.

Konventikelplakatet luckrades visserligen upp med tiden men det var i kraft fram till 1858 och det skulle dröja fram till 1951 års lag om religionsfrihet innan det blev möjligt att villkorslöst gå ur svenska statskyrkan. Fredrik Olaus Nilsson grundade Sveriges första baptistförsamling efter att tidigare ha kommit i kontakt med nya trosriktningar i Amerika, dit han kommit som sjöman. Han hade fått sin religiösa kallelse ombord på ett skepp som gick i trafik mellan New York och Charleston. Det var under en mycket svår storm vid Cape Hatteras utanför North Carolinas kust som han kände sig manad att viga sitt liv åt Gud. Han kom tillbaka till Sverige 1839 och gjorde först vad han kunde för att verka för den lutherska tro han var uppfödd med. Men när han några år senare mötte en sjömanskollega, Gustav Schröder, som konverterat till baptismen i New Orleans, valde även Nilsson att konvertera.

Det skedde just när nya väckelserörelser började göra sig hörda i Sverige och ännu fanns bara en handfull baptister i landet. När han nu fortsatte att missionera uppfattades han av myndigheterna som ett samhällshot. Så sent som 1851 dömdes Fredrik Olaus Nilsson till förvisning från Sverige. Efter att förgäves ha sökt nåd hos Oscar I tog han sig via Köpenhamn, Hamburg och London så småningom till USA där han stannade i sju år. Han återvände

---

Biskopen i Skara, Jesper Swedberg, kunde även kalla sig biskop för Amerika i och med att han skötte kontakterna med de präster som svenska statskyrkan skickade över Atlanten.

till Sverige 1860, då han benådades av Karl XV i och med att konventikelplakatet hävts. Åtta år senare utvandrade han ändå till USA och bosatte sig för gott i Minnesota där han avled 1881. Han hade då övergett baptismen och istället blivit medlem i den unitariska kyrkan. Han hade gjort en religiös färd mellan flera olika samfund på ett sätt som då sannolikt framstod som mycket främmande i Sverige.

När baptismen och andra nya trosriktningar spreds i Sverige i samband med 1800-talets väckelserörelser kom mycket av inspirationen från USA. Många av de nya religiösa ledarna hade konverterat från lutherdomen i USA och återvände som utbildade missionärer till hemlandet. Pengar kom från USA för att stötta nybildade församlingar och USA:s religiösa mångfald lyftes fram som en moralisk vägvisare.

*

Även om det i första hand säkert var ekonomiska skäl som drev på den stora utvandringen från Sverige och andra europeiska länder var även missnöjet med religiös och politisk ofrihet en viktig drivkraft. Religionsfriheten var central när USA antog sin konstitution 1787. En skarp skiljelinje markerades mellan stat och kyrka; den enskilde garanterades rätten att utöva sin egen religion eller ingen alls. Religiösa minoriteter gavs ett skydd som inte fanns någon annanstans i världen och som sannolikt är oöverträffat än idag.

Men redan under kolonialtiden fungerade Amerika som något av en experimentverkstad för religionsfrihet. Olika trosriktningar fanns tidigt sida vid sida och nya samfund utvecklades. Mångfalden inspirerade till nya rörelser i Sverige och övriga Europa där det oftast var regel att en kung styrde enväldigt, på uppdrag av Gud och med statskyrkan som trogen bundsförvant. Under delar av 1700-talet hörde Sverige till undantagen när monarken tvingades ta hänsyn till ett parlament, en maktdelning som var än mer tydlig i Storbritannien och i Nederländerna.

De krav om att fritt få utöva en valfri religion som restes av de tidiga invandrarna till Amerika accepterades dock inte utan vidare av kolonialherrarna. Spanien och Frankrike upprättade missioner i sina nordamerikanska kolonier. Franciskanermunkar och jesuitpräster sändes ut för att sprida katolicismen i den nya världen. Några avvikande uppfattningar tilläts inte. Frankrike hade ju till och med förbjudit sin egen protestantiska minoritet hugenotterna att emigrera till Amerika.

Även om Nederländerna var det mest liberala landet i Europa med en för sin tid ovanligt stor tolerans för olika trosriktningar, hade kalvinisterna i Nederländska reformerta kyrkan ändå en särställning. Det var något guvernören Peter Stuyvesant försökte hålla fast vid i kolonin Nya Nederland. I själva verket såg han den myllrande mångfalden som ett stort problem när olika nationaliteter och religioner blandades i staden Nya Amsterdam. Han tyckte inte att andra slags protestanter, katoliker eller judar hade där att göra.

Men Stuyvesant förde en ojämn kamp. Vid sidan av de reformerta kalvinisterna fanns engelska puritaner och anglikaner, olika nationaliteter av lutheraner, kväkare, katoliker, anabaptister och andra som höll fast vid sin egen lära. 1654 anlände tjugotre judar till Nya Amsterdam och bad om asyl. Ursinnigt nekade han dem rättigheter bara för att senare tvingas ge vika när ledningen för Nederländska Västindiska Kompaniet ingrep. Trosfrihet var den officiella förklaringen. Troligtvis togs även ekonomiska och praktiska hänsyn till privata investerare och möjligheter till expanderande handel. Kolonin behövde fler invånare och om de hade kapital desto bättre. I vilket fall blev den grupp som anlänt de första permanenta judiska bosättarna i Nordamerika.

Men det var i högre grad kväkare som, efter att ha lämnat hemlandet England, ställde krav och mer direkt skulle komma att utmana Peter Stuyvesants intolerans. I hans ögon utgjorde kväkarna ett hot mot ordningen i kolonin, bortsett från att han dessutom var övertygad om att de var från vettet. Flera sattes i fängelse och den tjugotreårige predikanten Robert Hodgson, som utpekades som en ledare, utsattes för offentlig tortyr. Men det öppna förtrycket ledde till en sympatiyttring i byn Vlissingen – senare Flushing i Queens i New York – där ett trettiotal invånare i slutet av 1657 skrev under en protest som skickades till guvernören.

De hävdade att fri religionsutövning var en fundamental rättighet för alla amerikaner. Stuyvesant borde kanske ha förstått allvaret i och med att ingen som undertecknat skrivelsen själv var kväkare. De talade inte i egen sak utan visade att de var beredda att slåss för en princip. Även om det blev en lång dragkamp tvingades Stuyvesant backa även denna gång. Efter att flera ledande kväkare fängslats eller förvisats togs deras sak till Västindiska Kompaniets högkvarter i Amsterdam. Bolagsledningen gjorde visserligen klart att den tyckte att kväkarna företrädde en vedervärdig religion, men slog ändå fast att var och en hade rätt till sin egen tro. Därmed hade religionsfrihet 1663 blivit lag i Nya Nederland och det var också något som skrevs in i kapitulationsvillkoren när engelsmännen året därpå tog över kolonin.

Protestskrivelsen, senare känd som »The Flushing Remonstrance«, räknas idag som en föregångare till den garanti för religionsfriheten som efter USA:s självständighet sattes på pränt i konstitutionens rättighetsförklaring. Vad som ända sedan dess varit en hörnpelare i USA:s författning kan alltså spåras tillbaka ända till kolonialtiden. Ibland beskrivs Flushing till och med som religionsfrihetens födelseplats.

*

Utvecklingen i andra amerikanska kolonier bidrog dock också till vad som senare skulle bli en bred uppslutning bakom religionsfrihetens principer. Rhode Island bildades som en religiös utbrytarkoloni. I Maryland skrevs religiös tolerans in i lagen. Pennsylvania grundades som en kväkarkoloni men präglades av att olika religiösa grupper aktivt välkomnades.

Medan ekonomiska drivkrafter var helt dominerande när Virginias tidiga plantagesystem utvecklades, hade invandringen till New England från början en religiös prägel. Även om det främst var ekonomiska skäl som fick många att lämna England för de nya kolonierna i vad som idag är nordöstra USA, var det också ett stort antal som uppfattade sig som flyktingar från den anglikanska statskyrkans förtryck. De första kallades pilgrimer och anlände med skeppet *Mayflower,* som sedan fått en framskjuten plats i en amerikansk mytologi; de som var ombord på skeppet har i vissa sammanhang setts som bärare av nya frihetsideal. *Mayflower* nådde den amerikanska östkusten i slutet av 1620 – drygt sjutton år innan *Kalmar Nyckel* och *Fogel Grip* seglade uppför Delawarefloden – och skeppets passagerare har i ett anglosaxiskt perspektiv kommit att betraktas som ett slags urinvandrare. Det är många vita amerikaner med europeisk bakgrund som gärna hävdar att deras anfäder en gång anlände med *Mayflower* till det land där de själva och deras avkommor efter hårda umbäranden kunde finna personlig frihet – såväl i religiös som i andra bemärkelser.

Pilgrimerna grundade kolonin Plymouth i vad som idag är den sydöstra delen av delstaten Massachusetts och det blev den andra varaktiga engelska bosättningen efter Jamestown i Virginia. De följdes av en större utvandringsvåg av trogna protestanter som kallade sig puritaner. De grundade tio år senare Massachusetts Bay Colony under ledning av predikanten John Winthrop, som på resan över Atlanten beskrev destinationen som »en stad på höjden« – *city upon a hill* – och med det menade han en plats för ett utvalt folk på väg mot det förlovade landet.

De två kolonierna kom att slås ihop mot slutet av 1600-talet och begreppen pilgrimer och puritaner har också kommit att delvis flyta samman. Båda grupperna var ett slags protestantiska fundamentalister som protesterade mot att reformationen inte gjort större avtryck i England. Även om Henrik VIII brutit med påven redan på 1530-talet beskylldes den anglikanska statskyrkan för att i stor utsträckning hålla fast vid ritualer som betraktades som katolska kvarlevor och det gjorde, enligt kritikerna, att det inte riktigt blev vare sig det ena eller det andra. En skillnad, åtminstone i början, var att pilgrimerna var separatister medan den större gruppen puritaner ville verka för att reformera statskyrkan inifrån.

Från 1700 och nästan ett och ett halvt sekel framåt predikades den svensklutherska läran i Gloria Dei. Idag är det en episkopalkyrka i Philadelphia med tillnamnet Old Swedes' Church.

5534 OLD SWEDE'S CHURCH, PHILADELPHIA, PA.

Det tidiga New England, med dess pilgrimer och puritaner i kolonier som upprättades i Massachusetts och kring Connecticutfloden, har en central roll i USA:s skapelseberättelse. Det var trots allt där som de revolutionära stämningarna först blev tydliga; det var där som de som kom att kallas amerikanska patrioter inledde upproret mot den brittiska kronans skattepålagor och kravet om »ingen beskattning utan representation« ställdes, vilket ledde till det berömda tepartyt i Bostons hamn 1773, och det var där skotten i Lexington och Concord två år senare markerade inledningen på självständighetskriget.

Det kan förstås tyckas som ironiskt att puritanerna i New England i slutet av 1600-talet inte alls var särskilt öppna för att främja en religiös mångfald. I själva verket lade de i New England inledningsvis grund för en intolerant teokrati utan plats för oliktänkande. Religionen kunde också utan större problem inkorporeras i kolonisatörernas ekonomiska intressen. Även i Virginia hade de första engelsmännen på plats varit övertygade om att de fullföljde Guds vilja genom att odla upp och civilisera vildmarken. De var säkra på att det även var för ursprungsbefolkningens bästa. I New England, där klimatet var kärvare, tackade puritanerna Gud för att han fört dem till detta land. De visste att han skapat Amerika och att det fanns skäl till att de var där. De var kallade och det var nu deras skyldighet att hedra Gud genom strävsamt arbete, genom att odla marken, bygga fabriker och skolor och utveckla ekonomiskt starka samhällen. För detta krävdes en strikt moral.

I den miljön fanns inte utrymme för några oliktänkande, ens om de var mer puritanska än puritanerna själva. Avvikande trosuppfattningar bannlystes. Syndare förvisades, fängslades och kunde till och med dömas till döden. När kväkaren Mary Dyer hängdes för sin tros skull väckte det sådan uppmärksamhet att kung Karl II i London fann sig nödgad att ingripa. Men senare kunde religionsförföljelserna i New England ta sig ännu märkligare uttryck, som den masspsykos som utlöste de berömda häxutdrivningarna i Salem mot 1600-talets slut.

De styrande i Massachusetts, där John Winthrop länge var kolonialguvernör, provocerades så av predikanten Roger Williams att de ville deportera honom tillbaka till England. Hans brott var att han bestämt hävdade att kolonin skulle förklara sig självständig i förhållande till den anglikanska statskyrkan. Med den geografiska frihet som stora ytor erbjöd lyckades han fly söderut där han 1636 helt sonika utropade sin egen koloni vid Narragansett Bay, en bosättning som senare blev delstaten Rhode Island.

Williams nöjde sig inte bara med att omge sig av likasinnade, utan han utropade en fristad för alla trosriktningar och visade även sin respekt för de lokala indianernas religion. Andra som förföljts i övriga New England följde efter. Två år efter grundandet anlände Anne Hutchinson som dömts till förvisning från Massachusetts. Hon sågs som ett hot mot samhällsordningen efter att ha anklagat puritanerna och deras präster för att vara gudlösa hycklare. Företrädare för andra religioner lockades också till Rhode Island och Roger Williams kom själv att grunda USA:s första baptistförsamling. Rhode Island blev därmed vid sidan av Nya Nederland först i Amerika med att etablera en vidsynt religionsfrihet.

Nackdelen var möjligen att kolonin även kom att fungera som ett andningshål som antagligen bidrog till att stärka religionsförtrycket i övriga New England. Avvikare kunde ge sig av istället för att protestera. Men Roger Williams ideal levde vidare och hans formuleringar om en skiljelinje mellan stat och kyrka kan senare ha inspirerat Thomas Jefferson och James Madison när de drev fram den rättighetsförklaring – *Bill of Rights* – som gav religionsfriheten konstitutionellt skydd i den nya nationen USA. De två författningsledarna talade, precis som Williams, om en mur eller en linje som skulle skilja kyrka och stat.

*

Utvecklingen mot religionsfrihet i Amerika underlättades annars av att de brittiska kolonierna till att börja med kunde ha olika grad av fasta bindningar till den engelska kronan och därmed också till den anglikanska statskyrkan. Många omvandlades först senare till kronkolonier. Tills vidare kunde de därmed styras av mäktiga privata handelsbolag eller av rika enskilda individer som av en eller annan anledning stod kungamakten nära och kunde göra anspråk på vad som närmast var att likna vid ett eget furstendöme.

Kring 1630 upprättade den engelske kungen Karl I relativt godtyckligt en ny koloni norr om Virginia. Denna nya koloni på närmare fem miljoner hektar gavs som en uppmuntrande belöning till lord Baltimore, en av hovets mest lojala politiskt allierade aristokrater som nu hade behov av att återhämta sig från ett misslyckat kolonialt äventyr i Newfoundland. Gränsdragningen var en aning oklar, inte bara i förhållande till Nya Nederland och vad som skulle bli Nya Sverige, utan det största problemet uppstod när en annan engelsk koloni, Pennsylvania, grundades flera decennier senare. Den nya kolonin fick i alla fall namnet Maryland, som en hyllning till kungens franskfödda katolska hustru.

När lord Baltimore avled gick såväl rätten till kolonin som den adliga titeln i arv till hans son, som blev den andre baronen av Baltimore. Målet hade hela tiden varit att tjäna pengar och närheten till den redan etablerade kolonin Virginia bidrog till att utveckla en lönsam odling av tobak och andra jordbruksprodukter. Maryland genererade vinster till sin huvudman lord Baltimore och stärkte Englands handelsbalans, precis som det var tänkt i merkantilistisk anda.

Men den förste lord Baltimore hade också varit angelägen om att med kolonin skapa en fristad för katoliker som ville utvandra från England och även andra länder. Den engelske adelsmannen hade själv känt sig diskriminerad i sin politiska verksamhet i hemlandet på grund av sin katolicism.

I den meningen lyckades projektet bara delvis. Många katoliker valde att slå sig ned i Maryland. Senare kom katolska befattningshavare att inneha höga poster i en omfattning som helt saknade motsvarighet i de andra brittiska kolonierna. Men det blev ändå protestanter av olika sorter som kom att utgöra den största befolkningsgruppen. Puritaner, kväkare och andra grupper kom att söka sin tillflykt i Maryland när Virginia vidtog mått och steg för att formellt upphöja den anglikanska läran till officiell religion. De religiösa motsättningarna i Maryland kom periodvis att leda till våldsamma konfrontationer och situationen underlättades knappast av att England kom att använda kolonin som en avstjälpningsplats för dömda brottslingar. Men samtidigt som katoliker och protestanter utkämpade blodiga religionskrig i Europa infördes ändå 1649 *Maryland Toleration Act*, en av de tidigaste lagarna att slå fast att olika trosuppfattningar måste tillåtas sida vid sida. Även om den praktiska betydelsen av lagen kan diskuteras – katoliker utsattes trots allt senare för förföljelse i Maryland – räknas den ändå som en av flera förebilder när religionsfriheten gavs en framskjuten plats i USA:s konstitution.

*

Vid sidan om tillgången på mark blev ett löfte om religionsfrihet också viktigt när de fortfarande glest befolkade kolonierna alltmer började konkurrera om nya bosättare. Friheten att kunna hålla sig till sin egen tro lockade både invandrare från Europa och kolonisatörer som ville bort från intoleransen i New England. Den koloni som senare blev New Jersey, och som under en period var uppdelad i East och West Jersey, kunde på ett påtagligt sätt öka sin befolkning med utfästelser om religiös öppenhet.

Innan New Jersey blev en kronkoloni var det privata investerare som styrde området. En av dem hette William Penn, en välbeställd son till en brittisk amiral som vid tjugotvå års ålder väckt viss uppståndelse i England när han anslöt sig till kväkarna, då sedd som en mystisk, radikal och samhällsfarlig protestantisk sekt. När deras skara av anhängare växte i snabb takt blev kväkarnas övertygelse om att den enskilde individen måste finna sin egen personliga väg till Gud en utmaning mot den statliga kyrkans makt och inflytande. När de också framhöll att alla människor var lika inför Gud kunde det uppfattas som en kritik av den sociala hierarkin. Förföljelser ledde till att många kväkare tog sin tillflykt till Amerika; en första kväkarkoloni bildades

---

William Penn, grundaren av kolonin Pennsylvania, slöt
ett fredsavtal med lenni lenape-indianerna 1683,
när engelsmännen redan tagit över vad som varit Nya Sverige.

intill Delawarefloden i vad som under slutet av 1600-talet var West Jersey.

Men William Penn hade större ambitioner och tack vare att det fanns en ekonomisk skuld att lösa in fick han en möjlighet att förverkliga sin vision. De många krigen hade tärt på den engelska statskassan och Penn kunde kräva kungahuset på ett större pengabelopp som lånats ut av hans framlidne far, amiralen William Penn. Kung Karl II valde att göra sig kvitt skulden genom att ge den yngre William Penn ett stort landområde i Amerika, ett territorium som inkluderade vad som skulle bli delstaterna Pennsylvania och Delaware, och därmed merparten av vad som varit Nya Sverige. Det kan inte uteslutas att den engelske kungen också såg uppgörelsen som ett bra tillfälle att bli av med de alltmer flertaliga och besvärliga kväkarna i hemlandet. Efter att William Penn 1681, till sin fars ära, grundat sin koloni Pennsylvania – »Penns skogar« – valde hur som helst tusentals engelska kväkare att resa över Atlanten. De flesta slog sig sedan ned i Pennsylvania.

Som så ofta i den amerikanska historien kom ekonomiska och religiösa drivkrafter att sammanfalla. Penn ville skapa en hemvist för sina kväkare samtidigt som han såg goda möjligheter att tjäna pengar. Pennsylvania hade bördig mark och ett klimat som var lämpat för odling av spannmål. Nya bosättare kunde se optimistiskt på framtiden, både när det gällde att skaffa mark för ett uppehälle och möjligheten att följa en egen religion utan påbud uppifrån. För i enlighet med kväkarnas trosuppfattning var Penn också en anhängare av religionsfrihet. Ingen hade monopol på Gud. Genom att öppna dörren för olika religiösa riktningar kunde han även påskynda den befolkningstillväxt som var nödvändig när stora arealer skulle uppodlas. Som han själv uttryckte det så var han helt för religionsfrihet, men det var också rimligt att han fick kompensation för besväret.

Kväkarna kom visserligen att sätta en betydande prägel på det tidiga Pennsylvania. Men de nya bosättarna var långt ifrån enbart engelska kväkare. Från de brittiska öarna kom skottar, walesare och irländare och kolonin lockade även tyska pietister, nederländska kalvinister och en rad andra protestantiska grupper från olika länder. Alla utlovades lika rättigheter och möjligheter. Medan puritanerna dominerade i New England och den anglikanska kyrkan i de södra kolonierna, var Pennsylvania en öppen fristad för alla. Även politiskt var Penn en föregångare. Han behöll visserligen själv posten som guvernör, men en generalförsamling, där kolonins olika grupper var företrädda, antog en författning som inte bara garanterade religionsfrihet utan också föreskrev att ämbetsmän skulle väljas i direkta val och att invånarna hade rätten att beskatta sig själva.

Men vad som kallades ett »heligt experiment« ledde till en mångfald som i vad som var den amerikanska demokratins barndom kunde bli lite svårregerlig. Penn återvände till England redan 1684 och det skulle dröja femton år innan han var tillbaka i Pennsylvania. Under tiden hade det lokala styret i princip ignorerat hans direktiv samtidigt som kolonin utvecklats snabbt ekonomiskt. Vid det laget hade Penn tappat en hel del av sin tidigare vidsynthet, både när det gällde religionsfrihet och politiska reformer som syftade till ett mer folkligt demokratiskt inflytande. Istället för att stanna, som han tänkt, reste han ett par år senare tillbaka till England där problemen snart hopade sig. Han levde över sina tillgångar, blev så skuldsatt att han hamnade i fängelse och dog i armod 1718. Under slutet av sitt liv klagade han över att invånarna i hans koloni inte var tillräckligt ödmjuka mot präster och myndigheter; de hade helt enkelt en benägenhet att ge uttryck för alltför många åsikter.

Som grundare av Pennsylvania lämnade William Penn ändå tydliga avtryck. Hans arvtagare fortsatte att spela ledande roller i kolonin fram till den amerikanska revolutionen och hans staty – en praktfull pjäs i brons på 27 ton– är idag väl synlig från toppen av det ståtliga stadshuset i Philadelphia, staden han anlade intill Delawarefloden under sin första tid i Pennsylvania. Han tog själv initiativ till en för sin tid avancerad stadsplanering. Breda gator bildade ett rutmönster enligt en modell som kom att följas av många andra amerikanska städer. Penn såg också till att ge plats åt torg och grönskande parker. Philadelphia växte snabbt och blev under 1700-talet den ledande staden i de brittiska kolonierna i Amerika; större än Boston och åtminstone för en tid även större än New York.

*

Svenskarna och deras ättlingar som blivit kvar från den gamla kolonin Nya Sverige gjorde vad de kunde för att hålla fast vid gamla traditioner i en miljö där en religiös pluralism bredde ut sig. Det var, som den brevskrivande pastorn Andreas Sandell hade visat, inte alltid så lätt. Men den svenska kyrkan fann ändå sin plats i en ny miljö av religionsfrihet. De flesta svenskarna vid den tiden fanns trots allt i kolonierna Pennsylvania, Maryland och New Jersey där den religiösa mångfalden var som störst. En av de svenska prästerna, Carl Magnus Wrangel, kom till och med att bli känd som en väckelsepredikant. Han drog sig inte för att framträda tillsammans med den kände engelsmannen George Whitefield, som blev en av de tidiga förgrundsfigurerna inom metodiströrelsen och som kunde locka stora entusiastiska skaror i Amerika med sina känslofyllda predikningar.

När uppbyggnaden av Philadelphia inleddes skedde det till viss del på vad som tidigare räknats som svensk mark. Flera svenskar hade egendomar i den forna bosättningen Wicaco som överläts till den nya stadsbildningen. Mot kompensation i form av andra markområden lät tre bröder Svensson – söner till Sven Gunnarsson, en tidig bosättare som tvångsskickats till Nya Sverige 1639 – William Penn ta över ett område som idag hör till södra Philadelphia och utgör stadsdelen Southwark. Där, vackert belägen intill Delawarefloden, ligger fortfarande den gamla svenskkyrkan Gloria Dei, på promenadavstånd från stadshuset i Philadelphias centrum. Den som fortsätter en bit söderut utefter floden finner ett mer modernt svenskt kännemärke, ett Ikeavaruhus i blågula färger.

I Gloria Dei fortsatte de från Sverige utsända prästerna att predika den evangeliska lutherska läran utifrån den svenska statskyrkans direktiv under hela 1700-talet, även om det med tiden blev allt färre som kunde förstå ett budskap som var framfört på det svenska språket.

Nils Collin, den siste svenske prästen som ledde församlingen och också var med om att uppleva den amerikanska revolutionen, gav inte ens upp när bandet till hemlandet formellt bröts och de ekonomiska bidragen slutade komma. Collin återvände aldrig till Sverige utan ledde kyrkan fram till sin död 1831 då han var åttiosju år gammal. Liksom flera andra av de svenska präster som blev kvar i Amerika begravdes han i kyrkan. Det finns fortfarande en inskription till hans minne: »Han var den siste i en lång rad av missionärer som sändes ut av den svenska moderkyrkan för att ge livets bröd till hennes barn på denna avlägsna strand.«

Det dröjde sedan till 1845 innan Gloria Dei helt upphörde att vara en svensk kyrka och istället blev en del av episkopalkyrkan, det samfund som bildats utifrån vad som blev kvar av den anglikanska statskyrkan efter revolutionen. Som prosten Andreas Sandell långt tidigare konstaterat fanns trots allt inte oväsentliga likheter med den svenska statskyrkans lära.

Det var närmast oundvikligt att det svenskamerikanska livet skulle tyna bort och det var i stort sett de utsända prästernas förtjänst att språk, kultur och traditioner ändå överlevde så pass länge. Någon ny svensk invandring av betydelse skedde inte under 1700-talet, och när den sedan tog fart i stor skala under nästa sekel var det få som sökte sig till de gamla svensktrakterna runt Delawarefloden. Men några svenskar bosatte sig ändå i Philadelphia och andra vistades under längre perioder i staden vilket resulterade i utförliga rapporter tillbaka till hemlandet. Intryck förmedlades till det fortfarande relativt slutna Sverige om livliga diskussioner som fördes om religionsfrihet, politisk demokrati och individuella rättigheter. Nya idéer och tankar låg i luften. Upplysningen, med dess förnuftstro, var på frammarsch.

*

Det var sannolikt ett viktigt skäl till att pastor Nils Collin mot slutet av sitt liv fick en mer negativ syn på Amerika och tidigt kom att varna för riskerna med en utvandring från Sverige. Den bild som redan börjat spridas av USA som ett förlovat land framstod för Collin som skadlig. Det var en »yrande phantasie«, förklarade han, att tro att emigranten vid ankomsten utan vidare skulle få till skänks lantegendomar med hus, bohag, åker, redskap, kreatur och slavar. Tillvaron var hårdare, konstaterade han i ett utkast till en aldrig publicerad skrift mot utvandring: »I America måste man arbeta; det är ej en lycksalighetsö, där gatorna äro lagda med hvetebullar, taken beklädda med pannkakor, samt stekta höns flyga omkring och ropa – kom och ät oss.«

Collin hade först anpassat sig mycket väl i Amerika men hade på ålderns höst kanske drabbats av hemlängtan och närmast blivit bitter över att ha blivit kvar så länge i Philadelphia. Men hans anteckningar visar att han var väl medveten om att svenskar lockades av den nya nationen som växte fram på andra sidan Atlanten. Med tanke på att utvandringen var minimal när han skrev ned sina kommentarer i början av 1790-talet fanns det annars knappast någon större anledning att i avskräckande syfte föra ut budskap som varnade för utvandring till Amerika. Han vände sig mot både ett individualistiskt frihetstänkande och ett nedbrytande av klassbarriärer. Det var ett utslag av dålig moral hos folket när uppfattningen spreds att »alla äro lika goda« och anor, ämbeten och förtjänster inte räknades som förr.

Det var alltså uppenbart att impulser av olika slag under senare delen av 1700-talet gick fram och tillbaka över Atlanten. Även om det just inte förekom någon utvandring reste svenskar ändå till Amerika och de rapporterade tillbaka vad de tagit till sig. Inte minst fanns det svenska besökare som tog starka intryck och imponerades av den oerhört inflytelserike Benjamin Franklin, den högt begåvade mångsysslaren som skulle spela en central roll när USA gick mot att bli ett självständigt land.

Även Nils Collin, som under de många åren i Philadelphia blivit en mycket beläst man och en framträdande invånare i staden, kom att bli bekant med Franklin som han ofta träffade vid möten med American Philosophical Society. Efter Franklins återkomst från Paris till Philadelphia 1785 ska Collin under långa diskussioner ha talat ingående med den amerikanske statsmannen om sin lutheranska religiösa övertygelse. Collin var trots allt en av svenska statskyrkan utsänd predikant och knappast främmande för att missionera i något sammanhang.

Det är högst osannolikt att Franklin lät sig påverkas av den svenske lutheranen. Han tog visserligen inte avstånd från religion, men han höll förnuftstron högt och var en deist som anslöt

112

sig till uppfattningen att Gud en gång skapat jorden men inte längre ingriper i världens gång.

Vänskapen mellan Collin och Franklin gav i alla fall ett konkret resultat. Gloria Dei utrustades tidigt med en skyddande åskledare, en av Benjamin Franklins mest bestående uppfinningar.

VORE DET SANT, HVAD SÅ MÅNGEN PÅSTÅR, ATT DAGEN GRÅNAR FÖR DET GAMLA EUROPA; LÅNGT I VESTER, BAKOM HAFVET, DER SOLEN GÅR NER FÖR OSS, DER GÅR HON UPP FÖR EN LYCKLIGARE VERLD.

Esaias Tegnér

DEN FÖRSTE
AMERIKANEN

Framtiden skymtas i
Benjamin Franklins Philadelphia

När den finlandssvenske naturvetaren Pehr Kalm anlände med det brittiska skeppet *Mary Gally* till Philadelphia i september 1748 visste han att det fanns flera svenskar på plats han kunde kontakta. En av hans vägvisare blev Gustaf Hesselius, som blivit en erkänd amerikansk konstnär sedan han som en av få svenskar under 1700-talet utvandrat tillsammans med sin äldre bror, prästen Andreas. John Hesselius, Gustafs son, blev i sin tur en framstående porträttmålare och hade som elev Charles Willson Peale som senare skulle göra berömda porträtt av George Washington och andra historiska amerikanska hjältar som Thomas Jefferson och Alexander Hamilton.

Men på vägen till Amerika hade Kalm också tillbringat tid i London och fått med sig ett introduktionsbrev till en av Philadelphias ledande män, Benjamin Franklin, då fortfarande mest känd som en inflytelserik publicist som byggt upp en egen framgångsrik tryckerirörelse. Det var till dennes hus Kalm först styrde stegen. Under den Amerikavistelse som skulle vara till februari 1751 förde Kalm noggrant dagbok. I hans bearbetade anteckningar som publicerades flera år senare konstaterade han att Franklin »var den förste, som gjorde mig bekant: gaf mig all nödig underrättelse, och beviste mig margfallig ynnest«. Kalm konstaterade då även att både Pennsylvania och »den lärda världen« hade Franklin att tacka för mycket.

Ja, det var sannerligen en märkvärdig man som Pehr Kalm lärde känna i Philadelphia. Franklin var en mångsysslare med anmärkningsvärda talanger på en rad olika områden. Driven av en outsinlig nyfikenhet skulle han under åren efter det första mötet

115

med Kalm genomföra en rad fysiska experiment som gav ny kunskap om elektricitet. Hans viktigaste upptäckt gjordes sommaren 1752 när han under en åskstorm flög en drake och kunde visa att blixtarna var elektriska urladdningar. Det ledde i sin tur till hans mest kända och betydelsefulla uppfinning – åskledaren – och hans rön spreds snabbt till vetenskapsmän i Europa där han blev ett känt och hyllat namn. Men Franklin har inte bara gått till historien som vetenskapsman utan i ännu högre grad som en stor statsman, en amerikansk upplysningsfilosof vars politiska och diplomatiska insatser hjälpte till att bana väg för USA:s självständighet och den konstitution som fortfarande styr nationen.

När Pehr Kalm talade om den »lärda världen« avsåg han säkert det bildade Europa och han var själv sannolikt en av de första bland europeiska »lärda män« som gjorde Benjamin Franklins bekantskap i Philadelphia. Född 1716 i Ångermanland, dit hans familj kommit från Finland, hade Kalm efter studier vid Åbo Akademi blivit en av de unga forskare som hamnade under Carl von Linnés vingar i Uppsala. Kalm blev sedan en av de lärjungar – Linné kallade dem gärna apostlar – som den banbrytande svenske botanikern samlade kring sig och sedan efter grundlig träning skickade ut på olika håll i världen. Samtidigt som han utnämndes till professor i Åbo, fick Kalm av Linné uppdraget att resa till Nordamerika för att samla in och skaffa kunskap om växter som kunde betraktas som ekonomiskt värdefulla. När han inledde sina långvariga och minutiösa studier i Amerika blev han snabbt medveten om att han hamnat i en ny och annorlunda miljö: »Jag fann, det jag nu var kommen till en annan verld; ty hvart jag på marken kastade ögonen, mötte mig mäst öfveralt sådana växter, dem jag ej kände, och hvilka arter (species) jag aldrig sett förut. Blef jag varse något trä; så måste jag stanna, och fråga mina följeslagare, hvad det kallades.«

Kalm var en av de tidiga rapportörerna från de engelska kolo-

Benjamin Franklin, »den förste amerikanen«, blev med tiden alltmer övertygad om att kolonierna måste bryta sig loss från Storbritannien.

nierna i Amerika. Han vistades mycket i Philadelphia och i när-
liggande områden som tillhört den gamla kolonin Nya Sverige,
men han gjorde också flera resor, norrut så långt som till Kanada.
I ett av de brev han skrev till Benjamin Franklin bifogade Kalm
utförligt sina intryck av Niagarafallen och bad också ödmjukt om
hjälp med att rätta hans inte helt perfekta engelska. Franklin
fann artikeln så pass intressant att han lät publicera den detalje-
rade redogörelsen.

Kalms samlade, rätt omständliga, beskrivningar av sina in-
tryck och lärdomar från Amerika gavs sedan ut i tre volymer
mellan 1753 och 1761 under titeln *En Resa til Norra America.*
Fler volymer planerades men blev aldrig färdigställda och hans
kvarvarande manuskript förstördes efter hans död i en brand i
Åbo. Men hans publicerade verk fick ändå ett betydande interna-
tionellt genomslag och översattes till engelska, franska, tyska och
nederländska.

Även om det är botaniken och hans iakttagelser i naturen som
dominerar inkluderade Kalm också en rad fakta om människorna
i Amerika – såväl kolonisatörer som urbefolkning – och han berät-
tar även om den samhällsordning han ser växa fram, framförallt
i Pennsylvania. Han imponeras av Philadelphias snabba tillväxt
och skriver uppskattande om staden, dess vackra hus och breda
gator, om den rika tillgången på färska matvaror. Det fina läget,
den goda ordningen, en utvecklad handel och ett högt välstånd
gör att Philadelphia väl kan jämföras med de äldsta europeiska
städerna. Det som verkar göra honom en aning överraskad, möj-
ligen även konfunderad, är alla olika slags kyrkor och samfund i
staden. Den religionsfrihet han ser, där det går att ansluta sig till
alla möjliga och i hans ögon underliga trosläror, är inget han kän-
ner igen från Sverige. Han verkar mer oförbehållet positiv till ett
nydanande politiskt system som ger individen större frihet: »En
och hvar är af Lagarna så beskyddad till sig sjelf och sin egendom,
samt njuter här en sådan frihet, at det i visst afseende kan sägas,
at en inbyggare här är som en Konung i sit hus.«

*

118

Det var visserligen bara ett fåtal svenskar som utvandrade under 1700-talet men för Amerikaresenärer var Philadelphia den givna platsen att besöka, även om det fortfarande var en småstad jämfört med de stora europeiska metropolerna. Kalms berättelser sammanföll med ett växande intresse för Amerika i Europa där Philadelphia, som den främsta nya staden, allt oftare kunde liknas vid ett nytt Aten. Om puritanerna under det förra århundradet sökt sig till ett nytt Jerusalem i Massachusetts började Nordamerika i upplysningsfilosofernas fotspår under senare delen av 1700-talet att betraktas som ett framtidsland även i kulturell och politisk mening. De många kostsamma krigen hade bidragit till en tilltagande pessimism om Europas möjligheter att utvecklas vidare.

Kanske skulle konst och vetenskap nu istället blomstra i den nya världen, i ett Amerika som kunde vara ekonomiskt framgångsrikt, erbjuda politisk frihet och fungera som världens nya kulturbärare. De tankarna fick senare ett tydligt uttryck när Esaias Tegnér – den värmländske poeten och blivande biskopen i Växjö – höll ett högtidstal när trehundraårsdagen av den lutherska reformationen firades vid universitetet i Lund 1817. Det var då han talade om framtiden, om den grånande dagen för det gamla Europa och hur solen höll på att gå upp västerut, i den nya världen.

Amerika framstod som mänsklighetens hopp och Tegnér konstaterade att Europa redan skickat dit »många af sina bästa förhoppningar« även om den riktigt stora utvandringen då ännu inte kommit igång. Den nya världen idealiserades i olika sammanhang och Amerika skulle rentav kunna bli det nya romarriket. Den exceptionalism som senare satt sin prägel på mycket av USA:s historia hade i den meningen slagit rot redan tidigare, under kolonialtiden.

Pehr Kalm återkommer i sina skrifter flera gånger till Benjamin Franklin, som mer än någon annan enskild individ kom att personifiera det nya Amerika, dess hopp och framtidsanda. På sitt sätt var Franklin den förste amerikanske världskändisen. Den ende som under 1700-talet nådde en liknande berömmelse i Europa var George Washington, men han var ändå relativt okänd fram till självständighetskriget. Det är Benjamin Franklin som senare beskrivits som »den förste amerikanen« i meningen att han symboliserade en framväxande nation.

Vid mitten av 1700-talet användes begreppet »amerikan« ännu i huvudsak om ursprungsbefolkningen, indianerna. De vita européer som bosatt sig i Nordamerika och deras ättlingar såg sig själva först och främst som invånare i Pennsylvania, Massachusetts, Virginia eller någon annan av kolonierna. Även om de vita européerna, som till stor del kommit från England, mer och mer värnade om en självständighet och en politisk frihet var det ännu få som ifrågasatte den brittiske monarkens överhöghet.

Det gällde än så länge även Benjamin Franklin, vars far Josiah tagit beslutet att utvandra från England 1683, då han var tjugofem år gammal. Josiah Franklin drevs sannolikt av religiösa motiv. Efter att den engelska monarkin återupprättats 1660 stärkte den anglikanska statskyrkan sin ställning och Josiah Franklin hade dragits till de puritaner som gjorde uppror mot en bristande protestantisk renlärighet. Men det verkar även ha funnits ekonomiska orsaker. Han arbetade som lärling hos en äldre bror, smed som deras far. Men som yngst i sin syskonskara var möjligheterna att gå vidare på egen hand och försörja en växande familj begränsade. Framtiden såg mer gynnsam ut på andra sidan Atlanten, i Boston.

*

Nästan tjugotre år senare, i ett litet hus på Milk Street, föddes 1706 sonen Benjamin, den yngste pojken i en stor barnaskara. I viss bemärkelse kom historien att upprepas. Planen var visserligen att Benjamin skulle studera vid Harvard och bli präst. Men av olika skäl, kanske för att han inte visade tillräckligt religiöst nit, blev det inget av med studierna och det innebar att Benjamin Franklin – blivande vetenskapsman, filosof och statsman – aldrig fick någon formell högre utbildning. Istället fick han bli lärling

---

Botanisten Pehr Kalm, utsänd av Carl von Linné, blev under 1700-talet en av de tidiga Amerikarapportörerna.

En

Resa

Til

Norra AMERICA,

På
Kongl. Swenska Wetenskaps
Academiens befallning,

Och
Publici kostnad,

Förrättad

Af

PEHR KALM,

Oeconomiæ Professor i Åbo, samt Ledamot af
Kongl. Swenska Wetenskaps-Academien.

Tom. I.

Med Kongl. Maj:ts Allernådigste *Privilegio.*

STOCKHOLM,
Tryckt på LARS SALVII kostnad 1753.

hos en äldre bror som startat ett tryckeri. Eftersom Benjamin Franklin var en hängiven läsare, både av böcker och av tidningar, var det en verksamhet där han kände sig hemma. Men han vägrade snart att arbeta för sin auktoritäre och hårdhänte bror. Han kände sig som livegen. För att bryta sig loss tog han beslutet att fly Boston och sin familj. Den 25 september 1723 smög han ombord på en båt som tog honom till New York, varifrån han fortsatte till Philadelphia. Han var då sjutton år gammal.

I sin aldrig slutförda självbiografi, som han började skriva i England vid sextiofem års ålder, utgör Franklins entré i Philadelphia ett av de mest berömda avsnitten. Han anlände med båt en söndagsmorgon i oktober, enkelt klädd, utröttad och hungrig efter resan och utan att känna någon han kunde vända sig till. Han hade bara ett par mynt på fickan. Det som blev över efter att båtfärden betalats gick åt när han hittade ett bageri där han kunde köpa lite bröd. När hungern dämpats vandrade han sedan uppför huvudgatan som då kallades High Street och var början av vad som senare blev Market Street.

I den minnesbild han själv redovisade passerade han efter några kvarter det hus som tillhörde en mr Read och där Franklin snart skulle bli inneboende. Dottern i huset – hans blivande hustru Deborah – ska när hon då för första gången fick syn på den unge mannen på gatan ha tänkt att han utgjorde en synnerligen »tafatt och löjlig figur«. Oavsett om Franklin i verkligheten gjort något intryck alls på Deborah vid det tillfället ville han i sin egen berättelse framhäva kontrasten mellan den medellöse nykomlingen och den senare så framgångsrike och respekterade medborgaren i Philadelphia. Det var ett sätt att understryka att han kommit långt av egen kraft.

Hans bakgrund och klasstillhörighet var inte betydelsefull. Det var genom sitt strävsamma slit, sina egna initiativ och sin förmåga att ta tillvara på de möjligheter som erbjöds som Benjamin Franklin kom att lyckas. Han var en *self-made man*. Den nya världen stod öppen för den driftige.

När han fortsatte sin promenad uppför gatan den första söndagsmorgonen i Philadelphia följde han utan att reflektera en folkström och hamnade i den lokal som var kväkarnas mötesplats, där han utmattad föll i sömn. Benjamin Franklin blev aldrig själv kväkare – den grupp som då dominerade staden – utan förblev skeptisk mot religiösa doktriner. Men jämfört med i det puritanska New England trivdes han bland kväkarna och de andra nya invandrargrupper som strömmade till och gav Pennsylvania en snabb befolkningsökning. I Franklins ögon var kväkarna inte lika pretentiösa som puritanerna i Boston, och de var mer toleranta. Även om han själv kan ha blivit mer troende med åren var han en pragmatiker, en deist som utgick från uppfattningen att Gud lämnat den värld han skapat åt människan att förvalta på bästa sätt. Det stämde in med en filosofi som betonade att det var upp till den enskilde individen att skapa sina egna framgångar samtidigt som det även fanns en skyldighet att hjälpa andra och att som individ verka för samhällets bästa.

*

Redan den andra dagen i Philadelphia fick han jobb på ett tryckeri och han knöt snabbt en rad kontakter som skulle bli värdefulla i hans fortsatta karriär. Snart var han till och med bekant med kolonialguvernören sir William Keith som uppmuntrade honom att starta eget tryckeri, utlovade stora beställningar och föreslog Franklin att resa till London för att köpa in den utrustning som krävdes.

Det var först när han anlände till London på julafton 1724 – lite mer än ett år efter ankomsten till Philadelphia – som det gick upp för honom att guvernör Keith aldrig skickat de kredit- och introduktionsbrev han utlovat. Det hör till berättelsen om Benjamin Franklin att han inte lät sig nedslås. Ensam i ett för honom främmande land lyckades han snabbt få jobb på ett tryckeri i London. Han stannade i ett och ett halvt år. Samtidigt som han blev mer fullfjädrad i sitt hantverk formulerade han en rad levnadsregler som, om de följdes, skulle göra honom till en bättre människa och en framgångsrik individ. Förutom ständig självförkovran krävdes tills vidare ett frugalt leverne, måttlighet även när det gällde mat och dryck, och han lovade sig själv att hålla sig till sanningen och inte tala illa om andra.

123

Tillbaka i Philadelphia kunde Franklin också relativt snart starta sitt eget tryckeri. Han var nu inte bara sin egen utan verksamheten banade också väg för en rad andra möjligheter. Med tryckeriet som bas blev han tidningsutgivare, förläggare, författare och kunde också så småningom få den då så inflytelserika befattningen som postmästare.

Hösten 1729 började han ge ut tidningen *Pennsylvania Gazette* där han lät publicera en rad egna artiklar, vilket bidrog till att göra honom till en mer inflytelserik och respektingivande medborgare i staden. Då hade han också redan tagit initiativ till en diskussionsklubb som skulle främja tolerans och sanningssökande och som gick under namnet The Junto. Sällskapet kom senare att utvecklas till American Philosophical Society, det ansedda forskningsinstitut som kallats för världens första tankesmedja och som fortfarande har en viktig roll i USA:s akademiska liv. Franklin var dess förste ordförande.

Men vad som skulle göra Franklin till en välbärgad man var en mer folklig produkt, *Poor Richard's Almanack,* som han började ge ut 1732 och som fortsatte att komma i nya utgåvor tjugosex år framåt. Förutom kalender innehöll almanackan olika faktaartiklar, meteorologiska rapporter och annan allmän information. Men det som egentligen gjorde den så omtyckt var en rad ganska enkla och snusförnuftiga visdomsord, oftast uttalade av den fiktive Richard Saunders, »Poor Richard«, och hans hustru Bridget. Deras aforismer blev oerhört lästa och omtyckta utan att vara särskilt originella. Det rörde sig snarare om förädlade versioner av universella ordspråk av typen »Morgonstund har guld i mund«. I sin självbiografi medgav Franklin också att hans alster inspirerats av gamla visdomsord från olika länder. Hans läsekrets fick veta att »Gud hjälper dem som hjälper sig själva«, att »den som ligger bland hundar vaknar upp med loppor«, att det är först »när brunnen är tom som vi inser vattnets värde« och att man ska »älska sina fiender eftersom de påtalar ens brister«. Men inom ramen för vad som kom att bilda skola för en litterär tradition av populär amerikansk folkhumor, publicerade Franklin också brev och artiklar som tydligt tog ställning för den vanliga enkla människan och mot överhetens pretentioner och privilegier. Han stod för det sunda förnuftet, förankrat i en opretentiös amerikansk upplysningsanda.

Almanackan blev en enorm kommersiell succé. Den sålde i stora upplagor, i första hand förstås i Amerika men den fick också ett inte obetydligt genomslag internationellt. Den översattes till franska, italienska och flera andra språk och fick efterföljare i olika länder. I Ryssland läste Katarina den stora Poor Richards almanacka med god behållning och Napoleon Bonaparte var tillräckligt entusiastisk för att själv uppmuntra till en översättning.

Framgången gjorde att Benjamin Franklin kom att betraktas som något av ett dygdemönster, även långt efter sin död och dessutom i avlägsna miljöer. En text som medföljde »Lilla Almanackan för 1823«, som gavs ut av ut av Kongl. Wärmländska Hushållningssällskapet i Karlstad, var en oförbehållsam hyllning till Franklin: »De här framställda lefnadsregler äro samlade af en ibland det 18:e århundradets största och sällsyntaste Män, Benjamin Franklin.« Almanackans läsare gavs rekommendationen att alltid bära den med sig i fickan så att den kunde rådfrågas när behov uppstod. Det hette att Franklin var att betrakta som en förebild eftersom han själv följt de levnadsregler han rekommenderat till andra. »Derigenom att han strängt efterlefde de grundsatser, som dessa blad innehålla, och genom det bästa användande av sina talanger upphöjde han sig så småningom från en ringare plats, blef rik, hedrad, lycklig, och efter sin död begråten af en otalig mängd menniskor af högre och lägre stånd, som tackade honom för wälmåga, underwisning och förbättring.«

*

Även om industrialismen kom sent till Sverige och ståndsriksdagen fortfarande symboliserade ett statiskt klassamhälle var det uppenbart att förändringar var på väg. I ett revolutionärt tidevarv svepte krav på frihet och demokrati fram. Den nya sociala rörlighet som Franklin representerade uppfattades åtminstone bland vissa grupper som något mycket positivt.

Poor Richard, 1734.

·A N

Almanack

For the Year of Chrift

1 7 3 4,

Being the fecond after **LEAP YEAR**:

And makes fince the Creation	Years
By the Account of the Eaftern *Greeks*	7242
By the Latin Church, when ☉ ent. ♈	6933
By the Computation of *W. W.*	5743
By the *Roman* Chronology	5683
By the *Jewifh* Rabbies	5495

Wherein is contained.

The Lunations, Eclipfes, Judgment of
the Weather, Spring Tides, Planets Motions &
mutual Afpects, Sun and Moon's Rifing and Set-
ting, Length of Days, Time of High Water,
Fairs, Courts, and obfervable Days.

Fitted to the Latitude of Forty Degrees,
and a Meridian of Five Hours Weft from *London*,
but may without fenfible Error, ferve all the ad-
jaeent Places, even from *Newfoundland* to *South-
Carolina.*

By *RICHARD SAUNDERS*, Philom.

PHILADELPHIA:
Printed and fold by *B. FRANKLIN*, at the New
Printing-Office near the Market.

Franklin blev framförallt ett riktmärke för en ny samhällsklass av hantverkare, affärsinnehavare och andra näringsidkare, det som långt tidigare i England hade getts namnet »the middling sort«. Det var många av dessa engelsmän som hade utvandrat till Amerika, framförallt till New England där puritanska ideal kanske inte gynnade religionsfrihet men med sin betoning på strikt arbetsmoral, utbildning och självförkovran ändå kom att samverka med upplysningens tolerans och förnuftstro när en amerikansk medelklass började växa fram. Strävsamhet var en dygd som inte kunde överskattas. Som det hette i *Poor Richard's Almanack*: »Förlorad tid kommer aldrig tillbaka.«

I Franklins fall kunde det till och med ta sig lite ansträngda uttryck, som när han valde att själv transportera hem inköpta pappersark till tryckeriet på en skottkärra som han rullade fram på Philadelphias gator. Han gjorde det för att han ville synas. Det var viktigt för honom att visa omgivningen att han inte var någon som försökte göra sig märkvärdig.

I Benjamin Franklins framtidsvision var det vad han själv kallade »the middling people« som skulle göra Amerika starkt och mäktigt. Det skulle visserligen ta tid innan han övertygades om att det var nödvändigt att bryta med Storbritannien och skapa en helt ny nation, men han var klar över att den gamla klassbundna samhällsordningen inte kunde föras vidare till den nya världen. En ny medelklass måste ta form och verka både för individens och för samhällets bästa. I vad som längre fram skulle utformas till den amerikanska drömmen skulle det hårda arbetet leda till ständiga förbättringar, generation för generation. Det var inte minst denna förhoppning som senare under 1800-talet skulle fungera som en drivkraft för så många invandrare från Sverige och andra europeiska länder som sökte sig till Amerika.

*

Poor Richards almanacka, fylld av Benjamin Franklins
folkliga visdomsord, såldes i stora upplagor, även i Europa.

127

När Pehr Kalm anlände till Philadelphia 1748 hade Benjamin Franklin redan blivit så framgångsrik att han just pensionerat sig, vid fyrtiotvå års ålder. Den tryckerirörelse han helt på egen hand och utan ärvt kapital byggt upp med tidning, almanacka och böcker hade gjort honom till en välbärgad man. Men även om han kanske började betrakta sig som lite av en »gentlemannafilosof« är det knappast sannolikt att tanken på att bara slå sig till ro ens föresvävade honom. Det fanns så mycket att göra, inom vetenskapen, politiken, diplomatin.

Redan innan »pensioneringen« hade Franklin gjort en rad samhälleliga insatser och verkat för det allmännas bästa. Förutom diskussionsklubben The Junto hade han varit initiativtagare till Philadelphias första brandkår, till en folklig milis med uppgift att försvara Pennsylvania, och till The Library Company of Philadelphia, världens första lånebibliotek.

Efter att ha lämnat över tryckerirörelsen till sin närmaste medarbetare – med ett avtal som gav honom en god inkomst många år framöver – gick han vidare i sina experiment med elektricitet. Mer än något annat var det just hans upptäckt att blixten är elektricitet som gjorde honom berömd i vida kretsar världen över och som etablerade honom som en av sin tids stora vetenskapsmän. Den tyske filosofen Immanuel Kant kallade till och med Franklin för en ny Prometheus eftersom han likt figuren i den grekiska mytologin kunde stjäla eld från gudarna för att ge den till människorna. Åskledaren hade blivit hans mest värdefulla uppfinning. Men hans forskningsarbete ledde även till andra nya konstruktioner, flera musikinstrument, en värmeeffektiv spis, en flexibel kateter som han utvecklade när hans bror John drabbades av njursten, samt de första dubbelslipade glasögonen.

Samtidigt fortsatte han att engagera sig i samhälleliga aktiviteter. Han initierade finansiering till ett sjukhus och till en läroanstalt för högre utbildning. Franklin grundade The Academy of Philadelphia som senare blev University of Pennsylvania, idag ett av USA:s främsta universitet. Med tanke på hans oerhörda nyfikenhet och ständiga strävan till självförbättring var det kanske inte så överraskande att han värnade om möjligheterna till högre studier. Men hans syn på hur utbildningen skulle utformas kom att väcka betydande intresse även i Europa. Hans för sin tid progressiva idéer kom till och med att direkt påverka reformer av det svenska utbildningsväsendet efter att Franklins akademi studerats av den svenske prosten Israel Acrelius på plats i Philadelphia.

*

Utsänd av svenska statskyrkan fick Acrelius under sin tjänstgöring i Amerika arbeta hårt för att stärka de kvarvarande svenska församlingarna som vid mitten av 1700-talet hamnat i viss administrativ och ekonomisk oreda. Han anlände till Philadelphia 1749, där han togs emot av både Pehr Kalm och Gustaf Hesselius. Det dröjde till 1757 innan han av hälsoskäl tvingades lämna Amerika och återvända till Sverige. Han utnämndes senare till kyrkoherde i Fellingsbro.

Det är visserligen i första hand som författare till en historik över kolonin Nya Sverige och dess kvarvarande lutherska församlingar som Israel Acrelius namn levt vidare. Hans *Beskrifning om de swenska församlingars forna närwarande tilstånd, uti det så kallade Nya Swerige* gavs ut i Sverige 1759 och har betraktats som ett så betydelsefullt verk att det senare getts ut i USA i engelsk översättning.

Men samtidigt som Acrelius verkade som utsänd präst från svenska statskyrkan hade han, liksom Pehr Kalm, bredare intressen och skrev även ned sina observationer av det politiska och kulturella livet i Pennsylvania. Hans nyfikenhet tog honom till två protestantiska kloster i staden Bethlehem där han även besökte en smedja och råkade på en svensk tenngjutare från Södermanland vid namn Hasselberg. Acrelius konstaterade också att Pennsylvania hade de mest avancerade järnverken bland de amerikanska kolonierna och han samlade med stor noggrannhet in uppgifter om lokala mat- och dryckesvanor. Han noterade bland annat att äppelpaj i Amerika bakades och åts hela året, med torkade äpplen när det inte fanns färska, och att öl bryggdes i städerna, att det var brunt, tjockt och illasmakande och att det var något som dracks av vanligt folk, »det gemena folket«.

129

Uppenbarligen hade Acrelius ett särskilt intresse för pedagogiska frågor och det ledde honom till den nystartade akademin i Philadelphia, även om han aldrig på samma sätt som Kalm kom att få en personlig relation till Benjamin Franklin. Det fanns visserligen redan högre läroanstalter i de engelska kolonierna – både Harvard och Yale har längre anor – men de var vid denna tid ännu i huvudsak inriktade på att utbilda ett prästerskap och andra »lärda män«. Det var studier i teologi, latin och andra klassiska ämnen som dominerade. Benjamin Franklin förde fram den då smått revolutionerande idén att undervisningen skulle vara mer praktisk och nyttoinriktad, samt dessutom verka för att allmänt fostra goda medborgare.

Det har i efterhand spekulerats i om Franklins brist på formell högre utbildning i själva verket bidrog till en mer flexibel och pragmatisk syn på hur utbildningssystemet skulle fungera. Han var inte låst i en etablerad ordning utan kunde låta sig styras av sitt eget förnuft, sin nyfikenhet och sina intressen. När hans akademi slog upp sina dörrar 1751 – namnet ändrades till University of Pennsylvania först fyrtio år senare – fanns inget annat amerikanskt universitet eller högre läroanstalt som helt saknade band till något religiöst samfund. Franklins utbildningsplan betonade betydelsen av det egna modersmålet i förhållande till latin; ämnen som historia, geografi, naturlära, aritmetik och moderna språk gavs företräde, men även vikten av skrivstil, vältalighet och fysisk träning betonades.

Franklins vidsynthet blev tydlig när han i februari 1751 skrev till den engelske vetenskapsmannen Peter Collinson och berättade om hur han påverkats av Pehr Kalm att inkludera naturlära i akademins studieplan. Han hade, förklarade han, blivit övertygad om att naturlära kunde vara viktigare än flera av de andra ämnena sammantagna. Det gick knappast att ta miste på att Franklin var entusiastisk över sin svenske vän: *I love the man and admire his indefatigable industry.*

Det verkar till och med som om Franklin gärna ville lita på Kalm även när denne förde fram vad som då inte kan ha varit en särskilt spridd teori. I en brevväxling med teologen Samuel Mather berättade Franklin sommaren 1773 om hur han runt tjugofem år tidigare haft besök av professor Kalm, »en lärd man«, och hur denne hävdat att nordbor kommit till Amerika långt före Columbus tid. Franklin medgav att han varit skeptisk till den berättelse som uppenbarligen handlat om Leif Eriksson och andra nordiska vikingar, men att han ändå funnit Kalms argument övertygande. Även om det numera är allmänt vedertaget att europeiska nordbor fann ett »Vinland« redan kring år 1000, kring L'Anse aux Meadows på vad som idag är Kanadas kust vid Newfoundland, var det inget som var accepterat eller ens allmänt känt på 1700-talet.

*

Benjamin Franklin var i sina pedagogiska idéer, som ofta framhållits, inspirerad av den engelske upplysningsfilosofen John Lockes utbildningsteorier. Men han var ändå banbrytande i den meningen att hans akademi syftade till att höja utbildningsnivån generellt i Pennsylvania. Hans institution kom därmed att visa vägen mot ett allmänt skolsystem. Utbildningssystemet var inte bara till för att lotsa fram en elit utan skulle vara öppet för allas förkovran efter var och ens förutsättningar. För Franklin låg det – nästan ett sekel innan den svenska folkskolan infördes – i samhällets intresse att fostra goda medborgare och utbilda dem till yrkesutövare, som jurister, läkare, lantmätare eller vad det nu kunde vara som behövdes. Efter självständighetskriget kom USA också som nation att ge hög prioritet till att bygga ut ett allmänt skolsystem. Franklin kan därmed ses som en föregångare för en syn på utbildning som skulle få brett genomslag först senare när industrialismens genombrott ställde nya krav på utbildad arbetskraft och upplysningens förnuftstro bidrog till en högre värdering av kunskapsinhämtning.

Även om den allmänna utbildningsnivån ännu var låg i Sverige pekade Pehr Kalms läromästare Carl von Linné framåt när han 1759 talade om kunskap som ideal inför kungaparet vid en större sammankomst vid Uppsala universitet: »Sannerligen, utan vetenskapen skulle allt gå confust i gudadyrkan, i regeringen, i hushållet, i all vår levnad. Vetenskapen äro alltså det ljus som upplyser folk som i mörkret vandra, och låter dem se med klara ögon, och höra med öppna öron.«

Liksom på många andra håll var den högre utbildningen i Sverige i första hand inriktad på att utbilda präster och i viss mån även ämbetsmän. Undervisningen i latin hade högre prioritet än modersmålet. När den gamla ordningen alltmer började ifrågasättas under den svenska frihetstiden på 1700-talet kom Franklins idéer att få betydande genomslag i de reformkrav som började föras fram i en alltmer intensiv debatt om det svenska skolsystemet. Efter att noggrant ha studerat Franklins akademi skrev Israel Acrelius efter hemkomsten till Sverige ett par artiklar i den då inflytelserika tidskriften *Den Swenska Mercurius*. Det var hans sätt att marknadsföra de erfarenheter han fått med sig från Philadelphia och få ut budskapet bland svenska reformivrare. Efter att ha redogjort för dess pedagogiska förtjänster förklarade Acrelius att Franklins akademi borde vara ett föredöme i Sverige för »alla Wettige och Wälsinnade, som icke lära twifla om nyttan af slik inrättning i flere Landsändar«.

Som litteraturvetaren Harald Elovson senare förklarat, kom Acrelius uppmaning att på ett avgörande sätt påverka diskussionen om det svenska skolsystemets framtida utformning. Framförallt fick kraven om att stärka modersmålets ställning gentemot vad som kom att kallas »latinherraväldet« ett ökat gehör. Acrelius berättade entusiastiskt om hur eleverna i Franklins skola blev mästare i sitt eget språk, nog så viktigt för att förbereda dem för att göra nytta i samhället. Helt i Franklins anda konstaterade Acrelius om akademin att »lägges här tillika med modersmålet grunden till kunskap och lärdom« som rätt använd gör studenterna lämpade för ämbeten »med förmån och heder för sig själva och Fäderneslandet«.

Men även statens roll och vikten av naturlära och moderna språk kom i allt högre grad upp på dagordningen i den svenska skoldebatten. Franklins syn på en mer praktiskt inriktad undervisning och hans idéer om hur skolans medborgerliga uppfostran skulle gynna såväl den enskilde individen som samhället i stort hade fått fäste.

*

I sitt eftermäle har Benjamin Franklin ofta kommit att framstå som den mest folklige, godmodige och kanske även den mest demokratiske av USA:s grundlagsfäder. Han intog trots allt mycket tidigt en skeptisk hållning till överhet och eliter och var i den meningen en tidig rebell. När han 1751 valdes till ledamot i Pennsylvania Assembly – det koloniala parlamentet – och på allvar inledde sin politiska karriär, hade han också utvecklat vad som skulle kunna kallas en amerikansk politisk filosofi med en tidig förankring i kommande medelklassideal och en pragmatisk inställning till ideologier. Men vad som sannolikt i än högre grad gjorde honom till den »förste amerikanen« var att han var bland de första som insåg att de engelska kolonierna hade gemensamma intressen och att de måste samverka istället för att se sig som helt oberoende av varandra.

Franklin hade tidigt en optimistisk vision om en kommande amerikansk storhetstid även om han då ännu inte dragit slutsatsen att kolonierna skulle bilda en självständig nation. Hans framtidsprognos var inte tagen ur luften utan grundad på egen forskning och egna beräkningar som pekade mot en snabb befolkningsökning. Utgångspunkten var att Amerikas stora tillgång på odlingsbar mark erbjöd bosättare andra möjligheter än i Europa för att bilda familj och få en utkomst från ett eget jordbruk. När han jämförde med förhållandena i England fann han att människor i de amerikanska kolonierna var mer benägna att gifta sig i unga år och att de fick betydligt fler barn. Kombinationen av naturlig befolkningsökning och ökad invandring underströk tydligt att de amerikanska kolonierna hade framtiden för sig. Franklins demografiska kalkyler visade att antalet invånare i kolonierna skulle fördubblas vart tjugonde år och inom ett sekel passera Englands befolkning.

Även om det fanns andra som utvecklade liknande teorier på andra håll – som Massachusetts kolonialguvernör William Shirley – var det mycket tack vare Franklin som idén om en kommande mycket snabb folkökning fick ett bredare genomslag. Det var möjligt att uppfatta hans beräkningar som både ett löfte och ett hot, lite beroende på vilken sida av Atlanten man befann sig. Det hade trots allt under 1700-talet blivit en etablerad sanning att det var antalet invånare i en nation, mer än någon annan enskild faktor, som var avgörande för det egna landets makt och välstånd. Fler invånare gav underlag för ökad utrikeshandel. Det lade i sin tur grund för rikedomar som bidrog till en starkare maktställning internationellt.

Först ett par decennier efter att Benjamin Franklin gett ut sin skrift *Observations Concerning the Increase of Mankind* konstaterade den brittiske ekonomen och filosofen Adam Smith i sitt banbrytande verk *Wealth of Nations* – utgiven bara några månader innan den amerikanska självständighetsförklaringen antogs – just att ett lands välstånd var helt beroende av en ökning av befolkningsmängden: »I Storbritannien, och de flesta andra europeiska länder, antas den inte fördubblas inom mindre än femhundra år. I de brittiska kolonierna i Nordamerika, har det visat sig, att den kan fördubblas inom tjugo eller tjugofem år.« Vikten av att uppnå en nationell befolkningsökning hade då fått betydande spridning.

Det skulle också visa sig att Franklins prognos var anmärkningsvärt korrekt. Befolkningen i de tretton amerikanska kolonierna uppskattas ha varit knappt 1,2 miljoner kring 1750 och den hade nästan fördubblats 1770. Då passerade antalet invånare snart också befolkningsmängden i Sverige som relativt nyligen gjort anspråk på att vara en stormakt. Amerika var i början av en tillväxt som knappast har någon historisk motsvarighet.

Franklins beräkningar kom i hög grad att påverka en rad andra vetenskapsmän som försökte utreda konsekvenserna av en kommande folkökning i Europa. Men medan engelsmannen Thomas Malthus mot slutet av 1700-talet uppmärksammades för sina teorier om att en okontrollerad befolkningsökning skulle leda till resursbrist, svält och fattigdom, var Franklin fylld av framtidshopp. Det öppna gränslandet i Amerika skulle i kombination med ökad produktivitet för lång tid framåt ge ökat välstånd även för en större och fortsatt växande befolkning.

*

Den svenske prästen Israel Acrelius vistades i Philadelphia i mitten av 1700-talet och skrev en historik om Nya Sverige.

I efterhand framstår det också som ofrånkomligt att en sådan utveckling även skulle underminera Storbritanniens merkantilistiska politik för de nordamerikanska kolonierna. Det var kolonierna som skulle leverera råvaror så att de kunde förädlas i moderlandets industrier. För även om jordbruket fortfarande dominerade i Amerika var en industrialisering redan på gång i de norra kolonierna i New England. Men det system som upprättats kunde inte upprätthållas med mindre än att kolonierna var beroende av moderlandet. Det kunde knappast vara tvärtom.

På sikt såg också Franklin en förändrad maktbalans. Kolonierna skulle inte kunna fortsätta att fungera som råvaruleverantörer till moderlandet, som i sin tur skickade tillbaka förädlade varor. Det låg i sakens natur att med en starkare och mer välutvecklad industriell ekonomi så skulle de amerikanska kolonierna inte längre acceptera att låta sig styras från London. Men istället för att en ny nation skulle formas förutspådde Franklin tills vidare att Nordamerika skulle spela en mer inflytelserik och jämbördig roll inom ett globalt brittiskt välde. Imperiet skulle leva vidare med en kung som överhuvud. Han ifrågasatte ännu inte vare sig monarkin eller kolonialmakten. Kanske trodde han till och med att hans eget Philadelphia skulle kunna bli ett centrum tillsammans med London inom ramen för rådande imperieordning.

När Franklin utnämndes till en av två postmästare för de amerikanska kolonierna stärktes han än mer i sin uppfattning att någon form av samverkan var nödvändig. Postmästare var då en betydelsefull befattning som gav honom möjligheter att resa runt i kolonierna och det innebar att han tydligare än de flesta såg vilka behov av samordning som fanns.

Situationen blev, åtminstone i Franklins ögon, mer akut 1754 efter utbrottet av det fransk-indianska kriget, den stora kraftmätningen i det större europeiska sjuårskriget mellan två av de ledande europeiska kolonialmakterna. I Amerika gjorde Frankrike och Storbritannien anspråk på samma landområden väster om de brittiska kolonierna där gränserna ännu var flytande. När en brittisk styrka under ledning av en ung och ännu oprövad amerikansk officer från Virginia vid namn George Washington – då bara tjugotvå år gammal – led ett nederlag vid krigets inledning, var Franklin inte sen att hitta en förklaring. Det var, förklarade han, splittringen och oredan bland de brittiska kolonierna som gett Frankrike en militär framgång som nu hotade den egna säkerheten och kanske skulle stoppa en expansion västerut. Det franska målet var att knyta ihop landets nordamerikanska kolonier, från Quebec i norr till Louisiana i söder, och på så sätt bilda ett större sammanhängande Nya Frankrike i ett bälte utefter Mississippifloden som också skulle utgöra den västliga gränsen för de brittiska kolonierna.

När beskedet om den franska segern – slaget ägde rum där staden Pittsburgh ligger idag – spreds utefter östkusten hade planer redan dragits upp för en konferens i Albany i kolonin New York. Både fransmän och engelsmän var allierade med olika indianstammar i kriget. Albanymötet syftade dels till att säkra ett stöd från irokeserna i nordost, dels till att planera för någon form av gemensamt militärt försvar för de brittiska kolonierna som skulle minska behovet av militärt bistånd från moderlandet. Inför mötet lade Benjamin Franklin fram ett förslag – The Albany Plan – som utgjorde det första initiativet till att samla kolonierna i en union. Ett samarbetande råd under ledning av en ordförande utsedd av den brittiske kungen skulle ges ansvar för gemensamma militära angelägenheter och för en fortsatt erövring av kontinenten västerut. Men samtidigt garanterades de enskilda kolonierna ett betydande självstyre i andra frågor. Planen var därmed en föregångare till den federalism som senare skulle komma att prägla USA:s konstitution.

*

Uppenbarligen var Franklin för tidigt ute. Albanymötets representanter antog visserligen hans plan men därefter blev det tvärstopp. Planen avvisades av samtliga koloniers politiska församlingar och även imperiets styre i London satte ned foten. Kolonierna ville inte ge upp något av den makt de hade och i den brittiska huvudstaden befarades, sannolikt med rätta, att det kunde vara vanskligt att låta kolonierna få för mycket att säga till om när det gällde deras egna affärer.

För Benjamin Franklin var det en stor besvikelse. När han åtskilliga år senare reflekterade över Albanyplanen i sin självbiografi tycks han ha varit övertygad om att hans initiativ kunde ha lett till en för alla parter god lösning: »Kolonierna, så förenade, skulle ha varit tillräckligt starka för att försvara sig själva, det skulle inte ha funnits något behov av trupper från England, naturligtvis, och därmed inget senare skäl att beskatta Amerika, och den blodiga kamp som följde hade kunnat undvikas.« Det låter som om Franklin verkligen trodde att det hade varit möjligt att undvika den amerikanska revolutionen och att det brittiska imperiet i så fall haft en mer långsiktig framtid i Amerika.

Men även om det tog tid skulle Franklin så småningom helhjärtat sluta upp bakom kravet om självständighet. Möjligen kan hans tveksamhet till viss del förklaras med att han främst såg familjen Penn, snarare än den brittiska kronan, som den överhet som måste bekämpas. Pennsylvania styrdes formellt fortfarande av dess ägare Thomas Penn – son till kolonins grundare William Penn – och det var i första hand mot honom ett växande missnöje riktades. När Franklin 1757 utsågs till att företräda den egna kolonins intressen som sändebud i London var det framförallt för att han skulle höja rösten mot familjen Penns politiska inflytande.

Franklin kom att tillbringa många år utomlands. Han återvände till Philadelphia efter fem år i England men skickades snart tillbaka och blev sändebud inte bara för Pennsylvania utan också för flera av de andra brittiska kolonierna. När han åter seglade mot England i början av 1765 var det sista gången han såg sin hustru Deborah, som aldrig ville lämna sin hemstad. När hon avled i december 1774 var Franklin fortfarande kvar i London.

Först året därpå gav han sig iväg tillbaka över Atlanten mot Philadelphia och det var just då som de första skotten avlossades i Concord och Lexington i Massachusetts. Kriget för självständighet hade inletts. Vid det laget visste Franklin att det inte fanns någon återvändo. De protester som utlösts i Pennsylvania och andra kolonier när det brittiska parlamentet 1765 antagit den i Amerika så förhatliga stämpelskatten, hade mycket tydligt nått fram till honom. På ett mer personligt plan hade han vid denna tidpunkt också brutit med sin egen utomäktenskaplige son William som blev New Jerseys siste koloniale guvernör och vid revolutionen kom att fly till Storbritannien.

*

I slutet av 1776, några månader efter att han redigerat sin yngre kollega Thomas Jeffersons utkast till den självständighetsförklaring som antogs den 4 juli, reste Franklin till Frankrike som utsänt sändebud för vad som nu var Amerikas förenta stater. Där var han med och förhandlade fram Parisfördraget, det fredsavtal som 1783 satte punkt för kriget mellan USA och Storbritannien. Samtidigt undertecknade han ett handelsfördrag med Sverige. Uppenbarligen fanns en tidig svensk insikt om att det kunde ha sina fördelar att stå på god fot med den nya nation där Sverige drygt ett sekel tidigare varit en kolonialmakt. Av Franklins korrespondens framgår att den svenske Parisambassadören, den aristokratiske greven Gustaf Philip Creutz, framfört att kung Gustaf III särskilt skulle uppskatta om det i sammanhanget noterades att Sverige var först bland alla nationer – förutom Frankrike som deltagit i kriget mot England – med att ingå ett samarbetsavtal med den nya amerikanska republiken.

En nation som styrdes av folkvalda utan ett ärvt ämbete i toppen var fortfarande något sällsynt och främmande. I efterhand kan det tyckas som att det ändå borde ha varit en självklarhet i de amerikanska kolonier som förklarat sin självständighet. Men den nya nationens födslovåndor var avsevärda och ett demokratiskt system var inte alls omedelbart säkrat. Det var inte så att folket reste sig upp som en man. Även om det är ett påstående som knappast är grundat i vetenskapliga opinionsmätningar har det ofta sagts att den amerikanska revolutionen bara stöddes av en tredjedel av invånarna i de brittiska kolonierna. Av de övriga var en tredjedel motståndare och en tredjedel likgiltiga.

*

Som framgått var Benjamin Franklin själv nästan ända fram till revolutionen en entusiastisk och lojal rojalist. Han satte stort värde på att få närvara vid kröningen 1761 av den nye engelske kungen Georg III. Efter att krigslyckan i sjuårskriget vänt hade britterna då besegrat Frankrike i kampen om den nordamerikanska kontinentens framtid. Quebec hade fallit och centrala delar av Nya Frankrike hade erövrats av Storbritannien där en intensiv debatt bröt ut om fredsvillkoren.

Det var inte givet att det bästa var att behålla Quebec i Kanada. Alternativet att istället kräva den karibiska ön Guadeloupe hade många anhängare. Denna franska koloni var mycket lönsam med en omfattande och effektiv sockerproduktion. För Storbritannien fanns nu en möjlighet att lägga beslag på en större del av sockerhandeln och samtidigt försvaga den svåraste konkurrenten. Quebec ansågs inte ha lika stor ekonomisk betydelse. I London var det många som hävdade att Guadeloupe var ett betydligt mer värdefullt krigsbyte och det var knappast realistiskt att tro att det kunde gå att pressa Frankrike att ge upp allt.

För Benjamin Franklin var det mycket upprörande att höra att det var möjligt att Quebec skulle återlämnas till Frankrike. Han drog igång en kampanj med syftet att visa hur innehavet av området kunde underlätta en fortsatt expansion av det brittiska imperiet. Om Nya Frankrike tilläts vara kvar skulle de engelska kolonierna ständigt leva med hotet av militära attacker från fransmännen och deras allierade indianstammar. Sjuårskriget hade ju trots allt visat att Nya Frankrike kunde utgöra ett hinder för expansion västerut. Enligt Franklin låg framtiden för de amerikanska kolonierna i vad som då tycktes som en närmast obegränsad tillgång på nya landområden som erbjöd expansionsmöjligheter för både jordbruk och en växande tillverkningsindustri.

Det finns delade meningar om i vilken mån Franklin redan då verkligen insåg att hans amerikanska vision utgjorde en vägvisare mot självständighet. Sannolikt inte, eftersom han försäkrade hur koloniernas invånare ville bistå kungen med att sprida makt, välstånd och ära. Med all sannolikhet hade historien i alla fall tagit en något annorlunda vändning om Storbritannien i det fredsfördrag som slöts 1763 hade valt Guadeloupe framför Quebec.

Den mest djupgående effekten av uppgörelsen blev att Frankrike inte längre fanns kvar som en seriös militär motståndare på den nordamerikanska kontinenten. Invånarna i de engelska kolonierna hade inte längre samma behov av moderlandets hjälp i försvar mot yttre fiender.

För Storbritannien blev framgången i kriget därmed en pyrrhusseger som snart skulle leda till förlusten av de amerikanska kolonierna. Kriget hade tömt statskassan. Behovet av nya intäkter ledde till att koloniernas handelsfrihet inskränktes än mer och att invånarna belades med nya skatter. Det var, ansåg imperiets styre i London, bara rimligt att kolonierna betalade för ett militärt försvar, ett skydd som dess invånare inte längre ansåg sig behöva. I kolonierna växte också missnöjet mot tvånget att betala skatt utan representation i det brittiska parlamentet.

Det var kampen om rätten att beskatta sig själva som fick sitt drastiska uttryck när beskattat te kastades överbord vid det historiska tepartyt i Bostons hamn 1773. Då fördes fortfarande en debatt i Storbritannien om i vilken mån det varit ett misstag att köra ut fransmännen från Kanada. Det uppror som börjat mullra i de nordamerikanska kolonierna kunde trots allt härledas till att invånarna kände sig säkra när det franska militära hotet avlägsnats. Även strax innan självständighetskriget inleddes fördes förslag fram om att det kanske fortfarande var bättre att försöka lämna tillbaka Quebec.

*

Efter att, som den äldste av grundlagsfäderna, ha varit med om att stärka den nya nationens framtid med en ny konstitution levde Benjamin Franklin sina sista dagar i Philadelphia där han avled i april 1790, åttiofyra år gammal. Han hade varit en drivande kraft bakom den kompromiss som blev USA:s konstitution men hans hälsa hade redan då börjat svikta alltmer. Den 16 december 1788 avböjde han vänligt en inbjudan till middag hos Nils Collin, den svenske kyrkoherden i Gloria Dei. Dessvärre, förklarade Franklin i sitt svarsbrev, var han inte längre frisk nog att kunna gå bort på middag.

Det är frestande att tänka sig att han mot slutet av sin levnad kom att läsa sin gamle svenske vän Pehr Kalms berättelse om Amerika som då kommit ut i engelsk översättning under titeln *Travels into North America*. Han hade då kunnat se hur Kalm – som övertygande talat om hur de nordiska vikingarna kommit till Nordamerika femhundra år före Columbus – redan 1748 under ett besök i New York konstaterat att det var tänkbart att de engelska kolonierna skulle bryta sig loss från moderlandet.

Långt innan Benjamin Franklin började tro på idén om självständighet skrev Kalm att han hört att »Ängelsmän sjelfwa, icke allenast dem, som varit födda i America, utan äfwen i gamla Ängland, men sedan gått öfwer till America och där satt sig ned, uppenbarligen säga och spå, det de Ängelske Colonier i Norra America efter 30, 40 à 50 år torde utgöra et särskildt Konungarike, skildt aldeles från gamla Ängland.«

Kalm konstaterade vidare att kolonierna följde en oskyddad kustremsa och att de från andra sidan hotades av fransmännen. Hans framsynta slutsats – flera år innan det fransk-indianska kriget inleddes – var att Storbritannien borde inse att den franska närvaron var det bästa sättet att bevara invånarnas kärlek till moderlandet, eller som han mer exakt uttryckte det: »att hålla dessa deras Undersåtar i all tillbörlig och önskelig plikt och undergifwenhet«. Idén om Frankrikes och Kanadas betydelse för de brittiska koloniernas fortlevnad hade alltså redan fått spridning trots att det ännu inte fanns några brett förankrade krav om självständighet.

Men även om Pehr Kalm var korrekt i sin framtidsprognos – och var tidigare ute än de flesta – var han med sin svenska bakgrund ändå tämligen oförstående inför själva tanken på självständighet och en revolt mot kungadömet. Liksom Israel Acrelius betraktade Kalm kraven på frihet som något hotfullt, ett hot mot en rådande stabil ordning. Hans slutsats om värdet av den franska närvaron i Amerika ska nog snarast tolkas som ett råd till Storbritannien att göra vad som krävdes för dess eget bästa. Det är också tydligt att det i Kalms föreställningsvärld knappast fanns utrymme för att en ny nation, om den nu skulle formas, skulle konstitueras som en republik och inte en monarki.

Det är heller inte sannolikt att han som svensk då föreställde sig att koloniernas invånare skulle ge sig ut i ett blodigt självständighetskrig mot den brittiska kolonialmakten för att uppnå målet om en ny och oberoende nordamerikansk nation.

GIVE ME LIBERTY OR GIVE ME DEATH.

Patrick Henry

TILL VAPEN
FÖR FRIHET

En svensk aristokrat hos
George Washingtons rebeller

När den svenske greven Axel von Fersen under sommaren 1780 anlände till Amerika hade självständighetskriget redan pågått i mer än fem år. Till hans besvikelse skulle det dröja ytterligare en tid innan han kunde gå ut i strid på de amerikanska rebellernas sida i deras revolt mot den brittiska monarkin. Hans befälhavare, den franske greven Jean-Baptiste Donatien de Vimeur de Rochambeau, var åtminstone i det här fallet en försiktig general. Han bestämde att innan han gav sig ut i strid var det nödvändigt att avvakta förstärkningar som behövdes för att möta det övertag den brittiska flottan hade till havs. Rochambeaus arméstyrka på sextusen man, som landstigit på den amerikanska östkusten, övervintrade därmed i det läger som upprättats i Rhode Island, en av de tretton kolonier som utropat sin självständighet gentemot Storbritannien. Det skulle dröja ett helt år, till juli 1781, innan trupperna började marschera söderut, mot det avgörande slaget i Yorktown i Virginia.

Det hör till historiens paradoxer att det amerikanska kriget för självständighet, revolutionen och kampen för att upprätta en demokratisk republik, bara kunde vinnas med militärt bistånd från Frankrikes enväldige monark och frivilliga aristokrater i kunglig tjänst. Ironin blir förstås inte svagare av att mycket av vad som fanns i de idéer och ideal som drev fram den amerikanska revolutionen snart skulle ge inspiration till ett annat omvälvande och historiskt uppror, revolutionen i Frankrike och störtandet av den franska monarkin.

Under sin väntan i Newport i Rhode Island uttryckte Fersen, i alla fall inledningsvis, sin beundran över den goda disciplin som

145

rådde bland de franska trupperna. Men han noterade också att de unga aristokratiska officerarna tycktes lida av vad de tyckte var en händelselös tillvaro i Amerika. De var helt enkelt uttråkade. Så långt hemifrån var det för Fersen uppenbart att de saknade sina nöjen i Paris. Här hade de inte sina älskarinnor, inga baler, teaterföreställningar eller utsökta måltider, och nu var de även tvingade att invänta en marschorder mot krigsskådeplatsen där de i första hand hoppades vinna heder och ära åt sig själva och åt Frankrike.

Det var heller knappast omsorgen om de amerikanska rebellernas frihetstörst som drev Hans Axel von Fersen den yngre över Atlanten. I de brev han skrev från Paris till sin familj i Sverige före avresan nämner han ingenting om att den revolution som inletts i sig på något sätt skulle ha varit vägledande för hans beslut att delta i kampen för självständighet. Faktum var att han mitt under det pågående kriget, närmast som en militär kollega till en annan, till och med kunde yttra några uppskattande ord om de brittiska truppernas professionalism. Vid en jämförelse framstod de amerikanska trupperna som hopplöst primitiva.

Uppvuxen i det Fersenska palatset på Blasieholmen – en paradbostad som i den svenska huvudstaden bara överträffades av det kungliga slottet på andra sidan Stockholms ström – var han en blåblodig aristokrat som såg sin upphöjda samhällsställning som en del av en naturlig ordning. Hans far, Fredrik Axel von Fersen den äldre, var inte bara greve utan även en mycket framstående man i staten, riksråd och fältmarskalk, och en tongivande politiker i ståndsriksdagen där han värnade om adelns inflytande, även gentemot kungamakten, och dessutom slog vakt om Sveriges storhet som militärmakt. Modern Hedvig Catharina var grevinna före giftermålet, född De La Gardie som var en av Sveriges mest förmögna adelsfamiljer.

Det var självklart att Axel von Fersen under sin uppväxt skulle ha bästa möjliga utbildning, en förberedelse för en utstakad roll i det översta samhällsskiktet. Innan han ännu fyllt femton år skickades han, som andra unga män av samma klass, ut i Europa på en *grand tour*, utrustad med såväl egen informator som personlig betjänt. Han besökte en rad länder, reste genom Tyskland,

146

Adelsmannen Axel von Fersen kämpade på de amerikanska
rebellernas sida i självständighetskriget.

Italien, Schweiz, Frankrike och England, studerade på olika platser, togs emot i de finaste kretsar och välkomnades med öppna armar vid hovet i Versailles – inte minst av kung Ludvig XVI:s gemål, den unga drottningen Marie Antoinette.

Fersen var så tydligt en del av det gamla svenska ståndssamhället som fortfarande var intakt, och även om den svenska stormaktsdrömmen kanske bleknat hade den ändå inte försvunnit med kolonin Nya Sverige i Amerika. Karl XII var visserligen inte mer än tonåring när han tog över tronen 1697, men det dröjde inte länge innan förhoppningar hade väckts om att Sverige nu hade en militär fältherre som kunde bli en hjältekonung i Gustav II Adolfs anda. Drömmarna hade krossats brutalt med det katastrofala nederlaget i Poltava, och redan innan Karl XII sköts till döds i Fredrikshald 1718 hade Sverige tappat sin ställning som en nordeuropeisk stormakt att räkna med. Därefter förlorade kungamakten inflytande. Under decennier gjordes parlamentariska framsteg på enväldets bekostnad. Riksdagens makt stärktes och yttrandefriheten vidgades. Ett nytt system växte fram. Politiska partier – under benämningarna hattar och mössor – kunde kämpa mot varandra om inflytande.

Men när Gustav III 1771, vid 25 års ålder, klev upp på den svenska tronen fanns på nytt mer högtflygande planer, för såväl den svenska monarkin som för Sveriges roll i världen.

*

Axel von Fersen återvände till Sverige först efter fyra år på resa i Europa. Han blev arméofficer, visste att uppträda världsvant och trivdes väl i umgänget i kretsarna runt Gustav III som under den unge adelsmannens långa bortavaro stärkt kungamakten genom 1772 års statskupp. Även om Gustav III såg sig som en upplyst monark – »den förste medborgaren bland ett fritt folk« – var den epok som kallades den svenska frihetstiden över. Ståndsriksdagen, och därmed inte minst den adel Fersen tillhörde, hade tvingats till reträtt av en monark med höga ambitioner. Men Fersen fann sig ändå väl tillrätta. Han var avsevärt mer road av det frivola kungliga överflödet än sin far som hade varit en av hattpartiets förgrundsfigurer och som nu upprördes av vad han uppfattade som en brist på värdighet i Gustav III:s hovliv.

Ändå vill Axel von Fersen tillbaka ut i världen. Via London återvände han 1778 till Paris. Han var tjugotre år gammal. Elegant, välklädd och stilig visste han att föra sig i de förnämsta sammanhang och blev återigen en eftertraktad gäst i den franska huvudstadens aristokratiska och kungliga salonger. Han behärskade sannolikt franska bättre än svenska, kunde sitt latin och talade även tyska, italienska och engelska. Den svenska Parisambassadören, greven Gustaf Philip Creutz, tog honom under sina vingar och undervisade honom i diplomatins grunder.

Trots den behagliga tillvaron i Paris, med ett utsvävande socialt liv, visste Fersen att han behövde komma ut i ett krig. Det var inget särskilt konstigt med det. En riktig adelsman måste kunna föra befäl och behövde erfarenhet från slagfältet. Om det egna landet var i fred var det bara att ta värvning hos någon annan krigförande makt. Krig var inte nödvändigtvis ett nationellt projekt i senare bemärkelse utan fördes mer för att stärka en kunglig dynasti, och det innebar att såväl soldater som officerare kunde rekryteras från andra länder. Det var egentligen först med Napoleon som nationella folkarméer började mobiliseras i Europa.

Före den franska revolutionen var Frankrike inte alls det enda, men ändå det mest populära valet för svenska adelsmän. Oavsett militära motgångar var Frankrike den ledande europeiska stormakten. Det fanns också gamla band. Sverige och Frankrike hade trots allt varit allierade redan under trettioåriga kriget. Sverige tog emot franska subsidier och de högre svenska samhällsskiktens intresse för allt franskt var på en toppnivå under den gustavianska eran. Med sin uppenbart frankofona framtoning fungerade regenten Gustav III åtminstone i den bemärkelsen som en förebild för den svenska aristokratin. I Fersens fall var valet självklart eftersom hans far tidigare varit officer i den franska armén och under åtskilliga år fört befäl över ett eget regemente som, typiskt nog, bestod av tyska legoknektar.

Nu föll det sig också så att när Fersen återvände till Paris 1778 hade Frankrike efter en del tvekan gått in på rebellernas sida i det amerikanska självständighetskriget mot Storbritannien.

Benjamin Franklins trägna arbete för att få Frankrikes stöd hade gett resultat, och fransmännen såg en chans att åtminstone indirekt utkräva revansch för förlusten mot britterna i sjuårskriget.

Det var så många svenska adelsmän som kände sig kallade att gå in på Frankrikes sida i kriget – omtanken om de amerikanska rebellerna var nog mer begränsad – att det kunde vara besvärligt att placera alla i olika franska regementen. Den blivande friherren Georg Carl von Döbeln hade efter en längre tids väntan i Paris oturen att hamna på ett franskt krigsskepp som i sista stund omdirigerades till Indien. Han kom inte till Amerika men fick sin krigserfarenhet i alla fall och kunde ändå vara nöjd. Även om han sårades i strider i Indien befordrades han till kapten i sitt franska regemente. Efter att han återvänt till Sverige kunde han göra sig ett namn som officershjälte i Gustav III:s anfallskrig mot Ryssland. Senare blev han en av den svenska arméns högsta befälhavare under det finska kriget och kom att befordras till generallöjtnant.

Axel von Fersen hade däremot inga problem att komma fram till Amerika. Han tvingades visserligen vänta en längre tid på sina direktiv, men våren 1780 gick han till slut i Brest ombord på skeppet *Jason* som förde honom över Atlanten, in i en pågående revolution för värderingar han egentligen stod främmande inför.

*

Men även om inget tyder på att Fersen skulle ha hyst något större intresse för de amerikanska rebellernas frihetsideal eller deras krav på självständighet, var det inte enbart militära bragder och meriter han var ute efter. Det fanns också ett annat starkt skäl till att han nu tyckte det var bäst att hålla sig på ordentligt avstånd från Paris. I de sociala kretsar han rörde sig i Frankrike hade han snabbt blivit känd som *le beau Fersen*. Den unge svenske aristokraten hade uppenbarligen utseendet för sig och var en charmör som med en attraherande kombination av kyla och passion kunde göra ett starkt intryck på kvinnor som kom i hans väg. En av hans Parisväninnor beskrev honom uppskattande som en »brinnande själ under en hinna av is«.

Det var en dragningskraft som inte ens den unga franska drottningen Marie Antoinette kunde motstå. Ömsesidigt tycke verkar ha uppstått redan när de först möttes under Axel von Fersens tonårsvistelse i Frankrike. De var jämngamla, då arton år. Som dotter till drottning Maria Teresia i Österrike hade Marie Antoinette tidigare, bara fjorton år gammal, tvingats in i en äktenskapsallians som band samman det habsburgska hovet med den franska monarkin.

När Fersen kom tillbaka till Paris blev han snabbt en del av det extravaganta hovlivet vid Versailles där Ludvig XVI nu var Frankrikes enväldige konung och Marie Antoinette hans drottning. I ett brev hem till sin far berättade Fersen att »drottningen, som är den vackraste och älskvärdaste furstinna jag känner, har haft godheten att ofta göra sig underrättad om min person«. Drottningen, konstaterade han senare, behandlade honom med god välvilja. Det undgick heller inte hovkretsarna att drottningen var angelägen om Fersens sällskap.

Skvallret började gå. Rykten spreds i högre kretsar om att den långe och stilige svenske adelsmannen var Marie Antoinettes älskare, vilket av allt att döma också överensstämde med sanningen. Det var en ohållbar situation. För Fersen blev det nu än mer angeläget att komma iväg till Amerika.

Situationens allvar, som det uppfattades på högsta nivå, framgår av en då hemlig försändelse från greve Creutz, den svenske Parisambassadören, till Gustav III, daterad den 10 april 1779: »Jag anser mig böra anförtro Eders Maj:t, att den unge grefve Fersen varit så gerna sedd af drottningen att det hos flera personer väckt misstankar. Jag bekänner, att jag icke kan afhålla mig från den tron, att hon hyst böjelse för honom; jag har sett alltför säkra tecken för att tvifla därpå.« Creutz underströk sedan det beundransvärda i att Fersen visat prov på självbehärskning med sitt beslut att resa till Amerika, särskilt som drottningen den senaste tiden inte förmått ta sina ögon från honom.

*

Av olika skäl skulle det alltså dröja ett år innan Fersen kunde inleda sin resa över havet. Men då hade han säkrat en eftertraktad utnämning som adjutant till generalen och adelsmannen Jean-Baptiste Donatien de Vimeur de Rochambeau, befälhavaren för de franska trupper som samtidigt med Fersen skeppades över till det arméläger som upprättats i Rhode Island. Även om hans militära ambitioner inte omedelbart kunde infrias verkar Fersen ha funnit sig väl tillrätta i staden Newport, och hans kunskaper i engelska gjorde att han fick i uppdrag att vara tolk till Rochambeau.

I oktober 1780 var han också med i den delegation som följde med den franske generalen till hans första möte med George Washington, som redan innan USA utropat sin självständighetsförklaring utsetts till överbefälhavare för de amerikanska rebellstyrkorna. Mötet ägde rum i Hartford i Connecticut, på lika avstånd från den franska förläggningen i Rhode Island och det läger de amerikanska trupperna slagit i New Jersey.

Vid Washingtons sida fanns Gilbert de Motier, markisen av Lafayette, en fransk aristokrat som kommit till Amerika redan 1777 och till skillnad från Fersen var övertygad om att rebellerna stod på den rätta sidan i en kamp som skulle föra mänskligheten framåt. Lafayette blev en av Washingtons mest förtrogna officerare och betraktades närmast som en son av den amerikanske befälhavaren. När han återvände till sitt hemland blev Lafayette, inspirerad av sina amerikanska erfarenheter, en ledarfigur i den franska revolutionen innan han senare fängslades av jakobinerna när upproret spårat ur i terror.

Washington gjorde omedelbart ett gott intryck på den svenske adelsmannen, som efter deras första möte var imponerad även om Fersen samtidigt tyckte sig se något sorgset hos den amerikanske ledaren; »över hans ansikte vilar ett melankoliskt drag som icke misspryder utan gör honom mer intressant«, skrev han i ett brev till sin far i Sverige. Han beskrev även hur Washingtons vackra, majestätiska och värdiga framtoning överensstämde med hans moraliska egenskaper. I Fersens ögon såg Washington verkligen ut som en hjälte. Samtidigt konstaterade han också att Washington verkade tillbakadragen även om han var hövlig.

Vad Fersen knappast kunde veta var att Washington då bar på svåra tvivel, en gnagande oro över att hans egen armé kanske inte var i stånd att vinna kriget. Faktum var att han tvekat att överhuvudtaget komma till mötet med Rochambeau eftersom han befarade att hans egna trupper kanske inte skulle klara att hålla ihop under hans frånvaro. Washington saknade både vapen och ammunition, han hade inte ens tillräckligt med proviant för sina mannar. Men även om han var väl medveten om att stöd utifrån behövdes, var det samtidigt nödvändigt att en seger i kriget, för att vara trovärdig, måste tillskrivas de amerikanska rebellerna – inte franska aristokrater utsända av en enväldig monark. Mötet med Rochambeau i Hartford ledde nu inte direkt till någon konkret uppgörelse, men Washington konstaterade efteråt ändå lite uppgivet att han insåg att den allians som ingåtts bara gav honom ett begränsat inflytande över de franska trupperna.

*

George Washington hade inte samma förnäma klassbakgrund som Axel von Fersen. Men trots att den amerikanske generalen nu var en revolutionsledare hade Washington tidigare ändå eftersträvat aristokratiska ideal. Han var medveten om sin position, hade aspirerat på en tillvaro som engelsk gentleman och han hade blivit besviken, kanske rentav sårad, när han som officer i det koloniala Amerika kände av att han hade lägre status än de militära kollegor av samma rang som kommit över från Storbritannien. Det hjälpte inte att hans farfars far John Washington ändå utvandrat till Virginia från England i mitten av 1600-talet. Kanske var det till och med så att det var först när det blev uppenbart för honom att möjligheterna att klättra i kolonialmaktens sociala hierarki var begränsade som han blev en amerikansk patriot.

Han föddes 1732 på en gård i Virginia och växte upp i en trakt nära Potomacfloden som dominerades av stora jordägare som kunde leva gott på sina tobaksplantager. Han var bara elva år när hans far Augustine avled. Därefter blev den äldre halvbrodern Lawrence något av en fadersfigur som med sitt äktenskap med Ann Fairfax kunde visa vägen mot högre sociala höjder. Den

153

engelskfödde överste William Fairfax, far till Ann, kom från en brittisk adlig familj och hörde nu till Virginias mest förmögna och mäktigaste markägare. William Fairfax tyckte sig se något utvecklingsbart hos svärsonens yngre halvbror och han välkomnade honom med öppna armar och använde sina kontakter för att leda adepten mot en lovande karriär inom den brittiska flottan.

Här kunde historien tagit en annan vändning om inte Georges dominerande mor i sista stund satt ned foten. Mary Washingtons nej ledde till att sonen istället redan som tonåring började arbeta som lantmätare. Det gavs ingen möjlighet till högre utbildning vilket var något som han själv upplevde som en brist även när han längre fram blivit som mest framgångsrik och hyllad. Vid sidan av Benjamin Franklin – som väl kompenserade med egen bildningstörst – var Washington den ende av USA:s berömda »founding fathers« som saknade formell högre utbildning. Washington lärde sig aldrig något främmande språk, och det var sannolikt för att han fann det genant att behöva ha tolk som han avböjde en inbjudan att komma till Frankrike efter den amerikanska revolutionen. Hans enda utlandsresa någonsin gick till Barbados och gjordes tillsammans med halvbrodern Lawrence som förgäves hoppades att ett klimatbyte skulle rädda honom från tuberkulos. När Lawrence avled 1752 blev den då tjugoårige George Washington arvtagare till godset Mount Vernon, som sedan blev hans fasta punkt resten av livet, även om krig och politik under långa perioder drog honom åt andra håll. Hans egendomar utvidgades avsevärt när han senare gifte sig med änkan Martha Custis. Hon förde med sig stora tillgångar till boet, inklusive ett betydande antal slavar.

Arbetet som lantmätare förde honom ut i vad som var Virginias västliga vildmark och de gränsområden där Storbritannien skulle konfrontera Frankrike i den koloniala kraftmätning som var en del av sjuårskriget. Steget till armén var inte långt. Hans specifika lokalkännedom i kombination med tilltagande social status gav honom goda möjligheter att snabbt ta sig uppåt i en eftertrak-

George Washington ledde den armé som till slut besegrade den brittiska kolonialmakten.

tad militär karriärstege. Trots ett antal inledande bakslag i detta krig mot den franska fiendenationen utnämndes han redan vid tjugotre års ålder till överste. Han fick befäl över ett regemente med tusen soldater och uppdraget att i västra Virginia försvara den brittiska kolonialmaktens intressen mot Frankrike och dess allierade indianstammar.

Några år efter att han 1859 gift sig med Martha Custis belönades Washington, som många andra officerare, för insatsen i kriget mot Frankrike. Han erhöll avsevärda landområden i vad som idag utgör gränstrakterna mellan delstaterna West Virginia och Ohio och då utgjorde en västlig utpost i de brittiska kolonierna. Tillbaka vid Mount Vernon gjorde han sitt bästa för att leva upp till rollen som en aristokratisk plantageägare. Han valdes in som ledamot i Virginias koloniala parlament, klädde sig elegant, ägnade sig åt rävjakt som förströelse och importerade dyrbara varor från London. Hans livsstil var så pass utsvävande att han under en stor del av sitt liv hade svårt att få intäkterna från tobaksodlingarna och andra verksamheter att räcka till. Men det var inget han låtsades om och det var typiskt att han i aristokratisk anda avböjde en lön när han senare utsågs till överbefälhavare för USA:s styrkor mot britterna i självständighetskriget.

*

Som framgått drog fredsupprörelsen i sjuårskriget igång en händelsekedja som – även om det då kanske inte var uppenbart – obönhörligt skulle leda invånarna i kolonierna till en revolt mot den brittiska överhögheten. När hotet från Frankrike var undanröjt behövdes inte Storbritannien som militär beskyddare. En snabb befolkningsökning i kombination med en stark ekonomisk tillväxt och en begynnande industrialisering drev fram ett missnöje mot brittiska handelsrestriktioner. Kolonierna såg inte längre att det låg i deras framtidsintresse att bara vara råvaruleverantör till moderlandet. Protesterna mot de brittiska skattepålagorna, som kulminerade med *Boston Tea Party*, blev en utlösande faktor i vad som i efterhand framstår som en given utveckling mot frigörelse. Ett försök att ena de tretton kolonierna hade gjorts redan 1774, då den första kontinentalkongressen samlades i Philadelphia för att diskutera motåtgärder efter att det brittiska parlamentet infört hårda och förhatliga handelsrestriktioner och andra sanktioner – *The Intolerable Acts* – som straff för tepartyt i Boston. Men det var först efter den våldsamma konfrontation som ägde rum i de närbelägna städerna Lexington och Concord året därpå som situationen blev så akut att kolonierna mobiliserade en egen armé.

Självständighetskriget inleddes den 19 april 1775, när en milis i Massachusetts drabbade samman med brittiska trupper som fått order att förstöra lager som byggts upp med ammunition och militärutrustning. Det har aldrig fastställts vilken sida som inledde eldgivningen men i den amerikanska historieskrivningen blev det i vilket fall »skotten som hördes över världen« i det uttryck som myntades av filosofen och författaren Ralph Waldo Emerson.

Några veckor efter sammandrabbningarna i Lexington och Concord – namn som blivit synonyma med krigsutbrottet – inleddes den andra kontinentalkongressen i Philadelphia. Någon självständighetsförklaring hade ännu inte utropats men ett beslut togs ändå om att upprätta en kontinentalarmé utifrån de miliser som redan fanns, i Massachusetts och i andra kolonier. George Washington fanns på plats som delegat från Virginia och med sin militära erfarenhet från sjuårskriget fördes hans namn på ett självklart sätt fram när det var dags att utse en överbefälhavare. Han var knappast omedveten om sin position i och med att han valde att vara klädd i militär uniform. Han behövde inte bekymra sig. Valet var enhälligt. George Washington hade tagits emot som en folkhjälte redan när han anlände till Philadelphia. I och med utnämningen kunde han nu konkurrera med Benjamin Franklin om titeln som den mest kände amerikanen i världen. Även Franklin fanns med som delegat vid kongressen.

Washington började rekrytera officerare och soldater och styrde mot Massachusetts där Boston nu var under belägring av brittiska trupper. Uppgiften var inte lätt. Även om kolonierna hade samlats kring ett gemensamt mål innebar det inte automatiskt att de var beredda att ställa upp med nödvändig finansiering, och det fanns dessutom utbredda farhågor om att en stående armé skulle kunna underminera de frihetsideal som växte fram. Det hör till Washingtons storhet att han lyckades nå så stora framgångar trots att trupperna ofta hade otillräcklig utbildning. Det var brist på utrustning och ammunition. Alla soldater hade inte gevär utan det kunde hända att några kom stridsberedda med bara en tomahawk eller andra enklare vapen. Disciplinen lämnade mycket att önska. De saknade ordentliga förläggningar, Washington kunde klaga över att han inte ens hade ett tält för eget bruk och ibland hade rebellerna knappt kläder eller mat för dagen. Hans trupper kunde utan överdrift beskrivas som en armé av trashankar.

Det var kanske inte så konstigt om Washington emellanåt kunde ansättas av tvivel. Han kunde undra om han inte skulle varit bra mycket lyckligare om han avböjt att ta befälet över den nya armén. När det såg som mörkast ut anförtrodde han en av sina medarbetare att om »jag kunnat förutse vad jag varit med om och vad som väntar mig så skulle inget på denna jord ha fått mig att acceptera denna post«.

*

Men bortsett från ett fullständigt misslyckat försök att invadera Kanada började självständighetskriget ändå relativt bra för de amerikanska rebellerna. Den första stora sammandrabbningen slutade med att de brittiska trupperna drevs på flykt från Boston där upproret först startat. Den 4 juli 1776, några månader efter den brittiska evakueringen, antog kontinentalkongressen i Philadelphia den självständighetsförklaring som innebar att Amerikas förenta stater utropades. I det revolutionära dokumentet, som hade Thomas Jefferson som huvudförfattare, slogs fast att alla människor är skapade lika med vissa okränkbara rättigheter, som rätten till liv, frihet och strävandet efter lycka.

Bland de femtiosex delegater från de tretton kolonierna som undertecknade det historiska dokumentet återfanns även en ättling till en av de första pionjärerna i den svenska kolonin Nya Sverige. John Morton företrädde Pennsylvania och hans farfars far, finländaren Martti Marttinen, hade via de värmländska finnskogsbygderna anlänt med skeppet *Örnen* till den nya världen redan 1654. Namnet hade i Värmland först försvenskats till Mårtensson innan det senare ändrades till Morton i Amerika.

Men kampen för självständighet var ännu långt ifrån över. Redan i augusti samma år drabbades Washington av ett allvarligt bakslag när stridsplatsen flyttats ned mot New York. Slaget om Long Island, det största under hela kriget, kunde ha slutat värre om inte Washington i skydd av nattens mörker lyckats undkomma med sina trupper i en reträtt från Brooklyn över East River till Manhattan och sedan vidare till New Jersey. De brittiska trupperna, under ledning av general William Howe, kunde därmed göra New York till sitt militära högkvarter. Washington hade svårt att rekrytera nya trupper och inte bara han själv undrade om rebellarmén hade möjlighet att överleva och driva revolutionen vidare.

Det är en annan av den amerikanska revolutionens ironier att kampen för frihet genomfördes med en inte obetydlig hjälp av svarta soldater samtidigt som slaveriet behölls. George Washington hade egna slavar vid Mount Vernon och även om han kanske insåg att han hamnat i ett moraliskt dilemma, förmådde han aldrig riktigt att ta avstånd från ett system som i sig utgjorde ett hån mot revolutionens stolta deklaration om alla människors lika värde. Washington var inledningsvis avog till förslag om att låta svarta slavar kämpa sida vid sida med de vita rebellerna i hans armé. Idén om beväpnade slavar var trots allt något som kunde sätta skräck i vilken plantageägare som helst i Södern.

Pressad av situationens allvar gav Washington ett klartecken som formellt bekräftades av kongressen och som gav fria svarta medborgare i den nya nationen rätt att ta värvning i den amerikanska armén. Svarta soldater kom därmed att utgöra som mest 12 procent av de samlade trupperna, och det har därmed varit möjligt att beskriva Washingtons kontinentalarmé som den mest integrerade Amerika haft ända fram till Vietnamkriget tvåhundra år senare.

I självständighetskriget fortsatte krigslyckan att svänga fram och tillbaka. Några framgångsrika attacker i New Jersey, i Trenton och i Princeton, kunde åtminstone tillfälligt ingjuta nytt mod hos de amerikanska trupperna. En vändpunkt tycktes också komma när de brittiska trupperna besegrades i det viktiga slaget vid Saratoga. Men efter att ha fått förstärkningar från Kanada kunde britterna hösten 1777 ändå erövra Philadelphia, den nya nationens huvudstad. Det var även psykologiskt en svår motgång. Washingtons trupper var demoraliserade när de slog vinterläger på landsbygden i Valley Forge i Pennsylvania. De tillbringade månader under avsevärda umbäranden. I den svåra kylan blev bristen på utrustning och proviant än mer kännbar.

Det var till stor del tack vare hjälpen från en falsk europeisk aristokrat från Preussen som rebellerna trots allt kunde slå tillbaka när våren kom. Friedrich Wilhelm Ludolf Gerhard Augustin von Steuben, i fält känd bara som baron von Steuben, hade använt sina erfarenheter från den preussiska armén för att under vintermånaderna drilla Washingtons trupper så att de blev mer disciplinerade och effektiva i strid. Steuben hade sänts över Atlanten av Benjamin Franklin och hans kollega Silas Deane, som blivit den nya nationens första sändebud i Paris. De misstyckte inte när Steuben envisades med att upprätthålla ett aristokratiskt sken. Uppenbarligen utgick Franklin från att Steuben, som bara behärskade en elementär engelska, skulle göra ett mer trovärdigt intryck på Washington om han hade en adelstitel. Därmed fick den preussiske officeren bli en baron när rebellerna skulle lära sig ta order. Resultatet blev i alla fall att de brittiska trupperna drevs ut ur Philadelphia och tvingades retirera mot New York.

*

Striderna gick vidare och den amerikanska sidan stärktes när kriget internationaliserades under 1778. Frankrike, som på olika sätt stött rebellernas sak praktiskt taget från början, var nu redo att skriva under det formella alliansfördrag som Benjamin Franklin förhandlat fram i Paris. Senare skulle också Spanien och Nederländerna ansluta sig, även om deras insatser var begränsade.

Thomas Jefferson var huvudförfattare
till den självständighetsdeklaration som antogs 1776.

160

A Declaration by the Representatives of the UNITED STATES OF AMERICA, in General Congress assembled.

When in the course of human events it becomes necessary for one people to dissolve the political bands which have connected them with another, and to assume among the powers of the earth the separate and equal station to which the laws of nature & of nature's god entitle them, a decent respect to the opinions of mankind requires that they should declare the causes which impel them to the separation.

We hold these truths to be self-evident; that all men are created equal, that they are endowed by their creator with equal inherent & inalienable rights, that among these are life, & liberty, & the pursuit of happiness; that to secure these rights, governments are instituted among men, deriving their just powers from the consent of the governed; that whenever any form of government becomes destructive of these ends, it is the right of the people to alter or to abolish it, & to institute new government, laying it's foundation on such principles & organising it's powers in such form, as to them shall seem most likely to effect their safety & happiness. prudence indeed will dictate that governments long established should not be changed for light & transient causes: and accordingly all experience hath shewn that mankind are more disposed to suffer while evils are sufferable, than to right themselves by abolishing the forms to which they are accustomed. but when a long train of abuses & usurpations [begun at a distinguished period, &] pursuing invariably the same object, evinces a design to reduce them under absolute Despotism, it is their right, it is their duty, to throw off such & to provide new guards for their future security. such has been the patient sufferance of these colonies; & such is now the necessity which constrains them to expunge their former systems of government. the history of the present king of Great Britain is a history of unremitting injuries and usurpations, among which appears no solitary fact to contradict the uniform tenor of the rest, all of which have in direct object the establishment of an absolute tyranny over these states. to prove this, let facts be submitted to a candid world, for the truth of which we pledge a faith yet unsullied by falsehood.

Under tiden flyttades krigsarenan alltmer söderut med sammandrabbningar på en rad platser, som Savannah i Georgia och Charleston i South Carolina. Efter den fördröjda starten började dessutom de franska trupper som hållit läger i Rhode Island att röra sig söderut. Det var också den franske befälhavaren Rochambeau som övertalade Washington att det var bättre att satsa allt på att stoppa Storbritanniens offensiv söderut istället för att, som Washington först ville, lägga de mesta resurserna på att driva bort britterna från New York. Axel von Fersen var vid Rochambeaus sida vid flera tillfällen när diskussioner fördes och ett definitivt beslut togs när de två arméerna förenades norr om New York. De började gemensamt marschera mot Virginia samtidigt som den franska flottan gick mot Chesapeake Bay. Det var ett beslut som kom att få avgörande betydelse och det kom alltså till på franskt snarare än amerikanskt initiativ. Det behövde inte råda något tvivel om att Washington fann det frustrerande att inte längre ha full kontroll över skeendet även om han förde befäl.

Under den långa marschen söderut mötte trupperna ett varmt välkomnande. Fersen noterade hur de hälsades med en parad i Philadelphia och konstaterade samtidigt – i vad som återigen får uppfattas som en nedlåtande kommentar om rebellstyrkorna – att huvudstadens invånare nog aldrig sett så många väldisciplinerade män klädda i enhetliga uniformer. Målet var Yorktown, en by i sydöstra Virginia vid floden York, där den brittiska armén under ledning av lord Cornwallis upprättat en bas. Efter en lång väntan var det dags även för Axel von Fersen att ge sig ut i strid och han hade nu den republikanske generalen George Washington som sin härförare på slagfältet.

Kort efter att fransmännen överraskat britterna i ett sjöslag, slaget om Chesapeake, och Cornwallis trupper förlorat det egna flottskyddet, inleddes vad som var en regelrätt belägring. Efter flera veckor av obönhörligt bombardemang kapitulerade de brittiska trupperna den 17 oktober 1781 när en brittisk officer kom ut med vit flagg och ett meddelande till George Washington, som fört befälet över den styrka som bestod av både amerikanska och franska soldater.

Lord Cornwallis kunde gå vidare i sin militära karriär men förlusten var förödande för Storbritannien med åttatusen soldater tagna som krigsfångar. Psykologiskt var slaget om Yorktown ett sådant bakslag att kriget nu i praktiken var över även om det skulle dröja ytterligare nästan två år innan det formellt avslutades med undertecknandet av Parisfördraget i september 1783. Då hade det gått mer än åtta år sedan de första skotten avlossats i Lexington och Concord. Det var dags för USA att börja bygga sin egen framtid som en självständig nation.

Större delen av Rochambeaus trupper fick övervintra i Virginias koloniala huvudstad Williamsburg, som Axel von Fersen beskrev som en ful liten stad som mest liknade en vanlig by. Han valde också att stanna kvar trots att han kunde konstatera att de franska adliga officerare som hade möjlighet såg till att ge sig av snabbast möjligt. De var angelägna om att återvända till Paris, även om en del sedan upprördes över att de inte omedelbart befordrades efter de storartade insatserna vid Yorktown.

*

Fersens amerikanska vistelse kom att vara i nästan tre år. Han ville passa på att se sig om men han hade också ett svenskt uppdrag från Gustav III. Innan Fersen lämnade Paris 1780 hade den svenske kungen – som höll fast vid gamla svenska stormaktsdrömmar – via ambassadör Creutz gett direktiv för att undersöka möjligheterna för Sverige att erhålla en ny koloni. Fersen uppmanades att vara diskret i sina efterforskningar men Gustav III gjorde samtidigt klart att han gärna ville ha ett landområde på den nordamerikanska kontinenten eller annars någon ö i närheten. Initiativet var inte helt fruktlöst även om idén om en svensk koloni på det amerikanska fastlandet även då borde ha framstått som verklighetsfrämmande. Men 1784 överlämnade Ludvig XVI ändå den karibiska ön Saint-Barthélemy till Sverige som en del av ett nytt alliansavtal. Gustav III hade uppenbarligen hoppats på något bättre, som Guadeloupe eller Tobago. Saint-Barthélemy var en liten och i ekonomisk mening obetydlig ö. Som koloni kunde den aldrig fungera som språngbräda för vidare expansion, även om ön var kvar under svensk överhöghet i närmare hundra år, till 1878 då den återlämnades till Frankrike.

Till att börja med hade Fersen visat betydande entusiasm över sitt möte med Amerika. Han verkade trivas bra och berättade om vackra landskap, en bördig jord och trevliga invånare som »ännu inte korrumperats av europeisk lyx«. Men hans förtjusning svalnade med tiden. Det blev uppenbart att en nation som gjort revolution och utropat en republik i grunden var honom helt främmande. Även charmen med bristen på »europeisk lyx« tycktes avta tämligen snabbt.

Under våren 1782 gav han sig i alla fall ut på en upptäcktsresa i den nya nationen och han konstaterade efteråt att han var ofantligt glad att hans ressällskap, den franske aristokraten Chevalier de la Luzerne, haft sinnesnärvaro att föra med sig pastejer, skinkor, vin och bröd i god mängd. Därmed besparades de obehaget att äta på dåliga värdshus där »man inte påträffar annat än insaltade saker«. Med illa dolt förakt beskrev han de lokala matvanorna. Han hade svårt att förstå hur människor kunde livnära sig på bröd som bakats direkt över elden så att det var hårt utanpå och degen fortfarande rå på insidan. Han förvånades, eller förskräcktes, också av hur den dåliga maten sköljdes ned med rom som dracks blandad med socker och vatten.

Axel von Fersen var långt ifrån den ende svensken som deltog på rebellernas sida i det amerikanska självständighetskriget. Det var åtskilliga svenskar som kände sig kallade att gå ut i krig och meritera sig på slagfältet. Som för Fersen var det knappast revolutionen i sig som lockade och intresset tog fart först efter att Frankrike gått in i kriget. Det fanns ju kulturella och politiska band som bidrog till att göra den franska armén särskilt eftertraktad, men om det inte fanns plats där fick den nederländska militärmakten duga.

I likhet med Fersen verkar praktiskt taget alla ha varit aristokrater. De hade namn som Ulfvenklou, Sprengtporten, Jägerskiöld, Toll, Brummer, Grubbe, Lilljehorn och von Hohenhausen. Många befordrades efter hemkomsten till högre officerare och fann sina platser vid hovet runt Gustav III. Några kom att inta kungafientliga positioner, men det handlade då om motsättningar mellan adeln och kungamakten, inte om någon bredare folklig rörelse. Göran Magnus Sprengtporten, som hamnat i onåd hos Gustav III redan före avresan till Amerika, kom – närmast som en finsk Washington – att ställa sig i spetsen för en revolt som syftade till att bryta loss Finland från Sverige och upprätta en självständig republik. Efter att ha återvänt från krigsskådeplatsen i Amerika, där han tillhört de franska trupperna, blev greven Adolf Ludvig Ribbing till och med en av de sammansvurna runt kungamördaren Jacob Johan Anckarström. Ribbing, som efter mordet på Gustav III dömdes till landsförvisning, kan visserligen ha inspirerats av revolutionära slagord, men ett personligt grundat hat till kungen var sannolikt den starkaste drivkraften.

Såvitt känt stannade ingen av de svenskar som kämpade på de amerikanska rebellernas sida kvar i det nya landet för att bygga en ny framtid. De demokratiska ideal som började växa fram i och med självständighetsförklaringen tycks heller inte ha avsatt några djupare spår. De svenska aristokraterna var inte rebeller som slogs för en god sak utan de ställde sig som traditionen bjöd på Frankrikes sida i ett krig mot Storbritannien.

Men även om de militära äventyrare som deltagit i striderna mot den brittiska kolonialmakten inte tagit så starka intryck av den amerikanska revolutionens idéer var självständighetskriget ändå något som uppenbarligen diskuterades bland gemene man. I »Fredmans testamente« skrev Carl Michael Bellman om hur han på krogen stötte på sina vänner i sällskapet Pro Vino, »sittande med sina päronglas, med långa holländska pipor och förnumstiga peruker, immerfort resonerande om stadens bästa, om engelska kolonierna, generalen Washington, priset på hö, penningbristen och dylika historier«. Självständighetskriget fick också ett betydande genomslag i den svenska opinionsbildningen där George Washington i vissa sammanhang närmast idealiserades som en frihetshjälte som förkroppsligade upplysningens ideal. I de mest översvallande hyllningarna liknades Washington vid Gustav Vasa. Båda var »nationens fader«. I sin dikt »Friheten« kunde skalden Axel Gabriel Silfverstolpe utbrista: »O WASA! Washington! I värn för de förtryckte!«

Den amerikanska segern i slaget vid
Yorktown 1781 blev avgörande för
utgången av självständighetskriget.

Som en högt bildad man måste även Axel von Fersen ha tagit intryck av de franska upplysningsfilosofernas nya idéer. Under sin första bildningsresa under tonåren hade han till och med besökt Voltaire i dennes hem i Schweiz; beläst och begåvad hade han med all säkerhet läst och diskuterat såväl Montesquieu som Rousseau i Paris salonger. Men han förblev en hängiven rojalist, aristokrat av den gamla skolan som försvarade en rådande ordning där han såg sin egen upphöjda position vid en monarks sida som en del av sakernas naturliga tillstånd. Därmed blev den utveckling han kunde observera i Amerika också något hotfullt.

Det kan till och med framstå som om Fersens egen bakgrund gjorde honom oförmögen att ens ta till sig vad som höll på att hända. Det verkade som om han helt saknade förmåga att förstå när han klagade över vad han kallade invånarnas fåfänga och lättja och hur de satte sina egna intressen före det allmännas bästa: »Det förefaller verkligen, som om Virginiens invånare tillhörde en annan menniskoras; istället för att sysselsätta sig med sitt landtbruk och idka handelsrörelse, vill hvarje egendomsegare vara herre.«

*

Den sociala omvälvning som nu var på gång, och som skulle påverka utvecklingen även i Sverige och andra europeiska länder, var för Fersen på en gång både gåtfull och skrämmande. Han medgav att han hade svårt att förstå hur invånarna i Virginia »kunde förmås att ingå i statsförbundet och antaga en styrelse, grundad på fullkomlig likställighet; men samma nyck som föranledde dem att afkasta det engelska oket, skulle väl drifva dem till andra åtgärder och det skulle icke förvåna mig att se Virginien vid freden förklara sig sjelfständigt i förhållande till de andra staterna«. I efterhand kan det tyckas som en brist på föreställningsförmåga när Fersen sedan utfärdade spådomen att det amerikanska styrelsesättet skulle utvecklas mot att bli »fullkomligt aristokratiskt«. Så aristokrat han var är det sannolikt att han även såg den svenska adelns växande makt under frihetstiden som något avskräckande. Ett starkt parlament pekade bort från

168

den ordning och stabilitet som kunde garanteras av en om inte enväldig så i alla fall mäktig monark.

Vi kan inte veta säkert, men det är en rimlig gissning att Fersen hade mycket svårt att alls förstå George Washingtons beslut att efter krigssegern lämna sin post som överbefälhavare och återvända till sitt Mount Vernon. Washington var då den person som personifierade självständigheten, en symbol som utan att möta några invändningar kunde kallas den nya nationens fader. Det har, både då och senare, funnits en utbredd uppfattning att Washington om han velat hade kunnat bli både kung och diktator. I Storbritannien kunde Georg III knappt tro sina öron när han fick reda på att Washington avsåg att frivilligt dra sig tillbaka från det offentliga livet. Om det är sant, konstaterade den häpne brittiske monarken, så är George Washington en av »de största männen av vår tid«. Att frivilligt avstå sitt ämbete var något helt nytt i en värld där kungar och aristokrater var vana att styra och deras ämbeten och titlar gick i arv.

Möjligen framstod Washingtons beslut som än mer anmärkningsvärt med tanke på att han tidigare inte verkat främmande för aristokratiska värden. Som både militär och politisk ledare var plikt, lojalitet, heder och ära alltid givna riktmärken i hans liv. Även om han kom att bli folkets man och nationens fader kan han knappast beskrivas som folklig. Han var mån om sin värdighet och sitt yttre samtidigt som han höll en distans till omgivningen, även gentemot nära vänner och kollegor. När USA:s konstitution skulle utformas och delegater på nytt samlades i Philadelphia 1787, var det en del som klagade över att Washington hade svårt att umgås med de övriga på ett lättsamt sätt. När Gouverneur Morris, en delegat som representerade Pennsylvania, kom till Washingtons försvar möttes han av ett förslag från Alexander Hamilton, den blivande finansministern som ändå stod Washington närmare än de flesta. Hamilton lovade att bjuda ett större sällskap på middag om Morris gick fram till Washington, dunkade honom i ryggen med den till synes oförargliga repliken: »Min käre general, så glad jag är att se er så välmående.« Det sägs att Washingtons iskallt fördömande blick när han vände sig om fick Morris att för alltid ångra tilltaget, även om han vunnit vadet med Hamilton.

Också efter att republiken utropats vid självständighetsförklaringen kunde Washington visa ett betydande intresse för europeiska kungligheter som han såg upp till som militära ledare. Tillbaka vid Mount Vernon efter kriget läste han för all del upplysningsfilosofer som John Locke och Voltaire. Men han beställde också biografier om krigskungar som Ludvig XV i Frankrike, Peter den store i Ryssland och Karl XII i Sverige.

Oavsett om Washington kunde framstå som elitistisk och även aristokratisk i sin personliga framtoning blev han ändå ett med den nya republiken och dess vision om en demokratisk styrelseform. Med tidens mått mätt var det alls inte givet att han som militär överbefälhavare utan vidare skulle acceptera att vara underställd kongressen, som länge hade svårt att enas om en finansiering av kriget.

Till skillnad från de flesta av USA:s första politiska ledare undvek George Washington både en hård retorik och angrepp på motståndare. Han såg det som sin plikt att i nationens intresse hålla sig höjd över simpla politiska motsättningar, även om det åtminstone i efterhand stått klart att hans militära erfarenheter från självständighetskriget hade övertygat honom om vikten av en stark och handlingskraftig central regering. De olika delstaternas sjabbel och ovilja att ställa upp med pengar för det gemensammas bästa hade alltför tydligt visat att den nya nationen behövde en samlande ledning.

Samtidigt var det knappast någon tvekan om att hans politiska återhållsamhet – i kombination med den militära hjälterollen – bidrog till att göra honom till den självklare kandidaten när den nya nationen behövde en enande gestalt som dess ledare. Benjamin Franklin var vid det laget för gammal och de andra, som senare skulle axla presidentämbetet, var ännu inte redo och hade inte det breda stöd som fanns runt Washington. I efterhand har det blivit en etablerad sanning att det kan ha varit nationens räddning att George Washington fanns till hands. Om mer stridiga viljor fått utrymme att spela fritt och mot varandra hade den från början sköra statsbildningen kunnat äventyras.

*

Även Axel von Fersen kom att på olika sätt belönas för sina insatser i den amerikanska revolutionen. Tillbaka i Europa befordrades han till överste inte bara i Sverige utan även i Frankrike där han kunde säkra en utnämning med hjälp av ett personligt rekommendationsbrev från Gustav III till Ludvig XVI. Den svenske kungen hänvisade i brevet till den svenske adelsmannens börd, rikedom och »förståndiga uppförande« vid sidan av att Fersen »under allmänt bifall tjänat Ers Majestäts arméer i Amerika«. Senare fick Fersen även möjligheten att ta över ett eget regemente under namnet *Royal Suédois*. En upphöjelse kom även i USA där Axel von Fersen för sina insatser i självständighetskriget invaldes bland de första medlemmarna i Society of Cincinnati, som från början var en mycket exklusiv sammanslutning. Förutom en grupp franska officerare var Fersen och en annan svensk officer, Curt von Stedingk, de enda utlänningarna som omedelbart efter kriget förärades med Cincinnatusorden, en utmärkelse till minnet av den romerske fältherren Cincinnatus som enligt myten avsagt sig alla befogenheter efter att ha räddat Rom i krig.

Det nya sällskapet – som gav namn till staden Cincinnati i Ohio – var därmed i sig en direkt hyllning till George Washington som i likhet med Cincinnatus hedersamt dragit sig tillbaka från makten efter väl förrättat värv på slagfältet. Det var också en självklarhet att sällskapet vände sig till George Washington när den första ordföranden skulle väljas. Det var ett hedrande uppdrag som han accepterade utan betänkligheter. Sällskapet syftade till att stötta officerare och deras familjer – i form av ekonomisk hjälp efter kriget – men också till att fungera som ett nätverk som kunde slå vakt om de militära ideal som kommit till uttryck i kampen för självständighet.

De uppsatta målen framstår knappast som kontroversiella, men för både George Washington och Axel von Fersen kom sällskapet att bli en besvärande belastning. På olika sätt kolliderade tidens strömningar när Cincinnatusorden instiftades. Utan att någon räknat med det blev den en måltavla för angrepp från såväl anhängarna av USA:s nya republikanska ideal som försvararna av den gamla svenska monarkin.

Axel von Fersen var stolt över utmärkelsen. Men när Gustav

171

III fick höra att hans förtrogne tilldelats Cincinnatusorden av ett sällskap där USA:s blivande president var ordförande reagerade han med ursinne. Kungen uppfattade det som ett direkt slag mot både sin egen och den svenska nationens värdighet att två av hans undersåtar skulle bära en orden de fått av en republikansk general, som dessutom bekämpat en annan monark, den engelske kungen. Gustav III, som också hade uppfattningen att bara kungar hade rätt att utdela ordnar, krävde bestämt att Fersen skulle skicka tillbaka sitt ordenstecken till Amerika. Uppståndelsen slutade med en kompromiss. Fersen, som fann det oförenligt med sin egen heder att på det sättet förolämpa George Washington, fick till slut behålla sin orden på villkoret att han aldrig skulle bära den i Sverige eller i den svenske kungens närvaro.

Uppenbarligen blev Gustav III:s inställning trots allt känd för George Washington, som också måste ha varit insatt i hur statskuppen 1772 stärkt den svenska kungamakten. I ett brev till general Rochambeau, daterat den 20 augusti 1784, förklarade Washington att med tanke på hur den svenske kungen ändrat sitt lands konstitution så var det kanske inte så konstigt att han ville undvika allt som har någon likhet med republikanism.

För Washington var problemet istället att Cincinnatusorden i USA utlöste farhågor om en aristokratisk sammansvärjning som syftade till att omintetgöra revolutionens republikanska ideal. Några riktiga bevis för en komplott fanns visserligen inte, men i rådande klimat räckte det med indiciet att medlemskap i sällskapet var ärftligt; när en medlem avled övergick det till dennes äldste son. Även om det knappast var antimonarkistiska stämningar som i sig drivit fram kriget mot Storbritannien, kom de snabbt att växa i styrka när självständigheten väl var utropad. Alla former av ärvd makt, även ärvda titlar, skulle bekämpas. Det var något som annars snabbt kunde underminera republiken.

Ordförandeskapet blev därmed ett svårt dilemma för Washington. Samtidigt som han var mån om att visa lojalitet med de officerare som tjänat under hans befäl tog han illa vid sig av kritiken, särskilt som protesterna var utbredda och kom från flera av USA:s mest framträdande politiska ledare. När Benjamin Franklin, som då antagit posten som den nya nationens sändebud i Paris, fick höra talas om Society of Cincinnati visade han sitt förakt genom att förlöjliga sällskapet. Det var en sak, förklarade han, om man följde den kinesiska traditionen att hylla föräldrar som åstadkommit något och bidragit till samhällets bästa. Men att hedra en individs efterkommande som helt kunde sakna egna meriter var i Franklins ögon absurt. Allt som liknade ärftlig aristokrati stod i motsättning till allt vad den nya nationen stod för.

John Adams, som skulle väljas till Washingtons vicepresident, och därefter ta över presidentämbetet, fördömde Cincinnatusorden som det första steget i ett försök att krossa »vårt frihetstempel«. Senare skulle Thomas Jefferson hävda att det varit känt att det funnits officerare som verkat för att göra Washington till kung i en amerikansk monarki. När Washington avböjde att bli kung skulle Society av Cincinnati ha bildats med avsikten att påverka den politiska utvecklingen i monarkistisk riktning. Washington, som nu var mån om att framstå som en sann republikan, försökte förgäves att få sällskapet att ändra stadgarna så att medlemskap inte kunde gå i arv. Men han kvarstod ändå som ordförande även om hans roll mest blev symbolisk.

*

Axel von Fersens och George Washingtons vägar kom aldrig att korsas igen. Washington blev verkligen den nya republikens fader och sammanhållande gestalt när han 1789 tillträdde som dess första president. När han efter två mandatperioder avstod omval och överlämnade ämbetet till John Adams var det en viktig bekräftelse på att frivilliga maktskiften skulle göras i demokratisk ordning. Det fanns ingen grund för konspirationsteorierna om en monarkistisk sammansvärjning. Till skillnad från sina tre följande efterträdare, John Adams, Thomas Jefferson och James Madison – eller andra av USA:s tidigaste politiska ledare, som förste finansministern Alexander Hamilton och Högsta domstolens förste ordförande John Jay – kan Washington inte beskrivas som någon stor politisk tänkare och ideolog. Men ändå, eller kanske delvis just därför, var han den ledare som under den nya republikens första skälvande år förmådde

173

att ena nationen. Det är i alla fall inte självklart att någon annan hade förmått spela samma roll.

Innan Washington tillträtt presidentämbetet hade Fersen återvänt till Paris där han av allt att döma återupptog sitt förhållande med Marie Antoinette och sedan med stigande fasa under några år observerade de revolutionära strömningar som skulle leda till monarkins fall. Han beskrev med avsky hur disciplinen upplöstes, hur militären, religionen, aristokratin, ja, alla de hörnpelare som burit upp samhället utmanades för att sedan bespottas. Efter revolutionens utbrott skrev han till sin far, den 1 februari 1790, om det »förskräckliga läge« som nu rådde i hans älskade Frankrike, ett land som i hans beskrivning nu var »statt i fullkomligt upplösningstillstånd«.

På uppdrag av Gustav III – som såg som sin uppgift att försvara monarkin som sådan – verkade Fersen sedan för att rädda det franska kungaparet och hade en både ledande och aktiv roll när Ludvig XVI och Marie Antoinette 1791 gjorde sitt misslyckade flyktförsök från Tuileriepalatset, dit de tidigare förts från slottet i Versailles. Efter att kungaparet gripits i Varennes skrev Fersen förtvivlat till Gustav III om hur »allt har misslyckats«. Den franske monarken och hans drottning hade återförts till Paris. Själv tog Fersen sin tillflykt till Bryssel. Möjligen var det också så att den svenske adelsmannen, som aldrig kom att gifta sig, i Marie Antoinette förlorade sitt livs stora kärlek.

Det är också bilden av Axel von Fersen som Marie Antoinettes älskare, och som kvinnokarl i allmänhet, som levt vidare och också förstärkts med åren. Han blev 2012 i USA föremål för en väldokumenterad historisk roman – *The Queen's Lover* av Francine du Plessix Gray – där han beskrivs som en av de mest notoriska förförarna i sin tids Europa men som aldrig lyckas finna någon riktig kärlek vid sidan av den franska kungagemålen.

Under sina senare år i Sverige fortsatte Fersen att verka för monarkin och förblev en trogen gustavian, obrottsligt lojal mot Gustav III och sedan, efter mordet 1792, gentemot efterträdaren Gustav IV Adolf. Fersen belönades med viktiga diplomatiska uppdrag, tjänstgjorde som riksmarskalk och upprätthöll andra höga poster, som universitetskansler och riksråd.

Till slut blev han ändå ett offer för de revolutionära rörelser som i viss mån även kom att skaka Sverige och påverka landet i demokratisk riktning. Efter statskuppen 1809, då Gustav IV Adolf avsattes, inskränktes inte bara kungamakten utan även adeln förlorade privilegier när en mer demokratisk författning antogs. För Fersen måste det ha varit som att förlora fotfästet i en värld där han som nobel aristokrat haft en lika given som upphöjd position i samhället.

Året därpå mördades han under aldrig helt utredda omständigheter nära Stockholms slott av en mobb som först misshandlade honom grovt och sedan i okontrollerat raseri stampade ihjäl honom utan att någon ordningsmakt ingrep.

Redan 1778, före hans amerikanska resa, hade Axel von Fersen under sitt besök i London reagerat på hur folket behandlade den brittiske monarken utan tillbörlig respekt. Han kunde visserligen tala i berömmande ordalag om hur Storbritannien – som kommit längre i utvecklingen mot demokrati än kanske något annat europeiskt land – lät parlamentet balansera kungamakten. Men han hade ändå svårt att acceptera det han såg när han var med vid parlamentets öppningsceremoni i juni 1778. Han kunde inte förstå att vanliga människor tilläts komma så nära kungens ekipage och att de kunde ropa till Georg III att han skulle akta sitt huvud, att de kunde uppmana honom att sparka vissa ministrar och på andra sätt tala om för honom hur han skulle sköta sitt ämbete. »Detta är vad engelsmännen kallar frihet«, förklarade Fersen med illa dold avsmak. »Det är förmätenheten att kunna förolämpa kungen, ministrarna och parlamentet utan risk att straffas.«

Det verkar som om den då tjugotreårige Axel von Fersen var helt aningslös om att han faktiskt levde i vad som senare kom att kallas den revolutionära eran. Han var helt oförstående inför de upproriska idéer som nu spreds på båda sidor av Atlanten och utmanade gamla europeiska föreställningar om hur en enväldig monark alltid regerade på uppdrag av Gud. Även om någon riktig revolution aldrig nådde Sverige – till skillnad från många andra europeiska länder – tillhörde ändå det ståndssamhälle och den adelsmakt han företrädde en ordning som var på väg att rämna.

WE HAVE IT IN OUR POWER TO BEGIN THE WORLD OVER AGAIN.

Thomas Paine

DÖD ÅT
MONARKIN

Amerikanska revolutionen
skapar ny samhällsordning

Den 18 oktober 1776, bara drygt tre månader efter att USA:s självständighet utropats, satt Gustav III på slottet Gripsholm och skrev ett brev till Marie Charlotte Hippolyte de Boufflers, en fransk grevinna och societetsdam han lärt känna när han som kronprins vistades i Paris. Gustav III lyckönskade henne i egenskap av fransyska till de »förluster engelsmännen har lidit i sina kolonier«. Men det var inte bara det faktum att Frankrikes ärkerival Storbritannien mött ett bakslag som fått Gustav III att fatta pennan. Den svenske kungen var även i övrigt anmärkningsvärt entusiastisk över de rapporter som kommit från andra sidan Atlanten. Han lät till och med förstå att om han nu inte hade varit kunglig regent med alla plikter det förde med sig så skulle han ha varit beredd att resa över och ställa sig på rebellernas sida: »Det är ett så intressant skådespel att se en stat som skapar sig själv, att jag – om jag nu inte var den jag är – skulle bege mig till Amerika för att på nära håll följa alla faser i denna republiks tillkomst.«

Gustav III fortsatte i sitt brev att ösa beröm över de rebeller som gjort uppror mot den brittiske monarken och förklarade att han inte kunde »låta bli att beundra deras mod och livligt gilla deras djärvhet«. I kungens ögon såg framtiden mycket ljus ut för den nya nationen. »Detta är kanske Amerikas århundrade«, spådde han och drog en parallell till det gamla romarrikets storhetsdagar.

Flera skäl har förts fram som förklaring till Gustav III:s märkliga fascination för en revolution som banat väg för en republik och ett framväxande demokratiskt styrelseskick, inte minst med tanke på hur upprörd han senare skulle bli när Axel von Fersen förärats Cincinnatusorden. Även om Gustav III kanske kunde betraktas som en upplyst despot hade han också med sin statskupp inskränkt riksdagens makt och stärkt sitt eget inflytande. Möjligen framstod idén om ett folkstyre utan en kung i ledningen som något intressant så länge det var något som kunde uppfattas som ett mer abstrakt fenomen någonstans långt bort. Det har också hävdats att Gustav III hade kapacitet att skilja sitt privata jag från ämbetet, och att det innebar att han som individ kunde hysa uppfattningar som inte nödvändigtvis måste ha varit helt förenliga med de ståndpunkter han intog i sin kungaroll. Han var ju också en kung som ville framstå som en världsvan kosmopolit, i takt med tidens idéströmningar och öppen för nya intryck, inte bara kulturella utan även politiska.

Som fransk bundsförvant, och beundrare av allt franskt, föll det sig också säkert naturligt att dela glädjen över brittiska motgångar med grevinnan de Boufflers. De går heller inte att utesluta att han lite fåfängt ville imponera på sin parisiska väninna med en insikt om att förändringar var på gång i de franska upplysningsfilosofernas spår. Han visste säkert att hennes litterära salonger i den franska huvudstaden gästats av flera av tidens mer prominenta tänkare, som Jean-Jacques Rousseau, Denis Diderot och David Hume. Han hade också säkert sett att det i upplysningskretsar redan blivit vanligt att jämföra de amerikanska hjältarna Benjamin Franklin och George Washington med gamla romerska förebilder som Cincinnatus, Cato och Fabius.

I vilket fall kom den revolutionära glöden hos Gustav III att falna mycket snabbt. När republikanska strömningar, och därmed också hotet mot monarkin, kom närmare reagerade den svenske kungen istället snart med djup avsky. Han kom nu att betona hur samhällsordningen krävde stabilitet på tronen och att kungamakten måste skyddas. Ja, han kom till och med att se det som sitt uppdrag att, om så behövdes, ge sig ut i ett korståg för att rädda monarkin som system även utanför Sveriges gränser. Efter den franska revolutionen försökte han mobilisera en militär europeisk allians för att rädda den franska kungamakten och som framgått var han personligen i högsta grad involverad när flyktplanen för Ludvig XVI och Marie Antoinette verkställdes.

Hans ansträngningar möttes också med stor tacksamhet. Även om flyktförsöket misslyckades uttryckte Marie Antoinette senare sin uppskattning till den kung som ändå gjort vad han förmådde för att bli hennes undsättare i nöden. Tillbaka i fångenskap skrev hon i ett brev till Gustav III, daterat i Paris den 8 december 1791: »Det är i olyckan och motgången som man lär känna sina sanna vänner, och det är också i de stunderna man förstår vänskapens betydelse. Vilken lycka skulle det inte vara, om vi en dag, sedan vi återinsatts på våra förfäders tron, kunde fastare än tidigare knyta våra band med en så god allierad och betyga honom vår tacksamhet på ett sätt värdigt honom och oss.«

Ett sådant lyckligt rojalistiskt framtidsscenario förverkligades förstås inte. Några månader senare mördades Gustav III under maskeradbalen på Stockholms opera och i Paris fördes Marie Antoinette i oktober 1793 till giljotinen.

Den amerikanska revolutionen kunde gå vidare utan den blodiga terror som följde efter det franska upproret. Men åtminstone i vissa avseenden radikaliserades även revolutionen i USA. När de första stegen mot självständighet väl tagits stärktes inte minst de antimonarkistiska stämningarna. Det är en rimlig gissning att Gustav III, när han skrev sitt brev till grevinnan de Boufflers i oktober 1776, inte tagit del av Thomas Paines pamflett *Common Sense*. Det var en stridsskrift som inte bara argumenterade för självständighet och representativ demokrati, utan också i närmast hätska ordalag fördömde allt vad monarkin stod för. Även om hatet mot kungamakten inledningsvis knappast hade varit en drivande kraft bakom revolutionen kom Paine nu att få ett enormt genomslag med sitt kampbudskap som gick ut på att monarkin i sig var ondskefull. Den amerikanska republiken kunde därmed symbolisera ett hopp om en bättre värld som skulle styras utifrån folkets makt.

*

När långt mer än tvåhundra år gått finns fortfarande delade meningar om vad den amerikanska revolutionen egentligen innebar. En del har hävdat att det inte ens var någon revolution, utan mer ett inbördeskrig som bara ledde till att en del av det brittiska imperiet bröt sig loss och formade en ny nation. Fler har drivit linjen att det var en i grunden konservativ revolution, vilket också skulle kunna förklara varför den åtminstone för ett inledande ögonblick kom att omfamnas även av en kung som Gustav III. Det var trots allt inget uppror mot ett brutalt politiskt förtryck, mot utbredd fattigdom eller hårda sociala orättvisor. Det var ingen klasskamp i traditionell mening, inget blodigt bondeuppror, inga utblottade arbetare som reste sig upp mot en besutten överhet. Det var snarare en gryende medelklass som hävdade rätten att sköta sina egna affärer och som protesterade mot att bli beskattade av ett parlament på andra sidan havet där de saknade representation.

Som revolutionärt slagord låter *No taxation without representation* onekligen lite lamt i förhållande till både den franska revolutionens »Frihet, jämlikhet, broderskap« och till det kommunistiska manifestets avslutande uppmaning »Proletärer i alla länder, förenen eder!«.

I efterhand – särskilt när den moderna högerpopulistiska teapartyrörelsen åberopar nationens ursprungsideal – kan det till och med framstå som att den amerikanska revolutionen genomfördes av en samling skattekverulanter. Om Che Guevara blivit något av en sinnebild för hur en revolutionär ska se ut kan det dessutom vara svårt att se ledare som George Washington, Thomas Jefferson och John Adams som upprorsmän. De ser helt enkelt inte särskilt revolutionära ut på sina målade porträtt. Det kan, som historikern Gordon Wood påpekat, idag vara svårt att föreställa sig figurer med pudrade peruker och knäbyxor som sanna revolutionärer. De ser mer ut som försiktiga gentlemän av den gamla skolan; »de producerade tal, inte bomber; de skrev lärda pamfletter, inte manifest«.

Men samtidigt har Wood ändå övertygande visat att den amerikanska revolutionen trots allt i grunden var radikal i och med att

---

Den brittiske invandraren Thomas Paine gick till storms mot den ärftliga monarkin i sin inflytelserika skrift *Common Sense*.

COMMON SENSE:

ADDRESSED TO THE

INHABITANTS

OF

AMERICA,

On the following interesting

SUBJECTS.

I. Of the Origin and Design of Government in general, with concise Remarks on the English Constitution.

II. Of Monarchy and Hereditary Succession.

III. Thoughts on the present State of American Affairs.

IV. Of the present Ability of America, with some miscellaneous Reflections.

Written by an ENGLISHMAN.

Man knows no Master save creating HEAVEN,
Or those whom choice and common good ordain.
THOMSON.

PHILADELPHIA, Printed.
And Sold by R. BELL, in Third-Street, 1776.

den ledde till en genomgripande social omvälvning. Även om inte en samhällsklass tog över från en annan var det USA som växte fram under 1800-talet ett fundamentalt annorlunda samhälle än 1700-talets koloniala Amerika. Kolonierna hade trots allt på olika sätt överfört samhälleliga traditioner från Storbritannien och andra europeiska länder. Det nya samhället styrdes av helt andra sociala relationer; det sätt på vilket människorna förhöll sig till varandra hade förändrats. Som Gordon Wood konstaterat gjorde revolutionen USA till ett nytt samhälle som inte liknade »något annat som någonsin hade existerat på någon annan plats i världen«. Revolutionen utlöste starka krafter som formade ett nytt ekonomiskt landskap där den vanliga människans välstånd och framgång utgjorde riktmärken för samhällsbygget.

I Europa – i Storbritannien, Frankrike, Sverige och de flesta andra länder – var det fortfarande kungamakten som präglade och även definierade den rådande samhällsordningen. Alla andra, bönder som aristokrater, var monarkens undersåtar. Att kungen kunde få sitt uppdrag från folket var förstås en främmande tanke. Det var snarare regel att den som satt på tronen såg sig själv som Guds ställföreträdare i det egna landet.

Till skillnad mot i Frankrike och de flesta andra europeiska länder var kungen i Storbritannien, liksom i mindre utsträckning Sverige, ändå inte enväldig. Efter den Ärorika revolutionen 1688, då den katolske kungen Jakob II störtades, rådde ett system med maktdelning som gav parlamentet ett avsevärt inflytande. Uppenbarligen fanns det också i Amerika känslomässiga och traditionstyngda band till monarken i och med att lojaliteten med Georg III förblev stark bland invånarna i de amerikanska kolonierna, nästan ända fram till att självständighet hade utropats. Det var istället mot det i alla fall för sin tid mer demokratiska parlamentet som ilskan först riktades, och det skedde samtidigt som Georg III verkade för att stärka den kungliga överhögheten.

*

Thomas Paine bröt knappast helt ny mark när han i början av 1776 anonymt gav ut sin pamflett *Common Sense*. Mycket av innehållet hade redan fått fäste under de månader som gått sedan de första skotten i Lexington och Concord satt igång processen mot självständighet. Men han hade tagit till sig upplysningsfilosofernas idéer, publiceringen skedde vid bästa möjliga tidpunkt och han kunde skriva på ett sätt som bidrog till att skriften blev en bästsäljare. Han uttryckte sig så att alla kunde förstå. Budskapet spreds i hundratusentals exemplar, vilket i förhållande till dåtidens läsvanor och befolkningsunderlag utgjorde ett enormt genomslag. George Washington insåg snabbt dess kraft. Under den hårda vintern 1777 såg han till att *Common Sense* lästes för hans trupper när de försökte samla nya krafter efter att ha slagit läger i Valley Forge i Pennsylvania.

Trettiosju år gammal anlände Thomas Paine till Philadelphia från London, bara drygt ett år innan hans maning till kamp publicerades i Amerika. I handen hade han ett rekommendationsbrev som Benjamin Franklin skrivit i London innan han själv återvände till Amerika. Det var ingen särskild framgångsrik invandrare som gjorde färden över Atlanten. Paine var bankrutt efter att ha misslyckats med ett antal olika karriärförsök i Storbritannien och det verkar ha varit hans lycka att han under tiden lärt sig att föra pennan väl. *Common Sense* blev ett slags katalysator som fångade upp och förstärkte stämningar som redan höll på att växa fram. Pamfletten bidrog därmed till att ge den amerikanska revolutionen en djupare innebörd.

Thomas Paine, som kom från en engelsk kväkarfamilj, var inte minst med om att förändra synen på kungamakten och han visade hur den egentligen var oförenlig med demokrati. Han varnade för att »en törst efter absolut makt är monarkins naturliga sjukdom« och förklarade att i Amerika så är lagen kung, det är inte kungen som är lagen. Nu hade blod spillts och det fanns inte längre anledning att hysa de känslor som tidigare kan ha funnits gentemot det gamla moderlandet. Den slutsats han förmedlade var att det bara var att lyssna till det sunda förnuftet: Även en tillfällig försoning med Storbritannien skulle innebära försämrade villkor för befolkningen i Amerika. Tidigare än de flesta avvisade han den ännu spridda uppfattningen att den brittiska konstitutionen gav koloniernas befolkning rättigheter och att kungen garanterade ett skydd från yttre hot.

I Paines ögon var den ärvda kungamakten inte bara absurd – djävulens mest lyckade uppfinning för avgudadyrkan – utan också ett ondskefullt gissel som berörde hela mänsklighetens framtid. För den förmätenhet som uppstod bland »män som ser sig själva som födda att regera, och andra att lyda« gjorde dem självupptagna, isolerade och oförmögna att förstå villkor som gäller i världen i övrigt.

Den brittiska kungamakten likställdes med tyranni och dess mål var att förslava befolkningen i kolonierna. Det fanns helt enkelt en hotande konspiration som inte lämnade något utrymme för självständighet. Men han nöjde sig inte med att bara fördöma den brittiska överhögheten. Han vände sig mot hur begreppet »moderland« fått fäste på falska grundvalar. För koloniernas invånare hade inte bara kommit från England utan även från Nederländerna, Tyskland och Sverige, »från Europas alla delar«. De hade flytt till Amerika, »inte från en moders ömma omfamning utan från ett monsters grymhet«.

Det fanns enligt Paine ingen anledning att visa uppskattning. Amerika skulle redan tidigare ha klarat sig bättre utan inblandning från de europeiska makterna. Den nya världen hade egna resurser så det räckte och det fanns ingen anledning att tvivla på att Amerika kunde bli rikt på handel, för det skulle alltid finnas en marknad »så länge det är en vana att äta i Europa«.

Det är inte svårt att förstå att Thomas Paine väckte en entusiasm när han avslutningsvis levererade sin framtidsvision: »Det står i vår makt att påbörja världen på nytt. Ett tillstånd som detta har inte förekommit sedan Noas dagar. En ny värld är på väg att födas, och ett nytt människosläkte, kanske så många som hela Europas befolkning, kommer att få sin del av friheten genom de kommande månadernas händelser.« Det fanns nu en historisk möjlighet att utforma »den ädlaste och renaste konstitution« som någonsin setts i denna värld.

Det var inte bara profetiskt – självständighetsförklaringen antogs bara några månader senare – utan Paine gav också ett tidigt uttryck för en amerikansk exceptionalism, ett mångfacetterat begrepp som i all sin komplexitet än idag kan sätta sin prägel på USA som nation. Syftet med Amerika, förklarade Paine, var att främja hela mänsklighetens bästa.

*

Senare samma år – när kongressen sommaren 1776 samlats i Philadelphia för att anta självständighetsförklaringen – konstaterade John Adams att allting gått oerhört fort. På mycket kort tid hade folkets dyrkan av monarken och kryperiet inför överheten helt försvunnit. Plötsligt var det knappast möjligt att längre ens ifrågasätta den republikanska idén. I ett slag hade USA, med sin frigörelse, gått från att vara en perifer provins i ett imperium till att vara en självständig nation med egna mål.

De som förblev monarkistiska lojalister valde att överge den nya nationen. Tiotusentals tog sin tillflykt till Kanada eller någon av de västindiska öarna. I det nya samhället skulle var och en bedömas efter sina meriter, inte efter börd. Som Thomas Paine förklarade i *Common Sense*: »Dygden är inte ärftlig.« I viss mening var den europeiska monarkin då redan död. Det skulle visa sig att den bara kunde överleva som en egentligen meningslös symbol för föråldrade traditioner, utan någon egentlig reell makt. Det var inte bara kungamakten som ifrågasattes. Inte ens Guds auktoritet var längre självklar på samma sätt som tidigare när olika religioner och trosriktningar nu måste samsas sida vid sida.

Självständighetsförklaringen innebar därmed så mycket mer än en frigörelse från det brittiska imperiet. Den blev startskottet för en utveckling både mot politisk demokrati och ett ekonomiskt system som gynnade framväxten av en bred medelklass, inte bara i USA utan även i Europa. Invändningar kan föras fram om att den franska revolutionen fick mer långtgående politiska konsekvenser för Europa och att den industriella revolutionen i Storbritannien redan tidigare satt igång omvälvande ekonomiska förändringar. Men impulser gick fram och tillbaka över Atlanten. USA:s första politiska ledare, med Thomas Jefferson i spetsen, ville också gärna se den amerikanska revolutionen som en förebild och inspirationskälla till den franska revolutionen. Jefferson, som följde upptakten till händelserna i Paris i egenskap av USA:s sändebud i Frankrike, höll i det längsta fast vid sitt stöd för de revolutionära idealen även när George Washington och andra USA-ledare förskräcktes av rapporter om våld och terror. Thomas Paine reste själv till Frankrike, blev en aktiv och entusiastisk anhängare av revolutionen och valdes till och med in som ledamot i Nationalkonventet, parlamentet i den nya revolutionära franska republiken.

*

Idéer om demokrati och republikanism kunde lättare få fäste i USA som saknade de feodala traditioner som satt så djupt att de inte bara försvann för att lagar och regler ändrades. Av samma skäl fick den industriella revolutionen – även om det inte fanns så mycket industri i Amerika vid självständigheten – sitt största genomslag i USA när en modern kapitalism formades, en marknadsekonomi etablerades och ett konsumtionssamhälle började växa fram. Benjamin Franklins tidiga vision om en bred medelklass förverkligades i USA när gamla sociala strukturer, som följt med från Europa, helt enkelt kollapsade med revolutionen. Den nya ordningen banade väg för grupper som inte riktigt hade haft en given plats i det gamla europeiska ståndssamhället. Det var småföretagare, hantverkare, affärsinnehavare och med mer moderna uttryck kunde många av dem kallas för risktagare och entreprenörer. Arbetet lyftes fram som en given drivkraft. Gamla aristokratiska ideal om att goda samhällsmedborgare av högre klass inte skulle behöva arbeta för sitt uppehälle dog snabbt ut. Istället blev det en vedertagen uppfattning att det var de som arbetade hårt och strävade uppåt som förtjänade att bli belönade. I den bemärkelsen gjordes ingen skillnad mellan »vanligt folk« och »fint folk«. Det handlade inte om jämlikhet i meningen att välståndet skulle fördelas lika. Men alla skulle ha en chans och en möjlighet till framgång, vilket då var en revolutionerande tanke i Europas statiska klassamhällen.

Även i Sverige och andra europeiska länder genomfördes, om än i mer långsam takt, politiska och ekonomiska reformer som gick i samma riktning. En tidig tryckfrihetsförordning och den maktdelning som formulerades i 1809 års regeringsform var viktiga steg mot demokrati, fast idén om att överge monarkin verkar aldrig ha övervägts på allvar. Även när en kungaätt avsattes var det uppenbarligen mer naturligt att importera en ny kung från Frankrike än att ta steget till republik. Tidens revolutionära strömningar ute i världen hade trots allt bara ett relativt begränsat genomslag i Sverige.

Det fanns kvardröjande sociala mönster som utgjorde hinder på vägen, i Sverige liksom i övriga Europa. Det sociala samspelet mellan olika grupper i samhället förändrades som sagt inte omedelbart bara för att nya lagar antogs i riksdagen. Så även om det var ekonomiska skäl som vägde tyngst när svenskar senare under 1800-talet började utvandra till Amerika i stor skala, var det många som även lockades av en större politisk och religiös frihet och en social miljö som inte på samma sätt förutsatte en underdånighet mot en etablerad överhet. För USA kom invandringen samtidigt att bidra till en dynamik och en befolkningstillväxt som i ett positivt samspel gynnade en ekonomisk tillväxt och framväxten av en allt större medelklass.

Men USA:s väg framåt var ändå varken spikrak eller självklar. Den nya nationen var inledningsvis en skör skapelse. Den utbredda rädslan för att en stark statsmakt skulle bana väg för en ny monarki – och i förlängningen tyranni med en stående armé – bidrog till en statsbildning som var så svag att den knappast var funktionsduglig.

George Washington, som dragit sig tillbaka till sitt Mount Vernon, hade redan under självständighetskriget insett vikten av en federal centralmakt som åtminstone var tillräckligt stark för att kunna finansiera en armé och hantera andra mer grundläggande samhälleliga intressen.

Men de tretton staterna, de gamla kolonierna, gick efter självständigheten först bara samman i en konfederation utan någon riktigt sammanhållande ledning. En republik hade utropats men det fanns ingen president eller någon central exekutiv makt överhuvudtaget. Det var som om viljan att ta största möjliga avstånd från den brittiska monarkin – som blivit likställd med despoti – omöjliggjorde en effektiv politisk modell. Även i kongressen värnade delstaterna om sin självständighet. Större lagändringar kunde bara genomföras om alla delstater var eniga, det krävdes en majoritet av nio stater bara för att introducera ett förslag och kongressen hade små möjligheter att verkställa initiativ om så bara en delstat spjärnade emot.

Det var redan uppenbart att något måste göras när ett våldsamt uppror inleddes i Massachusetts under sommaren 1786, tio år efter att självständigheten utropats. Shays uppror – uppkallat efter en av rebelledarna, Daniel Shays, som deltagit i revolutionskriget – var en proteströrelse mot en ekonomisk politik som bidragit till att många bönder i delstaten tvingats lämna över sin mark till hårdföra kreditgivare. En rad våldsamma sammanstötningar förekom under ett års tid, och innan de var över hade ett författningskonvent sammankallats i Philadelphia med syftet att förhandla fram en för nationen mer ändamålsenlig och funktionsduglig konstitution. Det hade blivit uppenbart att det inte låg i delstaternas intresse att bekämpa varandra.

Även om frågan om ett mer kraftfullt federalt maktutövande var högst kontroversiell var alla berörda nu trots allt eniga om att inre uppror inte kunde tolereras. När bönder i Pennsylvania 1791 – efter att den nya konstitutionen antagits – reste sig i ett väpnat uppror i protest mot att de belagts med en skatt på whisky blev reaktionen mer resolut. Vad som kom att kallas whiskyupproret slogs snabbt ned när president George Washington själv ställde sig i spetsen för en militär styrka som sändes ut för att kväsa rebellerna. Det var det första och hittills enda tillfället som en amerikansk president i egenskap av överbefälhavare personligen fört befäl över en armé. Den federala maktens vilja och kapacitet att upprätthålla lagen i enlighet med den nya konstitutionen sattes då på prov.

Men det fanns förstås redan tidigare flera starka skäl till att det var nödvändigt att sammankalla en författningskonferens. Många invånare i den nya nationen såg sig fortfarande i första hand som invånare i den delstat där de levde. Den politiska makten i den egna delstaten uppfattades också som mer relevant än kongressen i Washington, där verksamheten ofta tycktes urarta i ändlösa debatter och bråk i olika utskott utan att några påtagliga resultat kunde redovisas. Även om revolutionens övergripande tema kom att bli frihet från övermakt, hade den också pekat ut riktningen mot representativ demokrati och i den bemärkelsen fungerade inte den nya styrelseformen på nationell nivå.

George Washington hade tidigt anledning att befara att de inre motsättningarna skulle leda till kaos och anarki. Han fick varningar från nära medarbetare att planer smeds för att avskaffa konfederationens kongress och göra delstaterna till helt självständiga nationer. För Washington innebar en sådan framtidsvision att han kämpat förgäves. Det fanns starkt underlag för farhågor om att ett antal oberoende stater skulle hamna i krig med varandra samtidigt som de alla skulle bli sårbara för angrepp från främmande länder. För att hävda sig måste USA:s delstater bygga upp ett gemensamt militärt försvar. Kolonialmakter som Storbritannien, Frankrike och Spanien hade trots allt kvar en närvaro på den nordamerikanska kontinenten och gamla anspråk skulle lätt kunna väckas till liv. Möjligheterna att utveckla en amerikansk stormakt med internationell tyngd skulle vara mycket begränsade.

Även om Washington från sin reträttpost vid Mount Vernon aldrig gav något sken av att han tänkte på en politisk framtid – intrycket var snarare att politik var något han inte ville befatta sig med – så var beskedet om Shays uppror i Massachusetts en hårdhänt påminnelse om att USA:s konstitution måste stärkas. Ändå var han först nödbedd när han fick uppmaningen om att leda Virginias delegation till författningskonferensen. Men om inte förr så måste han i alla fall ha blivit medveten om vad hans närvaro betydde när han red in i Philadelphia den 13 maj 1787 och möttes av stora folkmassor, ett dundrande artilleri och officerare på rad som hälsade med honnör. Det var ingen tvekan om att han fortfarande var revolutionens hjälte och egentligen den ende som nu kunde fungera som samlande gestalt, som en landsfader.

När en ordförande för konferensen skulle väljas fanns egentligen bara en rival. Men den åldrande Benjamin Franklin var

189

vid det laget vid alltför dålig hälsa. När Washington sökte upp Franklin i hans bostad efter ankomsten till Philadelphia bjöd den åttioettårige statsmannen sin yngre kollega på mörkt öl och utlovade sitt stöd. Washington kunde enhälligt väljas till ordförande.

*

De följande sommarmånaderna kom ändå att innebära en rad svåra prövningar, och det berodde inte bara på ett även för årstiden ovanligt påfrestande hett och fuktigt klimat. Mycket, kanske hela nationens framtid, stod på spel. Men motsättningarna var djupa och från början var det bara tänkt att konferensen skulle revidera konfederationens bristfälliga konstitution. Det var först under arbetets gång som en uppfattning växte fram om att en helt ny författning skulle antas och att denna skulle göra USA till en mer sammanhållen federation.

När förhandlingarna inleddes stod det snabbt klart att alla inte såg en utvidgad demokrati på nationell nivå som ett löfte utan mer som ett hot. En del ville att ledamöterna i en ny kongress skulle utses av delstaternas politiska församlingar. Åtskilliga värnade om delstaternas självständighet och krävde att de skulle vara suveräna i förhållande till det nationella styret. Mindre delstater befarade att bli domderade av de större staterna om representationen i kongressen skulle avgöras efter folkmängd. De hävdade att alla delstater måste garanteras lika röstmässig tyngd. Stämningen var sådan att några delegater till och med valde att inte närvara i Philadelphia eftersom de fruktade att resultatet skulle bli eländigt. Sjuttio delegater hade utsetts från de olika delstaterna men det var inte mer än femtiofem som kom att delta i utformningen av den nya konstitutionen.

Mot den bakgrunden är det kanske rimligt att den kompromiss som till slut nåddes i efterhand beskrivits som ett mirakel. När konferensen avslutades den 17 september hade alla motsättningar långt ifrån övervunnits. En skepsis fanns kvar bland många av de närvarande även efter att den nya författningen antagits och från Paris, där han fortfarande var kvar som USA:s sändebud, lät Thomas Jefferson meddela att han nog skulle ha röstat nej om han hade varit på plats i Philadelphia. Det nya presidentämbetet liknade Jefferson föraktfullt vid en »sämre variant av en polsk kung«.

Trots att det var George Washington som presiderat över förhandlingarna, blev det Benjamin Franklin som i en sista stor insats drev arbetet mot en uppgörelse. Hans avslutningstal till konferensen blev historiskt när han förklarade: »Jag bekänner att jag inte helt står bakom denna konstitution i dess nuvarande form.« Men, fortsatte han, ett långt liv hade lärt honom att lyssna till andra och lett honom till insikten att ingen kan ha absolut rätt. Därför fann han det förvånansvärt att det förslag som förhandlats fram ändå var så nära perfektion som det var och han var säker på att det även skulle förvåna landets fiender. Hans slutsats blev: »Jag ställer mig bakom denna konstitution eftersom jag inte förväntar mig något bättre och för att jag inte är säker på att den inte är den bästa«.

Talet var en triumf. Med bara några få undantag klev delegaterna, även många av dem som varit tveksamma, fram för att sätta sin namnteckning på dokumentet. Inledningsorden, *We the People of the United States*, var i sig en utmaning mot en etablerad ordning. Makten kom från folket, inte från en monark eller annan form av autokrat som ansåg sig ha Guds uppdrag.

*

Men trots det historiska ögonblicket stod det omedelbart klart att den författning som antogs hade åtminstone en skamfläck som skulle komma att plåga USA under lång tid. Det största misslyckandet var förstås den moraliskt oförsvarbara legitimeringen av slaveriet, som tilläts fortsätta trots att det blivit alltmer ifrågasatt och så uppenbart stred mot nationens idé om folkstyre och alla individers lika rättigheter. Sydstaternas plantageägare gav inte vika och slaverimotståndare i norr, dit Benjamin Franklin kunde räknas vid det laget, valde att blunda i en naivt optimis-

---

I Philadelphias Independence Hall antogs
både självständighetsförklaringen och USA:s konstitution.

INDEPENDENCE HA

125 NASSAU ST. NEW YORK

PHILADELPHIA 1776.

tisk förhoppning om att slaveriet ändå skulle upphöra med tiden och problemet därmed så småningom skulle lösas av sig självt. De var i vilket fall inte beredda att ta risken att slavfrågan skulle splittra den unga nationen i en sydlig och nordlig del.

Rösträtten var heller inte allmän från början, utan knuten till egendom. En bit in på 1800-talet hade dock rösträtten utvidgats till alla vita män – vilket var tidigare än i Sverige och många andra europeiska länder – även om det skulle dröja betydligt längre innan medborgarrätten även omfattade kvinnor och svarta medborgare.

I andra avseenden fanns det fog för uppfattningen att det kanske faktiskt var bästa möjliga kompromiss. Med olika tillägg är konstitutionen trots allt fortfarande i kraft och inne på sitt tredje århundrade. Även Thomas Jefferson anslöt sig efter att hans yngre kollega James Madison lagt fram den rättighetsförklaring – *Bill of Rights* – som efter att den antagits blev en central del av konstitutionen. Den består av tio tillägg varav det första garanterar yttrandefrihet, religionsfrihet, pressfrihet och mötesfrihet. Madison, som även hade dragit upp de första riktlinjerna vid författningskonferensen i Philadelphia, var också tillsammans med Alexander Hamilton och John Jay författare till *The Federalist Papers*, en polemik som kom att få stor betydelse för att stärka stödet för konstitutionen bland befolkningen när den skulle ratificeras av delstaterna.

Hittills har konstitutionen – som Benjamin Franklin hoppades – trots allt fungerat som ett visserligen långt ifrån perfekt kitt, men som ändå hållit samman en nation med en heterogen befolkning utan en gemensam kultur och historia bakåt i tiden.

Det kan uppfattas som både en styrka och en svaghet att konstitutionen aldrig riktigt slog fast exakt hur den federala makten skulle fördelas mellan verkställande, lagstiftande och dömande instanser. Kvarhängande motsättningar överbryggades aldrig, men å andra sidan bidrog det till ett levande dokument som kan omtolkas och anpassas efter tidens gång.

Högsta domstolens roll var mest oklar och det var inte förrän senare som den högsta rättsliga instansen på egen hand antog uppdraget att vara den instans som kan avgöra om nya lagar är författningsenliga. Den federala kongressen kom att balansera de olika åsiktsriktningar som kommit till uttryck under författningskonferensen. Den lagstiftande församlingen fick två kammare. Representanthusets sammansättning var proportionell i förhållande till delstaternas befolkning. I senaten valde den politiska församlingen i varje delstat två ledamöter; det var först efter 1913 som de kom att väljas i direkta val.

I flera avseenden var den exekutiva makten den mest problematiska. De starka antimonarkistiska stämningar som kommit att prägla det tidiga USA säkrade en republik, men kunde även utgöra en grogrund för ett konspirationstänkande om att det fanns alla möjliga hemliga planer för att ändå inrätta en kungamakt som var redo att förtrycka befolkningen. Men det hade ju visat sig att någon form av exekutiv instans var nödvändig och olika alternativ fördes fram. Ett var att inrätta ett exekutivt råd med tre personer som skulle samverka men också övervaka varandra så att risken för maktfullkomlighet skulle minska. Genomgående fanns en ovilja mot att skapa ett ämbete som till sitt yttre kunde föra tankarna mot monarki och ett europeiskt hov. Men till slut gick det ändå att få uppslutning bakom förslaget att republiken trots allt skulle ha en president.

När allt var klart lämnade Benjamin Franklin den byggnad i Philadelphia – som senare gavs namnet Independence Hall – där författningsförhandlingarna hållits och mötte på vägen ut en kvinna som undrade: »Vilket slags styre har ni delegater gett oss?« Franklins svar ska ha kommit omedelbart: »En republik, min fru, om ni kan behålla den.«

Demokratin hade inte säkrats, det var bara grunden som var lagd, och revolutionen hade medfört sina egna motsättningar. Det fanns tidiga förhoppningar om att den nya ordningen skulle leda till en allmän samhällelig pliktkänsla. Samtidigt fanns en framväxande individualism som var inriktad på egen ekonomisk vinning, om så bara möjligheten att kunna konsumera mera. Den nya författningen löste inte alla knutar utan spänningar fanns kvar, mellan den exekutiva och den lagstiftande makten, mellan den federala makten och delstaterna och mellan ideal som inte var lätta att förena.

195

Därmed kan det inte ha varit särskilt överraskande att den nya republiken vände sig till George Washington när en president skulle väljas. Ingen annan hade då samma auktoritet att bli en samlande nationell ledare. Det nya elektorskollegiet gav honom samtliga röster och den hundraprocentiga uppslutningen upprepades fyra år senare när han 1792, mer nödbedd, omvaldes till en andra och för honom själv inte riktigt lika framgångsrik andra mandatperiod. Någon liknande enighet bakom en president har därefter aldrig förekommit i USA, en naturlig följd av de demokratiska framsteg som gjordes under 1800-talet.

*

Washington anlände i april 1789 till New York där han togs emot med mer pompa och ståt än vad han själv och del andra tyckte var passande utifrån republikanska ideal. Han svors in som USA:s förste president på balkongen till New Yorks gamla stadshus i hörnet av Wall Street och Nassau Street, en byggnad som nu hade gjorts om till Federal Hall. Den stora folkmassa som samlats tystnade när han som den nya nationens ledare svor presidenteden.

New York blev den första huvudstaden eftersom den gamla kontinentalkongressen, som tidigare flyttat mellan olika städer, redan var på plats. Men frågan om en permanent huvudstad kom att bli en av de stora tvistefrågorna när ett nytt styre etablerats. Innan den frågan kunde avgöras började George Washington med att utse sina ministrar. Konstitutionen gav inte mer än vaga riktlinjer för hur en exekutiv apparat skulle byggas upp. Det första kabinettet bestod bara av tre medlemmar, finansministern Alexander Hamilton, utrikesministern Thomas Jefferson och krigsministern Henry Knox, en av Washingtons officerskollegor från självständighetskriget. Det fanns också en juridisk rådgivare i konstitutionella frågor men befattningen skulle först senare upphöjas till justitieminister.

Med Hamilton och Jefferson hade Washington valt två av tidens mest briljanta politiska ledare och tänkare, och det var på både gott och ont. De två ministrarna kom inte bara att bli bittra fiender utan de kom också för lång tid framåt att personifiera

USA:s inbyggda paradoxer. Än idag kan politiska strider beskrivas som en ständigt pågående ideologisk kamp mellan hamiltonianer och jeffersonianer.

Till att börja med skulle de två ministrarna komma samman i en av det tidiga USA:s största politiska kompromisser. Efter att George Washington tillträtt som president blev frågan om huvudstadens placering en dragkamp mellan nord och syd och någon lösning tycktes inte i sikte. I de norra delstaterna var Philadelphia och New York de givna alternativen. Men sydstaterna spjärnade emot. Det fanns en oro för att en sådan lösning inte bara skulle symbolisera, utan även reellt stärka ett maktövertag. Den finansiella makten var trots allt redan koncentrerad till Philadelphia och New York. Ett motförslag var att en helt ny huvudstad skulle byggas vid Potomacfloden, nära George Washingtons Mount Vernon. I norr blev det förslaget inte mindre kontroversiellt av att det var två slavstater – Virginia och Maryland – som skulle donera marken till den nya huvudstaden.

Dödläget bröts först efter att Thomas Jefferson en junidag 1790 av en slump stött ihop med Alexander Hamilton utanför Washingtons bostad på nedre Manhattan. Under de samtal som fördes stod det klart att de båda insåg att unionens framtid stod på spel. Jefferson bjöd in Hamilton tillsammans med James Madison på middag i sitt hem på Maiden Lane påföljande kväll. Det var under den historiska måltiden som Hamilton, som ville ha New York som huvudstad, gick med på att låta bygga den nya huvudstaden Washington vid Potomacfloden. Under en tioårsperiod fram till 1800, till dess att stadsbygget var inflyttningsklart, skulle Philadelphia fungera som temporär huvudstad. President Washington ville visserligen inte öppet förespråka en huvudstad som bar hans namn på en plats nära hans hem, men han gav snabbt sitt bifall till vad som kom att kallas 1790 års kompromiss. Få invändningar restes mot att han i egenskap av betydande markägare i området också skulle dra ekonomisk nytta av uppgörelsen.

Wall Street blev den nya republikens första centrum
i och med att New York under en kort period var USA:s huvudstad.

197

Prestigemässigt var det ett bakslag för Hamilton och för Jefferson var det en politisk framgång att den nya huvudstaden kunde avlägsnas från redan etablerade maktgrupper i Philadelphia och New York. Men så småningom kom Jefferson ändå att känna sig lurad. Han insåg att han tillsammans med Madison, utifrån sina egna ideologiska ståndpunkter, hade begått ett ödesdigert misstag som skulle få långtgående konsekvenser för USA:s framtid. Hamiltons krav på motprestation var nämligen att Virginia och de andra sydstaterna skulle låta den federala makten ta över den avsevärda skuldbörda som hängde över delstaterna sedan självständighetskriget. Det var inte tänkt som någon välgörenhet, utan det var en medveten strategi för att på delstaternas bekostnad stärka en central federal makt som nu fick ansvaret för att hantera en statsskuld.

Jefferson, som annars konsekvent förespråkade ett betydligt mer decentraliserat politiskt system, insåg för sent att han bidragit till att försvaga delstaternas rättigheter. Hans förmodligen redan då orealistiska dröm om ett individuellt samhälle i en agrar idyll hade blivit mer avlägsen. Farhågor väcktes också i Södern om att Jeffersons eftergifter skulle leda till en permanent statsskuld och att de federala myndigheterna med tiden skulle utvidga sina maktanspråk till en rad områden vid sidan av finanspolitiken – som slaveriet.

Alexander Hamilton hade en enklare bakgrund än de flesta i USA:s första politiska ledarskap. Han var ett utomäktenskapligt barn, född i Karibien och hade kommit till New York som tonåring där han snabbt visade sin begåvning och fick studera vid King's College som senare blev Columbiauniversitetet. Tjugo år gammal gick han 1775 ut i krig för att slåss för koloniernas självständighet mot den brittiska kolonialmakten. Snart kom han under general Washingtons vingar, efter kriget valdes han in i kongressen och när han utsågs till USA:s förste finansminister var han redan en av presidentens mest förtrogna rådgivare. Washington visste att Hamilton inte bara behärskade ekonomi och finanspolitik bättre än de flesta, utan att han också själv var övertygad om att USA behövde ett starkt federalt styre för ett kunna försvara sig militärt och utvecklas ekonomiskt.

Hamilton, som på senare år tillmätts allt större betydelse, organiserade om USA:s från början kaotiska och illa sammanhållna finansiella system. En grund lades för ett system med federala intäkter. Med statsskulden skapades en tidig räntemarknad, ett viktigt steg mot en modern kapitalism, och under hans ledning grundades också USA:s första centralbank även om den inte blev särskilt långlivad. Till priset av att flytta USA:s huvudstad till ett nybygge vid Potomacfloden hade Hamilton vunnit en väldig politisk seger.

Thomas Jefferson, som hade siktet inställt på att efterträda Washington på presidentposten, skulle aldrig komma över sin aversion mot Hamilton. Deras relation utvecklades till ömsesidigt hat. De kom att bekämpa varandra med illa dold avsky trots att de samtidigt verkade sida vid sida i president George Washingtons kabinett. Motsättningarna kom att bli tydliga även i utrikespolitiken, inte minst efter att Frankrike i början av 1793 förklarat krig mot Storbritannien, och USA skulle förhålla sig neutralt. Jeffersons hjärta slog för Frankrike och han förblev länge lojal mot den franska revolutionen, även när den övergick i våld och terror. Om den franska revolutionen blev lyckosam skulle det enligt Jefferson vara en bekräftelse på att den amerikanska revolutionen satt igång en större rörelse som skulle påverka även övriga Europa. Hamilton närde starkare känslor för Storbritannien och verkade för att nå bättre förbindelser med den forna kolonialmakten. Han ville främja en ökad handel med Storbritannien medan Jefferson varnade för att ökad samverkan med britterna utgjorde ett hot mot republiken. För Jefferson var Hamilton en »angloman«, inget mindre än en kontrarevolutionär som konspirerade för att införa monarki efter brittisk förebild. I Hamiltons ögon var Jefferson redo att sälja ut USA som en fransk provins.

*

Som president plågades George Washington av det alltmer upptrappade bråket mellan Jefferson och Hamilton samtidigt som han ändå fortsatte att värdesätta deras råd och tjänster. Washington såg sig själv som en samlande gestalt och var själv mån om att inte befatta sig med politikens småaktigheter och simpla motsättningar. Han närde den naiva drömmen att politiska partier inte skulle behövas i USA, att dess ledare skulle styras av högre värden än olika gruppers snäva egenintressen. Även om han politiskt i praktiken helt klart stod närmare Hamilton än Jefferson, finns det sedan länge en utbredd uppfattning om att Washington med sin opartiskhet och förmåga att sätta sig över stridande politiska fraktioner lade en solid grund för ett starkt presidentämbete. Han befarade till och med att partier som bekämpade varandra i sig skulle kunna utgöra ett hot mot den nya republikens överlevnad.

Ändå kom de första politiska partierna att formas framför hans ögon. Med tiden hade de säkert uppstått i vilket fall, men som det nu var kom de att få sitt ursprung i just den personliga konflikt som utspelades mellan Thomas Jefferson och Alexander Hamilton. Tvärtemot vad Washington fruktade kom de också efter hand att på ett högst påtagligt sätt bidra till USA:s demokratiska utveckling. Partierna kom att bli instrument för att dra in och engagera vanliga människor i den politiska processen; de hjälpte väljarna att se vilka olika politiska alternativ som stod till buds och de gav bättre möjligheter att skapa opinion för nya idéer, reformförslag och andra initiativ.

Det parti som bildades runt Hamilton kallade sig federalisterna, och förespråkade en stark centralmakt, inte minst för att driva på en industrialisering och modernisera ekonomin. Partiet hade starkt stöd från en alltmer inflytelserik finanselit i New York, Philadelphia och Boston, men också från en växande grupp som ville avskaffa slaveriet. Thomas Jeffersons parti kallade sig republikanerna – för att markera sitt avstånd till alla monarkistiska tendenser – och varnade för farorna med maktkoncentration på central nivå. I Jeffersons anda försvarade partiet både individernas och delstaternas rättigheter, kongressens makt gentemot presidenten och det ville behålla ett decentraliserat jordbrukssamhälle. Storstädernas finanselit och tillverkningsindustri, en nationell skuldsättning och en stående armé, var något farligt som riskerade att undergräva republikens ädla syfte. Jeffersons parti hade sitt starkaste fäste i Södern där de mäktiga plantageägarna oroade sig för att de skulle förlora kontrollen över regionen om Hamilton och hans finansmän i norr fick allt större makt över hela nationen. I retoriken ställdes »vanligt folk« mot en elit som var redo att korrumpera den nya nationen med monarkistiska och aristokratiska ideal.

Den på sikt kanske viktigaste skiljelinjen gick i synen på hur konstitutionen skulle tolkas, särskilt i relationen mellan stat och individ. Jefferson betonade att författningen bara gav ett mycket begränsat utrymme för den federala makten att agera. Beslutsrätten låg i huvudsak på delstaterna och individuella rättigheter måste alltid värnas. Hamiltons tolkning var betydligt mer expansiv. Han hävdade att det i konstitutionen var underförstått att den federala makten måste använda de medel som krävdes för att uppnå för nationen viktiga mål. Det är en debatt som aldrig avslutats utan som i hög grad pågår än idag.

*

Efter att George Washington dragit sig tillbaka, när hans andra mandatperiod var över, segrade federalisterna i presidentvalet och John Adams tog över som president. Fyra år senare, i valet 1800, valdes Jefferson till president och Adams lämnade över makten. Det lika fredliga som frivilliga maktskiftet bekräftade att demokratiska regler fått fäste, vilket var något som uppmärksammades i den »gamla världen« i Europa där regerande kungligheter kunde betrakta skådespelet på andra sidan Atlanten som verklighetsfrämmande.

För federalisterna var valförlusten 1800 början till slutet som parti. Det upplöstes en bit in på 1800-talet. På presidentposten efterträddes Jefferson av två andra republikaner från Virginia, först James Madison och därefter James Monroe. De tre styrde i Vita huset fram till valet 1824. Men även om det parti Jefferson grundat, som senare kallades demokratrepublikanerna, dominerade USA:s politiska liv under ett par decennier splittrades det under 1820-talet och blev i själva verket en föregångare till dagens demokratiska parti. En utbrytargrupp kom snart att bli en del av whigpartiet som i sin tur kom att utgöra en grund för det republikanska parti som bildades innan inbördeskriget och som finns kvar idag.

Partierna gick knappast framåt på en ideologiskt spikrak väg. Utvecklingen mot demokrati skulle ta sin tid och stötestenarna var många. Men det faktum att den politiska debatten om USA:s framtid gick vidare i relativt ordnade former underströk att den amerikanska revolutionen – samtidigt som den fört med sig radikala sociala omvälvningar – genomförts av pragmatiska ideologer. De var inte ute efter att slå fast en absolut sanning. Det var bra med principer men de var till för att tänjas.

Även Thomas Jefferson kunde se att ändamålet helgade medlen när det 1803 kom bud om att Napoleon Bonaparte var beredd att sälja hela Louisianaterritoriet för en överkomlig penning. Frankrike hade nog av andra problem och var berett att en gång för alla ge upp drömmen om ett Nya Frankrike i Amerika. Louisianaterritoriet, som nyligen återtagits från Spanien, sträckte sig från New Orleans vid Mississippiflodens mynning i söder, över centrala delar av den nordamerikanska kontinenten och upp till gränsen mot Kanada. Det var ett erbjudande som Jefferson i nationens intresse inte tyckte att han kunde säga nej till, även om det innebar att han utifrån sin egen övertygelse bröt mot konstitutionens begränsning av presidentmakten. Det fanns med all sannolikhet inget författningsenligt stöd för presidenten att utvidga landets territorium på det sättet, och hur som helst ansågs Napoleon sakna rätt att sälja det stora området utifrån det fördrag som fanns med Spanien. Federalisterna i oppositionen kallade Jefferson för hycklare men USA hade i ett slag fördubblat sin landyta. Utvidgningen öppnade för en historisk expansion västerut.

Louisianaköpet visade tidigt att konstitutionen – idag den äldsta författning som är i kraft – inte var skriven i sten utan att den med tiden skulle bli föremål för åtskilliga omtolkningar och nytolkningar. Som fundament för demokratin har den samtidigt varit den sammanhållande kraften för USA som nation. Miljontals invandrare från världens alla hörn har i ett slag blivit amerikaner genom att ansluta sig till konstitutionens övergripande idéer om frihet, lika möjligheter och individuella rättigheter.

Med sin författning kom USA också att gå i spetsen för en större rörelse mot demokrati som mer långsamt skulle få fäste i Europa där gamla sociala strukturer var svårare att riva ned. För allt fler fattiga och undanträngda i de europeiska ländernas lägre klasser framstod Amerika som ett möjligheternas land, där det inte bara fanns en ekonomisk framtid utan även politisk och religiös frihet, en frihet från överhet. Där fanns ett löfte om demokrati som bidrog till att så många bröt upp från sina hemländer och tog beslutet att utvandra till den nya världen.

Den genom tiderna kanske mest bemärkte Amerikaresenären, fransmannen Alexis de Tocqueville, som 1831 påbörjade en lång resa i landet, förklarade i sin klassiska studie *De la démocratie en Amérique* vad han egentligen kommit för att observera. Han hade spanat in i framtiden: »Jag bekänner att i Amerika såg jag mer än Amerika; jag sökte där bilden av själva demokratin, dess dragningskrafter, dess karaktär, dess nackdelar, och dess lidelser, i mening att lära mig vad vi har att frukta eller hoppas från dess utveckling.«

WE HAVE LISTENED TOO LONG TO THE COURTLY MUSES OF EUROPE.

Ralph Waldo Emerson

KAMP FÖR
DEMOKRATIN

Fredrika Bremer i
Tocquevilles amerikanska fotspår

Efter att teet som vanligt serverats klockan sex på kvällen samlade förre brukspatronen Carl Fredrik Bremer sin familj för högläsning i Årsta slott, det ena av de ståndsmässiga hem han förvärvat efter flytten från Finland 1805. Det fanns också en stor stadsvåning i Stockholm.

Carl Fredrik Bremer var historiskt intresserad och de strikt uppfostrade barnen gavs inget annat val än att lyssna när han under flera timmar, ofta på engelska eller tyska, läste om Roms uppgång och fall eller om det trettioåriga kriget. Det var högst seriösa böcker för de små. Men hos familjen Bremer var det en självklarhet att barnen skulle bli bildade. Även om inte alla av de sju syskonen var så roade verkar det i alla fall som om den näst äldsta dottern, den tonåriga Fredrika, tog intryck när hon fick ta del av den skotske upplysningsmannen William Robertsons *History of America* från 1777.

Tanken på att besöka den nya världen väcktes tidigt hos den blivande författaren och kvinnosakspionjären. Under hennes uppväxt i början av 1800-talet fanns ett betydande intresse i Sverige för Amerika, för dess frihetssträvanden, den politiska utvecklingen och även för kulturlivet. Benjamin Franklin och George Washington var hyllade förebilder.

Fredrika Bremer – som föddes i Åbo 1801, ett kvartssekel efter den amerikanska revolutionen – var inte den första som jämförde George Washington med den svenska nationens fadersfigur Gustav Vasa. Men under sin resa i USA noterade hon: »Washington har i lif och karakter alltid synts mig ha likhet med Gustaf Wasa, ehuru hans lif var mindre romantiskt, och hans karakter mera flegmatisk, mindre impulsiv än den svenska befriarens. Wasa är en mera dramatisk, Washington en mera episk gestalt, Wasa mera hjelte, Washington mera statsman, Wasa kung, Washington president. Stora, starka konungsliga själar voro båda, värda att vara anförare för fria folk. Washington stod kanske högre än Wasa, i sin rena oegennytta som folkets högsta styresman.«

Även om Fredrika Bremer knappast blev republikan – i USA försvarade hon med känslomässig övertygelse den svenska monarkin – släppte aldrig hennes fascination över Amerika, inte ens när många andra svenska intellektuella en bit in på 1800-talet influerades av romantikens ideal och omvärderade sin beundran för Amerika. När personer i hennes närhet började tala om USA som ett ytligt, traditionslöst, ja rentav opoetiskt samhälle, kunde de också, inte sällan med uppenbart ogillande, uppmärksamma vad de kallade hennes starka Amerikaupptagenhet.

Beslutet att resa över Atlanten växte fram under lång tid, men tycks ha varit närmast oundvikligt. 1837, när hon var etablerad som framgångsrik författare, skrev hon till Per Johan Böklin, hennes nära vän och mentor, om hur hon läst böcker som kommit henne att undra över Amerikas framtid: »Månne ändå icke detta system är det mäst passande för Msklighetens närvarande utvecklingstillstånd?« Hon hade påverkats av den brittiska sociologen Harriet Martineaus då just utkomna *Society in America*. Martineau såg upp till de amerikanska riktmärkena för frihet och jämlikhet men var ändå kritisk till att USA inte lyckats leva upp till de egna idealen som de uttryckts i självständighetsförklaringen. Det gällde särskilt förtrycket av de svarta invånarna, men som tidig feminist var Martineau också besviken över att USA:s kvinnor fortfarande saknade politiska rättigheter. Men hon konstaterade att man i Amerika »förverkligat mycket av det som den övriga världen fortfarande kämpar med«.

För Fredrika Bremer fanns möjligheter att se hur kvinnorna i USA, jämfört med det i sammanhanget mer efterblivna Sveri-

---

Fredrika Bremer reste till Amerika i hopp om
att finna en ny demokratisk människa.

ge, tidigare kom ut i förvärvslivet, inte minst som lönearbetare i den framväxande textilindustrin. När en arbetarrörelse tog form bildades kvinnliga fackföreningar. Under 1830-talet blev också allt fler amerikanska kvinnor politiskt aktiva, särskilt i meningen att de aktivt organiserade sig i kampen mot slaveriet.

Men även om hon senare kom att räknas som något av den svenska feminismens urmoder, var Fredrika Bremer inte omedelbart redo att ansluta sig till vad som då var en ny och radikal syn på kvinnors frigörelse, deras politiska rättigheter och möjligheter till utbildning. Det skulle dröja ytterligare nästan tjugo år innan hon 1856 gav ut idéromanen *Hertha*, hennes kanske mest kända verk, som bidrog till att väcka opinion för ökad jämlikhet i ett Sverige där kvinnorna fortfarande var omyndiga, i legal mening helt beroende av fäder och äkta män som deras förmyndare. 1858 luckrades lagen upp, och det blev, som ett första steg, lättare för ogifta svenska kvinnor att bli myndigförklarade.

Redan en bit in på 1840-talet hade Fredrika Bremer också hunnit bli mer entusiastisk inför kraven på stärkta rättigheter för kvinnor och hon kände sig uppmuntrad av vad hon fick veta i ämnet från Alexis de Tocqueville och andra USA-rapportörer. Det var givetvis inte på något sätt ett i dagens mening jämställt samhälle som beskrevs, och i juridisk mening varierade situationen mellan delstaterna. Men hon tyckte sig nu ändå ha förstått att den amerikanska kvinnan »njuter, i förhållande till familj och samhälle, en frihet som vi här ej ha begrepp om«. Det fanns en förbättrad världsordning i sikte och erfarenheter av kvinnlig frigörelse att hämta hem till Sverige. Hon ville se vad som var på gång med egna ögon och hon fann anledning att vara optimistisk; »Ty Amerika för den nya tidens talan.«

*

Den genomgripande studie av den amerikanska demokratin som gjorts av Alexis de Tocqueville hade översatts och getts ut i Sverige i början av 1840-talet och hade fått stor spridning bland de bildade skikten. Verket gjorde uppenbarligen ett mycket djupt intryck på Fredrika Bremer. Det var, berättade hon, »en bok som gör epok i mitt lif genom de utsigter den öppnar, de tankar den låter mig tänka, de resultater den hjälper mig att komma fram till«.

Efter att ha läst Tocqueville trodde eller hoppades hon till och med, möjligen lite naivt, att hon i Amerika skulle finna en ny demokratisk människa. I början av 1845 formulerade hon sina förväntningar:»Hvad vill jag i Amerika? Se hvad verkan dess demokratiska institutioner ha på den enskilta meniskan och dess lif. Är hon god? Är hon lycklig? Är hennes enskilta lif förädlat genom det allmänna lifvets inflytande; verkar hennes enskilta lif förädlande på det allmänna?«

Kanske tänkte hon också på hur Tocqueville funnit att amerikanska flickor ofta var bättre utbildade än unga kvinnor i Europa, och att kvinnor i USA var mer aktiva i olika föreningar och sammanslutningar, både religiösa och världsliga.

I vilket fall fann hon inspiration hos Tocqueville att till slut verkligen slå slag i saken och göra resan till Amerika. Det fanns inte längre några skäl att tacka nej till de inbjudningar som kommit i och med att hennes böcker blivit översatta och kända även för många amerikanska läsare. Flera av Fredrika Bremers böcker, framförallt hennes roman *Grannarne,* hade blivit försäljningsframgångar på andra sidan Atlanten. Så den 22 september 1849 gick hon i Liverpool ombord på Cunardlinjens Atlantångare *Canada.* Resan över havet tog tretton dagar och hennes ambitiösa studieresa till den nya världen skulle vara i två år.

*

Alexis de Tocqueville hade anlänt till Amerika redan 1831 – arton år före Fredrika Bremer – och han mötte en nation som förändrats drastiskt under inte mer än ett halvsekels existens. Från den första folkräkningen 1790 hade befolkningen mer än trefaldigats, från knappt fyra miljoner till närmare tretton miljoner. Även om den stora massinvandringen ännu inte riktigt hade kommit igång hade den engelska dominansen bland USA:s vita befolkning minskat i och med att en ström av immigranter ändå börjat anlända från Tyskland, Irland och andra länder, även en del skandinaver om än tämligen få svenskar.

211

Efter att tidigare ha varit koncentrerad utefter östkusten hade befolkningen nu också spridits geografiskt, rört sig västerut mot nya territorier och möjligheter. Louisianauppgörelsen med Frankrike 1803 hade mer än fördubblat nationens areal. 1819 gav Spanien dessutom upp Florida till USA mot en ersättning på fem miljoner dollar. Antalet delstater hade ökat, de tretton ursprungliga hade blivit tjugofyra när Missouri 1821 upptogs som fullvärdig medlem av unionen efter en uppslitande politisk strid som resulterade i en kompromiss om slaveriet. Söderns slavägare hade då fått igenom kravet på att slaveriet kunde tillämpas även i Missouri men hade tvingats acceptera ett förbud i övriga nya territorier norrut.

För första gången hade USA också framträtt som en internationell militärmakt. Trots att den amerikanska militärapparaten praktiskt taget monterats ned efter självständighetskriget – rädslan för en stående armé hade varit överskuggande – valde landet ändå att gå ut i 1812 års krig.

Den unga nationen förklarade då krig mot Storbritannien. USA hade kränkts av brittiska handelsrestriktioner och trakasserier till havs. I bakgrunden fanns även storvulna ambitioner om att annektera Kanada, en plan som aldrig förverkligades även om ett kaotiskt och knappast seriöst försök gjordes att invadera det norra grannlandet som då fortfarande var en brittisk koloni. USA förödmjukades sedan när britterna intog huvudstaden Washington och brände ned Vita huset. Men viktiga framgångar i två avgörande slag kom därefter att få stor betydelse för USA:s framväxt som nation. I den patriotiska retoriken talades om »ett andra självständighetskrig«. När Fort McHenry i Baltimores hamn försvarades mot ett intensivt brittiskt bombardemang inspirerade det Francis Scott Key att skriva texten till »The Star-Spangled Banner« som senare blev USA:s nationalsång. Slaget vid New Orleans i början av 1815 markerade slutet på kriget och när den brittiska invasionsstyrkan slogs tillbaka föddes också en

Alexis de Tocqueville inspirerade
Fredrika Bremer att resa till Amerika.

212

militär hjälte, generalen Andrew Jackson som med sina meriter från slagfältet så småningom skulle ta sig till Vita huset.

När Alexis de Tocqueville nådde andra sidan av Atlanten hade USA:s första politiska ledare vid det laget lämnat scenen. John Adams och Thomas Jefferson, landets andra och tredje president hade avlidit samma dag 1826. Deras rivalitet hade tidigare lett till en brytning men under senare år hade de återupptagit en vänskap som främst tog sig uttryck i en omfattande korrespondens. Bland de sista orden Adams yttrade var »Thomas Jefferson överlever«. Jefferson hade då avlidit ett par timmar tidigare. Det var den 4 juli, exakt femtio år efter att självständigheten utropats, och symboliken var omöjlig att undkomma.

Av USA:s fem första presidenter hade vad som kom att kallas Virginiadynastin svarat för fyra – George Washington, Thomas Jefferson, James Madison och James Monroe. Undantaget var John Adams från Massachusetts. Ett generationsskifte kom 1824 när John Quincy Adams blev president i ett val som var så jämnt att det fick avgöras av kongressens representanthus. Men även om sonen till John Adams redan övergett sin fars nu borttynande federalistparti blev han aldrig mer än en övergångsfigur. Det var först med valet 1828 – som ledde till att Andrew Jackson tog över Vita huset – som ett större skifte kom, och det var också något av ett demokratiskt genombrott.

Den första generation av USA:s ledare var förvisso republikaner som närde vad som närmast kan beskrivas som ett hat mot allt vad kungamakt och aristokrati hette. Men det fanns ändå en skepsis mot alltför mycket demokrati. Risken var att massorna kunde falla i känslornas våld. Äganderätten gavs ofta också högre prioritet än rösträtten som i det tidiga USA oftast var kopplad till egendomsinnehav.

Thomas Jefferson, som kanske mer än någon annan i Amerika personifierat ett tidigt demokratiskt ideal, talade visserligen så småningom om den amerikanska revolutionen som en demokratisk revolution. Men samtidigt hade han tidigt betonat vikten av en »naturlig aristokrati«, ett upplyst ledarskap som absolut inte kunde ärva sina befattningar, men som ändå kunde styra folket för det allmännas bästa, utifrån sina meriter, sina dygder och sin begåvning. I efterhand framstår det inte som någon tillfällighet att Jeffersons parti, som först kallats republikanerna, sedan gick under beteckningen demokratrepublikanerna och så småningom blev känt som det demokratiska partiet. Alla förgrundsgestalter i den amerikanska revolutionen var republikaner i meningen att de var mot monarki, men även John Adams, en av dess främsta förespråkare, konstaterade att »republikanism kan betyda allt eller ingenting«.

Som historikern Sean Wilentz konstaterat var USA:s demokrati heller inte given från början utan den »utvecklades lite i taget, i ryck och sprittningar, på det delstatliga och lokala likväl som på det nationella planet«. Även om det gick framåt – vilket var det väsentliga – var demokratin ett långsiktigt och tålamodsprövande projekt, fortfarande ofullgånget under 1800-talet. Det var då trots allt bara en minoritet av befolkningen bestående av vita män som ännu hade rösträtt.

De demokratiska ideal som ändå alltid funnits i USA har också kunnat uppfattas som kontroversiella i omvärlden när de kopplats samman med tron på en amerikansk exceptionalism som ger det egna landet en särskild upphöjd position i världen. Begreppet låter sig inte enkelt definieras. Det finns en religiöst färgad exceptionalism som går tillbaka ända till de första engelska pilgrimerna och idén om ett nytt Jerusalem för ett av Gud utvalt folk. En politisk exceptionalism har mer att göra med författningen och dess garanti för självstyre och individuella rättigheter. En tredje dimension utgörs av USA som invandrarland, en nation som lockat till sig människor från hela världen, fått dem att leva sida vid sida, förenade i en tro på en bättre framtid.

Intimt sammanvävd med idén om den amerikanska drömmen har exceptionalismen kunnat fungera som en positiv kraft, men den har ibland också kunnat uppfattas som ett rättfärdigande av expansion, som att landet har ett ödesbestämt uppdrag att fullfölja. När USA i ett idealistiskt tonläge talat om frihet och demokrati har kritiker sett ett maktpolitiskt egenintresse i samband med att USA tidigt utvidgat sitt territorium västerut och senare stärkt sitt inflytande i andra delar av världen.

Andrew Jackson var när han valdes till president 1828 en mer folklig och säkert även mer råbarkad politiker än någon av sina föregångare. Han var den förste presidenten som var barn till invandrare. Föräldrarna hade inte engelska anor utan var *scotch-irish* – skottar som tidigare emigrerat till Irland – och de hade slagit sig ned i Tennessee där Jackson växte upp. Till skillnad från sina östkustföreträdare var han ett barn av den västliga frontens pionjärliv. Han var inte bara en krigshjälte från slaget mot britterna vid New Orleans, utan hade också deltagit i strider mot olika indianstammar.

Andrew Jackson var, mer än de flesta, en i högsta grad motsägelsefull politiker och hans eftermäle har kommit att värderas mycket olika. Han ägde själv svarta slavar och visade ingen förståelse för de allt starkare kraven från nordstaterna om att upphäva slaveriet. Det förblev ett olöst problem som återigen sköts på framtiden.

Jacksons namn är också förknippat med den kontroversiella lag från 1830 – *Indian Removal Act* – som banade väg för en tvångsförflyttning av tiotusentals indianer från sydöstra USA till nya territorier väster om Mississippifloden. Cherokeser, choctawer, chickasawer, creeker och seminoler fördrevs på samma sätt som lenni lenape, irokeser och andra indianstammar tidigare jagats bort från USA:s nordöstra delar. Flera tusen indianer gick under när de tvingades ut på den mödosamma marschen västerut; den färd som gjordes utefter vad som fick namnet »Tårarnas väg«.

Fram till att tvångsförflyttningen inleddes 1831 hade indianerna i vad som senare skulle kallas USA:s »djupa söder« levt i ett slags autonoma nationer som upptog avsevärda landytor. Även när USA hade utropat sin självständighet fanns egentligen ingen större anledning att tro annat än att den nya nationen skulle ha utrymme även för de ursprungliga invånarna. Men det dröjde inte särskilt länge innan vita nybyggare sökte sig till nya marker och de territorier som införlivats i USA hade utropats till nya delstater som utifrån en egen lagstiftning tvingade indianstammar att överge sina markområden. Utvecklingen påskyndades av en snabb befolkningsökning, pådriven av den växande invandringen från Europa. Trots den nya republikens alla demokratiska ambitioner var det rasistiska idéer om den vite mannens överhöghet, ett arv från den europeiska kolonialismen, som nu fick sitt utlopp mot ursprungsbefolkningen.

Det är en annan av USA:s paradoxer att Andrew Jackson, samtidigt som han förknippas negativt med både slaveriet och fördrivningen av indianer, har kunnat betraktas som ett politiskt geni som insåg att demokratin utvecklades utifrån politiska, sociala och ekonomiska motsättningar i samhället. De pionjärer som bröt ny mark västerut fann sig inte i att styras av vad som uppfattades som en elit på östkusten. Landsbygd kunde ställas mot framväxande storstäder, arbetare mot kapital när industrialiseringen tog fart, bönder som behövde krediter mot långivande bankirer.

Medan tidigare politiska ledare sett sig som företrädare för etablerade maktgrupperingar var Jackson den förste koalitionsbyggaren. I en närmast populistisk anda utnyttjade han folkopinioner och de motsättningar som bidrog till att olika grupper krävde större inflytande. Jacksons väljarkoalition gjorde att han kunde dominera USA:s politik under en period som varade längre än hans åtta år i Vita huset. Det parti som Jefferson tagit initiativ till blev nu på allvar det demokratiska partiet.

I historiens ljus kan Andrew Jackson fördömas för sin ledande roll i den utdragna förintelsen av ursprungsbefolkningen samtidigt som han hyllas för att han stod på folkets sida. Den jacksonska eran drev demokratin framåt, även om det var på villkor som formulerades av den inflyttade vita befolkningen.

Faktum är att Jackson var så framgångsrik politiskt att hans rivaler tvingades acceptera en utveckling mot en mer folklig demokrati, även om det ibland bar emot. En av hans politiska motståndare konstaterade uppgivet att folket var för Jackson, »inte så mycket för honom personligen utan för den princip de tror att han företräder. Den principen är demokrati.« En tidning i Virginia valde till och med att beskriva situationen som att »republiken har degenererat till en demokrati«.

Men konservativa och näringslivsvänliga politiska grupper

hade, om inte annat än av självbevarelsedrift, egentligen inget annat val än att anpassa sig till dåtidens idé om utvidgat folkstyre. Viktiga delar av oppositionen samlades i det nya whigpartiet, och de kom att anklaga Jacksondemokraterna för att driva en klasskamp där fattiga ställdes mot rika.

När ett mer strukturerat partisystem fått fäste tog också en ny nationell ideologisk syn på demokratin form och det kom att få långsiktiga politiska konsekvenser. Whigpartiet – som var föregångare till dagens republikanska parti – avvisade en skarp motsättning mellan arbete och kapital. Idén om Amerika som ett exceptionellt land stärktes när det gick att hävda att USA hade egna och specifika förutsättningar för att utveckla ett folkstyre. Som redan Benjamin Franklin konstaterat var USA inte som Europa, med dess feodala arv, bördsaristokrati, strikta ståndssamhällen och koncentrerade rikedomar. I det vidsträckta USA fanns det mark och andra tillgångar så det räckte för alla. Bristen på arbetskraft innebar att alla som ville arbeta kunde tjäna pengar. Möjligheterna att lyckas – i meningen att förbättra den egna ställningen – var praktiskt taget obegränsade. Det var relativt lätt att starta en egen rörelse. Var och en kunde bli sin egen kapitalist.

*

Det var inte utan blandade känslor som Alexis de Tocqueville mötte den amerikanska demokratin med europeiska ögon. Han kom själv från en gammal fransk aristokratisk familj och hans föräldrar hade bara med nöd och näppe klarat sig från giljotinen under revolutionens terror. Kanske var det hans aristokratiska bakgrund som visade sig när han nedlåtande talade om president Jackson som en oborstad man av små talanger, vald enbart på gamla militära meriter och ovärdig att leda ett fritt folk.

När han tjugofem år gammal kom till USA tillsammans med sin resekompanjon Gustave de Beaumont hade Tocqueville formellt ett officiellt uppdrag att studera det amerikanska fängelsesystemet. Men det var den framväxande demokratin som egentligen intresserade honom. Under knappt ett år reste Tocqueville runt i landet. Han anlände i maj 1831 till Newport i Rhode Island – femtio år efter att Axel von Fersen gått iland på samma plats under självständighetskriget – och reste först till New York, fortsatte vidare upp till nybyggartrakterna i vad som då var nordvästra USA – dagens Mellanvästern – och vidare ner till Nashville, Memphis, New Orleans och sedan upp genom sydstaterna mot Washington och Philadelphia. Hans observationer utgjorde grunden för hans omfattande studie av den amerikanska demokratin som gavs ut i Frankrike i två volymer 1835 och 1840. De översattes nästan omedelbart till engelska under titeln *Democracy in America*. Hans verk läses och citeras fortfarande. Säkert för att det tidigt uttryckte något viktigt om Amerika, men kanske också för att det tocquevilleska perspektivet säger något väsentligt om förhållandena i det Europa där miljoner emigranter snart skulle bryta upp från sina hemländer för att i hopp om en bättre tillvaro ge sig av mot den nya världen.

Tocqueville förskräcktes av behandlingen av ursprungsbefolkningen, och han berättade om hur gamla indianstammar i nordöstra USA – narragansetter, mohikaner, pequoter och lenape – försvunnit. De hade inte bara drivits bort, utan förintats. Han förutspådde att indianerna var dömda att utrotas när den nya nationen bredde ut sig åt väster. Tocqueville dömde även ut slaveriet som ondskefullt samtidigt som han med en utomståendes blick också kunde notera hur rasdiskrimineringen var ett mer utbrett problem som inte bara var kopplat till slavsystemet som sådant: »rasfördomar tycks vara starkare i de delstater som avskaffat slaveriet än i de delstater där det fortfarande existerar, och ingenstans är intoleransen större än i de delstater där slaveriet aldrig funnits«.

I övrigt var hans främsta invändning mot USA:s demokrati att han befarade att det bar fröet till en egen form av despoti; majoritetsstyret som en ny form av tyranni. Han kunde till och med känna viss oro över att folket skulle acceptera majoritetens

---

Fransmannen Alexis de Tocquevilles verk om den amerikanska demokratin blev en klassiker som citeras än idag.

219

beslut på samma sätt som undersåtar funnit sig i diktat från en enväldig monark. Om inte annat fanns en risk att frihetssträvanden kunde undertryckas av majoritetens konformism.

I huvudsak var Tocqueville ändå positiv till vad han såg; mer än andra samtida europeiska USA-rapportörer, som de brittiska författarna Charles Dickens och Frances Trollope. Dickens var berömd och hyllad i USA men irriterade sig på mycket under sin första Amerikaresa 1842. Hans skildring från kongressen i Washington uppmärksammades i första hand för hans beskrivning av hur ledamöter tuggade och spottade tobak under pågående förhandlingar.

Trollope hade publicerat sin reseskildring från Amerika redan 1832. Hon var så kritisk – inte bara mot slaveriet och den nya religiösa väckelserörelsen, utan även mot invånarnas brist på bildning och uppförande – att hennes bok *Domestic Manners of the Americans* ibland beskrivits som ett uttryck för en tidig antiamerikanism. Hon visade föga förståelse för den breda medelklassens jämlikhetsambitioner och var föraktfull inför den demokratisering av samhället som ändå var på gång. Det var för henne omöjligt att tro att män som George Washington, Benjamin Franklin och Thomas Jefferson menat allvar när de hävdat att alla människor är födda fria och jämlika. Hon förskräcktes framförallt när hon läste Jefferson, vars »ihåliga och osunda doktriner« dessvärre var alltför tilltalande för en befolkning där ingen tror att någon står över en annan och inte inser att individen är en del av en större helhet. Jeffersons sociala ordning, hans »uppbrusande demokrati«, var enligt Trollope på väg att göra USA stor skada och kunde sluta med att göra »mänskligheten till en oförenlig massa av irriterande atomer, där det bedårande 'Jag är så god som någon annan' snart kommer att ersätta lagen och evangeliet«.

Även om alla inte var riktigt så nedlåtande var ovanifrånperspektivet snarast regel i de europeiska rapporterna om USA under 1800-talets första del.

*

Men Tocqueville trodde ändå att det var möjligt att undvika vad han själv kallade majoritetens tyranni och konstaterade att den amerikanska demokratin utvecklats och stärkts under den tid nationen existerat. Vid tidpunkten för hans resa hade också rösträtten utvidgats så att den nu i de flesta delstaterna omfattade alla vuxna vita män, utan att vara kopplad till några krav på egendomsinnehav. Begreppen republik och demokrati hade vid det här laget blivit närmast synonyma.

Tocqueville var dock inte bara ute efter att studera demokratin som politisk filosofi. Han betraktade demokratin som ett samhälleligt system i bred bemärkelse och var intresserad av hur det påverkade makt och inflytande, inkomstfördelning och synen på jämlikhet. Framförallt såg han demokratin som en oundviklig framväxande kraft, i hans kristna världsbild skickad av Försynen. I en demokrati, till skillnad från en aristokrati, skulle ett suveränt folk alltid sträva mot något bättre.

Förutsättningarna i Europa var kanske annorlunda – USA behövde inte på samma sätt bekymra sig om invaderande grannländer och krig som måste finansieras med skatter – men den demokratiska kraften var ändå ohejdbar och det var därmed lika bra att förbereda sig. I Amerika fanns lärdomar att hämta, både när det gällde förhoppningar och faror. Entusiasmen tycktes snarast ha stärkts när han tillbaka i Paris slog fast att USA trots alla brister var »det mest demokratiska landet i världen«.

För Tocqueville innebar demokratin ofrånkomligen en ökad jämlikhet och det var något han kunde se som ett hot mot den individuella friheten och möjligheten till stordåd. Eller som han uttryckte det när han talade om risken för en nivellering: »Aristokratier producerar några få stora konstverk, demokratier många små.«

Men han fann ändå en rad uppmuntrande tecken i den amerikanska demokrati som växte fram. Domstolarnas starka ställning kunde utgöra en motvikt till den politiska majoriteten. Ett mer decentraliserat politiskt system, där många beslut fattades i delstaterna och på lokal nivå, skilde USA på ett avgörande sätt från den franska centralismen. Han uppmärksammade hur de amerikanska medborgarna utnyttjade sina friheter och imponerades av pressfriheten och religionsfriheten; han fann det anmärkningsvärt att prästerna inte hade någon politisk makt- position och att det därmed inte fanns »en enda religiös doktrin i USA som är fientlig till de demokratiska och republikanska in- stitutionerna«. Det var inte som i Europa där kyrkan som regel var partner till staten och representerade konservativa makt- intressen som motsatte sig förändringar. Inte minst noterade han också hur USA:s individualism förenades med en tro på gemen- samma krafters styrka, folk slöt sig samman, bildade föreningar och andra sammanslutningar för att uppnå såväl religiösa som världsliga mål. I frivilliga gemenskaper byggdes kyrkor och sko- lor, sjukhus och fängelser, och välgörenhet organiserades vid si- dan av kommersiella projekt.

Därtill utmärktes den amerikanska demokratin av en social rörlighet som inte fanns i dåtidens europeiska samhällen. Tocque- ville häpnade över att han kunde möta en människa som i tur och ordning varit advokat, jordbrukare, köpman, präst och läka- re. Den sociala rörligheten innebar också att samhället var statt i ständig förändring – och att politikerna hela tiden måste följa nya krav från väljarna. Samtidigt fanns, konstaterade han, inget klasshat i och med att det var folket som styrde, och ingen vågade stå upp mot folkviljan. Tocqueville anslöt sig också till den i ef- terhand knappast okontroversiella idén att det inte fanns något proletariat i USA eftersom mark var billig, många hade kunna skaffa egendomar och dessutom fanns nya rikedomar att hämta västerut. »I Amerika«, konstaterade han, »har de flesta rika män börjat som fattiga.«

*

Carl Friman i Varnhems socken i Västergötland hade kanske inte själv läst Tocquevilles studie av den amerikanska demokra- tin, men han var helt klart påverkad av dess tankegångar när han 1838 beslutade att emigrera till USA med sina fem unga söner. Friman hade tagit del av den politiska debatt som pågick runtom i Europa och där liberalism med krav på förändringar stod mot en konservatism som försvarade ståndssamhällets rådande ordning. Även i Sverige började röster höjas för demokratiska reformer.

Friman, som nu var femtioåtta år gammal och pensionerad från arbetet som mönsterskrivare vid Skaraborgs regemente, var av allt att döma besviken, rentav bitter, över att han inte lyckats bättre i livet. Ändå hade han haft det relativt väl förspänt. Som son till en godsägare och agronom hade han fått en god utbildning med studier i Uppsala. Det var knappast fattigdom och usla framtidsutsikter som drev honom till Amerika vid denna ålder. Det rådde ingen akut ekonomisk kris i Sverige. Dessutom fanns det en egendom att ta hand om och just därför stannade äldste sonen, tjugotvåårige Pehr-Magnus, kvar tillsammans med sin mor Christiana som inte ville ge sig ut på vad som framstod som en strapatsfylld och farlig resa över havet.

Carl Friman tog beslutet att åka till Amerika för att han var övertygad om att det svenska ståndssamhället inte hade gett honom möjligheter som stod i proportion till hans intelligens och ambition. Det var klassamhället som satte hinder i vägen och gjorde att han aldrig kunde avancera till något mer än en civil ämbetsman av lägre rang vid regementet. Hade han varit adelsman hade allt varit annorlunda. Nu ville han inte att hans yngre söner skulle möta samma öde. Istället skulle de få en bättre framtid i ett Amerika han kommit att idealisera på avstånd. Det var för barnens skull han måste resa; »för dem gick jag åt Amerika«.

Det var alltså för att hans barn skulle få leva i frihet och demokrati som Carl Friman gick ombord på briggen *Rosen* i Göteborg med fem söner; den ännu inte artonårige Carl Johan och dennes yngre bröder Jan Wilhelm, som var fjorton, den elvaårige Adolf, nioårige Herman samt Otto, den yngste som då inte hade fyllt mer än sex år. De gick iland i New York den 9 juli 1838. Det fanns ännu inga svenskbygder att ta sig till. De var inte först, men det var vid det laget knappast mer än en handfull svenskar som ännu utvandrat till Amerika under 1800-talet.

Från New York reste de vidare till Detroit. Men de kunde inte stanna i Michigan, landet var som »ett lerträsk med skog«, utan de tog sig på en mödosam färd med långa fotvandringar vidare till Wisconsinterritoriet, där de i september slog sig ned i vad

225

Carl Friman kallade »det härligaste land«, någonstans mellan Milwaukee och Chicago; »en trakt med lagom skog, kullig, grönskande och bördig«, på många sätt lik den svenska hembygd de lämnat. De kunde muta in mark för en relativt låg kostnad, men mycket av de pengar de hade haft med sig gick ändå åt för att bygga en enklare bostad och införskaffa några oxar och kor och nödvändiga husgeråd. De började odla majs, potatis och morötter.

Men efter mindre än ett år var Carl Friman tvungen bryta upp. Sonen Herman hade blivit sjuk och de återvände till Sverige. De andra fyra sönerna stannade kvar och fortsatte att driva den nya gården. De skulle aldrig återse sin far. Men fram till Carl Frimans död 1862, då han var åttiofyra år gammal, skickades en rad brev i båda riktningar över Atlanten. Den korrespondens som bevarats ger en inblick i det tidiga pionjärlivets villkor, men också i hur sönerna tagit till sig sin fars syn på USA:s demokratiska frihetsideal. Carl Friman skickade några av de tidiga breven vidare till *Aftonbladet* som då leddes av sin grundare Lars Johan Hierta, en välkänd liberal som försvarade vad som ännu inte var en självklar rätt att utvandra från Sverige. De brev, som publicerades 1842 under rubriken »Bref ifrån svenska kolonister i Förenta Staterna«, förseddes med en kommentar som slog fast att de visade den »förhoppning som föds av oberoende och utsikten till en framtid«.

Men även om Carl Friman stolt ville visa upp hur hans söner hade lyckats bygga en ny tillvaro på andra sidan Atlanten framgår att det också var hårt och mödosamt. Äldste Amerikasonen Carl Johan, som verkar ha blivit en ledarfigur för sina yngre bröder, skriver att det »duger för ingen, som ej kan grovarbeta eller är rik, att bli nybyggare i Amerika«. Det var, inte minst, ett »gruvligt arbete att klyva gärdslen av ek«. I kylan i Wisconsinterritoriet hade de ont om kläder. De hade inte råd att köpa nya, så han bad om att få en försändelse med svenskt vadmal. Sjukdomar härjade. De drabbades av olyckor – en brand hade förstört en majsskörd, en ko hade dött, en oxe krossats av ett träd under en storm – och de hade inte möjlighet att ägna tillräckligt mycket av sin tid åt det egna jordbruket eftersom de måste ta andra jobb i trakten för att få in pengar. I vilket fall var jordbrukspriserna låga så det var svårt att få det att gå ihop – det var en »hård tid för farmers«.

Det verkar också som om de unga Frimanbröderna kände sig isolerade, att de saknade landsmän i närheten. Som svenskar var de verkligen pionjärer i området. Carl Johan Friman låter flera gånger förstå att han hoppas att »raska och duktiga« svenskar ska följa i hans och brödernas fotspår. Det finns mark, men han är noga med att betona att det gäller att skynda på. Andra, inte minst norrmän, är mer på hugget, och har redan förvärvat stora arealer. Snart skulle den bästa marken vara tagen och priserna var på väg upp, och som svensk tyckte han trots allt att det för svenskar var »bäst att leva tillsammans«.

Det hade nu också blivit åtminstone lite mindre besvärligt och tidsödande att göra resan. När han själv kom över 1838 med sin far och sina bröder hade de inte åkt med något fartyg som var anpassat för passagerartrafik, utan med en svensk brigg som sannolikt var lastad med stångjärn, då en stor svensk exportprodukt. Resan hade tagit lång tid och de sanitära förhållandena var eländiga. Nu hade han läst i tidningarna att ångfartyg kunde klara sträckan Liverpool till New York på bara tolv dagar. Så det fanns något närmast uppfordrande i hans budskap till det gamla hemlandet: »Det gläder oss att höra Svenskarna begynna vakna ur sin slummer. Här är land i överflöd ännu, men de måste komma snart, ty landet omkring oss köpes ganska fort.«

Trots uppenbara umbäranden och vedermödor fanns i de brev som kom läsarna av *Aftonbladet* till dels ändå en betydande framtidsoptimism. Frimanbröderna räknade med att snart kunna skaffa mer mark och att bygga ett nytt och bättre hus. Nya invandrare – tyskar, irländare och norrmän, om än inte så många svenska – strömmade till. Jordbruk anlades och städer växte upp.

Det talades om att Wisconsinterritoriet snart skulle bli en egen delstat – vilket skedde 1848 – och om att en järnväg skulle anläggas och en kanal byggas. Mycket var på gång. Det fanns goda skäl att hoppas att Frimans amerikanska egendom skulle stiga i värde när en ekonomisk utveckling började ta fart i ännu oexploaterade områden i vad som då var nordvästra USA. Det fanns redan fler skolor än i Sverige och varje liten ort hade ett eget bibliotek, »så folket blir därigenom ganska hyfsat och bildat«. Carl Johan Friman berättade om hur han själv fått möjlighet att läsa om Amerikas stora män från revolutionen, som George Washington, John Adams och John Hancock.

*

Hemma på gården i Västergötland längtade Carl Friman efter sina söner och följde under resten av sitt liv deras rapporter från Amerika. Meningen hade varit att han själv skulle återvända till USA, men så blev det aldrig av olika skäl. Kanske mest för att hans hustru absolut inte ville följa med. Men näst yngste sonen Herman, som återhämtade sig från sin sjukdom, skickades tillbaka till Amerika 1842, då han blivit tretton år, och det befarades ett tag han hade försvunnit. Först ett år senare, sommaren 1843, dök han upp på brödernas farm i Wisconsin efter att ha tagit sig fram långa sträckor till fots.

Kanske var det Carl Frimans egen längtan till sönerna långt borta som gjorde att han fortsatte att låta publicera flera av deras brev för en större läsekrets. I ett brev som trycktes i *Skara Tidning* förnyade äldste sonen Carl Johan sin uppmaning till svenskarna att skynda sig över till Amerika eftersom all mark höll på att köpas upp. Wisconsin var på väg att gå från vildmark till en blomstrande delstat och utsikterna var goda: »Folk kan leva bättre här, än i något annat land, ty man kan skörda allting lättare. Korna är mycket bättre här och ge rikare mjölk.«

Men även om utvandringen till USA började komma igång så smått efter 1840 hade Sverige ännu inte drabbats av någon utbredd Amerikafeber. Redaktörerna på *Skara Tidning* insåg uppenbarligen att intresset för Amerika höll på att stärkas och fann skäl att bifoga en varning när Frimans brev publicerades. Emigrationsfrågan var politiskt kontroversiell. Svenskarna skulle inte luras att tro att »stekta sparvar skola flyga dem i

---

Frances Trollope förskräcktes av den framväxande
demokrati hon studerade i Amerika.

munnen, och såmedelst kunna få njuta ett sorgfritt och bekymmerlöst liv«. Tvärtom, även om USA var ett fritt land krävdes av alla hårt arbete, ordning och gudsfruktan, för »där lides icke någon lätting, dagdrivare eller drinkare, som varken vill vara sig själv eller någon annan till nytta«. Med det sagt, konstaterade tidningen i alla fall att i Amerika »finns ingen rang, ingen ståndsskillnad; statsmannen och den lägsta arbetaren är lika fria medborgare«.

Det var sannolikt ord som Carl Friman ville höra. För även om han plågades av att inte vara nära de fem söner som fanns i Amerika, mildrades aldrig hans avsky mot det svenska klassamhället. Inget tyder på att han ångrade sitt beslut att ta sönerna till USA. Han följde noga med vad som hände i Amerika, och fick också av sina söner information om presidentval och andra händelser. I november 1856 skrev Wilhelm, orolig över att inbördeskriget kunde vara i annalkande, och beklagade att demokraten James Buchanan just vunnit presidentvalet över John Frémont, den förste presidentkandidaten för det nybildade republikanska partiet. Wilhelm var republikan liksom de flesta andra svenska invandrarna under 1800-talet. Merparten av de svenskar som kommit före inbördeskriget hade slagit sig ned i landets norra delar och stödde unionen.

Även när det amerikanska slaveriet kom upp till diskussion, och han fördömde det som förfärligt, såg Carl Friman det i första hand som »detta fördömda arv efter England« samtidigt som han påminde om ofriheten och fattigdomen i Europa. Amerika var »så mycket friskare och starkare«. I ett brev som han skickade från Västergötland 1851 talade Carl Friman om Förenta staterna som hoppets land i kontrast mot Europa som han beskrev som ansatt av »mördar- och rövarhorder« som i Guds namn lyckats »utarma och förhärja, blodsuga« vår världsdel. Friman såg utvandring till Amerika som en räddning: »Ofantliga förstärkningar skynda sig emellertid över till Frihetens land; i synnerhet från Irland och Tyskland. Även från Sveriges bördigaste provinser Östergötland och Skåne tilltaga utflyttningarna. Vår tid är märklig.«

*

Under tiden hade Carl Frimans söner i USA snabbt amerikaniserats. Redan i ett brev som var daterat i början av 1843 hade Carl Johan Friman blivit John Freeman. Han öppnade så småningom en speceriaffär i Wisconsin men flyttade senare till Nebraska där han slutade sina dagar. Wilhelm, som ändrade sitt namn till William Freeman, for till Kalifornien redan 1849 för att söka sin lycka i den första guldruschen. Han återvände med pengar på fickan, kunde kosta på sig att resa till New York för att lyssna på Jenny Lind när den svenska sångfågeln gav konsert, och bodde en tid i Philadelphia innan han kom tillbaka till Wisconsin. Så småningom flyttade han till Kalifornien och slog sig ned i Pasadena utanför Los Angeles. Adolph – stavningen hade ändrats från Adolf – var den ende som stannade kvar i Wisconsin. Herman, som verkar ha varit den mest äventyrlige av bröderna, hade tagit värvning som soldat i USA:s krig mot Mexiko och slog sig sedan ned i Kentucky innan han pensionerade sig i Kalifornien dit yngste brodern Otto redan flyttat och där William skulle ansluta.

Friman hade blivit Freeman; svenskarna hade blivit amerikaner. De brev de senare kom att skicka hem till Sverige för att berätta om giftermål, barn som föddes och andra familjeangelägenheter var inte längre skrivna på svenska utan på engelska. I flera brev uttrycktes förhoppningar om att föräldrarna ändå skulle komma över på ålderns höst. Vid sjuttiosju års ålder svarade Carl Friman att ett av skälen till att han inte kunde resa var hans pension som »adelsväldet troligen då skulle beröva mig«. Han tillade bittert att han ändå inte hade den pension han skulle ha haft om han varit adelsman. Hans hat mot ståndssamhället hade aldrig mildrats. Sönerna uttryckte också i sina brev sin tacksamhet över att fadern gett dem en framtid i Amerika, som när William i brev talade om sitt »fosterlands beklagansvärda och förtrampade folk«. I USA rådde andra villkor: »se på vårt fria folk i Förenta Staterna: så skulle det bli öfver hela Verlden, om folket vore fritt och upplyst, men Gud vet när denna tid kommer. Gud vara lofvad, att jag lefver i ett land med fri yttrande rätt.«

*

Under 1840-talet ökade invandringen från Europa till Amerika ordentligt, även om den svenska emigrationen då fortfarande var blygsam. Det fanns knappast mer än några tusen svenskfödda invånare i USA när Fredrika Bremer anlände till New York den 4 oktober 1849. Men två decennier efter Alexis de Tocquevilles besök var det ett betydligt större land. Med Kaliforniens inträde i unionen 1850 fanns nu trettioen delstater och nya vidsträckta territorier.

I presidentvalet 1844 vann den expansionistiske Jackson-demokraten James Polk med vallöftet att annektera Texas, som då hade förklarat sig självständigt som en utbrytarrepublik från Mexiko. När Mexiko protesterade nöjde sig Polk inte med bara Texas utan förklarade krig och det ledde till att massiva land-områden erövrades från Mexiko i vad som idag är sydvästra och västra USA; jämte Kalifornien hela eller delar av New Mexico, Arizona, Nevada, Utah, Colorado och Wyoming. Polks hot om ett nytt krig mot Storbritannien ledde dessutom till att britterna re-tirerade från omstridda områden i nordväst. En gräns fastställ-des slutgiltigt mellan Oregonterritoriet och British Columbia i Kanada.

Samtidigt som den geografiska arealen utvidgades med väldi-ga men glest befolkade områden strömmade allt fler invandrare in från Europa. Från 1830 till 1850 hade USA:s befolkning ökat från knappt 13 miljoner till mer än 23 miljoner invånare. James Polks expansionspolitik hade på några år stärkt USA:s geopoli-tiska roll på ett sätt som skulle få enorma konsekvenser för lång tid framåt. Andrew Jacksons inledda fördrivning av ursprungs-befolkningen kom att föras till sin spets. Övertygelsen stärktes om att det var USA:s bestämda öde – *Manifest Destiny* – att er-övra landmassorna västerut, från Atlantkusten hela vägen till Stilla havet.

Det var ett dynamiskt och ungdomligt land Fredrika Bremer kom till, och hon kände det omedelbart när hon nalkades land i inloppet i New Yorks hamn. Solen bröt fram genom molnen och lyste starkt: »Det var en herrlig mottagning af den nya verlden; dertill var i luften något så underligt liffullt, sprittande, ungt, att det frapperade mig. Det var deri något af den första ungdomens lif – så der som man känner vid femton eller sexton år.« Att andas luften var, tyckte hon, som att »dricka nektar«.

Hon kom aldrig till de nya territorierna långt västerut under sin två år långa Amerikaresa, men hon besökte de gamla sydstaterna South Carolina och Georgia, hon var i Chicago och Saint Louis, och hon reste upp till Massachusetts och vidare mot nybyggartrakterna i Wisconsin och Minnesota, som då ännu inte blivit en egen delstat. Hon färdades söderut nedför Mississippifloden, hela vägen ned till New Orleans. På vägen tillbaka norrut stannade hon både i Washington och i Philadelphia.

Fredrika Bremer såg mycket av det nya landet och hon var tillräckligt känd och hyllad som författare för att tas emot av flera av samtidens stora intellektuella personligheter i USA, som Ralph Waldo Emerson, James Russell Lowell och Henry Wadsworth Longfellow. Av Emerson fick hon höra att USA inte alls var något färdigt samhälle utan bara i början av sin utveckling, och ännu långt efter självständigheten åtminstone delvis baserat på gamla idéer från Europa och även Asien. Han hade redan tidigare uttryckt sin vision om en framtida amerikansk kulturell identitet. Bremer noterade om Emerson att »E. anser tydligen Amerika ämnadt att framställa i en högre metamorfos de idéer, som under historiens lopp blifvit förebildade i andra verldsdelar«.

Så snart hon kom till Minnesota kunde Fredrika Bremer också se en framtid för svenska invandrare, även om hon kanske inte direkt ville uppmana sina landsmän att överge hemlandet: »Skandinaver, som finna sig väl i det gamla landet, borde icke lemna det. Men de som ha det för trångt der hemma och som vilja utvandra, de bör komma till Minnesota. Klimat, läge, natur här, passa våra folk bättre än i någon af de andra amerikanska staterna, och ingen af dem synes mig kunna ha en större och skönare framtid än Minnesota.« Under hösten 1850 noterade hon i en naturromantisk hyllning: »Hvilket herrligt *Nytt Skandinavien* kunde ej Minnesota bli! Här skulle svenskarna återfinna sina klara, romantiska sjöar, Skånes sädesrika slätter och Norrlands dalar.«

Hon tycktes ana vad som var på gång. Fler svenskar skulle snart komma och hennes observation sammanföll tidsmässigt med att Vilhelm Mobergs fiktiva pionjärinvandrare Karl Oskar

233

och Kristina anlände till Amerika för att bryta ny mark i Minnesota. Fredrika Bremers entusiasm kan i efterhand framstå som närmast profetisk. I större utsträckning än Wisconsin – där bröderna Friman slagit sig ned och det fanns fler svenska invandrare – var mycket av Minnesota fortfarande otämjd vildmark. 1850 beräknades den vita europeiska befolkningen uppgå till endast 6 000 invånare och ännu fanns på sin höjd inte mer än en handfull svenskar.

När flodbåten som förde henne uppför Mississippi lade an vid det lilla nybyggarsamhället Saint Paul var hennes omedelbara intryck att det var indianbefolkningen som dominerade stadsbilden: »Längs strandgatan sutto eller spatserade Indianer. De gingo insvepta i långa filtar och med stolta steg, några rätt ståtliga figurer. Midt framför båten sutto på trappsteg utanför husen några unga Indianer, grant utpyntade med fjädrar och band, och rökte ur en lång pipa, hvilken de läto gå från den ena till den andra, så att hvar och en blott rökte några få tag.«

*

Fredrika Bremers två år i Amerika – hon reste tillbaka den 23 september 1851 – resulterade i ett av hennes mest kända verk, *Hemmen i den nya verlden*, bestående av mer än femtonhundra sidor i tre volymer i form av en rad bearbetade brev, de flesta ställda till hennes yngre syster Agathe. *Hemmen i den nya verlden,* som publicerades 1853–1854, väckte betydande uppmärksamhet, översattes snabbt till engelska och gavs ut i USA. Verket säger långt senare inte bara något om tidens USA utan även om hur den nya världen kunde uppfattas från ett svenskt perspektiv. Men det var inte politisk analys som hos Tocqueville utan mer en reseskildring eller ett litterärt reportage. Hon hade släppts in i maktens korridorer i Washington, hon kunde träffa ledande politiker och hon var på plats i senaten i början av juli 1850 när det plötsliga beskedet kom om att president Zachary Taylor var på väg att avlida – »han mådde fullkomligt väl ännu den fjerde (det var den tredje, som jag sist såg honom) men hade förätit sig på ostronpastej, tror jag, och fått en attack av kolerin«. Men hon verkar ha varit en ganska förströdd iakttagare av det politiska livet och egentligen inte så intresserad av de konstitutionella problem och andra frågor som dominerade debatten.

Liksom Tocqueville kom Bremer till Amerika som en betraktare med ett socialt ovanifrånperspektiv. Hon hade växt upp i en överklassmiljö med tjänstefolk i Stockholm och det var i första hand i privilegierade hem och miljöer hon vistades under sin tid i USA. Den emellanåt råa och ofärdiga politiska demokrati hon kunde bevittna var åtminstone ibland något som förskräckte henne.

Under sitt besök i Illinois närmast förfasades hon över att det i delstaten var så lätt för nya invandrare att bli medborgare och vinna politiska rättigheter. Det var inte bara majoritetens tyranni hon fruktade, utan det var nog även aristokraten i henne som talade när hon beskrev vad som kanske var en föga elegant kamp om väljare: »Lågsinnade politiska agitatorer betjena sig av emigranternas okunnighet, och vigla upp dem genom tal till förmån för de kandidater som de puffa för, och hvilka stundom besålda dem. De bättre och ädlare av statens män kunna ej förmå sig att täfla med dessa vinglare; de hålla sig tillbaka. Derföre komma oftast icke de bästa männen att styra staten. De äregiriga, djerfva lycksökarna hinna lätt till embeten, och en gång i embetet, söka de hålla sig qvar der genom hvarjehanda konster och knep, samt smickra massan af folket, för att bibehålla sin popularitet. Det okunniga Europeiska folket, som tror att konungar och höga herrar vålla allt ondt i verlden, rösta för den man, hvilken mest skriker mot de mäktiga, och ropar att han är en folkets man.«

Hennes rapport från Amerika kan knappast räknas bland Fredrika Bremers mer radikala verk. Med tanke på hur hon skulle gå till eftervärlden som kvinnosakspionjär är det lite förvånande hur nedlåtande hon kunde vara i beskrivningar av andra kvinnor under hennes egen sociala rang, och hon ställde sig knappast längst fram i den kamp för kvinnors rättigheter som ändå kommit igång i USA. Det har i efterhand uppmärksammats att hon bara mest i förbigående tog upp den historiska deklaration om kvinnors rättigheter som antogs i Seneca Falls 1848 – det vill säga redan innan hon anlänt till USA – och som kom att driva på suffragettrörelsen och dess krav på rösträtt för kvinnor. Det kunde istället framstå som att hon i första hand var mest positiv till att de amerikanska kvinnorna verkade ha mer att säga till om i hemmet och hon betonade moderligheten i dåtidens särartsfeministiska anda.

Samtidigt var hon mån om att hävda alla människors lika värde och hon tog definitivt ställning mot det amerikanska slaveriet, även när hon i Södern vistades i hem där hennes värdar ägde slavar. Men även när det gällde slaveriet var hon försiktig, kunde återigen framstå som nedlåtande och trodde att det var bäst med en gradvis process istället för ett omedelbart upphävande enligt de krav som fördes fram av en växande abolitioniströrelse. Då hade ändå American Anti-Slavery Society redan drygt ett decennium tidigare samlat trehundratusen medlemmar, och kvinnor mot slaveriet hade bildat Female Anti-Slavery Society. Sannolikt var det ändå intrycken i USA som drev fram hennes mer radikala ståndpunkter, framförallt när det gällde kvinnornas rättigheter. När romanen *Hertha* gavs ut 1856 jämförde hon till och med den svenska kvinnans situation med slavens i Amerika. Kvinnan var förtryckt och maktlös, en egendom som utan rätt till egen myndighet tillhörde fäder eller äkta män.

*

Men det var inte i första hand för att göra tydliga politiska ställningstaganden som Fredrika Bremer hade åkt till Amerika. Hon hade rest i förhoppningen att finna en ny människa, formad av ett nytt demokratiskt samhälle: »Hvad jag sökte der var *den nya menniskan* och dess verld, den nya menskligheten, och en syn af dess framtid på den nya jorden.«

Även om hon inte riktigt fann vad hon sökt var hon vid hemkomsten ändå i huvudsak positivt inställd till Amerika och dess framtid. I sitt efterord till *Hemmen i den nya verlden* förklarade hon att hennes hjärta trots allt var fyllt av hopp. Utifrån sin egen starka religiösa tro konstaterade hon att om bara slaveriet kunde hävas skulle det i en framtid gå att säga att »detta folk gjorde allvar af att grundlägga Guds rike på jorden!«.

Det var inte, som många av hennes landsmän sagt till henne, så att USA bara var ett »aggregat af oharmoniska delar, tillhopakomna händelsevis och sammanhängande händelsevis, utan inre nödvändighet, utan organisk medelpunkt«. Efter sin vistelse i USA visste hon nu att Förenta staterna »ega inom sig en gemensam skapande och i högsta grad vital lifsprincip och denna är: det religiöst medborgerliga medvetandet«.

Hon kunde se en framtid för Amerika utifrån sin egen kristna socialliberalism. Hennes framtidsvision fick definitivt ett genomslag i Sverige och hennes tankar gavs även spridning i andra europeiska länder i och med att hennes verk med framgång gavs ut i översättningar till flera olika språk.

Fredrika Bremer hade kommit till Amerika, som hon uttryckte det, inte för att söka nya ting utan för att söka ett nytt hopp. Det fann hon, även om hon kanske var besviken över att inte riktigt ha funnit en ny demokratisk människa. Hon var positiv till den religionsfrihet och den religiösa mångfald hon såg. Demokratin hade gjort framsteg, men den var ofärdig; vad hon kom fram till var att den nya världen snarare var ett steg framåt mot »skördetiden för menniskoslägtet« men att »vi icke af Amerika har att vänta ett Utopien«.

Andra och än mer hoppfulla Amerikaresenärer hade vid denna tidpunkt redan gjort liknande lärdomar och fler skulle göra det längre fram. I Sverige skulle intresset för att utvandra till Amerika öka snabbt, även om det visade sig att nybyggarlivet kunde vara mycket hårt och påfrestande för de första pionjärerna som inte alla passade för ett liv i vildmarken.

MÄNNISKAN ÄR FÖDD FRI OCH ÖVERALLT ÄR HON I BOJOR.

Jean-Jacques Rosseau

TILLBAKA
TILL NATUREN

Gustaf Unonius oinfriade
amerikanska drömmar

Morgonen den 11 maj 1841 började med en ordentlig resefrukost i Uppsala. Ett stort sällskap, som fyllde tjugo vagnar, åkte sedan vidare till gästgivaregården Högsta norr om staden för att fortsätta vad som blev ett avsked som varade långt in på eftermiddagen och inkluderade åtskilliga förfriskningar. Vid avfärden från Uppsala hade folk trängts på gatorna; det var många som ville trycka en hand, ropa ett sista farväl eller vinka från fönstren. Från det första ekipaget ljöd en sång om hur de resande skulle »med kraft och mod färdas fram på lifvets flod«.

Efter tio år i Uppsala var Gustaf Unonius en välkänd man i den stad han var på väg att lämna. Det hade varit många, både bekanta och släktingar, som avrått från det till synes högst äventyrliga steget att överge Sverige och bosätta sig i en ny världsdel. Men snart trettioett år gammal och utan några lysande karriärutsikter hade han fattat sitt beslut. Det var i Amerika han skulle finna sin framtid, för varför skulle inte han ta sig till det land som i hans egen övertygelse blivit »en vagga för sann borgerlig frihet och jemlikhet och för nya, menniskoslägtet lyckliggörande samhällsidéer?«

Åtskilliga svenskar hade förstås korsat Atlanten tidigare. Men Gustaf Unonius hör ändå till den svenska Amerikaemigrationens verkliga pionjärer. Han verkar ha varit den förste att utvandra efter hävandet av den lag som tidigare krävt ett tillstånd från kungamakten, och han kallade sig själv gärna »den förste utvandraren«, även om det knappast stämde riktigt med verkligheten. Men han kom att spela en inte obetydlig roll som inspiratör. Det är ingen tvekan om att han lockade andra att följa i hans fot-

239

spår, så hans egen Amerikaresa kan ändå i viss bemärkelse sägas utgöra startskottet för 1800-talets massutvandring.

Unonius hade mycket lite gemensamt med den schablon som med tiden formats av den svenske utvandraren – den strävsamme bonden som likt Vilhelm Mobergs Karl Oskar och Kristina tvingades bryta upp från hemlandets kära torva och under stora umbäranden reste över havet för att bryta ny mark och kunna tjäna ett levebröd.

Gustaf Unonius hade knappast någon erfarenhet av det fattiga livet på landet. Född i Helsingfors 1810, i en välbärgad svensk familj som flyttade tillbaka till Sverige när Finland kom under rysk överhöghet, tycktes hans framtid väl utstakad. Hans far hade siktet inställt på en militär karriär för sonen som skickades till Karlbergs kadettskola i Stockholm. Den unge Unonius trivdes dock inget vidare med det militära livet och han bestämde sig istället för att bli student i Uppsala.

Det var en tillvaro som passade honom alldeles utmärkt. Han ägnade sig åt högre studier i såväl juridik som medicin, men vid uppbrottet från Sverige visste han att vad han framförallt skulle sakna från Uppsalatiden var »valborgsmessofester, Östgötha nations gillen och *friskt slår vårt hjerta och lifsådern svallar*«. Han hade sjungit och skålat utan att tänka så mycket på karriären och hade han själv fått välja skulle han vilja »förblifva student så länge jag levde«. Men nu var han som sagt på väg att fylla trettioett år, och hans akademiska studier hade inte lett honom längre än till länets landskontor, där han som lägre tjänsteman utförde trista och enkla rutinuppgifter, den sorts befattning som enligt hans egen beskrivning kunde utgöra »ett högst ledsamt och sorgligt kapitel i mången ung mans lefnadsbeskrivning«.

Även om Unonius möjligen kunde hämta tröst i att han inte var ensam i sitt öde såg han dystert på framtiden. Han var missnöjd och bitter med sin lott; försökte inte dölja att »jag i fäderneslandets närvarande institutioner och samhällsförhållanden finner så mycket lappadt, hopkrumpet och ömkligt, att jag känner föga lust, att sjelf blifva en trasa i byket«. Förhoppningar om att slå igenom som poet och författare hade grusats när hans alster flera gånger blivit refuserade. Han tjänade för dåligt, såg inga omedelbara möjligheter till befordran och han var dessutom nygift med en ung hustru att försörja.

Så varför inte Amerika? Han hade hört att dess »rika jord, dess industriella framåtskridande bjuder just nu åt tusende Europeer, hvilka i sina hemland på ett eller annat sätt funnit sig gäckade i sina förhoppningar, hem, bergning och en oberoende lefnadsställning«. Men han hade faktiskt också visat intresse för USA redan under den tidiga skoltiden och han hade läst sin Tocqueville, även tagit in kritiska röster som Frances Trollope och det kunde rentav verka som om han kände sig manad att rätta till skeva föreställningar genom att själv förmedla en mer positiv bild av Amerika till svenskarna. När han väl gick iland i New York noterade han i alla fall med viss sarkasm: »Hvad så många resebeskrifvare berättat om den första landstigningen i New York, om hamnbryggornas och de jemte desamma löpande gatornas vämjeliga osnygghet, om hjordar av svin och armeer af råttor, genom hvilka man har att bana sin väg i den fotdjupa smutsen, om de föga intagande, utan snarare ruskiga husen, som äro uppbygda närmast kajen; allt detta torde väl till en del vara sannt, men idag åtminstone undgick det alldeles min uppmärksamhet.«

*

Hur som helst var förväntningarna högt spända när färden till slut gick från Högsta gästgivaregård mot Gävle där Gustaf Unonius bokat plats till New York på skeppet *Minnet*. Vid sin sida hade Gustaf Unonius inte bara sin tjugoåriga hustru Charlotta. I vagnen som färdades norrut fanns även den tjugoettårige studenten Iwar Hagberg, som länge funderat på att emigrera till Amerika och nu gjorde slag i saken när han gavs möjlighet att följa med på en inbokad resa. Unonius släkting Carl Groth, även han i tjugoårsåldern, hade också i sista stund bestämt sig för att komma med. Groth beskrevs som »stark, härdad«, och Unonius var glad över att det fanns någon i gruppen med viss vana vid kroppsarbete och därmed bättre rustad för nybyggarliv.

Därtill medföljde den trettioåriga hushållerskan Christine som tidigare varit i tjänst hos Gustaf Unonius svärföräldrar men nu

var en fullvärdig medlem av ressällskapet. För att förbereda sig på den republikanska jämlikhet han väntade sig finna i USA, hade Unonius redan inför Amerikaresan i alla fall den uttalade ambitionen att tona ned rådande ståndsskillnader. Den sjätte medlemmen i ressällskapet var hunden Fille som var så ointresserad av att utvandra att det inte fanns någon annan lösning än att han »måste föras i band för att uppnå frihetens land«.

Sällskapet medförde ett mycket stort bagage, kistor och koffertar som fyllde en hel extra vagn trots att en del redan skickats i förväg till Gävle. Det skulle innebära en hel del besvär under den långa resan, med utlägg för övervikt och fortsatta transporter. Det skulle också så småningom visa sig att mycket av det tyngande bagaget var helt onödigt. En del hade gått att köpa till lägre pris i USA och annat var sådant som inte alls behövdes bland nybyggarpionjärer i Amerika. På plats i den ödsliga vildmarken i Wisconsin lyckades de hur som helst med konststycket att byta en medhavd frack mot något lite mer praktiskt – en välgödd gris plus några skäppor majs och potatis.

På väg in i Gävle var det oundvikligt att ekipaget väckte viss uppmärksamhet. Ett ordentligt vapenförråd fanns med i packningen och ett dussintal bössor av olika slag, samt diverse pistoler och sablar var väl synliga. De tre männen hade också av någon anledning valt att alla klä sig i röda halsdukar och halmhattar med vida brätten. Det var inte så konstigt om en och annan Gävlebo trodde att det var ett resande teatersällskap på ingång snarare än en grupp emigranter på väg mot Amerika.

I Gävle gav skeppets kapten besked om att det skulle dröja med avresan. *Minnet* var ingen passagerarbåt utan skulle segla över Atlanten med en frakt av stångjärn och skeppet var ännu inte lastat och klart. Dåliga vindar fördröjde sedan avfärden ytterligare. Det var inte förrän den 3 juni som båten lämnade hamnen.

Den långa resan över havet – det tog drygt tre månader att nå New York – var inte utan svår sjögång och andra strapatser.

Gustaf Unonius blev en av de svenska nybyggarpionjärerna
när han 1841 bröt ny mark i Wisconsin.

Men Unonius sällskap färdades ändå i en komfort som andra utvandrare bara kunde drömma om när de packades ihop i trånga och ohygieniska utrymmen under däck. Gustaf Unonius kunde inkvartera sig själv och sitt sällskap i en rymlig kajuta som han liknade vid en våning, utformad som ett lusthus. Det fanns gott om utrymme för proviant och allt bagage. Ett yttre rum disponerades av Iwar Hagberg och Carl Groth. Bakom nästa dörr fanns hushållerskan Christines sovrum som på dagtid fungerade som en »treflig salong med sin välstoppade divan, sin trymå, byrå och öfriga möblemang«. Unonius kunde sedan nöjt konstatera att det innanför salongen fanns ytterligare ett rum, »nemligen en beqväm sängkammare, hvars möblering lemnade det nygifta äkta paret föga öfrigt att önska«.

Den ende passageraren i övrigt ombord på *Minnet* var Wilhelm Pohlman som Unonius kände igen från universitetstiden, främst från Westmanlands och Dala nation. Pohlman hade studerat medicin men hade nu plötsligt bestämt sig för att utvandra till USA utan att ha några fastare planer.

Även Gustaf Unonius och hans sällskap var i högsta grad osäkra på vad de skulle ta sig för när de till slut gick iland i New York, den 10 september 1841. De talade knappast någon engelska och visste bara att de skulle ta sig vidare någonstans till de nya territorierna i vad som då kallades nordvästra USA och som idag är en del av Mellanvästern.

Något exakt mål fanns inte. En vecka tillbringades på ett pensionat i New York och Unonius gjorde sitt bästa för att tolka sina observationer av livet i den nya storstaden på ett positivt sätt. Visst, det kunde nog finnas både »råhet i seder och bristande lefnadsvett«, som flera Amerikaresenärer före honom rapporterat om, men om detta märktes var det nog bara för att den sociala klassindelningen hade upplösts. USA:s mindre goda sidor framstod i ett annat ljus om man tänkte efter hur det skulle vara att i Sverige under en längre tid leva jämsides med »den lägre arbetande klassen«. Felet som den bildade europeiske besökaren gjorde var enligt Unonius att i Amerika begära för mycket av »den obildade klassen, som mången gång, jag medgifver det, uppträder med ett slags anspråk på att vara lika god som den bildade. Han glömmer här att denna klass motsvarar den lägre klassen i Europa, med hvilken den egentligen borde jemföras, i stället för att, som nu sker, den jemföres med de bättre, ja till och med de högre samhällsklasserna derstädes, på hvilken den naturligtvis förlorar, då den deremot i förra fallet obestridligen skulle vinna.«

Det svenska klasstänkandet satt mycket djupt, även hos en tidig utvandrare som lockats av jämlikhetsidealen när han hade bestämt sig för att överge fosterlandet för att söka lyckan i den nya världen.

*

I New York upptäckte Unonius att det inte var helt lätt att få råd och anvisningar om den vidare resan västerut. Han hade fortfarande oklara begrepp om vad som krävdes och vart de egentligen skulle ta vägen. Efter att ha gjort av med mer än beräknat av den medhavda reskassan – det fanns nog folk som hjälpte till, men de ville också ha betalt – stötte han ihop med en svensk som uppmanade sina landsmän att slå sig ned i Illinois. Där fanns det gott om bördig och lättodlad mark i trakter som beskrevs som bland de vackraste i världen.

Sagt och gjort. Unonius gjorde upp med ett transportkompani om en resa som skulle ta hans sällskap hela vägen till Chicago, utefter en rutt som många av de tidiga svenska Amerikaemigranterna skulle följa efter att de anlänt till New York. Järnvägarna hade ännu inte nått de västliga territorierna och att ta sig fram med häst och vagn på dåliga vägar var knappast något alternativ för så långa sträckor. Så den 17 september gick de ombord på ångbåten *Rochester* som tog dem uppför Hudsonfloden till Albany, delstaten New Yorks huvudstad. Där gick återigen den ena dollarn efter den andra när alla koffertar skulle lastas om och lämnas till förvaring. Avgiften för övervikt var särskilt betungande när resan sedan gick vidare med en enklare kanalbåt. Färden gick i högst maklig takt utefter Eriekanalen, den vattenled som sedan 1825 förband New York och Atlantkusten med de nya jordbruksområdena västerut. Det tog åtta dagar att nå staden Buffalo och de stora sjöarna.

När de sedan fortsatte resan med ångbåt över Lake Erie, Lake Huron och in i Lake Michigan uppstod ett problem i och med att det inte gick att få plats i första klass utan de tvingades ned under däck till andra klass och dess synnerligen enkla sovplatser i trånga utrymmen. Istället för att vistas bland »de elegantare Ladies and Gentlemennen« på övre däck, där Unonius kände att de hörde hemma, fick de hålla till godo bland simpla invandrare, varav många var tyska och irländska arbetare. Kanske var det ett avgörande skäl till att det svenska sällskapet aldrig kom att fortsätta till båtens slutmål trots att de löst biljetter ända fram till Chicago.

I vilket fall kände Gustaf Unonius att han fått nog när ångbåten ankrade utanför den lilla och nyligen anlagda staden Milwaukee i Wisconsinterritoriet. I vad som verkar ha varit ett plötsligt infall meddelade han kaptenen att de ville gå iland med alla sina tillhörigheter. Det hade definitivt inte funnits med i deras tidigare planer. När Unonius först kom till Amerika hade han enligt egen utsago aldrig ens hört talas om vare sig Milwaukee eller Wisconsin, territoriet som då ännu inte var en delstat och vid 1840 års folkräkning inte hade mer än drygt 30 000 invånare. Nu fördes de mot främmande land i en mindre båt och det var mitt i natten när de gick iland, men de hade tur nog att ändå få rum på vad som då räknades som Milwaukees bästa hotell.

De visste inte om det fanns några svenskar på plats, kände inte någon överhuvudtaget och hade just ingen aning om var de nu skulle bosätta sig. Men andra invandrare – främst tyskar och norrmän – hade kommit före och Gustaf Unonius hade sällan hört så välljudande toner som när en ung överraskad kvinna på ett värdshus utbrast: »De ere da saa Gud Svenske Folk!«

Som om inte norska språket vore nog blev situationen ännu bättre när hon kunde berätta att det just då faktiskt fanns en svensk som vistades i Milwaukee, en kapten Lange som kommit till USA så tidigt som 1824 och alltså redan tillbringat åtskilliga år i Amerika. Han var bland de första invandrarna som slagit sig ned i Chicago, och han hade lärt sig språket och skaffat kunskaper om de förhållanden som gällde i landet.

Turen stod på deras sida. Olof Gottfrid Lange kunde hjälpa till med information och kontakter. Det fanns gott om ledig mark. Den 7 oktober gav sig Unonius tillsammans med sina manliga medresenärer ut på upptäcktsfärd i den färggranna höstskogen. Efter långa vandringar genom det fortfarande till stora delar obrutna landskapet kom de till stranden till en insjö som indianbefolkningen i området från början kallat *Cheneqva* och som på engelska blivit Pine Lake, Tallsjön.

Landet de såg var, tyckte de, oändligt vackert, den grannaste trakt de kunde tänka sig. Utan några längre överläggningar bestämde de att detta var platsen för ett »trefligt hem, och der ibland ekar, bokar och hickoryträd den vintergröna tallen, fridlyst för yxan, skulle stå för våra ögon som en kär erinring af furuskogarna i vårt fädernesland«. En tomt intecknades och registrerades. De hade nu laglig rätt att bebo och odla marken för egen del. Med tanke på att reskassan vid det här laget blivit tämligen skral var det ett lyckokast att marken redan upplåtits till ett bolag som tidigare planerat att bygga en kanal genom området. Marken gick inte att förvärva enligt den rådande förköpslag som nybyggare kunde hänvisa till när de hittat obebodd mark. Det var därmed inte nödvändigt att omedelbart betala någon köpeskilling. Men eftersom kanalbygget försenats och övergetts av bolaget verkade det så gott som säkert att det skulle förlora äganderätten inom några år när dess avtal om att utveckla området löpte ut.

Här skulle de alltså slå ned sina bopålar, odla marken och bygga ett enkelt hus. Unonius berättade senare om vilka rikedomar som fanns i naturen och hur det egentligen bara var att ta för sig. I skogen fanns ett överflöd av hjortar, harar och kaniner, fasaner och präriehönor. Det fanns gott om bär och vilda frukter som äpplen och plommon. I sjön var fisken lättfångad.

Inför framtiden kunde Gustaf Unonius nu drömma om hur andra svenska utvandrare skulle följa efter och slå sig ned i området. Det var nära till stora tankar. Kunde inte detta bli en bosättning som skulle kunna bli grunden för ett *New Upsala* i den nya världen? Samtidigt kunde han inte annat än att också känna sig lite ödmjuk. Han såg de enkla timmerhus som nybyggare i trakten uppfört och tänkte med viss bävan att det var det bästa han nu kunde erbjuda sin unga hustru.

Redan före ankomsten till Wisconsin hade det också slagit honom att han gett sig in på ett vådligt projekt. Han var, tillsammans med sina reskamrater, ensam i en främmande värld som han egentligen helt saknade kunskaper om: »Jag insåg hela vidden af det äfventyrliga i vårt företag.«

Så vad kan ha drivit honom? Det var inte fattigdom och misär hemma i Sverige. Även om han varit bitter över att inte ha förverkligat sina egna ambitioner gick det ingen nöd på honom. Väl i Amerika borde det ha funnits andra, mer lämpliga sysselsättningar än att helt utan erfarenheter ge sig på den hårda tillvaron att som nybyggare bryta ny mark i en ännu otämjd natur.

*

Gustaf Unonius var en beläst man och det är inte osannolikt att han studerat och blivit påverkad av Jean-Jacques Rousseau, vars naturromantiska idéer hade ett betydande genomslag i Sverige under det tidiga 1800-talet, inte minst bland intellektuella och inom de övre samhällsklasserna. Rousseau hade också i sin tur påverkats av Uppsalabon Carl von Linné. Den franske upplysningsfilosofen predikade det civilisationskritiska budskapet »Tillbaka till naturen«. I motsats till andra upplysningsfilosofer var det hans övertygelse att människans frihet gått förlorad när vetenskap, teknik och konst vunnit terräng. Det gällde att bryta bojorna och i samspel med naturen återta ett enklare liv som kunde fyllas med njutning och lycka.

Redan Gustav III hade imponerats av Rousseaus naturlära. Det var efter ett möte med filosofen i Paris som den svenske kungen inspirerades att anlägga Hagaparken i Stockholm. Entusiasmen från Gustav III:s sida framstår ändå knappast som självklar. Rousseau hade trots allt tidigare, 1762, gett ut sitt kanske mest kända verk, *Om samhällsfördraget*, där han både gick till angrepp mot religionen och förespråkade ett jämlikt samhälle, ett samhälle där allmänviljan skulle råda i ett slags direktdemokrati och utan några individuella anspråk från medborgarnas sida.

Det var också Rousseaus ande som vilade över en lovande trettioårig författare när han abrupt lämnade en tjänst som kanslist på ecklesiastikexpeditionen i Stockholm och den 15 januari 1824 gav sig iväg för att leva närmare naturen. Carl Jonas Love Almqvist hade vuxit upp med Rousseau, som var en av hans mors favoritförfattare. Han kunde själv säga att han var splittrad i två själar, en poetisk själ som han fått från modern Birgitta Lovisa Gjörwell, och en kamrerssjäl som kom från hans mer strikte far, krigskommissarien Carl Gustaf Almqvist.

Det måste ha varit den poetiska sidan som vägde tyngst när han tog det drastiska beslutet att lämna storstaden. Vad han nu visste var att han ville bort från ett liv som han tyckte var fyllt av korruption och förkonstling. Det skulle vara slut med kompromisser. Almqvist tog sig nu inte så långt som till vildmarken i den amerikanska Mellanvästern, men väl till de djupa skogarna i västra Värmland. Han köpte ett stycke mark i Köla socken, flyttade in i en enkel stuga och gifte sig med sin partner sedan många år, Anna Maria Andersdotter Lundström, som i *Nordisk familjebok* från början av 1900-talet beskrevs som »en bondflicka«. Han skulle nu förverkliga sin idealiserade dröm om att uppnå en ny frihet och en sann gemenskap genom kroppsarbete och ett liv i samklang med naturen. Almqvist förklarade själv att han nu »öfvergaf hela det konventionella lifvet, icke blott i litterärt afseende, utan ock i lefnadssätt, och nedsatte mig i en landsort, alls icke som herre, utan på ett ganska reelt åkerbrukarevis, utförande arbetet med egna händer«. Almqvist bytte sina mer eleganta storstadskläder mot en simplare utstyrsel och han kallade sig nu i all enkelhet bara för Love Carlsson.

Ambitionen må ha varit uppriktig men Värmlandsäventyret varade inte särskilt länge. Han fann aldrig det Utopia han sökt och återvände besviken till Stockholm mot slutet av sommaren 1826 och återupptog, inte utan möda, sin skrivarbana. Det naturnära experimentet var över.

När han till slut kom till Amerika var det inte med drömmar om att bryta ny mark som nybyggarpionjär, utan för att han var en flykting i exil. Författaren till *Det går an* och en rad andra kända verk brottades med en usel privatekonomi och var misstänkt för att ha försökt giftmörda en kreditgivare. Under Amerikavistelsen – som varade fram till 1865, året innan han dog i Tyskland – vistades Almqvist mest i Philadelphia och andra städer. Om han hade fått möjligheten att träffa Gustaf Unonius i USA hade de säkert kunnat utbyta erfarenheter om svårigheterna att leva upp till Rousseaus naturromantiska ideal.

De var under 1800-talets första hälft långt ifrån ensamma om att hysa detta fåfänga hopp om att finna ett nytt lyckorike nära naturen, och USA var den perfekta platsen för utopiska projiceringar. Det fanns fortfarande stora outforskade områden och god tillgång på billig mark. Det var ett land i rörelse, drivet av en pionjäranda med en ständigt ökande skara nybyggare som skapade nya bosättningar allt längre västerut. De första invandrarna från Europa – de engelska puritanerna – hade sett sig själva som ett av Gud utvalt folk med rätten att skapa en ny tillvaro i ett förlovat land. Idén om en amerikansk exceptionalism hade stark livskraft. Amerika var i sig ett löfte och därmed lätt att idealisera. Under 1800-talets romantiska epok hade Rousseau, för den som så ville, redan bidragit med en filosofisk underbyggnad.

*

Gustaf Unonius tog sig i alla fall till en början an det nya livet i Wisconsins vildmark med betydande entusiasm. Det är i och för sig möjligt att han förskönade den strävsamma tillvaron en aning när han senare skrev ned sina erinringar från nybyggartiden. De levde trots allt under tämligen primitiva förhållanden. Hela sällskapet samsades i det enkla timmerhus som byggdes. Men sitt handlag med de införskaffade husdjuren beskrev Unonius med stolthet, han kunde rentav se sig själv som skådespelare på en scen där han kommenderade sina oxar med en i eget tycke »beundransvärd skicklighet«. Han tänkte tillbaka på studenttiden i Uppsala och tycktes förvissad om att hade det funnits en publik så skulle han ha hyllats med dundrande applåder: »Jag önskade mången gång att, någon af mina gamla bröder i Apollo och Thalia hade sett och hört mig, sittande på mitt oxlass, utvecklande min deklamatoriska förmåga genom att ideligen och med mycken pathos utropa mitt *Dji!*, *Ha!* och *Go Along!* samt, gestikulerande

KUNGÖRELSE.

Som Regements-Pastorn Carl Jonas Ludvig Almqvist, hvilken blifvit ställd under tilltal för bedrägeri och försök till mord genom förgiftning, icke kunnat här i Staden anträffas, utan, efter hvad numera blifvit upplyst, sistlidne Onsdag den 11 i denna månad härifrån afvikit, hvarvid Almqvist, som icke varit försedd med pass eller permission, tagit vägen på ångbåt till Örebro, och derifrån på diligence till lastageplatsen Hult; Alltså varder ofvanbemälde Almqvist härigenom allmänneligen efterlyst, med uppmaning till en hvar, som om hans vistelseort har eller får någon kännedom, att derom hos Öfver-Ståthållare-Embetet ofördröjligen göra anmälan; Och anmodas Konungens Befallningshafvande i Rikets öfrige Län, att enahanda efterlysning utfärda, samt, i händelse Almqvist varder anträffad, låta honom gripas och på fångskjuts hit afföras, för att befordras till ransakning för omförmäldte brott. Stockholm den 16 Juni 1851.

JACOB HAMILTON.

O. B. Hult.

STOCKHOLM, 1851.
P. A. Norstedt & Söner, Kongl. Boktryckare.

med det väldiga besnärtade piskskaftet, åstadkomma en verklig scenisk knalleffekt, i ordets egentliga bemärkelse.«

Det verkar också som om Unonius redan från början var inställd på att marknadsföra sin nya hemtrakt i Wisconsin till potentiella utvandrare i Sverige. Som bröderna Friman – som bosatt sig längre söderut i Wisconsin – tidigare konstaterat hade strömmen av invandrare till territoriet stadigt ökat, men det var i första hand tyskar och en del norrmän och irländare. Unonius träffade vid åtminstone ett tillfälle Carl Johan Friman när denne dök upp på egendomen med ett meddelande från kapten Lange. Men i övrigt syntes inga svenskar till. Det var något Unonius uppenbarligen ville ändra på. Redan den 5 januari 1842 – bara ett par månader efter att de slagit sig ned vid Pine Lake – publicerades i *Aftonbladet* hans första redogörelse om nybyggarlivet, vilket var före bröderna Frimans brev till deras far i Västergötland kom in i tidningen. Med tanke på att posten från Wisconsin och över Atlanten vid denna tid måste ha tagit åtskilliga veckor i anspråk kan Unonius inte ha väntat särskilt många dagar innan han kände sig manad att dela sina intryck med en svensk läsekrets.

Hans redogörelse över sin då korta tid i Amerika visar att Unonius inte bara var mycket mån om att själv ge en positiv bild av USA. Han ville också korrigera vad han såg som orättvisa och felaktiga rapporter och slog fast att han redan var kapabel att visa vilka villfarelser som kommit från Frances Trollope och andra kritiska europeiska Amerikaresenärer. Han gav praktiska råd om utvandring och beskrev lyriskt förhållandena i vad han påstod vara *New Upsala*: »Vi lefva fria och oberoende i en af de skönaste nejder, jordytan kan erbjuda.« Jorden var den bästa och bördigaste som stod att finna och det fanns goda möjligheter till jakt och fiske. En emigrant måste dock vara beredd till hårt arbete; det fanns trots allt anledning att varna för »alla öfverdrivna förhoppningar och gyldene luftslott«. Men synen på arbete och jämlikhet i det republikanska statsskicket gav samtidigt nya möjligheter: »Här blyges man ej arbetet. Gentlemannen och arbetaren, båda arbeta de« och den förnedrande benämningen »sämre folk« finns inte här för »andra än dem, som till sin inre halt förtjena den«.

Bara några månader senare återkom Unonius med en ny utförlig redogörelse om livet i den nya världen, och han konstaterade nu att »jag har i friheten, oberoendet och jemlikheten funnit en af min ungdoms djervaste drömmar realiserad«. Det var inte längre någon tvekan om att han blivit en anhängare av ett republikanskt och demokratiskt statsskick: »Jag medgifver gerna, att här finnas brister att klandra, mycket, som tarfvar förbättring; men jag är dock öfvertygad, att Amerika kommit närmare det mål, som naturen sjelf tycks ha föreskrifvit för ett folks sanna välstånd och lycka, än något annat land i verlden.«

*

Gustaf Unonius visste vad han gjorde och idag skulle han säkert ha betraktats som en skicklig pr-man. När allt fler invandrare strömmade in i Wisconsin visste han att »tidningsskrifvares, spekulanters och jordinnehafvares puffar hade lyckats förträffligt«. Folk talade på olika språk och de hade kommit för att *there was no better country in the world*. Markpriserna var på väg upp. Även om han sökte ett naturromantiskt Utopia var han knappast främmande för att samtidigt tjäna pengar. Det dröjde heller inte länge förrän han hörde svenska röster i sin omgivning, liksom en del norska och danska. Bland de första svenskar som presenterade sig för Unonius fanns en baron Thott från Skåne, en herr Bergwall från Göteborg och köpmannen Wadman från Norrköping.

Det var inte fattiga bönder från den svenska landsbygden som skulle utvidga kretsen av svenska invandrare vid Pine Lake, i vad som egentligen blev den första svenska bosättningen i Nordamerika sedan kolonin Nya Sverige hade grundats vid Delawarefloden drygt tvåhundra år tidigare. Det var snarare personliga misslyckanden i hemlandet eller ren äventyrslusta som utgjorde drivkraften bakom den långa färden över Atlanten och vidare västerut. Senare kunde bosättningens invånare av en historiker beskrivas som »mest medelklass, arméofficerare, dekadenta adelsmän och universitetsstudenter«. De hade det gemensamt att de var ovana vid hårt kroppsarbete.

Även om en del hade med sig åtminstone en mindre förmögenhet som grundplåt för en ny tillvaro var de på andra sätt som regel illa rustade för ett pionjärliv i nybyggarmarker. Unonius berättade själv om en man som råkat i ekonomisk olycka i Sverige och kommit till USA i hopp om att tjäna pengar och kunna ta över sin familj. Men »såsom f.d. tjensteman i Sverige, var han ovan vid kroppsligt arbete och dessutom redan något till åren, då han utvandrade. Fastän en man med bildning och kunskaper, kunde han ej endast med dessa kunskaper här erhålla sin bergning.« Det var inget ovanligt att svenskar som kom hade flytt från kreditgivare. En annan svensk omnämndes av Unonius bara som »P« eftersom »hans antecedentia i Sverige voro af den beskaffenhet, att han sett sig föranlåten antaga ett annat namn«. Vad än »P« gjort i Sverige lyckades han i alla fall lära sig ett nytt hantverk och kunde få en utkomst som skomakare vid Pine Lake.

Efterhand insåg Unonius också att det gällde att sluta tänka i banor av ståndshierarkier och skråväsende om man ville lyckas som invandrare i Amerika. Liksom Tocqueville förvånades han, till och med förskräcktes, av det frihetstänkande som i det nya landet manifesterades i en aldrig tidigare skådad social rörlighet. I hans lätt överdrivna beskrivning gick det inte att ta något för givet: »Den, som idag är murare, är måhända i morgon doktor, i öfvermorgon skomakare, och kanske dagen derpå matros eller apotekare, kypare eller skolmästare.«

Denna frihet kunde vara överväldigande för nykomlingar som varit vana vid det medeltida klassystem som fortfarande levde kvar i Sverige. Unonius kunde hysa viss medkänsla med invandrare från högre samhällsklasser som kom till Amerika och för att klara försörjningen kanske tvingades till enkla sysslor, som att hugga ved eller bli uppassare på något hotell.

Även om han själv tidigt övergett planerna på en militär karriär var Unonius medveten om vad den skulle ha inneburit i form av social status i Sverige. Men han visste nu också att i USA var en officerskarriär inte samma självklara väg till avancemang: »Det är alldeles icke någonting sällsynt, att finna f.d. svenska officerare och andra af samma samhällsklass genomgå en så beskaffad gradpassering, som har det olyckliga med sig, att den sällan eller aldrig åtföljes af avancement till någonting bättre.«

En dag 1842, mindre än ett år efter att de anlänt till Pine Lake, var Unonius ute på sjön för att hämta in fisk till middag, när han på stranden till sin stora förvåning upptäckte »en ung, ståtlig herre, hvars hela yttre hållning utvisade en svensk militär«. Det visade sig vara Polycarp von Schneidau, en svensk adelsman och före detta löjtnant vid Svea artilleriregemente som rört sig i de högsta sociala kretsarna kring hovet i Stockholm. Han var vän med kronprins Oscar och hade tidigare varit adjutant hos kung Karl XIV Johan. I yngre dagar hade Schneidau och Unonius setts på baler och skålat tillsammans. Det hade nu gått fjorton år sedan de senast sågs och återseendet blev hjärtligt.

Det visade sig att Schneidau hade bestämt sig för att utvandra när han känt sig utfryst av det egna etablissemanget hemma i Sverige. Han hade kränkt rådande sociala normer – både inom sin aristokratiska familj och inom militären – genom att gifta sig med en judinna, Carolina Elisabeth Jacobsson, som var dotter till en köpman i Stockholm. Inspirationen att ta sig ända till Wisconsinterritoriet i Amerika hade kommit från de tidningsartiklar Gustaf Unonius fått publicerade i *Aftonbladet*.

Unonius hade inte bara svårt att dölja sin överraskning utan kände sig också genererad och även lite skyldig, för Schneidau »var en ibland dem, som jag minst kunde vänta mig att få se utvandra till Amerika, för att der nedsätta sig som nybyggare, – något, hvartill han också minst af allt var passande«.

Det var därmed inte utan viss nervositet som Unonius bjöd in Schneidau till sin enkla stuga. Om den svenske adelsmannen tog situationen med fattning blev det större uppståndelse när hans hustru och svåger anslöt sig till sällskapet. Den unga hustrun, som hade väntat sig att komma till ett bättre gods på landet, blev förfärad över den enkla boningen med dess obarkade stockar och illa klädda människor. Hon förklarade bestämt att hon omedelbart tänkte återvända till Stockholm. Gråtande uppmanade hon Unonius hustru Charlotta att följa med och förklarade för henne att »ni kan icke vara lycklig här – vill ni som jag, så sätta vi oss genast upp i vagnen, fara härifrån och lemna

de där herrarna, som fört oss in i en sådan olycklig belägenhet, att sköta sig sjelfva«.

Men Polycarp von Schneidaus hustru stannade ändå vid sin mans sida när han införskaffade ett stycke mark i närheten och väjde inte för det grovarbete det medförde. De stannade en tid och härdade ut under vad som måste ha varit rätt svåra umbäranden i förhållande till den tillvaro de varit vana vid i Stockholm. De var inte alls lämpade för det hårda nybyggarlivet, de hade ont om pengar och när Schneidau skadade ett ben fick han svårt att utföra nödvändiga sysslor.

Tillvaron vid Pine Lake blev ganska kortvarig. Så småningom, under 1844, fick de via kontakter hjälp att flytta till Chicago där Schneidau fick en för honom mer passande sysselsättning som lärare i franska, tyska, gymnastik, fäktning samt dans. Han fick samtidigt möjlighet att lära sig dagerrotypi, en ny teknik som ledde honom in på en ny karriär som fotograf. Det gjorde honom till en framträdande man i den växande svenskkolonin i Chicago, där han också blev konsul för Sverige och Norge. Sommaren 1858 tog han ett av de första bevarade fotografierna av en av delstaten Illinois mest framträdande politiker, den blivande presidenten Abraham Lincoln. Porträttet har berömts för att det fångade den intellektuella sidan av Lincoln; det har sagts att han på bilden ser ut som om han just vunnit en diskussion med de bästa argumenten.

Så småningom bröt även andra invandrare upp från kolonin vid Pine Lake, jordbruket hade aldrig blivit lönsamt och de sökte sig bort från det nybyggarliv de aldrig passat för. Merparten av de svenska pionjärer som kommit till Wisconsin spreds åt olika håll. De nya framväxande städerna i regionen lockade. En del hamnade i närbelägna Milwaukee eller flyttade till Chicago. Carl Groth tog sig ända till New Orleans där han etablerade en affärsverksamhet som försäljare av cigarrer och tidningar.

När Fredrika Bremer hösten 1850 besökte Pine Lake fanns

Ett av de äldsta bevarade fotografierna av Abraham Lincoln, taget av den svenske utvandraren Polycarp von Schneidau.

inte mycket kvar av den högtflygande visionen om ett *New Upsala*. Hon såg ut över nejden och beskrev den som »ljuf och skön; svenskt vacker, ty mörka tallar stodo bland löfträden, såsom vid våra sjöar, der necken sitter i månljuset, spelar harpa och sjunger under de gröna hvalfven«. Men det hade inte räckt för att infria de förhoppningar som funnits. Nästan alla nybyggarna hade övergett kolonin. Nu fanns inte mer än ett halvdussin svenska jordbrukarfamiljer kvar: »Ack! den vilda marken ville ej bära Upsalas söner. Jag såg de öde husen, der han (Unonius) och Schneidau fåfängt kämpade med nöden och försökte att lefva.«

Gustaf Unonius tog illa vid sig av den beskrivning som förmedlades av Fredrika Bremer, vars författarskap han annars beundrade. Bremer vidarebefordrade uppfattningen att Unonius kommit till Wisconsin för att »der införa och lefva ett arkadiskt herde-lif«, förverkligandet av en dröm om en oskuldsfull och kanske också lustfylld idyll bortom civilisationens alla krav. Unonius hade svårt att acceptera att hans strävsamma pionjärliv som nybyggare inte verkade tas riktigt på allvar, att tillvaron vid Pine Lake rentav uppfattades som lite lättsinnig: »Jag är ledsen att nödgas säga, att den snillrika förf. har med sin poetiska fantasi så omspunnit sanningen, att den blifvit alldeles oigenkännlig för den, hvilken, i likhet med mig, råkar vara närmare bekant med förhållandena och sjelf upplefvat det lif, hon skildrar.«

Faktum var att Unonius övergett Pine Lake 1848, två år före Bremers besök. Trots att han under studietiden i Uppsala aldrig visat något större intresse för en kyrklig karriär hade han efter inte mer än två år som nybyggare redan 1843 kommit till insikt om att han nog passade bättre som religiös förkunnare. Under påverkan av Lloyd Breck, en präst som gett sig ut för att predika i Wisconsins nybyggarland, blev Unonius prästvigd i episkopalkyrkan. Valet av församling var inte helt oproblematiskt, skulle det visa sig. Även om episkopalkyrkan var protestantisk var den ändå inte helt förenlig med den svenska kyrkans rena lutherska lära.

*

I och med att utvandringen från Sverige börjat ta fart, om än fortfarande i mindre skala, blev också statskyrkans ledning mer bekymrad över vad som hände med de själar som förlorades västerut. De som gav sig iväg var trots allt utlämnade till allehanda nya intryck, lockelser och villfarelser. Det fanns en uppenbar risk att emigranterna skulle lockas av helt nya religiösa samfund och sekter eller att de skulle förledas att ge upp sin religiösa tro helt och hållet, vilket möjligen men inte helt säkert var ännu värre.

Som ledare för en ny svensk episkopalförsamling vid Pine Lake var det ofrånkomligt att Unonius omedelbart kom att brottas med motsättningar och inre splittring. Han uppfattades helt enkelt som alltför kontroversiell av de nybyggare som ville hålla fast vid sitt hemlands lutherska lära, samtidigt som andra var öppna för nya trosriktningar som då växte fram i Amerika.

Efter några år, som tycks ha varit fyllda av svårigheter, fann Unonius för gott att lämna Pine Lake. Han valde att flytta längre ut i vildmarken i norra Wisconsin, till det lilla nybyggarsamhället Manitowoc. Men hoppet om en bättre framtid var en illusion. Det fanns inget större intresse för själavård bland människorna på platsen. Redan året därpå, 1849, bröt han upp på nytt, fast besluten att ta sig an den växande skara svenskar som nu börjat anlända till Chicago.

I Chicago blev Unonius ledare för församlingen Saint Ansgarius och grundade vad som räknats som den svenska episkopalkyrkan i USA. Han var till att börja med relativt framgångsrik, delvis för att han kunde fylla ett tomrum i och med att det ännu inte fanns någon svensk luthersk församling i staden. Kyrkan uppfördes med ekonomiskt stöd från sångerskan Jenny Lind, »den svenska näktergalen«, som då blivit enormt populär genom sina framträdanden i USA.

Men en svensk luthersk kyrka skulle snart vara under uppbyggnad i Chicago. Nya församlingar grundades även på andra håll i Mellanvästerns invandrartrakter. Redan samma år som Unonius kom till Chicago lämnade prästen Lars Paul Esbjörn Sverige och flera andra lutheranska präster skulle på hans uppmaning snart följa honom över Atlanten. Nya församlingar organiserades och de kom senare att samlas i Augustanasynoden som såg det som sin uppgift att slå vakt om de utvandrade svenskarnas religiösa identitet i den nya världen. I Chicago bildades 1853 en svensk luthersk församling under ledning av den nyanlände prästen Erland Carlsson.

I en hårdnande konkurrens om själarna kom Unonius svenska episkopalförsamling att tappa mark. Det hjälpte inte att han försökte finna en koppling till den svenska statskyrkan genom att hävda att de gamla svenska lutherska församlingarna från kolonialtidens Nya Sverige faktiskt införlivats med episkopalkyrkan. Argumentet mötte ingen större förståelse bland statskyrkans biskopar och präster i Sverige.

Samtidigt började Gustaf Unonius bild av USA – som han ändå kallat sitt nya fosterland – att mörkna. Han blev alltmer kritisk till ett republikanskt politiskt system som i hans mening lät mobben styra i frihetens namn. Den tidigare entusiasmen för Amerika byttes mot varningar till svenskar som övervägde att emigrera, om de bara visste vilka svårigheter som väntade dem på andra sidan Atlanten skulle de inse att de gjorde bäst i att stanna i Sverige och dessutom vara nöjda med sin lott.

När han efter tolv år i Amerika 1853 reste tillbaka till Sverige på besök var det inte för att locka över fler utvandrare, utan snarare för att predika om USA:s fördärvliga inflytande i världen. Han försökte inte minst korrigera vad han ansåg vara en falskt positiv bild som spridits om det amerikanska skol- och undervisningssystemet och som nu menligt tycktes påverka debatten om reformeringen av det svenska skolväsendet.

Tidigare hade Unonius istället känt en stor beundran för USA:s mer demokratiska skolsystem som förberedde varje amerikansk yngling »att en gång med kraft och allvar och insigt utöfva sin makt som medborgare i ett fritt samhälle«. Men i Sverige var Unonius snarare övertygad om att det allmänt behövdes en organiserad upplysningskampanj för att informera om avigsidorna i det amerikanska samhället och motverka vad han såg som en tilltagande och skadlig »Americomania«.

Det fanns inte mycket kvar av budskapet i hans tidigare artiklar i *Aftonbladet* där han hade försäkrat att han i Amerika, »i friheten, oberoendet och jemlikheten funnit en af min ungdoms djerfvaste drömmar realiserad«.

Unonius hade vid den här tidpunkten också blivit mycket skeptisk till den religionsfrihet han tidigare hyllat. Kanske var det delvis för att ställa sig in hos prästerskapet i den svenska kyrkan som han talade om hur USA:s religionsfrihet lett ned i en avgrund av sekter, skolor utan religionsundervisning och människor som helt tappat sin tro. Han ville trots allt få sin egen församling i Chicago erkänd av den svenska statskyrkan och kanske anade han redan att han inte hade någon riktig framtid i USA och att det var lika bra att försöka öppna dörrar för en ny prästkarriär i Sverige.

Det blev i varje fall inte lättare när han återkom till Chicago. Även om han hade fått ta över posten som konsul för Sverige och Norge från sin gamle vän Polycarp von Schneidau, fick han det alltmer motigt som församlingsledare. Nya svenska invandrare var ofta lågkyrkliga, hade sällan mycket till övers för episkopalkyrkan med dess rötter i den brittiska kolonialtiden. Om de inte anslöt sig till den lutherska församlingen sökte de sig ofta till andra protestantiska trosriktningar som metodismen eller baptismen. Uppbrottet från Sverige var inte sällan kopplat till en brytning även med statskyrkans lära.

*

Bitter över sitt öde lämnade Gustaf Unonius 1858 både Saint Ansgarius-församlingen och Chicago för att efter sjutton år i Amerika återvända till Sverige. Det blev inte som han tänkt där heller. Hans verksamhet i USA hade visserligen uppmärksammats och han beviljades så småningom av riksdagen en mindre pension, ett erkännande av de insatser han ändå gjort för andra svenskar som utvandrat till Amerika. Men han var fyrtioåtta år vid hemkomsten och hade starka förhoppningar om att kunna få en tjänst som pastor i den svenska kyrkan. Det blev nej. Hans bakgrund i episkopalkyrkan kunde helt enkelt inte godkännas som en merit för att få verka inom den lutherska statskyrkan.

Några år efter hemkomsten gav Unonius ut sina memoarer, *Minnen från en sjuttonårig vistelse i Nordvestra Amerika*. Trots att han nu fördömt USA:s republikanism och individualism och uttalat sitt stöd både för statskyrkan och för den svenska kungamakten lyckades han i alla fall förmedla en tämligen balanserad bild av sin syn på Amerika. Han ägnade stort utrymme åt den entusiasm han kände när han gav sig ut på det stora äventyret och skildrade nybyggartillvaron i Wisconsin lite som en idyll. Samtidigt lyser det igenom hur han utifrån sin egen förankring i det svenska ståndssamhället hade svårt att hantera de anspråk på demokrati och jämlikhet som han mötte. Efter rätt kort tid i det nya landet kunde han bli upprörd över att inte bemötas med den respekt han ansåg sig förtjäna utifrån sin sociala bakgrund.

Han berättade om en svensk, en före detta sjöman, som nu försörjde sig på tillfälliga arbeten och hade tagit sig från New Orleans till New York och vidare upp till nybyggarområdena i Wisconsin. Vid Pine Lake erbjöd han sina tjänster när byggarbete behövde utföras. Unonius behövde verkligen hjälp att få taket på sitt hus omlagt, men kunde inte låta bli att med starkt ogillande notera att svensken »hörde till den talrika klass af europeiska utvandrare, som, uppfostrade i ett lägre stånd och vande vid en underordnad ställning i samhället, tro sig här vara fullkomliga herrar, eller rättare sagdt, icke erkänna någon för herre«.

Vad som framförallt verkar ha fått Unonius att närmast tappa fattningen var hur han av den enkle svensken blev titulerad »du«. Det var i hans uppfattning förfärligt att höra invandrare tala på samma sätt till såväl baroner och gesäller som fruar och jungfrur: »Enligt deras åsigt består den sanna friheten deruti, att man kan göra *hvad* man vill, och det som man vill, *huru* man vill; jemlikheten åter är i deras tanke ingenting annat än ett fullkomligt upphäfvande af all stånds-skillnad.«

Med tanke på att han själv varit emigrant och nykomling i landet kunde han vara märkligt nedlåtande mot andra invandrare, och han hade föga förståelse för deras engagemang för medborgarrätten. Svenskarna var här inte alls de värsta: »Tyskar och i synnerhet Irländare hinna knappt få tak öfver hufvudet, förr än de genast, så vidt det är dem möjligt, taga en liflig del i alla politiska frågor, göra sig straxt till politiska partigängare, blanda sig i allt, och åstadkomma derigenom endast krångel och oordningar, hvilket allt mången gång skulle kunna undvikas, om de lemnade Amerikanarne att ensamme styra sitt land.«

Vid det laget borde det kanske ha stått klart för honom att det faktiskt var invandrarna som utgjorde USA:s framtid. Men det var Unonius bestämda åsikt att USA borde skärpa reglerna för naturalisering eftersom invandrarna ofta förde med sig en oppositionsanda och en rabulism som de tidigare riktat mot regeringarna i sina hemländer.

Det var uppenbart att Gustaf Unonius egentligen aldrig hade några större förutsättningar att anpassa sig till pionjärandan och den framväxande demokratin i det amerikanska samhälle han idealiserat i yngre dagar. Med tanke på att han var den självutnämnde »förste utvandraren« blir hans öde en aning tragiskt, kanske till och med tragikomiskt. När han återkom till Sverige hade han svårt att förlika sig med hur hans gamla hemland var i förändring, och då han själv tog avstånd från USA mötte han bland svenskarna vad som snart skulle bli rena Amerikafebern. Han blev som en främling på båda sidor av Atlanten.

Efter att ha sökt frihet och framgång i den nya världen hamnade han slutligen i Grisslehamn där han fick en tjänst som tullförvaltare, en befattning som tidigare innehafts av hans far. Gustaf Unonius kunde nu höras säga att han hade begått två stora misstag i sitt liv. Det första var att han emigrerat till Amerika. Det andra var att han återvänt till Sverige.

Ändå hade han, som den »förste utvandraren«, faktiskt både väckt förhoppningar och banat väg för många fler svenskar som kom att söka sin lycka i Amerika.

OM EN MAN LYDER EN ANNAN I NORDAMERIKA, HWILKET UNDERSTUNDOM HÄNDER, BEROR DETTA PÅ ATT HAN ÄNNU ÄR FÖR MYCKET SWENSK.

Roberts Almanacka
i Vilhelm Mobergs *Invandrarna*

NEW SWEDEN
I IOWA

En ny tillvaro i Mellanvästern
utan grevar och baroner

För de läsare av *Jönköpingsbladet* som slog upp den tidning som var daterad tisdagen den 26 maj 1846 kunde det verka som om Amerikafeber redan brutit ut en bit norrut, i trakten av Kisa i Östergötland. En korrespondent, signaturen »B«, rapporterade från Linköping till den småländska läsekretsen om hur en tiggarflicka från Kisa »skildrat Amerika med långt mera lockande färger än Josuas återkomna spejare skildrade det förlofwade landet för Israels barn«. Flickan hade kunnat berätta att i Amerika, där »gå swinen och äta sig mätta af russin och mandlar, som allestädes växa wilda i jorden, och när swinen bli törstiga, gå de och dricka ur dikena, der intet annat än win flyter«.

För vad som i artikeln kallades det »beskedliga bondfolket« var den enda rimliga slutsats som gick att dra av detta att »det är långt förmånligare att wara swin i Amerika, än menniska i Swerge«. Det måste också vara förklaringen till att det nu fanns en sådan utflyttningslust att landshövdingeämbetet var överväldigat och inte ens fick nattro för att det var så många emigrantpass som måste utfärdas.

Det finns inget självklart skäl till att just östgötska Kisa socken blev centrum för den första större grupputvandringen när emigrationen till Amerika började ta fart vid mitten av 1800-talet. Befolkningsökningen och ett missnöje med höga skatter kan säkert ha spelat in, men spår går också till en lokal apotekare vid namn Carl Gustaf Sundius. Innan han 1835 öppnat sitt apotek i Kisa hade han varit ute och sett sig om i världen en del. Född 1783 i Malmö hade han lärt sig yrket i Tyskland och han hade varit verksam i Köpenhamn och i flera svenska städer.

Under tiden i Tyskland hade han tagit intryck av nya radikala idéer och han hade fått höra mycket om Amerika som frihetens hemort. Den tyska utvandringen till USA inleddes tidigare än den svenska och var redan uppe på en hög nivå.

Sundius kom själv aldrig att resa över Atlanten. Men han blev ändå en hängiven och entusiastisk Amerikavän som berättade om vad han såg som löftets land för alla som ville lyssna och för all del kanske andra också. Även i rollen som apotekare fungerade han närmast som en politisk agitator som fördömde det svenska ståndssamhället och krävde demokratiska reformer. Han blev en förespråkare för emigration till USA och han engagerade sig så kraftfullt att han kom att starta vad som möjligen kan ha varit Sveriges första utvandrarförmedling.

Engagemanget för ett bättre samhälle kunde till och med bli så starkt att det gick ut över de egna affärerna. En församlingsbo kunde berätta om hur Sundius en dag gav sig in i en så intensiv diskussion med en kund att han glömde vad han hade för sig och följde med ut i vinterkylan för att fullfölja sitt resonemang. Trots att det var arton grader kallt gick han barhuvad flera kilometer ut på landet, ivrigt argumenterande, innan det till slut gick upp för honom att det fanns andra kunder som var kvar i apoteket och fortfarande väntade med sina recept.

Kunden som fått sällskap hem till sin bondgård hette Peter Cassel och han kom senare att gå i spetsen för en grupputvandring till USA. Sundius var inte den ende som påverkat honom. Cassel hade även läst Gustaf Unonius berättelser från Amerika som blivit publicerade i svenska tidningar. Han hade också tagit del av brev som Polycarp von Schneidau skickat från Pine Lake i Wisconsin, sannolikt till två halvsystrar som var bosatta på gården Mjellerum, i närheten av Cassels bondgård.

Emigrationsforskningen skulle senare fokusera på två begrepp – *push* och *pull* – när förklaringar söktes till varför så många människor beslutade att bryta upp från sitt hemland. Utvandrarna stöttes bort av nöd och misär som gjorde tillvaron närmast outhärdlig, eller så drogs de i mer positiv mening till ett främmande land som lockade med frihet och demokrati och möjligheten att starta ett nytt liv och kanske också att bli rik. Det var två

USA behövde arbetskraft och välkomnade
invandrare med öppna armar.

drivkrafter som inte alltid var så lätt att särskilja och som ofta samverkade.

Också i Peter Cassels fall verkar det ha varit en kombination även om han knappast förde en fattig och eländig tillvaro i Sverige. Han var bonde med egna ägor, och troligtvis relativt förmögen. Efter att hans första hustru avlidit gifte han om sig 1830 med Ingeborg Andersdotter och kunde sedan ta över hennes föräldrars gård. Han var innehavare av en kvarn och kunde även titulera sig byggmästare. Ändå sökte han en bättre framtid för sig och sina barn och han var övertygad om att den fanns i Amerika. Eftersom han vid avresan var femtiofyra år gammal – en ovanligt hög ålder i dessa sammanhang – verkar han i första hand ha tänkt på de kommande generationernas möjligheter att få ett bättre liv i frihet och demokrati. Det kan inte ha varit akut fattigdom, utan snarare ett politiskt missnöje som gjorde att han inte ville vara kvar i Sverige.

Precis som Carl Gustaf Sundius var Cassel mycket politiskt engagerad, en anhängare av liberalismen och politiskt radikal för sin tid. Han närde närmast ett hat mot aristokratin och det konservativa ståndssamhället. Slöa adelsmän kunde styra och ställa i riksdagen och på andra håll utifrån sina medfödda privilegier, medan hårt arbetande och dådkraftiga män som han själv hindrades att nå de framgångar de förtjänade. Själv hade han konstruerat en egen tröskmaskin men förlorade en strid om rätten till patent. Den utdragna domstolstvisten stärkte säkert en bitter övertygelse om att den svenska överheten stod i hans väg, att han inte fick sin rättmätiga chans. Det fanns skäl för att både lämna Sverige och för att flytta till USA.

När beslutet att emigrera togs var det uppenbarligen väl genomtänkt och han var ordentligt förberedd när han gav sig iväg på våren 1845. Han hade inte bara läst mycket om USA utan han hade också ansträngt sig att lära sig engelska före avresan, vilket knappast var regel bland de många svenska utvandrare som skulle följa efter över Atlanten. Gården såldes till hans svärföräldrar. Peter Cassel kan därmed ha varit den förste svenske utvandraren som sålde sin jordbruksegendom för att kunna utvandra till Amerika.

*

I maj 1845 hade Peter Cassel samlat ett tjugotal personer – hans fru och barn, släktingar, grannar och vänner – som gemensamt gav sig av från Kisa. De färdades utefter Göta kanal till Göteborg där de efter en tids väntan kunde gå ombord på briggen *Superb*, som efter åtta veckor på havet förde sällskapet till New York. Därifrån gick färden vidare via Philadelphia och Pittsburgh, varifrån de tog en flodbåt utefter Ohiofloden till Cairo i södra Illinois för vidare transport norrut över Mississippifloden, fram till Burlington i den sydöstra delen av vad som då var Iowaterritoriet.

Från början var planen – inspirerad av vad de läst i tidningarna hemma i Sverige – att gruppen skulle ansluta sig till Gustaf Unonius svenskkoloni i Wisconsin. Men vid ankomsten till USA mötte de andra svenskar som övertygade dem om att det var lättare att hitta bra och överkomlig mark i Iowa, på västra sidan av Mississippifloden. Det verkar ha varit ett klokt råd. Den invandrarkoloni de grundade med namnet New Sweden blev den första varaktiga svenska bosättningen i USA under 1800-talsemigrationen, medan Pine Lake i Wisconsin snart skulle tyna bort.

Men även Iowa var fortfarande pionjärland, en del av det väldiga territorium som kommit med Louisianaköpet 1803, då Napoleon ville göra sig av med de franska kolonierna i Nordamerika. När Peter Cassel och hans grupp slog sig ned en bit nordväst om Burlington i augusti 1845, hade det bara gått ett tiotal år sedan de första amerikanska nybyggarna kommit från landets östra delar, från delstater som New York, Pennsylvania och Ohio. Den officiella linjen hade varit att uppmuntra vita amerikaner att bosätta sig öster om Mississippi och samtidigt driva indianbefolkningen till den västra sidan av floden. Under 1840-talet fördrevs kvarvarande sauk- och meskwakistammar även från Iowa. Befolkningen i territoriet beräknades 1840 inte till mer än drygt 40 000 invånare. Antalet europeiska invandrare var fortfarande högst begränsat och det var först i slutet av 1846 som Iowa upptogs i unionen som en fullvärdig delstat.

Väl på plats i Amerika blev Peter Cassel snabbt en varm förespråkare för sitt nya hemland och började omedelbart propagera för utvandring från Sverige. Redan innan han kommit fram till Iowa – under båtresan på Ohiofloden på väg mot Cincinnati – skrev han ett brev hem till Sverige där han full av entusiasm nedtecknade sina första intryck från den nya världen. Han berättade att de sedan ankomsten kunnat äta så mycket färsk frukt de önskat, även druvor som växte vilt, och att brödet var av bästa kvalitet. Det verkade som om alla kunde äta sig mer än väl mätta, så fattigdom måste vara ett okänt begrepp. Sammanfattningsvis hade han kommit till en plats där fred och välstånd rådde.

Hans brev fick stor spridning, framförallt i hans gamla hembygd. De spriddes bland grannar och bekanta, trycktes i tidningar och kom även att publiceras i bokform. Eftersom utvandringen ännu knappt börjat och kunskapen om Amerika fortfarande var rätt bristfällig bland folk i gemen, kunde hans förmedlade iakttagelser göra djupa intryck.

Även om det nog restes vissa invändningar mot vad som kunde uppfattas som en överdrivet positiv bild, var det många som lockades att ta det stora beslutet att emigrera. Redan sommaren 1846 reste en grupp på fyrtiotvå personer med skeppet *Augusta* från Göteborg till New York. De kom alla från Peter Cassels gamla hemtrakter i södra Östergötland. En del tog sig fram till New Sweden som så småningom som mest kom upp i drygt sjuhundra invånare. Men några fortsatte längre norrut, till centrala Iowa, där de grundade en annan svensk bosättning som fick namnet Swede Point. Alla hamnade inte i Iowa. Det fanns också utvandrargrupper som reste till USA efter att ha hört om Peter Cassel och New Sweden, men som slog sig ned i andra delstater i Mellanvästern.

I ett brev daterat New Sweden i februari 1946 gav Peter Cassel mer konkreta och praktiska utvandringsråd. Han informerade om vad en emigrant borde ta med sig på resan, om biljettpriser, om arbetslöner, odlingsförhållanden och om hur mark kunde förvärvas. Dessutom berättade han om hur den svenska invandrargruppen lärde sig engelska och att deras barn kunde gå i skola. Det utförliga brevet trycktes i *Östgöta Correspondenten* under våren, en kort tid innan gruppen med över fyrtio utvandrare gav sig av till Iowa.

270

*

Peter Cassel hade alltså efter bara några månader i USA växt in i rollen som ett slags frivillig emigrationsagent. När brevet med reseråd skrevs var det vinter i New Sweden, svenskarnas första i det nya landet. Det måste ha varit mycket att göra. Bostäder skulle byggas, mark röjas och nya odlingar förberedas. Bara att skaffa proviant i vad som närmast var en ödemark innebar säkert utmaningar i sig. Kolera och andra sjukdomar härjade. Första tiden tvingades Cassel och hans sällskap tillbringa i en enkel stuga utan ens ett riktigt tak. Det är därmed rimligt att anta att nybyggarlivet var förenat med avsevärda vedermödor.

Om så var fallet var det inte den egna gruppens umbäranden som Peter Cassel valde att förmedla till en svensk läsekrets när han utlovade att ett »New Sweden« var på väg att upprättas. Den första bosättningen var redan döpt till Stockholm. Men alla utvandrare som kom efter till Amerika var inte lyckosamma, eller i varje fall inte lika benägna att omedelbart måla tillvaron i samma ljusa färger. En del stötte på oväntade strapatser och hinder – de kanske inte ens hittade fram till New Sweden – och deras besvikelse kom till uttryck i brev som även de spreds i svenska tidningsartiklar och där Cassel kunde anklagas för att ge en alltför optimistisk bild av framtidsutsikterna på andra sidan Atlanten.

De första utvandrarna som lämnade Sverige som en sorts förlöpare till 1800-talets stora emigrationsvåg tycks – till skillnad från fiktionens Karl Oskar och Kristina – inte i första hand ha drivits iväg av fattigdom. Snarare handlade det om att de som Cassel såg nya möjligheter och att de kände sig motarbetade eller utan karriärvägar i det svenska klassamhället.

I ett av sina publicerade brev förklarade Peter Cassel att en familj med två vuxna och två barn gjorde bäst i att »icke företaga afflyttning« utan ett reskapital på minst ettusen riksdaler. Denna summa, kombinerad med »en god arbetsförmåga«, var vad

---

Det var vanligt att 1800-talets tidiga svenska utvandrare anlände till Amerika i grupp.

271

IMMIGRANT P

WORCESTER &CO

F SWEDES.

som behövdes för en bekymmersfri framtid. Men det var vid denna tid bara någorlunda välbeställda personer som hade tillgång till sådana belopp. Fattiga bondefamiljer skulle inte ha haft råd att ge sig av under de förutsättningarna.

När Cassel uppmuntrade till utvandring var det också uppenbart att han fäste minst lika stor vikt vid politiska som vid ekonomiska bevekelsegrunder: »Frihet och jemnlikhet utgöra hufwuddragena i Förenta Staternas konstitution. Här finnes inget sådant, som rang, inga Grefwar, Baroner eller Herrar med Herregårdar. Den ene är lika god, som den andre, och lefwer man i ostördt åtnjutande af alla sina personliga friheter. En Swensk Bonde, uppfostrad under förtryck och förtrolig med nöden och behofwet, finner sig här liksom uppflyttad till en ny werld, der alla hans fordom orediga begrepp om ett bättre med naturens lagar mera öfwerensstämmande samhällslif på en gång finnas realiserade.«

Av hans redogörelse att döma kunde det verka som om Peter Cassel närmast funnit sitt Utopia, och senare skulle också han beskriva Amerika i bibliska termer, som ett Kanaans land som flödade av mjölk och honung för den som bara var kapabel och villig att arbeta, var nykter, hederlig och företagsam.

I Sverige hade Peter Cassel varit politiskt engagerad på lokal nivå. Han hade varit aktiv i sockenstämman och han kände en gemenskap både med den folkliga religiösa väckelse och med den nykterhetsrörelse som tillsammans med arbetarrörelsen kom att driva Sverige i demokratisk riktning. Under uppmuntran av pastorn Jonas Janzon, som senare valdes in i riksdagen som företrädare för prästeståndet, hade Cassel skrivit under ett upprop med krav om en representativ riksdagsreform. I den pågående debatten lyftes USA:s kongress fram som en föregångsmodell för en svensk tvåkammarriksdag. Men även om en debatt om en mer demokratisk representation tidvis varit tämligen intensiv och konkreta förslag fördes fram – inte minst under åren efter 1840 – lyckades konservativa krafter ändå sätta käppar i hjulet för en reform.

Ståndsriksdagen, som snarast avspeglade maktförhållanden i ett gammalt feodalt klassystem, skulle leva vidare ännu ett bra tag och det påverkade sannolikt Peter Cassels beslut att emigrera till Amerika.

*

De demokratiska vindar som blåste under 1800-talet kom, som framgått, relativt sent till Sverige. När den amerikanska konstitutionen förhandlades fram i Philadelphia 1787 var Sverige efter frihetstiden under Gustav III istället på väg i en mer despotisk riktning. Senare infördes till och med ett officiellt förbud mot att publicera utdrag från eller kommentarer om de nya amerikanska och franska författningar som antagits. L. M. Philipson, som var redaktör för tidningen *Patrioten*, ställdes inför rätta i Svea hovrätt efter att han tryckt en översättning av USA:s konstitution tillsammans med en egen kommentar som fördömde bördsrätten. Även om han kom att frias av domstolen underströk rättsfallet vilken oro som utlöstes när den etablerade ordningen ifrågasattes. Rädslan var stor bland den svenska överheten när krav på frihet och demokrati började föras fram. Vad som för liberala kritiker framstod som folkstyre var i ett annat perspektiv inget annat än pöbelvälde.

Det viktigaste steg som då togs mot demokrati i Sverige var att kungamakten begränsades. Gustav IV Adolf, som avsattes i statskuppen 1809, blev den siste svenske enväldige monarken. Den nya regeringsform som antogs var visserligen inspirerad av idéer om maktdelning som fått genomslag redan i Englands ärorika revolution 1688, och sedan i de amerikanska och franska konstitutionerna, men den djupt odemokratiska ståndsriksdagen med präster, adel, borgare och bönder lämnades orörd. Gamla privilegier baserade på börd levde kvar i ett konservativt och vad allt fler uppfattade som ett föråldrat samhällssystem. Även om adelns makt reducerats i 1809 års regeringsform – som minskade dess dominans i höga civila och militära ämbeten – kvarstod dess inflytande i ståndsriksdagen som kom att framstå som än mer anakronistisk.

Stora folkgrupper stod helt utan representation i riksdagen. Det fanns ingen plats för kvinnorna eller för de fattiga och egendomslösa. Men det var inte i första hand de sämst ställda i befolkningen som opponerade sig och krävde ökat inflytande. Istället var det en framväxande medelklass, med ofrälse hantverkare och företagare, som höjde sina röster. De kunde ha det gott ställt men saknade ändå en rimlig politisk representation. Det var främst denna nya medelklass – där Peter Cassel kunde räknas in med titeln byggmästare – som nu gick i spetsen för reformkraven.

Liberalism ställdes mot konservatism. Individen, inte föråldrade samhällsklasser, skulle sättas i centrum. Vid sidan av ståndsriksdagens avskaffande restes krav på medborgerliga rättigheter, som yttrandefrihet, religionsfrihet och näringsfrihet. Den begränsade rösträtten skulle utvidgas även om det ännu var ovanligt att kvinnorna inkluderades i kravet. De liberala idéerna fick draghjälp av den franska julirevolutionen 1830, när vad som i huvudsak var upprorsstämningar inom en starkare medelklass spreds vidare över Europa.

Kung Karl XIV Johan, den förste Bernadotten på den svenska tronen, blev måltavla för de allt starkare radikala politiska strömningar som krävde förändringar i liberal riktning. Han ifrågasatte visserligen inte öppet sin ställning som en konstitutionell monark, men verkade ändå tycka att det ibland kunde vara lite problematiskt med för mycket maktdelning. Han visade föga förståelse när USA lyftes fram som ett demokratiskt föregångsland.

Innan Peter Cassel emigrerade till Amerika hade ett konservativt motstånd mobiliserats. De liberala reformkraven tystnade inte, men framstegen var få och i riksdagen bestod det gamla klassamhället även i formell mening. Förhoppningar om att det skulle bli lättare när Oscar I efterträdde sin far grusades snabbt. När slagorden från den franska februarirevolutionen 1848 spreds från Paris över Europa och ledde till uppror även i Stockholm med uttalade krav, om än tillfälliga, om revolution och republik, sinade snabbt den nye kungens tålamod.

Först 1866, nittio år efter den amerikanska revolutionen och tjugo år efter att Peter Cassel lämnat Sverige, genomfördes den parlamentsreform som innebar att den gamla ståndsriksdagen till slut övergavs. Förebilden var, mer än något annat, den amerikanska kongressen. Den nya riksdagen fick två kammare. Den första kammaren valdes, liksom senaten i USA, indirekt. I Sverige valdes ledamöterna på regional basis av landstingen eller stadsfullmäktige. I USA valdes ledamöterna i senaten inte direkt, utan av delstaternas politiska församlingar. Det skulle dröja fram till 1913 innan direkta val infördes till den amerikanska senaten. I Sverige behölls det indirekta valsystemet ända till 1971 då tvåkammarriksdagen avskaffades. I USA var mandatperioden i den övre kammaren sex år, i Sverige åtta år.

I Sverige var rösträtten fortfarande mer knuten till egendom. Men i åtminstone vissa avseenden var tanken densamma. Den övre kammaren – kongressens senat liksom riksdagens första kammare – skulle fungera som en broms mot impulsiva reformer som kunde ha röstats igenom i representanthuset eller i den andra kammaren, där uppblossande politiska opinioner fick ett snabbare genomslag. Av större vikt var kanske att reformen utifrån amerikansk förebild var avsedd att åtminstone till viss del göra upp med det gamla ståndssamhällets privilegiesystem. Klassen – börd, bakgrund och social ställning – skulle inte längre ha samma avgörande betydelse i parlamentet.

Det skulle dock visa sig att gamla invanda mönster inte rubbas så lätt. Sociala beteenden ändrades inte bara för att riksdagen blivit mer representativ och i den meningen mer demokratisk. Rösträtten var trots allt fortfarande begränsad, liksom religionsfriheten. Det svenska klassamhället levde vidare och vad som uppfattades som djupa sociala och ekonomiska klyftor, till och med ett överhetsförtryck, kom också att driva på utvandringen till USA under senare delen av 1800-talet.

*

När den stora statliga Emigrationsutredningen 1907–1913 kartlade orsakerna bakom den stora utvandringen, var en av de viktigaste slutsatserna att de djupa klassklyftorna var bidragande till att så många lämnat Sverige. Utredningen slog visserligen fast den sedan allmänt vedertagna uppfattningen att ekonomiska skäl, snarare än politiska och religiösa orsaker, var tyngst av-

---

Den gamla ståndsriksdagen träffades för sista gången
i Stockholm 1866 då representationsreformen drivits igenom.

görande för de flesta utvandringsbeslut. Men det var ändå påfallande hur ofta emigranter i efterhand kunde uttrycka avsky mot en samhällsordning de funnit närmast outhärdlig i det gamla hemlandet. Ett politiskt missnöje verkar i alla fall ha funnits med i bilden bakom beslutet om att emigrera, även om det kanske sällan var den enda eller ens den huvudsakliga anledningen. När synpunkter hämtades in från utvandrare, som i utredningen bara framträder som anonyma signaturer, kunde kritiken bli brutal, även efter många år i Amerika och när dystra minnen kanske borde ha förbleknat.

Signaturen »L.F.L.« berättade att han 1891, då han var arton år gammal, hade lämnat den bondgård där han vuxit upp i en av Norrbottens kustsocknar. Livet i Amerika kunde vara hårt; han hade haft sina hundår med arbeten vid sågverk, i skogen, på en farm, i ett tidningstryckeri, som folkräknare och polis innan han fått en tjänst vid postverket i Minnesota där han slagit sig ned. Men han gjorde klart att det aldrig skulle falla honom in att återvända till Sverige. Där fanns inte samma möjligheter. I Amerika hade han ändå av egen kraft kunnat få det bättre. Även om han knappast blivit rik var hans öde på ett annat sätt i hans egna händer.

Ett viktigt skäl till att svenskar som utvandrat inte skulle lyssna till lockrop om att komma tillbaka, var vad han beskrev som den »löjliga titelsjukan och det urfåniga klassväsendet, kryperiet hos de lägre och öfversitteriet hos de högre«, och, fortsatte han, »det invecklade system, genom hvilket de besutne vilja behålla den politiska makten, tvångsmilitarismen samt hela det system som gör det omöjligt att genom ens eget arbete förvärfva en lika god utkomst som den massa af odågor, hvilka lyckats erhålla vissa skolgrader av stat och kommun för att göra ingenting«.

Under sådana förhållanden var det fruktlöst för Sverige att försöka motverka emigrationen eller att uppmana till en återinvandring. Den idag så politiskt inkorrekta slutsatsen var att Sverige inte var värdigt sina svenskar. Den »styrande klassen i Sverige« kunde lika väl verka för att ersätta de emigrerade svenskarna med »slaviska och andra lägre folkstammar, med mindre anspråk och mera passande för edert nuvarande system, ty att vänta att de styrande skola ändra systemet till småfolkets fördel, är för mycket väntadt«.

Vad som närmast kan beskrivas som ett hat mot aristokratin och överheten var inget ovanligt. Smålänningen »E.J.T.« i Ohio var mycket konkret i sitt råd: »Bort med värnplikt och kungahus! Ge folket republik och allmän rösträtt och vi svensk-amerikanare kunna möjligtvis först då återvända till vårt fosterland. Det är storgubbarna, som fördärfva Sverige.« Signaturen »L.J.S.«, som emigrerat 1871 och som nu var bosatt i Nebraska, berättade om hur han under många år arbetat på »ett grefvegods« i Östergötland: »Blef ofta förolämpad. Arbetade under grefven i tjugofem år. Han var en vänlig man, men grefvinnan mycket högdragen. En löjtnant, som hade fattigkassan om hand där, hade en dag yttrat, att de fattiga kunna lika gärna svälta ihjäl. Detta yttrande framkallade stor förbittring, och en stor mängd, bland dem jag, emigrerade till Amerika, hvilket jag aldrig ångrat. Här behandlas man som människa, hvar man än är.«

Även om den svenska adelns ställning försvagats fanns en stark ovanifrånattityd kvar, inte minst inom militärväsendet. Värnplikten, eller »exercisen«, var under 1800-talet en tung börda för bönderna som i praktiken finansierade det indelta systemet och försedde militären med knektar och soldater. Även när allmän värnplikt infördes efter sekelskiftet var det många som utvandrade för att komma undan militärtjänst. »Jag hade nog ej rest, om det ej varit för den långa exercisen«, medgav signaturen »R« som 1906 utvandrade från Småland till Minnesota.

För de inkallade var militärtjänsten inte bara ett ekonomiskt avbräck utan också en tvångstjänst som innebar att de kunde hunsas och förödmjukas när officerare med adliga efternamn kallade dem för fähundar, drumlar och idioter. Som Gustaf Unonius har konstaterat var en officerskarriär ofta ett givet steg upp på samhällsstegen för en adelsman.

På frågan om varför han 1881 lämnat Sverige, svarade smålänningen F.W.S. till Emigrationsutredningen: »Jag lämnade min hembygd i Småland först för att undgå den långa exercistiden, hvilket är för 26 år sedan.« Han fortsatte att förklara att »Amerika är för den arbetande klassen det bästa land i världen«. Även en känsla av bristande respekt, att en arbetare sågs som mindervärdig även av lägre tjänstemän, kunde bidra till beslut att emigrera.

Signaturen »J.S.«, som lämnat Värmland 1881 och tagit sig ända till Stillahavskusten i delstaten Washington, beskrev den frihet han upplevt i Amerika samtidigt som han också uttryckte en bitterhet mot den undergivenhet som förutsattes i det svenska överhetssamhället: »Om jag skulle komma till Sverige nu och komma in på ert kontor, så skulle jag taga mössan eller hatten i handen och buga och krusa och kalla en simpel bokhållare för herre, o. s. v. Men här i Amerika äro en arbetare och en tjänsteman lika högt aktade.« En annan värmlänning, »J.H.R.«, som emigrerat 1882 och slagit sig ned i North Dakota, hade efter återbesök i Sverige bara stärkts i sitt förakt för de sociala orättvisor han såg i det gamla hemlandet: »Det är vämjeligt att se det ödmjuka, krypande och krusande sätt å ena sidan och så det pösande och prålande å den andra bland Sveriges befolkning. Det bevisar det rådande slafveriet.«

Det svenska klassamhället var inte i upplösning utan ändrade snarare karaktär när en ny medelklass fick ett starkare fäste under 1800-talets senare del. Även om adeln och kungamakten trängdes tillbaka var liberalismens framsteg ändå måttliga och den nya industrikapitalismen skapade också en ny elit. Samtidigt växte ett proletariat, både bland egendomslösa på landsbygden och med en expanderande arbetarklass i städerna som var en förutsättning för de nya fabrikernas etablering.

Den nya tvåkammarriksdagen var i och för sig ett steg mot parlamentarisk demokrati och övergivandet av ståndsmodellen en lika nödvändig som senkommen modernisering. Men den första kammaren fortsatte att ge de besuttna klasserna oproportionerligt stor makt. Kraven på valbarhet var höga: en egendom värd minst 80 000 riksdaler eller en årsinkomst på minst 4 000 riksdaler. Det innebar att endast runt sextusen manliga individer beräknas ha varit valbara till första kammaren när det första valet genomfördes 1866. En egendomsaristokrati fanns trots allt kvar på landsbygden och den kunde nu förskansa sig i vad som blev den nya riksdagens överhus, samtidigt som representanter för en växande och välbärgad medelklass i städerna gavs ett större inflytande i den andra kammaren.

I praktiken var det dessutom bara en liten minoritet, högst en fjärdedel av den vuxna manliga befolkningen, som kunde utnyttja en rösträtt som var knuten till egendom och inkomst. Det skulle dröja länge innan inskränkningarna hävdes – först år 1921 hölls det första riksdagsvalet med allmän och lika rösträtt – och kravet på en taxerad årsinkomst på minst 800 riksdaler fortsatte att utestänga många även om medelinkomsten steg. Signaturen »H.N.«, som 1904 emigrerade från Västernorrland, angav som ett skäl just »800-kr.-strecket vid fråga om rösträtt; en man är en man, och penningar äro penningar. Intet afseende bör fästas vid kronor, när rösträtten tillämpas.«

Det går knappast att kvantifiera exakt hur mycket missnöjet med ett omodernt överhetssamhälle och krav på rösträtt och andra medborgerliga rättigheter bidrog till beslut att bryta upp och söka en ny framtid på andra sidan havet. Utvandringen var begränsad innan representationsreformen skapade tvåkammarriksdagen. Under 1840-talet – emigrationens första decennium – var det inte mer än några tusen svenskar som bosatte sig i USA. Under det följande decenniet steg siffran men beräknas ändå ha stannat vid runt 17 000. När antalet därefter sköt i höjden var det ekonomiska missförhållanden och fattigdom som först och främst drev på utvandringen. Likafullt råder knappast någon tvekan om att under hela emigrationsperioden var det fler än Peter Cassel som trodde sig ha bättre möjligheter i ett land utan grevar och baroner.

*

Den svenska monarkin var aldrig på allvar ifrågasatt i Sverige, även när revolutionära stämningar svepte över Europa på 1800-talet. Kung Oscar I omgiven av sin familj: drottning Josefina, prinsarna Oscar, Karl och August, prinsgemålen Sofia samt prinsessorna Louise, Eugénie och Lovisa.

Peter Cassel fick själv aldrig höra om att den ståndsriksdag han protesterat mot i Sverige till slut avskaffats. Han avled 1857, tolv år efter att han anlänt till den nya världen, och vi kan inte veta om han egentligen själv tyckte att hans amerikanska dröm gått i uppfyllelse. Det finns lite som tyder på att hans entusiasm försvann under åren i Amerika, även om han kom att varna svenskar från att emigrera om de inte var beredda att arbeta hårt. För den som inte ville eller var kapabel att arbeta kunde den nya världen framstå som en ogästvänlig plats. Han till och med uttryckte det som att USA var ett märkligt land, ett land som för nykomlingar på en och samma gång kunde vara som ett Kanaan och ett Sibirien.

Utan tvekan kunde livet i Amerika vara synnerligen strävsamt för de nybyggare som anlände till New Sweden i Iowa eller till andra tidiga pionjärbygder. De tvingades arbeta hårt bara för att skaffa mat, bygga bostad och bryta mark. Om inte medhavt kapital fanns behövdes sedan intäkter för att få ihop till en köpeskilling. Mark fanns, men den var inte gratis. Investeringar måste också göras relativt snabbt i redskap och annan utrustning som krävdes för ett fungerande jordbruk. Det gick att låna pengar men det medförde en hög skuldbörda, med räntenivåer som kunde ligga kring 20–25 procent. Ofta var det nödvändigt att ta ett jobb på annat håll för att få in pengar till uppehälle och för att finansiera det egna jordbruket. Det tog både tid och kraft i anspråk. Avstånden kunde vara långa och det var inte ovanligt att det enda transportmedlet som stod till buds var att traska till fots.

Penninghanteringen var ett problem i sig. Det fanns inte längre någon amerikansk centralbank. Under sin tid som president hade Andrew Jackson dragit tillbaka allt stöd för The Second Bank of The United States, som han ansåg gynnade landets finanselit alltför mycket. När vad som var USA:s andra centralbank försvann 1837 utbröt finansiell panik och effekterna märktes även långt senare. Vid tiden då Peter Cassel och hans sällskap anlände till Amerika rådde helt enkelt brist på pengar. På federal nivå klarade man inte att få fram sedlar och mynt i tillräcklig omfattning. Det ledde till olika typer av finansiella betalningsmedel utgivna av delstatsbanker, privata bankirfirmor och även olika kvasifinansiella institutioner. Ibland var det även möjligt att betala med utländska guld- och silvermynt när transaktioner gjordes.

Situationen blev särskilt svår i ett nybyggaromsråde som Iowa som fortfarande bara hade status som territorium, och där den enda riktiga banken, Miner's Bank, tvingats stänga några år tidigare. Först efter inbördeskriget hade delstaten Iowa fått ett någorlunda fungerande bankväsende. Pengars värde kunde vara förhandlingsbart och det säger sig närmast självt att många nykomlingar blev lurade på tillgångar. Utrymmet för bedragare var stort och i den oordning som rådde kunde det vara svårt att göra affärer även med en hederlig motpart, särskilt om sparkapitalet fortfarande bestod av svenska sedlar.

När en av New Swedens pionjärer skrev brev hem till släktingar i Sverige konstaterade han uppgivet att hans medhavda svenska pengar inte var mycket värda på andra sidan Atlanten. Det lilla han nu hade kvar skulle gå åt för att göra nödvändiga inköp av boskap och utrustning.

I sina råd hem till svenska emigranter uppmanade Peter Cassel alla resenärer att innan avresan göra upp med skeppets kapten om hur svenska pengar skulle växlas till ny valuta vid ankomsten. Men det är ändå rimligt att tro att kännedomen om bristerna i USA:s penningsystem, och om de ekonomiska förhållandena i landet i övrigt, var begränsad bland nyanlända svenska utvandrare.

Även om Peter Cassel hade förberett sig väl – han var också läs- och skrivkunnig, vilket inte var en självklarhet bland de tidiga svenska utvandrarna – hade han först svårt att få ordning på sitt markinnehav. Först i september 1847, två år efter ankomsten, blev det klart att han till att börja med förvärvat fyrtio acres eller drygt sexton hektar, vilket var en vanlig areal för att starta ett nytt jordbruk. Det var statlig mark men den betingade ett pris på 1,25 dollar per acre. Det var först senare, med Homesteadlagen 1862, som det blev möjligt för invandrare att få mark i stort sett utan kostnad om de förband sig att stanna och bruka jorden. När Cassel anlände var det inte ovanligt att ledig federal mark först köpts upp av spekulanter. Det innebar att de flesta svenskar som kom till Iowa fick betala ett högre pris för sin mark.

Av allt att döma var Peter Cassel trots allt relativt framgångsrik som nybyggare. När fler invandrare kom ökade efterfrågan på mark och priserna steg. 1850, då han bara varit i Iowa några år, värderades hans egendom till 400 dollar. 1870 hade hans änka tillgångar som beräknades till 3 000 dollar.

Men pionjärlivet i den nya världen krävde också sina offer. Om Peter Cassels främsta mål med att emigrera var att ge sina barn en bättre framtid i Amerika, var det en dröm som bara till en mindre del gick i uppfyllelse. Fem barn hade kommit med från Sverige och ytterligare två föddes i Iowa. Äldste sonen Carl Johan, enda barnet från Cassels första äktenskap, kunde så småningom göra sin lycka som affärsman. Andre sonen Andrew Cassel, döpt till Anders i Sverige, fortsatte som jordbrukare i New Sweden och blev aktiv i det republikanska partiet, den politiska hemvisten för de flesta svenskar som kom till Amerika under 1800-talets andra hälft. I början av 1900-talet var Andrew Cassel den ende svenskfödde ledamoten av Iowas politiska delstatsförsamling. Yngsta dottern Carrie, född 1851 i Iowa, gifte sig med en annan svenskamerikan och levde kvar i delstaten till sin död 1942.

Men sonen Gustaf avled bara tjugofyra år gammal, efter att ha skadats i inbördeskriget. Yngste sonen Edward, som fötts i USA, dog också han i tjugoårsåldern. Sjukdomar som kolera och tyfus tog många liv i nybyggarsamhällena. Dottern Catharina var inte mer än nio år när hon dog i tyfus i augusti 1846, bara ett år efter ankomsten till Amerika. Hennes syster Mathilda förlorade sin förste man, John Peterson, när han avled efter att ha hamnat i fångenskap hos sydsidan under inbördeskriget.

På sikt blev det heller inget av den storstilade visionen om ett nytt Sverige i Iowa. Fler svenska invandrare fortsatte visserligen att komma fram till sekelskiftet. Men New Sweden nådde sin topp befolkningsmässigt redan kring 1870. Därefter inleddes en utflyttning. En del yngre invånare såg bättre möjligheter längre västerut och drog sig mot Kansas, Nebraska eller Colorado. Iowa hade inte längre samma attraktionskraft. De flesta av de nya svenska invandrarna valde att slå sig ned på andra håll i Mellanvästern, inte minst i Minnesota.

Men New Sweden i Iowa blev i alla fall den första varaktiga svenska kolonin i Amerika under 1800-talet, och det är ingen tvekan om att den bidrog till att många fler svenskar tog steget att utvandra. Ättlingar till de första svenskarna i Iowa har också levt kvar i delstaten. Men det Stockholm intill prärien som Peter Cassel måste ha sett i en framtid blev aldrig verklighet och New Sweden levde inte kvar som namn, även om det fortfarande finns ett litet samhälle med namnet Swedesburg i samma trakter. Swede Point blev en ort som senare fick namnet Madrid. En tredje svensk bosättning kallades Swede Bend, men även det är ett begrepp som försvunnit som geografiskt ortnamn.

*

Vilka förväntningar och förhoppningar Peter Cassel än kan ha haft kring den bosättning han var med om att grunda i USA, är det knappast sannolikt att han räknade med att hans New Sweden skulle bli skådeplats för hårda religiösa motsättningar. Men när de första svenskarna kom till platsen visade det sig att den religionsfrihet de förvägrats i Sverige inte var så lätt att hantera långt bort ifrån en kristen överhet.

Religionen var inget som pionjärutvandrarna lämnade bakom sig i Sverige. Den kristna tron var som för de flesta svenskar vid den tiden helt sammanflätad med deras existens. Så snart de skaffat land och byggt bostäder träffades de regelbundet för religiösa sammankomster i hemmen. Nästa givna steg var att bygga en kyrka och få dit en pastor. I den mån det fanns andra kyrkor att gå till var språkförbistringen ett stort hinder, åtminstone till att börja med. Alla hade inte som Peter Cassel förberett sig genom att lära sig engelska redan hemma i Sverige. Cassel hade före avresan lockats av läsarna i den nya folkliga väckelserörelsen, men verkar ändå ha identifierat sig med den lutherska statskyrka som hade haft ett så starkt grepp om de svenska själarna. Han skrev hem till sin bror i Sverige och bad honom skicka över flera psalmböcker och några exemplar av katekesen. De kristna böcker och skrifter som förts med från Sverige hade använts så flitigt att de höll på att falla sönder.

Det stora problemet var att det knappast var möjligt att hitta en prästvigd pastor som kunde predika utifrån den rätta protestantiska läran för de invandrare som nu slagit sig ner långt borta i Iowa. Nybyggarna såg ingen annan råd än att vända sig till en skomakare från Blekinge.

Magnus Fredrik Håkanson var i trettioårsåldern när han kom till New Sweden sommaren 1847. Av någon anledning bestämde han sig snabbt för att återvända till Sverige. Han kom aldrig längre än till Saint Louis där han, efter att ha förlorat allt han ägde, efter en tid inte kunde se någon annan möjlighet än att ta sig tillbaka till svenskarna i Iowa. Han anlände framåt jultid.

I New Sweden var det redan känt att Håkanson var djupt religiös och han blev därmed ombedd att hålla en juldagspredikan. Uppenbarligen gjorde han bra ifrån sig för när den första församlingen grundades i början av 1848 fick han uppdraget att bli dess pastor. Trots att han saknade formell teologisk utbildning blev han därmed ledare för en svensk församling som senare skulle ingå i Augustanasynoden, den paraplyorganisation som längre fram under 1800-talet samlade de svenska lutherska församlingarna i USA.

Till hans tidigaste uppgifter hörde konfirmationsundervisning för bosättningens barn. I hans första konfirmationsklass fanns en son och en dotter till Peter Cassel, som i slutet av 1848 i ett brev till Sverige berättade om hur församlingens präst predikade på helger men jobbade som alla andra på vardagarna. Han konstaterade att Håkanson hade talets gåva till den grad att han inte ens behövde förbereda sina predikningar. Peter Cassel berättade också att det då fanns tretton familjer som stod för pastorslönen och ytterligare fyra familjer som var medlemmar av församlingen men som inte behövde betala något. Antalet medlemmar skulle snart växa i och med att fler invandrare anlände.

Verksamheten kom snart att uppmärksammas på andra håll och uppsöktes av flera företrädare för andra kyrkor. Sommaren 1849 fick församlingen besök av ingen mindre än Gustaf Unonius, som tidigare lämnat sitt Pine Lake i Wisconsin och nu blivit präst i episkopalkyrkan. Unonius, som sökte svenska själar att sörja för, blev djupt upprörd över att nybyggarna i New Sweden ingick i en församling vars ledare inte blivit formellt prästvigd. Församlingsborna fick i stränga ordalag höra att de som ett kristligt folk absolut inte skulle låta sig undervisas av någon som aldrig vigts till prästämbetet av en biskop.

Unonius uppträdande kom till och med att klandras av Eric Norelius, som senare blev en av de främsta ledarna för den svenska lutherska kyrkan i USA. Långt efter att Unonius övergett Amerika förklarade Norelius att om den svenske episkopalprästen varit mindre doktrinär, och inte behandlat församlingsborna som om de vore sekterister, så hade han kunnat åstadkomma något positivt för den svenska lutherska kyrkan; »men hans blinda tillgivenhet för den anglikanska successionsläran hindrade honom här och öfver allt i andra svenska nybyggen att gå hänsynsmässigt tillväga«. Liksom senare i Sverige var Unonius medlemskap i episkopalkyrkan något som ständigt möttes med stor skepsis från rättrogna svenska lutheraner.

De rådde stark konkurrens bland alla nya trosriktningar som växte fram i Amerika under den andra väckelsen på 1800-talet. I och med att den svenska församlingen i Iowa inte kunde få tag på en riktig präst var det inte fel att »i nödfall taga en utur hopen«, som Norelius uttryckte det. Som det nu var hade Unonius bara skapat oro i leden. För som Norelius medgav: »De hade föreställt sig Amerika såsom ett fullkomligt fritt land i detta afseende, att ingen skulle efterfråga, hur man i religionssaker hade det, och att åtminstone ingen oombedd skulle vilja inblanda sig i andras religiösa angelägenheter.«

*

Som ledare för den lutherska kyrkan visste Eric Norelius att kampen om USA:s invandrare var mycket hård. Den svenska statskyrkans grepp försvagades över så långa avstånd. Det fanns större hot än en luthersk församling med en pastor som inte var prästvigd. Andra trosriktningar som inte var att betrakta som annat än sekter lockade nykomlingarna.

Inte så långt efter att Gustaf Unonius varit på besök kom en annan predikant, metodisten Jonas Hedström, till New Sweden.

Han var bror till metodistmissionären Olof Hedström som kommit till New York redan 1825, då han som sjöman gick iland och blev rånad på alla sina pengar. Det ledde till att han stannade kvar och så småningom, efter att han gift sig med amerikanskan Caroline Pinkney, blev en metodistledare som tidigt tog emot och hjälpte svenska invandrare. Vid ankomsten till New York var det många osäkra invandrare som uppskattade att bli välkomnade till hans brigg *Bethel* som var ankrad i hamnen.

Det var alltså inget särskilt med att Peter Cassel och hans sällskap också tagit sig till *Bethel* när de först anlände till Amerika sommaren 1845. Sannolikt var det deras första kontakt med metodismen. Det var heller inte anmärkningsvärt att de senare i Illinois söktes upp av Jonas Hedström, som lockats över till Amerika av sin bror och därefter hade etablerat sig som metodistpredikant i Illinois, inte så långt från New Sweden i Iowa.

Jonas Hedströms första väckelsepredikan i den svenska Iowakolonin väckte sådan entusiasm att han återvände mot slutet av 1850 för att grunda New Swedens metodistkyrka. Som Eric Norelius senare beskrev det gick Hedström omkring på bygden och »fördömde hela det svenska presterskapet utan åtskillnad, kallande den lutherska kyrkan den babyloniska skökan«. Det var hårda ord och i Norelius version var uppståndelsen stor bland de nu förvillade församlingsborna: »Folket blev förskräckt och sade: 'Hvad skola vi tro? Presterna motsäga varandra.' De blefvo förtvifvlade, gräto och jämrade sig.« Det var rent bedrövligt.

Än värre var säkert, ur den lutherska kyrkans perspektiv, att åtskilliga avfällingar också gick över till den metodistiska läran. Bland de första medlemmarna i den nya kyrkan fanns Peter Cassel och hans gode vän John Danielson, som var med i Cassels ressällskap över Atlanten 1845. Snart kom Peter Cassel till och med att upphöjas till pastor i den nya metodistförsamlingen. Hedström kunde rapportera till sina överordnade att hans mission varit framgångsrik och välkomnats i New Sweden.

Några år senare, under våren 1854, bildades även en baptistkyrka vars förste pastor hette Andrew Norelius, bror till Eric Norelius, vilket väl kan sägas understryka hur de olika kristna församlingarna konkurrerade om invandrarna. Metodismen och baptismen hade vid den tidpunkten också blivit de största protestantiska trosriktningarna i USA.

Den lutherska kyrkan i New Sweden levde kvar, med skomakare Håkanson som dess ledare under åtskilliga år, men den fick kämpa hårt för sin överlevnad i stark och ibland hårdhänt rivalitet med metodistkyrkan och baptistkyrkan intill. I det lilla nybyggarsamhället med inte mer än några hundra svenska invånare fanns nu tre olika trosriktningar representerade med egna kyrkor.

Situationen var inte problemfri, men den religionsfrihet som manifesterades på detta sätt bidrog till att locka utvandrare från Sverige där allt fler kände sig förtryckta av den svenska statskyrkan.

DE TROENDE FORTSATTE ATT SAMLAS OCH HADE ALLTING GEMENSAMT. DE SÅLDE ALLT VAD DE ÄGDE OCH HADE OCH DELADE UT ÅT ALLA, EFTER VARS OCH ENS BEHOV.

Apostlagärningarna
Nya testamentet

UTOPIA
PÅ PRÄRIEN

Bibelkommunister bygger
sitt nya Jerusalem i Illinois

Det var mitt i vintern, mot slutet av januari 1846, som en manlig predikant, förklädd i kvinnokläder, stakade sig fram på skidor så snabbt han förmådde. Han var på väg västerut, genom Dalarnas djupa skogar mot gränsen till Norge. Han visste att det under färden skulle finnas anhängare på vägen som kunde hjälpa honom. De gav honom husrum och skydd; det hände att han för säkerhets skull fick gömma sig under deras golv.

Hans namn var Erik Jansson. Trettiosju år gammal var han på flykt, jagad av både den svenska ordningsmakten och den lutherska statskyrkan, en kombinerad överhet vars sammantvinnade intressen då inte var så lätta att särskilja.

Som framgått kunde Sverige när det gällde religionsfrihet räknas som ett av Europas mest intoleranta länder, och Erik Jansson bedömdes som farlig, en subversiv samhällsomstörtare, ett hot mot den rådande ordningen. Han hade utsatts för våld, både av myndigheter och uppretade folkmassor. Innan flykten hade han gripits av polisen och dömts till fängelse. En sinnesundersökning beordrades och i det utlåtande som gjordes beskrevs han som en individ med »livlig föreställningsförmåga och intagen av religiös rörelse. Lider av ett exstaserat tillstånd, gränsande till partiell sinnesrubbning under i övrigt bibehållne själskrafter och utan tecken på något kroppsligt lidande.«

Utifrån dagens perspektiv är det närmast ofrånkomligt att Erik Jansson framstår som en obehaglig religiös fundamentalist. Själv oförsonligt intolerant, utan någon som helst förståelse för andra sätt att tänka, såg han sig som en Messiasfigur med uppdrag att predika den enda rätta läran. Han var Guds utsände profet och den svenska statskyrkan och dess prästerskap var i hans ögon »ett djävulens anhang«. Det som kanske upprörde honom mest var att upplysningens idéer om förnuft och rationalitet trots allt fått ett visst genomslag inom den svenska kyrkan.

Men varken statskyrkan eller ordningsmakten uppfattade honom som bara en provokatör. Han var också en kriminell uppviglare som manade sina anhängare att överge den officiella lutherska läran. Erik Jansson var en religiös separatist och därmed begick han uppenbarligen brott mot konventikelplakatet, den lag från 1726 som vid det här laget visserligen inte tillämpades så ofta men som ändå var i kraft och kunde utlösa stränga straff mot den som inte respekterade den fastställda statsreligionens ordning.

Även den lutherska statskyrkan var fundamentalistisk. Dess tolkning av Bibeln fick, liksom Martin Luthers katekes, inte ifrågasättas. Och i överhetens ögon framstod inte Erik Jansson som mindre hotfull när han beskrevs som en ståtlig och karismatisk man, en ledare som inte bara kunde fängsla åhörare utan som under timslånga predikningar, sprängfyllda med Bibelcitat, hade en närmast hypnotisk inverkan på sina anhängare. Erik Jansson var en förförisk kättare som spred irrläror bland bondebefolkningen. Hans verksamhet var oacceptabel.

*

Född i december 1808, på en bondgård i Biskopskulla utanför Enköping i Uppland, kunde Erik Jansson redan som barn betraktas som lite udda. Han höll sig mycket för sig själv och började tidigt läsa olika religiösa skrifter. Bibelstudierna intensifierades efter att han vid tjugotvå års ålder enligt egen utsago drabbades av en uppenbarelse när han plöjde på sin åker. En huvudvärk han plågats av sedan han som barn slagits medvetslös av en skenande häst var därefter helt borta. Med tiden vände han sig alltmer mot statskyrkan och tog även direkt avstånd från sina föräldrars religionsutövning. De var, menade han, fångar i en underdånig beundran för yttre ting; kyrkans ritualer, dess prydnader och prästerskap.

Snart började Erik Jansson predika och han såg sig själv som inget mindre än en profet utsänd av Gud. Han blev en ledare i läsarrörelsen, den fromhetsriktning som under 1800-talets väckelse levde stark i olika delar av den svenska landsbygden. Istället för att gå i kyrkan samlades bondefamiljer för läsning och bön i varandras bostäder eller i någon annan lokal som stod till buds i byn. Det var ett regelrätt uppror mot den formella högkyrkligheten i statskyrkan. De bibeltrogna läsarna var inte bara övertygade om att de funnit den rätta läran utan ansåg sig också ha kommit närmare Gud när de inte lät statskyrkans präster stå i vägen för en direkt kommunikation.

En huvudpunkt i Erik Janssons budskap var att han, i motsats till vad det officiella prästerskapet förkunnade, var utan synd och att det också var något som måste gälla hans anhängare. Statskyrkans präster var givetvis djupt upprörda. Idén om syndfrihet utmanade syndabekännelsen och därmed deras egna predikningar. Det var bara ett skäl till att nu tillämpa konventikelplakatet och dess förbud mot lekmannapräster och religiösa sammankomster utanför kyrkans ram.

Den svenska statskyrkans doktrin var ifrågasatt. Motsättningarna gick knappast att överbrygga. Därmed kom kraven på religionsfrihet mot mitten av 1800-talet att istället för en liberalisering leda till hårdare åtgärder mot avvikare, inte minst läsarna i Hälsingland, Dalarna och Gästrikland.

Trakasserad, hotad och motarbetad såg Erik Jansson bättre möjligheter att verka som predikant en bit norrut. Han flyttade – eller kanske snarare flydde – till Hälsingland och förvärvade en gård i Alfta socken där läseriet redan var utbrett. Två lokala lekmannapredikanter, bröderna Jonas och Olof Olsson, blev några av hans mest hängivna lärjungar och de kom att ingå i den mindre skara som Erik Jansson utnämnde till sina apostlar. Rörelsen växte snabbt. Snart hade han hundratals anhängare som lyssnade på hans intensiva och medryckande predikningar som kunde hålla på i flera timmar. Fler strömmade till när verksamheten utvidgades från Hälsingland och spreds till Gästrikland och Dalarna.

Om inte förr fick överheten upp ögonen för vad som pågick när

Erik Jansson sommaren 1844 samlade anhängare till ett bokbål i den hälsingska byn Tranberg. Luthers katekes och andra religiösa skrifter slängdes i lågorna under läsning av Bibeln. Hädiska skrifter skulle brinna. Bibeln var den enda sanna skriften.

Flera bokbål följde och med dem kom ytterligare uppmärksamhet. Det var inte bara länsman som kom efter Erik Jansson. Rena lynchstämningen kunde uppstå bland vanliga kyrkobesökare som var trogna sin Luther. De blev rosenrasande när de fick höra att »Lutheri Lära är en djefla Lära«. Sektanhängare attackerades med våld, greps av polisen och sattes i fängelse.

*

Efter att deras profet misshandlats, utsatts för sinnesundersökning, åtalats och dömts till fängelse gav sektmedlemmarna upp hoppet om att leva i ett land där deras tro inte tolererades. De hade hört att på andra sidan Atlanten, i USA, fanns religionsfrihet, och Olof Olsson fick uppdraget att resa över och leta efter en lämplig plats för en bosättning.

Olof Olsson kom till New York mot slutet av 1845 och liksom andra nyanlända svenskar – det rörde sig fortfarande inte om något större antal – togs han emot av metodistpastorn Olof Hedström på briggen *Bethel* i hamnen. Som för så många andra utvandrare gick Olof Olssons färd vidare mot Illinois. Där fanns ju redan Olof Hedströms bror, metodistmissionären Jonas Hedström, som kunde vara behjälplig med att rekommendera lämplig mark. Olof Olsson gillade vad han såg och rapporterade tillbaka att landet han funnit »rymmer allt sant, gott och fritt«.

Gripen och på väg mot fängelset i Gävle befriades Erik Jansson av sina egna uppretade anhängare. Han reste sedan runt i trakterna – ofta i kvinnoklädsel för att undgå myndigheternas vakande ögon – och predikade om det rätta i att bryta upp och emigrera till religionsfriheten i Amerika. Innan han gav sig iväg på den långa skidfärden mot Norge hade han formulerat vad han kallade »Ett afskedstal, till alla Sveriges innevånare som föraktadt mig«. Det arma land han lämnade förstod inte vad det gick miste om. Det var dags att ge sig av till en plats som välkomnade »det ljus, som detta lilla Sverige förkastar«. Svenskarna fick i rättframma ordalag veta att han var utsänd av Jesus och att »den som mig föraktar, han föraktar Gud sjelf«. Det var ett adjö till alla »som hellre tror dessa djävulens predikanter«.

Förvissad om sin egen gudomliga storhet klarade Erik Jansson att ta sig hela vägen till Christiania, som då var namnet på den norska huvudstaden. Därifrån tog han sig sedan vidare över Atlanten. Han kunde stiga av båten i New York i början av juni 1846 tillsammans med sin hustru, deras barn och ytterligare några anhängare. Liksom andra tidiga invandrare reste den lilla gruppen uppför Hudsonfloden, utefter Eriekanalen och över de stora sjöarna till Chicago. Åtminstone delar av den sista sträckan måste de ta sig fram till fots. När de nådde den tidigare utvalda platsen döpte Erik Jansson bosättningen till Bishop Hill, efter hans uppländska födelseort Biskopskulla.

Där, på den öde prärien, inleddes arbetet med att bygga ett nytt Jerusalem. De första pionjärerna tvingades till att börja med att bo i enkla och primitiva jordkulor. Men under avsevärda påfrestningar skapades här ett fungerande samhälle. De närmaste åren anslöt runt femtonhundra svenska anhängare till Erik Jansson. Det var den dittills största utvandringsvågen till Amerika och den väckte uppståndelse i Sverige. Utflyttningen kunde lokalt nå mycket stora proportioner, inte minst i Alfta socken i Hälsingland som var janssonismens främsta hemort. Brev som anlände från de första sektmedlemmarna som slagit sig ned i Bishop Hill fick stor betydelse, även för utvandringen till andra platser i den amerikanska Mellanvästern.

*

Anders Andersson, som lämnat Torstuna i västra Uppland, berättade i ett brev daterat den 30 november 1847 om »huru Gud hawer welsignat oss, med hundrafalt här på den nya jorden i både andeligt och lekamligt got, än vi egede i wårt fädernas Land«. Nybyggarna hade byggt bostäder, skaffat kreatur och utsäde för den bördiga jorden där svensk råg växte i »en aldeles ovanlig ymnighet«. Bishop Hill var en plats »flytande af miölk och honung. Ty

Bishop Hill var, under en tid, ett välordnat kollektivsamhälle
som vilade på en fundamentalistiskt protestantisk grund.

här kan vi hämta wilda bin, och honung från sjelfva villmarken, och lika så vindruvor och vilda plommon samt äplän, och många slags bär och örter mm.« Det materiella välstånd som kunde uppnås gavs stor betydelse, men viktigast av allt var att Bishop Hills invånare nu kunde tjäna Gud i enlighet med den rätta läran. Religionsfriheten innebar att inga myndigheter kunde hota med fängelse för att hindra »ljuset som Gud tänt genom Erik Jansson«.

Religionen var en så stark drivkraft för utvandring att familjer kom att splittras. Det var inte bara unga människor som övergav föräldrar och äldre släktingar i samhällen på landsbygden där familjebanden gav en stadga åt tillvaron. Fundamentalism och fanatism fick långtgående konsekvenser, och än mer så när myndigheterna såg det som subversivt och enskilda människor fann att flykt var den enda utvägen. Det hände att äktenskap splittrades när både män och kvinnor lämnade sin äkta hälft och även sina barn för att följa profeten till det nya landet.

Den religiösa flykten bidrog till att driva på en debatt om religionsfrihet i Sverige där utvandringen kunde utnyttjas som argument av båda sidor. Om folk valde att lämna Sverige för att de inte fick utöva sin religion måste åtgärder vidtas. Sådana krav bidrog till att konventikelplakatet så småningom hävdes, även om det ändå bara var ett steg på vägen mot religionsfrihet. Men företrädare för statskyrkan kunde också peka på utvandringen som ett varnande exempel, som visade vad som kunde hända när främmande trosriktningar gavs utrymme att få fäste bland lättpåverkade människor.

Daniel Alfred Pettersson kunde som vuxen i USA minnas när han 1848, åtta år gammal, gick med sin far till församlingsprästen i Östergötland för att begära de handlingar som krävdes för att emigrera. Det var då fortfarande nödvändigt med ett prästintyg om oklanderlig vandel och karaktär för att erhålla ett utresepass för familjen. Kyrkoherden såg strängt på herr Pettersson och förklarade sig både chockad och sorgsen över det beslut som fattats: »Ni måste veta att ni begår en synd mot ert födelseland och mot Gud när ni kastar er och er familj in i faror ni inte kan föreställa er.« I Amerika, mässade prästen, »kommer ni att finna ett folk utan religion och moral av något slag, det finns inga kyrkor eller skolor,

302

lagar kanske finns men ingen har någon respekt för dem och ert liv kommer att vara utlämnat till vem som helst som är beredd att ta det, och jag försäkrar er att det inte är ett fåtal, och om ni säger att ni ska till den västra delen av Förenta Staterna kommer ni att finna att den består av ogenomtränglig skog där det krävs ett enormt arbete för att bygga ett hem och där era enda grannar är bestialiska vilddjur och blodtörstiga indianer och ert eget och er familjs liv kommer varje dag att sväva i fara från dem båda«.

Det var ord och inga visor från den svenska statskyrkans representant. Men som präst kunde han ändå inte göra annat än att intyga att Pettersson var döpt och konfirmerad i kyrkan, att han kunde läsa och skriva, var vaccinerad och också var en laglydig person som hade tillräckliga kunskaper om den kristna religionen i enlighet med den evangelisk-lutherska läran. Familjen Pettersson kunde gå vidare i den process som krävdes för resan till Amerika och mot ett nytt hem i Iowa.

*

De utvandrare som följde Erik Jansson och slog sig ned i Bishop Hill gick ett steg längre än att bara bryta upp från hemlandet. När de sålde sina egendomar i Sverige överlät de alla sina tillgångar till den nya bosättningens styre och det stod klart att de inte kunde få något tillbaka om de ångrade sig och flyttade därifrån. Äganderätten var upphävd. Individen gick upp i kollektivet. Två år innan Karl Marx och Friedrich Engels gav ut *Kommunistiska manifestet* grundades i Bishop Hill en bosättarkoloni baserad på egendomsgemenskap. Det var en kommunism på kristen fundamentalistisk grund. Nybyggarna var bibelkommunister som trodde sig ha funnit sitt Utopia. I USA, i mitten av 1800-talet, var detta inte något som var särskilt märkvärdigt.

Det fanns ju också tidigare förebilder. Vad hade de första engelska pilgrimerna, som kommit över havet redan tidigt på 1600-talet, väntat sig att finna om inte ett Utopia i religiös mening, en stad på höjden för ett utvalt folk? Bara lite senare under samma sekel hade nederländaren Pieter Plockhoy försökt grundlägga sitt Utopia, närmast ett tidigt välfärdssamhälle med jämlikhet

303

som ledstjärna, nära de trakter vid Delawarefloden som tidigare tillhört kolonin Nya Sverige.

Även om USA, inte utan grund, setts som det samhälle där individualismen fått blomma ut mer än någon annanstans, har det också funnits amerikanska visioner och drömmar om kollektiv lycka och religiös gemenskap, ett idealsamhälle där den enskilde individen inte står i centrum. Det var minst lika mycket en religiös som en politisk övertygelse. Det stod ju i Bibeln, i Apostlagärningarna i Nya testamentet, om Jesus anhängare efter korsfästelsen, hur de »troende fortsatte att samlas och hade allting gemensamt. De sålde allt vad de ägde och hade och delade ut åt alla, efter vars och ens behov.« Begreppet bibelkommunism var ingen motsägelse när det uppstod på 1800-talet.

Det fanns i USA flera hundra samhällen som var byggda runt en kollektivistisk idé. De flesta, nästan alla, utgick från en gemensam religiös tro och i många fall upphävdes äganderätten helt eller till stor del. Men även om de kallades kommunistiska var de inte som 1900-talets marxism-leninism ute efter att krossa kapitalismen och sprida den egna ideologin över världen. Snarare handlade det om att få leva i fred, att kunna bygga upp ett eget idealsamhälle utan inblandning från omvärlden. De ville leva i sina egna gemenskaper. På ett annat sätt än i Europa fanns i Amerika också möjligheter att förverkliga sådana drömmar. Den som var missnöjd med sin lott kunde finna ny mark att bryta och vara med och skapa sitt eget samhälle.

USA var vid mitten av 1800-talet fortfarande ett jordbruksland, samtidigt som stora förändringar var i annalkande. Industrialiseringen och flytten till storstäderna skulle ändra förutsättningarna men det fanns ännu till synes obegränsat med otämjda ödemarker. Det väldiga landområdet väster om Mississippifloden beboddes fortfarande av ett högst begränsat antal invånare med europeisk bakgrund. Det fanns inte bara plats i fysisk mening, utan även utrymme för nya tankar och idéer. Det gick att drömma om Utopia.

Journalisten Charles Nordhoff, som kartlade de amerikanska kollektiven och 1875 gav ut boken *The Communistic Societies of the United States*, konstaterade att tillgången på »billig och bördig mark har fungerat som en viktig säkerhetsventil för initiativkraft och missnöje hos vår ickekapitalistiska befolkning«.

Idag kan det möjligen framstå som en aning naivt, men han såg initiativen hos den grupp som han kallade ickekapitalister – ett bredare begrepp än kommunister – som ett rimligt alternativ till en ny ekonomisk ordning där arbete stod mot kapital.

Nordhoff, som invandrat till USA som femåring med sina tyska föräldrar, var kritisk till fackföreningarnas frammarsch och menade att de bara förstärkte ett system med lönearbete. Istället visade vad han beskrev som USA:s »framgångsrika kommunistiska samhällen« att det var möjligt att överbrygga motsättningen mellan kapital och arbete. I ett system med gemensamt ägande hade människor, som oftast kom från en enkel bakgrund, lyckats väl med att bygga upp egna tillgångar samtidigt som de kunde ta hand om sina gamla och sjuka och utbilda sina barn. Det var, tyckte han, inte minst anmärkningsvärt hur kollektiven utvecklat en förmåga att göra lönsamma affärer.

Allt detta kunde förstås locka inte bara USA:s »ickekapitalistiska befolkning« utan även missnöjda grupper i Europa som funderade på att emigrera för att komma bort från vad de uppfattade som ett förtryck i sina hemländer. Bishop Hill var långt ifrån det enda amerikanska kollektivsamhället som grundades av nyanlända invandrare.

*

Några år tidigare, 1842, hade tyska pietistiska immigranter grundat kollektivet Amana, först i delstaten New York på en plats de gav det gammaltestamentliga namnet Ebenezer, och senare i Iowa där de fann mark för en större bosättning. Charles Nordhoff kunde notera att Amanakommunisterna hade ett välutvecklat system för att distribuera livsmedel direkt till medlemmarnas dörrar. Varje hushåll fick korgar med mat i en mängd som mot-

---

Erik Janssons anhängare odlade ny mark i Illinois
och avbildades av konstnären Olof Krans.

svarade familjens storlek – åt var och en efter behov. Tyska invandrare grundade även The Harmony Society i Pennsylvania. Deras ledare George Rapp hade predikat sin lära utanför de officiella tyska kyrkorna och hade liksom Erik Jansson fängslats för sin tro. Ytterligare en tysk koloni, med namnet Zoar, fanns i Ohio, grundad av religiösa mystiker som förföljts av kyrkan i hemlandet och som fick hjälp av engelska kväkare att ta sig över till Amerika. För att markera sitt oberoende kallade de sin koloni för Separatistsamhället Zoar.

En av de största och mest spridda bibelkommunistiska rörelserna var Shakers, en utbrytargrupp från kväkarna som börjat utvandra från Storbritannien till Amerika redan i slutet av 1700-talet. De grundade en rad bosättningar som under 1800-talet var spridda över flera delstater. Äganderätten var avskaffad. Medlemmarna var pacifister, de levde asketiskt, klädde sig enkelt och många var vegetarianer. Alla hade gått med på att upphöja celibatet till livsregel. Eftersom inga barn föddes i shakersamhällena kunde de bara leva vidare genom rekrytering av nya medlemmar. Till det mest uppmärksammade i Shakers teologi – och för många kristna det mest anstötliga – var tron att Kristus uppenbarat sig en andra gång i gestalten av Ann Lee, som under senare delen av 1700-talet var en av rörelsens profeter. Rent logiskt följde att Gud var både man och kvinna och att jämlikhet skulle råda mellan könen – en på sin tid revolutionerande tanke.

Den mest extrema, och säkert den mest experimentella, av de olika bibelkommunistiska kolonierna kan ha varit Oneida i delstaten New York. Grundaren John Humphrey Noyes var ingen invandrare utan var född i Vermont och han kom från en relativt välbärgad bakgrund. Hans far var affärsman och ledamot av USA-kongressen. Noyes visste tidigt att han skulle bli predikant och kom att studera teologi vid Yale. Det var där han, helt utanför studieplanen, fann sin nya lära som i all anspråkslöshet kom att bli känd under namnet perfektionismen. En central punkt var övertygelsen att Jesus återkommit till jorden runt år 70, kring tiden för Jerusalems förstörelse, och att återuppståndelsen öppnat en förbindelse mellan jordelivet och himmelriket. Sektens anhängare kunde kommunicera direkt med Gud och de var också övertygade om att de var fria från synd. De såg sig själva som perfektionister.

Oneidakolonin grundades 1848 på bibliska och kommunistiska principer, och när Charles Nordhoff senare bad församlingen om en definition av perfektionismen blev svaret: »På samma sätt som doktrinen om nykterhet medför total avhållsamhet från alkoholhaltiga drycker, och doktrinen mot slaveriet innebär att livegenskap omedelbart avskaffas, så innebär perfektionismens doktrin att synd omedelbart upphör.« I och med att de anslutit sig till Oneidatron var medlemmarna per definition fria från synd. Det fanns alltså likheter med den lära Erik Jansson predikade och som utmanade den svenska statskyrkan. Utöver syndfriheten var förkastandet av prästerskapets auktoritet en del av en större religiös revolt under 1800-talets väckelse.

Liksom andra religiösa kollektiv vid samma tid försörjde sig också Oneidakolonin på medlemmarnas gemensamma jordbruk och hantverk. Men Oneida gick ett steg längre i att upphäva äganderätten. Kollektivprincipen gällde även på det sexuella planet. Tvåsamhet, där två individer levde i trohet mot varandra, avfärdades som »självisk kärlek«. Istället skulle hela församlingen leva i en form av kollektiväktenskap. Sexuellt umgänge skulle alltid vara frivilligt men kunde med fördel ske på inrådan av en tredje person. Fortplantning, för att säkra kolonins framtid, begränsades till att utvalda unga män och kvinnor sammanfördes så att bästa resultat kunde nås i vad som åtminstone i efterhand framstår som tidiga rasbiologiska experiment. Det fanns också en mer allmän strävan att eliminera vad som uppfattades som dåliga karaktärsdrag bland medlemmarna, vars uppträdande regelbundet utsattes för en individuell granskning och öppen kritik från kollektivet.

Oneidakollektivet levde vidare under flera decennier men började så småningom splittras, och 1879 flydde John Humphrey Noyes till Kanada efter att han anklagats för att ha haft sex med en minderårig flicka. Han återvände aldrig till USA.

Bishop Hills tid som bibelkommunistisk koloni var kortare. Men trots att kollektivet redan var upplöst vid tidpunkten för Charles Nordhoffs kartläggning inkluderades det ändå i hans sammanställning. Han beskrev kolonins öde som en melankolisk historia. Den visade vad som kunde åstadkommas med gemensamma krafter, samtidigt som den utgjorde en varning för hur fel det kan gå när det brister i ekonomiskt ansvarstagande. Det var, paradoxalt nog, skuldsättning och finansiella spekulationer som blev det lilla svenska kollektivsamhällets fall.

*

Till att börja med utfördes ett högst imponerande arbete på prärien i Illinois. Det krävdes inte bara hårt arbete utan det var också svåra motgångar som måste mötas, som en koleraepidemi som tog åtskilliga liv. Men de första nybyggarna kunde snart flytta från sina jordkulor och in i riktiga boningshus. Fler invandrare strömmade till och vid sidan av bönder fanns åtskilliga yrkeskunniga hantverkare. Kalk kunde brytas från en gruva på den egna marken och ett tegelbruk upprättades. Byns stora hus, kallat »Big Brick«, räknades för en tid som USA:s största byggnad väster om Chicago. I matsalen kunde som mest tusen personer serveras samtidigt. Inom rimligt avstånd fanns fisk att fånga i floderna och vildsvin och rådjur att skjuta i skogarna.

Det dröjde inte länge innan en kyrka hade byggts. Det fanns en kvarn för majs, vete och andra grödor som odlades, det fanns smedja och snickarverkstad, skräddare och skomakare, till och med ett destilleri för tillverkning av alkohol. Innehavet av kreatur ökade snart med dussintals hästar och flera hundra kor. Efter hand utvecklades en närmast industriell produktion i mindre skala med väverier och fruktodlingar. Bara några år efter den första gruppens ankomst hade Bishop Hill expanderat till en omfattande egendom. Pionjärandan frodades, kolonin blev inte bara självförsörjande utan genererade även intäkter utifrån. Det var också ett prydligt litet samhälle som byggdes. Det fanns en park och utefter de raka gatorna planterades träd.

Men det var inte bara en idyll. Med tiden kom Erik Jansson att bli en alltmer omstridd ledare. Han styrde över Bishop Hill som en diktator, en despot både i andlig och i världslig mening. Det fanns knappast någon tolerans för avvikande uppfattningar, vare sig det gällde tro eller annat. När han utsåg egna apostlar för att sprida hans budskap var det en bekräftelse på hans Messiaskomplex. Samtidigt tvingades Bishop Hills bosättare att slita mycket hårt. En del började känna sig som inget mer än livegna.

Det kan knappast finnas något tvivel om att Erik Jansson var en mycket karismatisk ledare. Hans anhängare gav trots allt upp en tillvaro i hemlandet och följde honom över Atlanten. De flesta, nästan alla, kom till och med över den första besvikelsen över att hans utfästelse inte infriades om att alla automatiskt, utifrån gudomlig vishet, skulle tala engelska obehindrat när de steg iland på andra sidan havet. Av allt att döma kunde han utöva en mycket stark dragningskraft.

Det är ändå inte överraskande att han var en kontroversiell figur som på sin tid kunde betraktas från diametralt olika ståndpunkter. För hans mest lojala anhängare var han något så stort som Guds sändebud, världens ljus. I andras ögon var han galen, besatt av djävulen eller i alla fall inget annat än en slug bedragare som kunde konsten att manipulera människor som inte visste bättre. Vid ankomsten till New York ska han med sitt tal och sin utstrålning ha övertygat även ickesvenskar som inte kunde förstå ett ord av det språk som bar hans predikan. Han tycks ha haft en närmast hypnotisk effekt på sin omgivning när han talade till församlingen.

Men samtidigt som han på sin tid kallades såväl klok och djupt begåvad som ståtlig och stilig hade han enligt andra vittnesmål ett »kaninliknande utseende« på grund av breda tänder i överkäken. I en beskrivning var rösten »ej behaglig, ytterst sträv, snarare svag än stark och lät, som om han talade med något i munnen«.

Därtill ska hans utseende ha blivit än mer frånstötande genom »ett ständigt flinande«. Det ska ha funnits ett högmod, som om han var säker på att han alltid visste bättre än alla andra. Det är ingen sympatisk bild och det låter inte som en man som fick män och kvinnor att lämna sina familjer för ett nytt liv långt borta i

---

En rad kollektivsamhällen etablerades i USA under senare delen av 1800-talet. Oneida i Vermont hörde till de mer extrema.

en ny värld. De motstridiga uppgifterna, som inneburit att hans porträtt målats i både svart och vitt, har säkert bidragit till att Erik Jansson senare oftast beskrivits i ordalag som gåtfull och märklig.

Hur som helst blev hans tid i Amerika inte särskilt långvarig. Det var säkert oundvikligt att Erik Jansson fick bittra fiender. Den som blev hans baneman hette John Root, en svensk invandrare som amerikaniserat sitt tidigare efternamn Ruth. I Amerika hade han utnyttjat sin svenska soldatbakgrund och tagit värvning. Han hade kämpat med den amerikanska armén i kriget mot Mexiko och sedan från New Orleans tagit sig norrut utefter Mississippifloden innan han hamnade i Bishop Hill.

John Root verkar inte ha drivits av någon stark religiös övertygelse. Han har mer beskrivits som en vanlig äventyrare. Kanske var det bara slumpen som gjorde att han kom till den svenska kolonin i Illinois, och kanske stannade han mest för att han såg en möjlighet att tjäna pengar. Kort efter sin ankomst hösten 1848 gifte han sig med en av sektens medlemmar, Charlotta Lovisa Jansson, som var kusin till profeten själv. Möjligen var det av misstänksamhet mot nykomlingen som Erik Jansson såg till att ett äktenskapsförord upprättades. John Root hade inget annat val än att skriva under en försäkran om att ifall han själv skulle lämna Bishop Hill, skulle han skilja sig från sin hustru så att hon kunde stanna kvar

Om Erik Jansson anat att han skulle komma på kant med Root hade han rätt från början. De två kom snabbt på kollisionskurs och allt hårdare gräl var på väg att urarta till våldsamheter. John Root bestämde sig för att ge sig av och han trotsade äktenskapsförordet genom att försöka övertala hustrun att följa med. Det ställde henne inför ett svårt dilemma. Även om hon ville behålla sin man rubbades hon inte i sin tro. Hon visste att Erik Janssons lära var den enda vägen till frälsning. Övergav hon Bishop Hill var hon dömd att för evigt brinna i helvetet. Hon stannade.

Där hade historien kunnat sluta om inte John Root efter att han lämnat Bishop Hill hade fått höra att hans hustru fött en son. Det blev upptakten till ett större drama. Som nybliven far gjorde han ett nytt försök att övertala sin hustru att lämna kolonin. När det inte gick vände han sig till de lokala myndigheterna. Efter predikan en höstsöndag 1849 fördes hans hustru och son iväg. Charlotta Lovisa, eller Lotta som hon kallades, vågade inte sätta sig emot, eller ens säga något.

När Erik Jansson kort därefter fick veta vad som hänt blev han rasande och samlade ihop en liten beväpnad styrka. De flyende hanns ikapp. John Root tvingades lämna ifrån sig fru och barn. Motståndet var övermäktigt. Men det innebar inte att han bara tänkte ge upp utan strid.

En rättsprocess inleddes där båda parter stämde varandra inför domstol. Charlotta Lovisa Root kallades därmed att vittna och måste i samband med det lämna Bishop Hill. John Root passade på när hon var obevakad i ett hotellrum. De försvann spårlöst. För Erik Jansson var det omöjligt att acceptera. Det var i och för sig inget ovanligt att medlemmar övergav kolonin, samtidigt som nya kom till. En del var missnöjda och tröttnade helt enkelt på det hårda livet under en diktatorisk profet, och såg kanske också bättre framtidsmöjligheter på andra håll. Alla som följt Erik Jansson från Sverige var inte nödvändigtvis religiösa fanatiker i meningen att den självutnämnde profetens doktrin övertrumfade allt annat. De kunde utöva sin religion på andra håll än i Bishop Hill.

Men när det gällde Charlotta Lovisa var det annorlunda. Även om det tog honom flera månader att lista ut var hans kusin befann sig vägrade Erik Jansson att ge upp. Så småningom hittade han henne i Chicago och lyckades med hjälp av några sektmedlemmar återföra henne till Bishop Hill.

Men den här gången visste han att det inte skulle gå att undkomma fortsatta hot och attacker. Han tog sin tillflykt till Saint Louis på andra sidan Mississippifloden och när han senare återvände till sin församling kunde det verka som att han visste inom sig att hans öde var beseglat. I varje fall stärktes den Messiasmyt han länge spunnit runt sin egen person när han dagen efter återkomsten – söndagen den 12 maj 1850 – predikade i Bishop Hills kyrka och citerade Andra Timotheosbrevet i Nya testamentet: »Mitt eget liv utgjuts redan som ett offer, och tiden är inne då jag måste bryta upp.« När han därefter delade ut nattvarden fortsatte han med att ta upp aposteln Matteus skildring av Jesus sista måltid: »Jag säger er: nu kommer jag inte att dricka av det som vinstocken ger förrän den dag då jag dricker det nya vinet med er i min faders rike.«

Dagen därpå inställde han sig i domstolen för fortsatta förhandlingar i fallet Charlotta Lovisa Root. Han sköts av John Root inne i rättssalen och föll död till golvet inför en mängd vittnen. Root dömdes senare för dråp, sattes i fängelse men benådades innan hans strafftid var avtjänad. En kort tid efter frigivningen avled han i Chicago. Förvirringen var givetvis stor bland anhängarna i Bishop Hill, men framförallt hade en del av dem svårt att finna sig i att Erik Jansson aldrig i likhet med Jesus i Bibelns berättelse återuppstod på tredje dagen.

*

Mot den bakgrunden var det säkert inte förvånande att en ledarkris uppstod. Det fanns ingen given efterträdare som kunde spela rollen av Messiasdespot på samma sätt som Erik Jansson. Dessutom hade hans närmaste man, aposteln Jonas Olsson som varit en trofast vapendragare ända från hälsingetiden, innan mordet gett sig av till Kalifornien. Uppgifterna om guldrushen hade nått fram till Bishop Hill och utsikterna till snabb världslig rikedom hade orsakat guldfeber även i det lilla svenska bibelkommunistiska samhället på prärien.

Kolonins ekonomi behövde stärkas så Jonas Olsson hade fått uppdraget att tillsammans med några andra sektmedlemmar bege sig hundratals mil västerut. Det var en strapatsfylld färd och det tog flera månader innan de var framme. De blev inte helt utan guld men när Jonas Olsson återvände, i februari 1851, kunde han bara redovisa guld för femhundra dollar. Det var kanske bättre än inget, men inte en summa som räckte för att få ordning på Bishop Hills ekonomi. Äventyret i Kalifornien blev en besvikelse.

I vilket fall tog Jonas Olsson nu över ledningen efter Anders Berglund, en annan hälsingeutvandrare som först gått in i Erik Janssons ställe. Men enmansdiktaturens tid var över och församlingen valde ett styrande råd på sju personer med Jonas Olsson som ordförande. Samtidigt som Bishop Hill blev mer demokratiskt växte det ekonomiska vinstintresset, möjligen också på bekostnad av den religiösa renlärigheten. Det kan ha haft att göra med tidsandan. Vid mitten av 1800-talet var USA inne i en av de perioder då allt tycktes möjligt. Den ekonomiska tillväxten var stark. Stora investeringar gjordes Det fanns mycket pengar att tjäna för den driftige. En spekulationsvåg drev fram över den expanderande nationen.

Det fanns flera förklaringar till den boommentalitet som bredde ut sig. I Europa ledde Krimkriget till avbrutna spannmålsleveranser från Ryssland. Tomrummet kunde fyllas av amerikanska producenter och USA:s jordbruksexport sköt i höjden. Det medförde i sin tur att efterfrågan på odlingsbar mark ökade och därmed till stigande markpriser i de nya delstaterna och territorierna i västra USA. Utvecklingen förstärktes när järnvägsnätet byggdes ut. Guldfynden i Kalifornien – som trots allt skapade stora rikedomar, om än inte för Bishop Hill – innebar avsevärda tillskott för mängden pengar i omlopp. Strömmen av invandrare från Europa gjorde att en redan stark befolkningsökning satte nya rekord. Det fanns en köpkraft som aldrig förr. De framväxande industriföretagen hade ett till synes oupphörligt behov av att bygga ut kapaciteten i sina fabriker för att möta all efterfrågan. Alla investeringar krävde kapital. Bankväsendet byggdes ut kraftigt och den finansiella sektorn utvidgades och kunde håva in stora vinster när aktie- och obligationskurserna bara fortsatte att gå uppåt.

Den starka konjunkturen blev, åtminstone på kortare sikt, en välsignelse för Bishop Hill. Invandrare från Sverige fortsatte att anlända, totalt anslöt sig runt femtonhundra personer även om det är tveksamt om kolonin hade en så stor befolkning vid någon enskild tidpunkt. Nykomlingarna var inte bara församlingstillskott utan också arbetskraft som kunde sättas in i kolonins jordbruk, hantverk och spirande småskaliga industritillverkning. Mjölnare skickades till kvarnen, hjulmakare kunde användas för vagnstillverkning. Ett sågverk startades och kolonin kunde göra pengar på sin boskapsskötsel och sina spannmålsodlingar, genom att sälja grönsaker och frukt. Det fanns en närmast gränslös framtidsoptimism och det låg säkert i linje med tidens spekulativa klimat att ett ekonomiskt överskott investerades i mark, fastigheter och andra tillgångar utanför den egna kolonin, även när det innebar att församlingen satte sig i skuld. Det fanns pengar att låna och gott om lovande projekt. Investeringar gjordes i den närbelägna staden Galva, uppkallad efter Gävle i Sverige, och även längre bort, i Chicago. Bibelkommunisterna blev finansiella spekulanter.

*

Men alla finansiella bubblor spricker förr eller senare och nu hände det 1857, då den stora finanspaniken utbröt. USA var ännu inte på långa vägar någon supermakt. Det gick inte att kontrollera vad som hände i omvärlden. Krimkriget i kombination med olika koloniala äventyr var kostsamma för europeiska stormakter som Storbritannien och Frankrike. Det ledde till att räntorna pressades upp i hemländerna och därmed var investeringar i USA inte längre lika attraktiva. När kapital fördes tillbaka till Europa gick luften ur marknaden för amerikanska aktier och obligationer.

Den 24 augusti 1857 kom sanningens minut. Det räckte med att ett finanshus baserat i Ohio ställde in sina betalningar vid sitt kontor i New York efter något i sammanhanget så trivialt som att en anställd avslöjats för förskingring. Det var nog för att sätta finansmarknadens trovärdighet ur spel. En rykteskarusell drogs igång som utlöste panikförsäljningar på Wall Street och därefter över hela landet. Allt skedde mycket snabbare än vid liknande situationer tidigare. Det framväxande telegrafnätet hade gjort det möjligt att både sprida information och göra affärer på långa avstånd och med en helt annan hastighet. Högt belånade spekulanter tvingades göra sig av med sina innehav. Företag gick i kon-

---

Konstnären Olof Krans avbildade en av Bishop Hills svenska invandrare tillsammans med en skrämd representant för ursprungsbefolkningen. Bilden bygger nog mer på myt än verklighet i och med att det vid tiden för kolonin inte längre fanns indianer bosatta i området.

kurs på löpande band. Inledda investeringar i nya byggprojekt avbröts. Finanssektorn stramades åt. Marknaderna för mark och fastigheter kollapsade när priserna rasade. Hundratusentals människor som helt nyligen varit övertygade om att allt bara kunde bli bättre, var plötsligt arbetslösa.

Missnöjet tog sig uttryck i demonstrationer och till och med rena kravaller. Även på andra sidan Atlanten dämpades framtidsoptimismen. Färre européer såg nya och bättre möjligheter i den nya världen. Invandringen till USA föll under 1858 till den lägsta nivån på mer än ett decennium.

Även om krisen var relativt kortvarig och USA-ekonomin nådde en återhämtning inom ett par år, blev Bishop Hill ett av offren för finanskrisen 1857. När bubblan sprack föll kolonin under sin egen skuldbörda. Tillgångarna, som ändå var betydande, kunde inte längre fungera som säkerhet för krediter som uppskattades till närmare hundratusen dollar. Situationen blev ohållbar när det dessutom visade sig att ledningen förfalskat bokslut och på andra sätt manipulerat den egna redovisningen. Investeringar hade gjorts bakom ryggen på de egna medlemmarna. Bishop Hill var bankrutt och kollektivets tid var över. 1860 upplöstes den egendomsgemenskap som funnits sedan starten. Utdragna rättsprocesser ledde aldrig till att någon ställdes till svars för de ekonomiska oegentligheterna. Det blev mycket komplicerat att försöka fördela de tillgångar som fanns och det slutade med att enskilda familjer fann sig satta i ekonomisk skuld.

Många av invånarna valde eller tvingades att flytta, framförallt till Galva men också längre västerut, för att söka nya möjligheter. Efter att Charles Nordhoff besökt Bishop Hill rapporterade han om ett samhälle i »långsamt förfall«, med obebodda hus och byggnader som vittrade sönder.

Men det var åtminstone några invånare som stannade på platsen och delar av det gamla samhället har bevarats. Det finns ännu kvar, främst som en prydlig turistattraktion som i viss mån fungerar som ett monument över en svunnen tid.

Ironiskt nog kom finanspaniken 1857, samtidigt som den innebar slutet för den bibeltrogna rörelsen i Bishop Hill, att bidra till att ge ny fart åt den religiösa väckelse som börjat svepa över USA redan tidigare under 1800-talet. När den ekonomiska krisen slog till var det många som var mottagliga för predikanternas bibliska budskap om att människorna syndat genom att girigt sträva efter för mycket materiell rikedom. Jakten på pengar hade gått för långt och det var det som orsakat finanskraschen. Människorna hade nu drabbats av Guds vrede och behövde syndernas förlåtelse. Bönemöten drog fulla hus.

Det var nu inget som kom Erik Janssons efterföljare till godo. När anhängarna spreds från Bishop Hill gick många över till andra nya väckelserörelser, som metodismen och baptismen som samtidigt växte sig starkare i Sverige under påverkan från Amerika. Det fanns en uppsjö av religiösa trosriktningar som konkurrerade med varandra och i olika former utlovade direkt frälsning utan inblandning av något officiellt sanktionerat prästerskap.

*

Den ekonomiska krisen tvingade nyanlända invandrare att bryta upp på nytt och söka sig till andra platser. USA var i högsta grad ett land i rörelse och föränderlighet, vilket även det bidrog till att många blev mer öppna för nya religiösa budskap. Liksom andra som sökte en bibeltrogen pietism, kunde Erik Janssons anhängare välja mellan olika uttrycksformer. De behövde inte vara bundna till exakt vad som predikats i Bishop Hill.

Senare lockades många svenska invandrare till pingströrelsen och till missionsvännerna, och åtskilliga beslutade att resa över Atlanten för att ansluta sig till mormonerna. Som den förste svenske mormonen räknas John Erik Forsgren, som blev omvänd i USA när han kom till Boston som sjöman 1843. Han tog sig senare till Utah i västra USA dit profeten Brigham Young ledde sina skaror efter att grundaren Joseph Smith slagits ihjäl av en upphetsad folkhop i Illinois. Från Utah sände mormonrörelsen, som grundats i USA, missionärer till Sverige som aggressivt försökte rekrytera proselyter.

Aktiviteterna var så omfattande att de väckte oro bland svenska myndigheter. Särskilt som unga kvinnor kunde få sina biljetter betalda för den långa resan till Utah utan att de nödvändigtvis hade klart för sig att tanken var att de skulle bli medlemmar i ett hustrukollektiv. Polygamin var så kontroversiell i USA att vad som var Utahterritoriet länge nekades inträde som delstat. Först 1896 upptogs det som USA:s fyrtiofemte delstat, men villkorat till att Utah antog ett konstitutionellt förbud mot polygami.

Samtidigt som USA allmänt uppmuntrade en invandring var det svårt att försvara att mormonagenter reste över till Europa och ägnade sig åt vad som närmast liknade ett slags slavhandel. En svensk invandrare vid namn J.O. Poulson föreföll vara mycket nöjd med ett porträttfoto av en i hans tycke vacker kvinna som han fått översänt till Utah, och svarade så sent som 1879 till en mormonmissionär i Skåne: »Jag är glad för det potret du sende mig det ser ut att vara en pen flicka så där som du har ett dussin sådana att taga med dig hit så vil du nok få afgång med dem till att sända penningar efter dem.«

Bortsett från mormonernas polygami var det för den svenska statskyrkan förstås också allmänt oroväckande att så många svenskar verkade överge den officiella lutherska läran innan de emigrerade eller i samband med flytten till Amerika.

Som religiös rörelse kom Erik Jansson och Bishop Hill knappast att lämna några djupare avtryck, åtminstone inte på längre sikt. Men kolonin i Illinois fick betydelse på andra sätt. Den utvandring som leddes av profeten från Biskopskulla var trots allt omfattande för sin tid och den fick avsevärd uppmärksamhet i Sverige. Även om reaktionen inledningsvis var repressiv bidrog en utvandring, som åtminstone till viss del gjordes på religiös grund, till att statskyrkans dominans ifrågasattes och till att konventikelplakatet hävdes. Det blev även lättare att lämna statskyrkan för ett annat samfund när steg togs mot ökad religionsfrihet under senare delen av 1800-talet.

Som tidiga utvandrare utövade invånarna i Bishop Hill också ett betydande inflytande med de rapporter de skickade hem till Sverige. Kunskapen om Amerika var ännu inte så spridd. Samtidigt tog väckelserörelsen fart. Innan han emigrerade hade Erik Jansson varit en av de första som på allvar utmanade statskyrkan. Tidigare hade de pietistiska rörelser som fanns inte varit separatistiska, utan de hade hållit sig inom ramen för statskyrkan även när de var kritiska mot prästerskapets roll.

Nu kom brev som berättade om USA som ett land med religionsfrihet, om hur vem som helst kunde ställa sig och predika på gatan. Guds ord var inget som var förbehållet prästerna. Den enskilde individen kunde själv välja tro och väg till frälsning. Många kom att bli övertygade om att det också var Guds vilja att Amerika »upptäckts« så sent, att det var avsett som en tillflyktsort för alla som utsattes för religiös förföljelse och förtryck. Det var den gamla visionen om ett förlovat land, som mer än tvåhundra år tidigare burits över Atlanten av de engelska puritanerna, som nu gick igen. Erik Jansson och hans anhängare kom därmed att påverka många andra utanför den egna sekten som vägde in religionen när de tog beslutet att emigrera, även om de istället blev metodister, baptister eller något annat.

Ett av de stora problemen för den lutherska statskyrkan var bristen på egna präster i Amerika, något som blivit uppenbart redan när kolonin New Sweden i Iowa grundades och dess ledare Peter Cassel övergick till metodismen. Flera statskyrkopräster tog djupa intryck av utvandringen till Bishop Hill och bestämde sig för att något måste göras. Lars Paul Esbjörn, som blivit prästvigd i Uppsala 1832, var den förste att anta detta uppdrag från kyrkan när han emigrerade 1849. Trots att han räknats som läsare inom statskyrkan och kanske till och med övervägt att ansluta sig till metodisterna, blev han i USA efterhand en alltmer renlärig lutheran. Efter att han återvänt till Sverige och 1863 tillträtt tjänsten som kyrkoherde i Östervåla i Uppland, förklarade han att han känt sig manad att resa till Amerika för att andligt betjäna sina landsmän som emigrerat. Esbjörn som i Sverige sett Erik Janssons dragningskraft på nära håll, tog på sig uppgiften att se till att de svenska invandrarna inte drogs in i »de mer eller mindre villfarande sekterna«. Han hade verkat för att invandrarna skulle kunna behålla sin gamla religiösa identitet i det nya landet där de utsattes för lockelser från alla möjliga nya läror.

Under åren i Amerika var han pastor i flera svenska invandrarförsamlingar i Illinois och kom att spela en betydande roll i uppbyggnaden av en svensk luthersk kyrka i USA. Han var med och grundade Augustanasynoden som fick stor betydelse för det Svensk-Amerika som växte fram när invandringen från Sverige tog fart på allvar. Synoden levde vidare som paraplyorganisation för de svenska lutherska församlingarna i USA till in på 1960-talet. Inom dess ram grundades flera högre lärosäten i olika svenskbygder – Augustana College i Rock Island i Illinois, Gustavus Adolphus i Saint Peter i Minnesota, Bethany i Lindsborg i Kansas – som i ett första skede främst syftade till att utbilda präster men sedan utvecklades till allmänna utbildningsinstitutioner.

De första åren efter ankomsten till USA verkade Esbjörn också aktivt för att rekrytera fler präster från den svenska statskyrkan. Tufve Hasselquist och Erland Carlsson kom över kring eller strax efter 1850 och blev ledare inom Augustanasynoden när den grundades 1860. Under sin tid som pastor i Galesburg i Illinois grundade och ledde Hasselquist *Hemlandet*, en av de första svenskamerikanska tidningarna som kom att få stort inflytande och senare flyttade sin redaktion till Chicago.

*

Bland ledarna för Augustanasynoden fanns även Eric Norelius, som redan som tonåring emigrerade till Amerika där han på Esbjörns inrådan och hjälp fick möjlighet att studera teologi. Han prästvigdes 1855, då han var tjugotvå år, och kom främst att verka i olika församlingar i Minnesotas svenskbygder. Hans bror blev metodistpastor men Eric Norelius förblev en strikt lutheran som hade föga förståelse för avvikare.

Född i Hälsingland är det inte osannolikt att han som pojke i tio–tolvårsåldern åtminstone hade hört talas om Erik Jansson och hans anhängare. När han 1890 gav ut sin historik om de svenska lutherska församlingarna i Amerika blottlades en kvarhängande bitterhet mot det bibelkommunistiska samhälle som sedan länge var upplöst. Det hade då gått fyrtio år sedan Erik Jansson sköts till döds och trettio år sedan kolonin i Bishop Hill avvecklades. Norelius citerade instämmande en biografi som hävdade att Erik Jansson varit en »obemärkt torpare och mjölhandlare« som lyckats bli känd som en »profet« men egentligen inte var annat än en »fräck hycklare, en energisk bedragare, en vinningslysten egoist« som »beröfvat fäderneslandet mer än tusen invånare«.

Kanske säger det något om det inflytande som den onekligen högst märklige fundamentalistiske predikanten ändå verkar ha haft, när Norelius också fann skäl att utfärda en egen varning. Han fördömde den janssonism som »har i så andligt som lekamligt afseende visat sig som en förfelad sak. Ursprungen från oren källa, ledd av äregiriga och sjelfviska afsigter, kunde dess slut icke blifva annorlunda.« Ändå hade läran ändå kanske fört med sig något gott i och med att »det exempel, som det har gifvit, borde vara till nytta såsom en allvarlig varning för de mänskliga dårskaperna«.

De olika religiösa samfundens kamp om alla själar som anlände till Amerika fortsatte även efter att finanspaniken 1857 lagt sig och ekonomin tagit ny fart. Men det fanns andra »mänskliga dårskaper« som måste konfronteras. Det gick inte längre att undvika det olösta problem som ända sedan nationens födelse utgjort ett hån mot dess egna demokratiska ideal om individuell frihet och alla människors lika värde.

TORPARNA PÅ MÅNGA EGENDOMAR I SVERIGE ÄRO LÅNGT OLYCKLIGARE ÄN SLAFVAR PÅ MÅNGA PLANTAGER OCH MER UTSATTA FÖR MISS-HANDLINGAR, JA MER FÖRSLAFVADE ÄN DESSA SENARE.

Rosalie Roos

MÄNNISKOR
TILL SALU

Kampen om slaveriet
leder unionen mot splittring

Han hade lämnat sitt hem i Virginia i gryningen fyra dagar tidigare och när han söndagen den 13 maj 1787 red in i Philadelphia välkomnades han med bullrande kanoner och militärer som stod på rad och gjorde honnör. Befälhavaren som lett upproret mot den brittiska kolonialmakten hade kommit för att rädda den nya nationen som redan – knappt elva år efter självständighetsförklaringen – var på väg att falla sönder under sin egen bräcklighet. Något drastiskt måste göras. Blickarna vändes mot George Washington, USA:s störste hjälte, nationens fader.

När han anlände till Philadelphia kom han i sällskap med tre andra män. Deras namn var Billy Lee, Giles och Paris. Alla tre var svarta och de var George Washingtons slavar som hade följt med deras ägare från hans plantage Mount Vernon.

Inget tydde på att Washington själv fann det särskilt anmärkningsvärt att han hade slavar med sig till den konferens som skulle utforma USA:s nya konstitution, en författning som fortfarande utgör den amerikanska demokratins grundval. Det framstår idag som obegripligt. I en bemärkelse kan det kanske förklaras med att andra värderingar gällde. Vid tidpunkten var Massachusetts den enda delstaten som helt förbjudit slaveriet. Men samtidigt var ändå systemet även då i högsta grad ifrågasatt och motståndet växte.

Washington hade, om han velat, kunnat inhämta synpunkter från Benjamin Franklin som han besökte redan första dagen på plats i Philadelphia. Franklin var den ende av USA:s tidigaste ledare som kunde mäta sig med Washington ifråga om statsmannamässig dignitet. Även Franklin hade under olika perioder i sitt liv ägt en eller ett par slavar som tjänare i sitt hem. Men han hade sedan länge tagit avstånd från slaveriet, först på grund av ekonomiska skäl eftersom han fann det ineffektivt, inte minst för att det främjade lathet bland vita slavägarfamiljer. Senare fördömde han i alltmer kraftfulla ordalag slaveriet även som moraliskt förkastligt, och samma år som den konstitutionella konferensen samlades i Philadelphia blev Franklin medlem i Pennsylvania Abolition Society som verkade för att alla slavar skulle befrias. Lite senare blev han organisationens ordförande och ett av hans sista officiella uppdrag i livet var att i början av 1790 lägga fram en formell begäran till USA-kongressen om slaveriets avskaffande. Det var, konstaterade Franklin, kongressens plikt att »säkra frihetens välsignelse« för det amerikanska folket oavsett hudfärg, och därmed följde att frihet måste ges »de olyckliga människor som är de enda i detta frihetens land som degraderats till evig träldom«.

Författningskonferensen i Philadelphia ledde visserligen till att USA fick en konstitution som räddade unionen och samtidigt banade väg för demokrati. Men problemet med slaveriet var för besvärligt, så det sköts på framtiden när slavstaterna i Södern vägrade att göra några eftergifter. Det skulle dröja ytterligare tjugo år att bara nå fram till ett förbud mot att importera nya slavar och senare ett utdraget och blodigt inbördeskrig innan systemet hävdes.

Sommaren 1787, när konstitutionen utarbetades och antogs, var det ändå fler än Benjamin Franklin som förmådde se den grymma ironin i att en ny nation som gjort uppror för sin frihet nu förnekade människovärdet genom att sanktionera ett brutalt slaveri. Det var trots allt inte så länge sedan revolutionen utropats och de brittiska kolonialherrarna anklagats för att vilja förslava sina amerikanska undersåtar.

*

Men när George Washington som president återvände till Philadelphia 1790 – då USA:s huvudstad flyttades från New York – verkade han fortfarande se det som en självklarhet att ta med sig sina slavar. Det verkar ha kommit som en obehaglig överraskning för honom att Pennsylvania tidigare antagit en delstatslag som syftade till att gradvis avskaffa slaveriet.

En av punkterna i lagen angav att alla slavar som varit bosatta i delstaten i minst sex månader i sträck, automatiskt kunde kräva sin frihet. Det innebar ett dilemma för president Washington. Efter visst bryderi löste han det genom att kringgå lagen. Hans slavar fick åka tillbaka till plantagen Mount Vernon i Virginia innan sexmånadersgränsen nåddes, enligt ett schema där de roterade fram och tillbaka till Philadelphia. De fick aldrig möjligheten att begära sin frihet.

George Washington hade under den konstitutionella konferensen varit gäst hos Robert Morris, som räknades som sin tids främste amerikanske finansman. Morris bostad var en av Philadelphias förnämsta egendomar. Det eleganta tegelhuset i fyra våningar hade uppförts 1767 av den förmögna änkan och slavägaren Mary Lawrence Masters. Under självständighetskriget hade det utnyttjats av den brittiske generalen William Howe, när kolonialmakten ockuperade Philadelphia. Läget i hörnet av High Street (numera Market Street) och 6th Street kunde inte vara bättre. Det var bara ett kvarter bort till den byggnad på Chestnut Street som senare kom att döpas till Independence Hall. Det var platsen där kongressen sammanträdde i Philadelphia och det var där både självständighetsförklaringen och konstitutionen antagits. Byggnaden var en symbol för frihet.

När president Washington anlände 1790 föll det sig naturligt att Morris flyttade ut och att hans ståtliga bostad på 190 High Street blev presidentens officiella residens och kontor. Huset hade en egen trädgård inhägnad bakom stenmurar och det fanns såväl iskällare som ett stall. Utrymmet räckte väl för det hushåll som omfattade inte mindre än nio slavar – Christopher Sheels som efterträdde Billy Lee som Washingtons private betjänt, favoritkocken Hercules och dennes son Richmond, Giles och Paris som skötte stallet och hästarna, betjänten Austin, Joe Richardson som gavs ansvar för postgången och för presidentens hästdroska, samt Moll och Oney Judge som passade upp Martha Washington.

Oney Judge, som var en tonåring när hon först kom till Phila-

TO BE SOLD, on board the

Ship *Bance-Island*, on tuesday the 6th of *May* next, at *Ashley-Ferry*; a choice cargo of about 250 fine healthy

NEGROES,

just arrived from the Windward & Rice Coast. —The utmost care has already been taken, and shall be continued, to keep them free from the least danger of being infected with the SMALL-POX, no boat having been on board, and all other communication with people from *Charles-Town* prevented.

Austin, Laurens, & Appleby.

N. B. Full one Half of the above Negroes have had the SMALL-POX in their own Country.

delphia, blev en av de slavar som klarade att fly från sin ägare. Hon lyckades undkomma slavtillvaron hos presidenten när hon var tjugotre år gammal och hon under Washingtons sista år i ämbetet kunde genomföra en flykt norrut. Hon blev sedan en fri kvinna i delstaten New Hampshire.

George Washington hade då under sin presidenttid medverkat till att stärka slaveriet i och med att han 1793 skrev under en lag – *Fugitive Slave Act* – som gav slavägarna rätten att fånga in och under hela deras livstid återbörda slavar som flytt till delstater där slaveriet upphävts. Ägarna gavs rätten att slå vakt om sin egendom; äganderätten vägde tyngre än människovärdet.

Även om George Washington under merparten av sitt vuxna liv ägde eller kontrollerade hundratals slavar, brottades han ändå med de moraliska aspekterna. I sitt testamente frigav han också till sist de 123 slavar han själv ägde. De övriga, som följt med hustrun Martha i äktenskapet, hade han inte samma makt över. Inför sig själv medgav han att handeln med människor inte kunde försvaras och att slaveriet var av ondo.

Men han kunde – liksom många andra amerikaner vid samma tid – rationalisera eller tänka bort sitt eget slavägande. Det fanns fler som var i samma situation och som intalade sig själva att deras slavar behandlades väl och egentligen hade det rätt bra. Washington var också bunden till en plantageekonomi som var byggd på slaveri. Utan slavarbete var risken stor att han inte skulle kunna behålla Mount Vernon och andra egendomar. Moralen vägdes i ena vågskålen, och finanserna i den andra.

Han hade också möjligen mer legitima farhågor om de svåra problem som skulle kunna uppstå om alla slavar oförberedda släpptes ut i samhället som fria medborgare. Folkräkningen 1790 – den första som gjordes i USA och som enligt författningen måste göras vart tionde år – visade att det fanns nästan 700 000 slavar i en befolkning som uppgick till knappt 4 miljoner (inga försök gjordes att räkna den indianska ursprungsbefolkningen som inte ens ingick i det konstitutionella mandatet). De svartas andel mot-

---

Slavar såldes som vilken egendom som helst på auktioner.

svarade nära 20 procent av hela befolkningen, men det fanns färre än 60 000 som var fria invånare. Liksom flera andra av USA:s tidiga politiska ledare räknade George Washington med att slaveriet skulle avskaffas gradvis och i princip försvinna med tiden.

*

Det kan idag låta mer än lovligt aningslöst, men George Washington var långt ifrån den ende av USA:s tidiga förgrundsfigurer som hade svårt att lösa motsättningen mellan slaveri och frihetsideal. Av de tolv första presidenterna var alla utom två slavägare – undantagen var John Adams och John Quincy Adams från Massachusetts – och åtta av dem ägde slavar under sitt presidentskap, inklusive konstitutionens huvudförfattare James Madison. Den siste var Zachary Taylor som avled i ämbetet 1850.

Men ingen har förkroppsligat USA:s inbyggda motsägelsefullhet på samma sätt som Thomas Jefferson, huvudförfattaren till självständighetsförklaringen och USA:s tredje president. I historiens ljus har Jefferson, kanske mer än någon annan av USA:s »founding fathers«, kommit att symbolisera visionen om individuell frihet. Ändå var han inte bara en slavägare som andra tidiga presidenter, med stor sannolikhet var han dessutom far till åtminstone ett och kanske till samtliga de sex barn som föddes av hans slav Sally Hemings. Alla detaljer har inte klarlagts, men deras relation kan ha inletts redan när änkemannen Jefferson reste till Paris som USA:s sändebud och den då tonåriga slaven Sally Hemings var medföljande till hans dotter Polly.

Hos Jefferson är, som historikern Joseph Ellis uttryckt det, »det bästa och sämsta i USA:s historia oupplösligt hoptvinnat«. Även om det i första hand gäller slaveriets dilemma kan Jefferson än idag åberopas som förebild för helt oförenliga politiska mål. Det går, som Ellis förklarat, att hänvisa till Jefferson för att både hävda att »sjukvård och ren miljö för alla amerikaner är naturliga rättigheter och att de federala byråkratier och skatter som krävs för att genomföra sjukvårds- och miljöprogram kränker individens oberoende«. Jeffersons kluvenhet kan därmed personifiera även dagens politiska motsättningar i USA.

Under republikens första år kämpade han trots allt som utrikesminister mot finansminister Alexander Hamiltons krav på en starkare federal centralmakt. Därmed kan Jefferson åberopas av konservativa republikanska politiker som ser den skattefinansierade offentliga sektorn som ett hot. På samma gång kan liberaler hylla honom som det demokratiska partiets fader. Franklin D. Roosevelt utnämnde Jefferson till en »frihetens apostel« för att samla stöd både för USA:s ingripande i andra världskriget och för uppbyggnaden av ett socialt välfärdsprogram. I båda fallen gällde det att säkra fri- och rättigheter. Efter att Bill Clinton vunnit presidentposten 1992 anlände han till Vita huset i en symbolladdad färd från Monticello, Jeffersons minnesmärkta egendom i Virginia. Det var som om Clinton ville säga att han som demokratisk president fått Jeffersons godkännande och var en värdig efterföljare.

Men hur mycket han än kommit att idoliseras av eftervärlden är det praktiskt taget omöjligt att rättfärdiga hans syn på slaveriet. Det var ändå Jefferson som i självständighetsförklaringen formulerade vad som blivit en vedertagen utgångspunkt för värnandet av mänskliga rättigheter, att alla människor skapats med vissa okränkbara rättigheter, som liv, frihet och strävan efter lycka. Slaveri är därmed per definition omöjligt.

Mer än George Washington levde Jefferson över sina tillgångar. Som skuldsatt var han ekonomiskt beroende av sina slavar vid Monticello där de utförde nästan allt arbete på den egendom Jefferson hela tiden strävade efter att bygga ut och förbättra. Trots att han ägde ett par hundra slavar och själv ägnade sig åt människohandel var han uppenbarligen medveten om att systemet var såväl moraliskt ohållbart som oförenligt med den amerikanska revolutionens principer, och på sikt omöjligt att upprätthålla. Han varnade till och med för att den vita befolkningen i en framtid kunde komma att straffas av Gud i ett kommande uppror, ett raskrig. »Jag darrar för mitt land«, förklarade han, »när jag tänker på att Gud är rättvis: att hans rättvisa inte kan slumra för evigt.« Det var uppenbart att slaveriet inte kunde bestå.

*

333

Ibland kunde Jefferson nästan slå knut på sig själv för att ändå försvara slaveriets existens. Han kunde lägga skulden på Georg III, och hävda att det var den brittiske monarken som under kolonialtiden påtvingat de amerikanska kolonierna slavhandeln mot deras vilja.

Han hade förstås rätt i att det var europeiska länder som inlett slavhandeln över Atlanten och att de första slavarna i vad som skulle bli USA kom med engelska skepp som 1619 anlände till Jamestown, i Virginia.

Men slaveriet upphävdes inte när självständighetsförklaringen och konstitutionen antogs. För att tillgodose slavstaterna i Södern, som hotade att lämna unionen, fastställdes att varje svart slav fick räknas som en tre femtedels människa. Det gav sydstaterna en större representation i kongressen i och med att de åtminstone till viss del kunde tillgodogöra sig den stora svarta befolkning som givetvis inte hade friheten att delta i några val. Politiskt var det av stor betydelse när delstaterna i norr en efter en förbjöd slaveriet, som en bit in på 1800-talet blev en mer renodlad regional företeelse.

Motsättningarna mellan nord och syd blev då mer tydliga och det var något som kom att prägla nationens fortsatta politiska liv. Den konstitutionella kompromiss som nåtts – och som tillät slaveriet i de stater där det redan existerade – var inte en lösning utan permanentade snarare problemet.

Trots att importen av slavar förbjöds 1808 kom antalet att öka snabbt, både genom smuggling och genom naturlig tillväxt. USA blev världens största slavnation. De regionala motsättningarna blev allt svårare att överbrygga. I norr växte storstäderna med industrialiseringen och befolkningen ökade snabbare än i Södern, vilket oroade sydstaternas ledare.

Det var också allt fler i nordstaterna som fördömde slaveriet på moraliska grunder, samtidigt som systemet dessutom alltmer betraktades som ett ineffektivt system i ekonomisk bemärkelse. Vinstmotivet var trots allt en grundregel för den moderna kapitalismen. En slav hade ingen anledning att arbeta hårdare om det inte var möjligt att tjäna mer. I nordstaterna kunde institutionen snarast framstå som anakronistisk.

Men Södern var fortfarande en mer gammaldags jordbruks-ekonomi, vilket befästes när produktionen av bomull ökade dramatiskt under början av 1800-talet. Slaveriet kanske inte skulle ha fungerat särskilt bra i ekonomisk bemärkelse i de nya industrierna, men på bomullsfälten utgjorde det i högsta grad ett produktivt och lönsamt system. När produktionen mekaniserades med en ny maskin för bomullsrensning – *the cotton gin* – kunde plantageägarna få större avkastning på sin slavegendom. Tobak och andra grödor övergavs i och med att efterfrågan på bomull verkade vara närmast omättlig, från såväl textilfabrikerna i norr som från Storbritannien och andra europeiska länder. Ändå kunde slavstaterna i den amerikanska Södern nu producera och tillgodose merparten av omvärldens behov av bomull.

Det var *King Cotton* som styrde i och med att den vita elitens välstånd och rikedomar var byggda kring bomullsplantagerna och slavarbetet. Sydstaterna ville slå vakt om en kultur, en livs-stil – *a way of life* – men i än högre grad handlade det förstås om ekonomiska intressen, även om regionen i ett närmast kolonialt mönster var råvaruleverantör till mer utvecklade ekonomier i norra USA och i Europa. Slavägarna kunde hur som helst tjäna stora pengar och de levde gott på sina plantager, och de var redo att försvara sina rikedomar. För sydstaterna var det ett slag mot den egna ekonomin när den frihandel som gynnade exporten av bomull utmanades av nordstaternas krav på tullar för att skydda sin gryende industriproduktion från utländsk konkurrens.

Det innebar också att spänningen mellan nord och syd tilltog än mer. Synen på slaveriet kom att skilja sig alltmer markant när de ekonomiska intressena gick i olika riktningar. Om det tidigare funnits möjligheter att i alla fall diskutera frågan, blev det med tiden bara svårare när problemet gång på gång sköts fram. I sydstaterna började de vita slavägarna tala om att det kunde bli nödvändigt att bryta sig loss och bilda en egen nation.

En eftergift till slaverianhängarna gjordes 1820 med Missouri-kompromissen. Trots motstånd i norra USA antogs Missouriter-ritoriet som en ny delstat med rätt att fortsätta med slaveriet trots att det geografiskt räknades till nordsidan. Missouri fick bli ett undantag när slaveriet i övrigt bara kunde expandera i de

(21)-5678-Cotton is King—Plantation Scene, Georgia.
Copyright 1895 by Strohmeyer & Wyman.

Söderns plantageekonomi blomstrade
med svarta bomullsplockare som slavarbetskraft.

södra delarna av vad som förut varit det franska Louisianaterritoriet. Som kompensation gavs nordsidan en ny delstat i och med att Maine, tidigare en del av Massachusetts, upptogs i unionen med egna ledamöter i kongressen. Men i Södern stärktes uppfattningen att slaveriet var något som det bara kunde fattas beslut om på delstatsnivå. Det var inget som den federala makten hade med att göra.

Ännu en kompromiss kunde trots allt nås i kongressen 1850, då de efter det mexikanska kriget införlivade Utah- och New Mexicoterritorierna gavs rätten att hålla slavar. Även om det var en utvidgning av systemet fick det i praktiken mindre betydelse i och med att det var områden som ändå var mindre lämpade för en plantageekonomi. Slaverimotståndare i norr upprördes mer av en skärpning av den lag – *Fugitive Slave Act* – som föreskrev att alla slavar som lyckats fly skulle återföras till sina ägare om de fångades in i delstater där slaveriet förbjudits.

Situationen blev alltmer ohållbar. Kraven på att avskaffa slaveriet skärptes i norr samtidigt som Södern spjärnade emot, alltmer villkorslöst. Frågan kom mer och mer att dominera den politiska debatten i kongressen. En konfrontation tycktes närmast oundviklig.

*

Men det var inte bara i USA som slaveriet debatterades och ifrågasattes. I upplysningens spår – när frihet, demokrati och människors lika värde blev centrala begrepp – krävdes reningsbad även i de europeiska kolonialmakterna som tjänat väldiga pengar på sin slavhandel från Afrika till andra sidan Atlanten. Efter Napoleonkrigen antog Wienkongressen 1815 en deklaration mot slaveriet och slavhandeln. Frankrike hade infört ett förbud i samband med revolutionen som senare utvidgades till att gälla även i kolonierna. Storbritannien var tidigare ute än så och ett nationellt förbud utsträcktes 1833 till hela det brittiska imperiet med undantag för Indien.

Samtidigt som slaveriet fördömdes i allt hårdare ordalag på båda sidor av Atlanten var Sverige fortfarande en slavnation, om än i relativt blygsam skala. Slaveriet hade återinförts under stormaktstiden på 1600-talet då imperiedrömmar resulterat i den lilla och kortvariga svenska kolonin i Västafrika. Möjligen fanns även en afrikansk slav i den amerikanska kolonin Nya Sverige vid Delawarefloden. En svart man som gavs namnet Antoni Swart hade i alla fall förts dit även om det råder delade meningar om huruvida han var en slav i egentlig bemärkelse. Men Sverige blev mer involverat i den atlantiska slavhandeln när Gustav III fick för sig att även hans kungarike hade en kolonial framtid i Amerika. När han 1784 fick ta över den karibiska ön Saint-Barthélemy från Frankrike, var en slavekonomi närmast en förutsättning för att den skulle ge någon avkastning alls.

Ön var liten och egentligen ganska obetydlig, inte mer än ett tröstpris för den svenske kungen som räknat med något betydligt bättre. Enda möjligheten att tjäna pengar var att göra ön till en bas för handel. Slaveriet drevs trots allt av ett vinstintresse. Den lilla stad som i kolonial anda döptes till Gustavia blev en frihamn där tullfri handel kunde bedrivas med inte bara varor utan även med människor. Ett handelsbolag, Västindiska kompaniet, upprättades och det fick av Gustav III privilegiet att importera slavar från Västafrika som sedan kunde säljas vidare till köpare på olika håll i Amerika. Det fanns till och med särskilda förvaringsutrymmen för slavarna när de var i transit, i väntan på att levereras till andra destinationer. När handeln blomstrade ökade också den lilla befolkningen på Saint-Barthélemy. Antalet slavar på ön nästan tiofaldigades till över tvåtusen under de första trettiofem åren av svenskt styre.

Sett i ett större sammanhang var Sveriges medverkan i slavhandeln och landets roll som slavägare inte särskilt betydande. Men likafullt sanktionerades officiellt ett grymt och inhumant system och inget tyder på att de svenskägda slavarna behandlades bättre än andra. Sannolikt var det också bara på grund av att Sveriges koloniala ambitioner aldrig kunde förverkligas som slavhandeln stannade på en låg nivå.

Sverige tjänade större pengar på slavhandeln indirekt. Som ledande järnexportör försedde Sverige andra slavhandlarnationer med material som behövdes för transporterna, inte minst till de bojor och kedjor som användes för att hålla det mänskliga godset på plats under färden över havet.

Opinionen mot slaveriet växte sig starkare i Sverige, men det dröjde ända till 1845 innan ståndsriksdagen fattade beslut om ett förbud. Det kom därmed långt senare än i USA:s nordstater och först 1848 hade alla slavar på Saint-Barthélemy verkligen blivit fria. Det var femton år innan president Abraham Lincoln, under det amerikanska inbördeskriget, med sin emancipationsdeklaration officiellt befriade sydstaternas slavar.

Utan slavar kom Saint-Barthélemy helt att sakna värde för den då inte särskilt mäktiga kolonialmakten Sverige. Ön återgick till franskt styre, men inte förrän 1878 då den formellt varit en svensk koloni under nittiofyra år.

Slavhandeln från Afrika över havet till Amerika har kunnat beskrivas som en av historiens värsta kriminella handlingar på internationell nivå och den var intimt förknippad med kolonialismen, med det europeiska imperiebyggandet. Med slavar som arbetskraft kunde råvaror exploateras och lönsamt transporteras till moderländerna. De stora vinsterna från människohandeln och slavarbetet kunde investeras i nya projekt när industrialiseringen sedan tog fart och en modern kapitalism utvecklades. Även efter att de själva avvecklat slaveriet kunde såväl USA:s nordstater som europeiska länder profitera på systemet som fanns kvar i de amerikanska sydstaterna.

*

De miljoner europeiska invandrare som före och under inbördeskriget kom över Atlanten kunde sällan undgå att förhålla sig till slaveriet när de anlände till Amerika. Istället för att tyna bort – som flera av USA:s tidiga politiska ledare hoppats – blev systemet en oöverkomlig motsättning mellan nord och syd när antalet slavar istället ökade dramatiskt. Det var en fråga som engagerade de flesta.

Men även om klyftan mellan nord och syd vidgades var det inte självklart för nyanlända invandrare i norr att stämma in i kraven om att avskaffa slaveriet. För arbetare som redan konkurrerade om vad som uppfattades som de värsta låglönejobben kunde en bild av frisläppta slavar, på marsch norrut från Södern, framstå som hotfull. Kampen om arbete kunde bli ännu hårdare och lönerna pressas ned till allt lägre nivåer. Ett missnöje grodde på olika håll bland en växande invandrarbefolkning.

Under inbördeskriget, när Lincoln utfärdade sin emancipationsförklaring, utbröt kravaller i en rad städer i nordstaterna, protester där vita arbetare riktade sin vrede inte mot överheten utan mot den svarta befolkningen. Det mest våldsamma upploppet inleddes av irländska invandrare i New York sommaren 1863. Vad som från början varit en demonstration mot inkallelseorder till kriget urartade till en av de blodigaste raskravallerna i USA:s historia. Mer än hundra människor dödades och flera tusen skadades när vita arbetare gick till attack mot svarta invånare, till och med mot försvarslösa småbarn. Pådrivna av politisk propaganda mot Lincolns krigföring, riktade vita arbetare sitt ursinne mot idén att de skulle gå i krig för att befria svarta slavar som sedan skulle ta deras jobb och försörjning ifrån dem.

Men det var samtidigt inte orimligt att en del av invandrarna kunde känna sympati med slavarna utifrån sin egen situation. Många kom från Europa som kontraktstjänare. Människor som var utblottade i sina europeiska hemländer sålde i viss mening sig själva. I utbyte mot färdbiljett och mat och husrum i det nya landet skrev de på kontrakt där de förband sig att arbeta utan lön under en period, ofta fyra till sju år.

Det kunde givetvis inte likställas med de afrikanska slavarnas situation, men det var ändå ett slags livegenskap även om den ingåtts på frivillig grund och var tidsbegränsad. Kontraktstjänarna var inte fria innan de gjort sin tid. De kunde också – åtminstone i de amerikanska kolonierna – säljas vidare på en marknad. Vittnesmål visar att köpare kunde inspektera deras nakna kroppar och bjuda ett pris på ett sätt som liknade det som ägde rum på en slavmarknad.

Systemet med kontraktstjänare var utbrett under kolonialtiden, men fanns kvar även under 1800-talet. Andelen var relativt låg bland invandrare från Sverige jämfört med dem från många andra europeiska länder, där en storskalig utvandring inleddes tidigare, som Storbritannien, Nederländerna, Tyskland och Irland. Bland svenska utvandrare som inte själva hade råd att betala för sin resa var det mer vanligt att biljetten betalades av anhöriga som redan kommit till Amerika och gjort bra ifrån sig.

Samtidigt är det påtagligt hur många svenska invandrare som på plats i USA kom att likna det svenska klassamhället vid en ordning där maktfullkomliga herrar styrde över undersåtar som de inte betraktade som bättre än slavar. Det var åtskilliga som förklarade att de lämnat Sverige för att de inte såg någon annan utväg från vad de uppfattade som rent slavarbete. En skåning som utvandrat så sent som 1883, när han var tjugofyra år, kunde berätta att han som liten sålts till en bonde i hemtrakten nära Kristianstad: »När jag var liten pojke, måste jag ut och tigga i bondgårdarna, och när jag var 8 år kom jag ut att vakta kreatur hos den som egde gården. När jag var tolf år en dag och vi åto middag, kom han in och sade: Nu har jag köpt dig på tre år och det duger inte att du försöker rymma.« Pojken, som först brast i tårar »ty jag tyckte det var svårt att vara såld«, blev kvar på gården i fem år.

*

När slaveriet i USA diskuterades i brev till hemlandet var det inte alls ovanligt med kommentarer om att de amerikanska slavarna ändå behandlades minst lika bra som tjänstefolk i Sverige, om inte bättre. Prästsonen Jonas Wallengren, som utvandrat till Iowa från Ljungby i Skåne, skrev 1858 hem till sin bror: »De mesta slafvarne, åtminstone de som äro något medgörliga, hafva det mycket bättre än många af de så kallade Ljungby fria husmen eller dagakarlar.« Det var hans uppfattning att Sveriges adelsmän gärna skulle vilja införa slaveriet i Sverige, »endast det stod i deras magt«.

Det gick också att peka på den förordning som ända fram till 1926 var i kraft under namnet tjänstehjonsstadgan och som gav en arbetsgivare mycket långtgående rättigheter gentemot sina anställda tjänare. En småländsk utvandrare, som lämnade Sve-

342

rige 1892, konstaterade att det var en lag som »tjänstfolk aldrig varit med om att stifta och den existerade endast för att hålla tjänare i slafveri hos brutala husbönder«.

En pigas lott beskrevs av en kvinna som utvandrade från Skåne hösten 1896, då hon var sjutton år. Hon hade börjat arbeta som trettonåring och senare år fick hon tjänst hos en bonde och fick 30 kronor i årslön: »Jag fick slita som en varg, gå ute och sprätta gödsel och dikesjord om sommaren, och de värsta snödagarna på vintern fick jag bära vatten till 11 kor. Detta utom allt annat arbete. Hvarenda minut i arbete från kl. 6 på morgonen till kl. 9 på kvällen, söndag och hvardag, alltid likadant.«

En småländsk utvandrare beskrev från sitt nya hem i Massachusetts det Sverige han lämnat som »tortyrens land, folket behandlas som slafvar och fångar«. En annan smålänning som slagit sig ned i Minnesota slog fast att han under inga omständigheter tänkte återvända till »Sveriges herretyranni«. En kvinna, som vid arton års ålder emigrerat från Gästrikland till delstaten Washington, berättade att hon känt sig behandlad som en slav i Sverige och att hon nu blev arg bara hon tänkte »på de stackars flickor, som skola vara slafvar«.

Till viss del skulle de hårda orden kunna förklaras med att den som övergett sitt hemland kunde ha lätt att falla för frestelsen att svartmåla förhållandena i Sverige. Det kunde finnas skäl att också för egen del motivera det svåra beslutet att emigrera. Men även en utomstående bedömare som Mary Wollstonecraft, den brittiska pionjärfeministen och författaren, hade tidigare på ett påtagligt sätt upprörts av hur illa tjänstefolket kunde behandlas i Sverige. Trots att hon själv kom från det brittiska klassamhället förvånades hon över med vilken makt och rätt den svenske husbonden kunde styra över sina underlydande.

Efter en resa i Skandinavien på 1790-talet beskrev hon den svenska överhetens syn på tjänstefolket som en kvarlevnad från barbariet: »I själva verket visar tjänstefolkets situation, särskilt den som gäller för kvinnor, hur långt svenskar i alla avseenden befinner sig från en rättvis föreställning om förnuftig jämlikhet. De benämns inte slavar; ändå kan en man slå en människa utan risk för straff därför att han betalar en lön; fastän denna lön är så låg, att nöden lär dem att snatta, samtidigt som underdånighet uttrycks i falskhet och tölpaktighet.«

Det brutala klassförtryck som Wollstonecraft fördömde mildrades möjligen en del under 1800-talets gång, men det eliminerades inte. På samma sätt som när det gällde slaveriet var det även här systemet i sig som urholkade den mänskliga värdigheten och degraderade individens beteende.

I historieskrivningarna om de svenska invandrarna i USA har det som regel betonats att de på ett närmast självklart sätt var motståndare till slaveriet. Det är i för sig sant, men säger egentligen inte så mycket. Den stora invandringsvågen från Sverige inleddes inte förrän efter det amerikanska inbördeskriget. Då hade slaveriet trots allt redan avskaffats i USA, först med emancipationsförklaringen och sedan mer definitivt med det trettonde tillägget till konstitutionen, antaget av kongressen i krigets slutskede. Merparten av alla svenskar som kom till USA valde också att slå sig ned i nordstaterna, framförallt i Mellanvästern där det var naturligt att politiskt sympatisera med republikanerna. Det republikanska partiet var inte bara mycket starkt i regionen utan också under lång tid känt som »Lincolns parti« och förknippat med slaveriets avskaffande.

Söderns brännande sol och heta klimat kunde för nordbor framstå som något skrämmande. Det var heller inte ovanligt med avskräckande berättelser om det svåruthärdliga sydstatsklimatet. Men det fanns ändå svenskar som före inbördeskriget slog sig ned i Södern och som verkar ha klarat sig bra. Bortsett från klimatet kan livet i sydstaterna, mer än i norr, ha liknat den tillvaro som invandrarna lämnat bakom sig. I Södern dominerade fortfarande jordbruket och det fanns ett mer stabilt klassystem med given rangordning. Nordstaterna med dess nya fabriker, de växande storstäderna och en typ av social rörlighet kan ha framstått som mer främmande för den som just brutit upp från den svenska landsbygden. Den moderna kapitalism som utvecklades i USA:s nordstater hade ännu inte slagit igenom i alla europeiska utvandrarländer.

Det mesta tyder på att svenskar, liksom invandrare från många andra europeiska länder, kunde anpassa sig till rådande förhållanden också i Södern, även när det gällde att acceptera ett system med slaveri. Rosalie Roos – som senare blev en inflytelserik kvinnosakskvinna i Sverige och grundare av *Tidskrift för hemmet*, som var föregångare till Fredrika Bremer-förbundets tidskrift Hertha – rapporterade 1853 från South Carolina att inte bara gamla sydstatsbor och slavägare, utan även svenskar som nu fanns på plats, var övertygade om att slaveriet var påbjudet av Gud och att det skulle vara för evigt.

*

Rosalie Roos, som växt upp i ett liberalt överklasshem i Stockholm, var tjugosju år när hon 1851 anlände till Charleston, nästan som på flykt från Sverige efter en uppbruten förlovning. Resan väckte viss uppståndelse. Även om Fredrika Bremer kommit till USA tidigare var det då något mycket ovanligt att en ensamstående ung kvinna från hennes samhällsklass gav sig ut i världen på obestämd tid, helt på egen hand. Än mer anmärkningsvärt var att hon hade för avsikt att försörja sig själv.

Hon blev visserligen väl omhändertagen och kunde dra nytta av goda kontakter. Under resan över Atlanten lät kaptenen på fraktskeppet *Lamm* Rosalie Roos ta över hans egen hytt medan han själv nöjde sig med ett enklare utrymme. Väl framme i Charleston möttes hon och togs väl om hand av den i staden bosatte svenske arkitekten Hjalmar Hammarsköld och dennes hustru Emilie. Det fanns även andra svenskar på platsen som, av beskrivningarna att döma, förde en ganska välmående tillvaro.

Men under vistelsen i South Carolina, som kom att vara i fyra år, var hon angelägen om att arbeta för sin försörjning. Hon fick anställning som lärare vid flickskolan Limestone där hennes vän Hulda Hahr redan var verksam. Hon undervisade i franska och musik. Därefter blev hon guvernant till barnen hos plantageägarfamiljen Peronneau, söder om Charleston.

Hon verkar ha funnit sig väl tillrätta men intrycken var inte odelat positiva. Tillvaron på landet i South Carolina kunde nog kännas avlägsen den invanda högreståndsmiljön i Stockholm. Från den relativt isolerade flickskolan avrådde hon i alla fall sin

Amerikafrälste far – Olof Gustaf Roos, en hög ämbetsman i Kommerskollegium – från att utvandra till USA: »Ack Pappa, det är ej så narri som man först kan tycka. Först, hvilket bråk skulle ej en sådan flyttning bli och sedan komma ifrån alla beqvämligheterna af ett civiliseradt lif för att här nedsätta sig i en half vildmark, utan att någonsin komma i tillfälle att njuta af skön konst eller ett bildadt sällskapslif. Ej minst att tala om, svårigheterna med språkets talande och förstående, samt slutligen bli utsatt för alla fasorna af ett inbördeskrig, hvilket troligen ej är långt aflägset.«

Uppenbarligen talades det redan då mycket om ett kommande inbördeskrig i de miljöer där hon vistades i South Carolina. Hon kom också i direkt kontakt med slaveriet. Det fanns ett sextiotal svarta slavar på den plantage där hon arbetade som guvernant, och det fanns gott om andra slavägare i hennes omgivning. I brev hem till Sverige betonade hon sin övertygelse om att slaveriet var moraliskt förkastligt; »ett sådant förhållande är onaturligt och känslovidrigt«, och att det måste komma till ett slut även om det sannolikt bara kunde ske efter en »hård strid«.

Men Rosalie Roos – som senare, som gift, blev känd som Rosalie Olivecrona – påverkades också av den miljö hon vistades i och hade trots sin liberala uppfostran också med sig ett socialt ovanifrånperspektiv från Sverige. För hon tycktes i alla fall ha viss förståelse för föreställningen att svarta passade bättre som tjänstefolk i Södern än vita anställda som bara kunde gå sin väg utan att »husbondfolket kan få dem tillbaka genom maktanspråk«. Det tycks inte ha varit så lätt för henne att förlika sig med att vita invandrare från lägre samhällsklasser inte självklart fann sig i vad som helst: »Så fort de varit i Amerika en liten tid, insupa de förvända begrepp om frihet och jemnlikhet samt anse alla gröfre sysslor under sin värdighet, hvilket dåraktiga högmod fortfar ända tills nöden öfvertygar dem om deras misstag.« Dilemmat, som det framstod, var att slaveriet var omoraliskt men att det ändå behövdes svarta tjänare när vita inte längre var tillräckligt underdåniga.

*

Rosalie Roos kom i nära kontakt med slaveriet
när hon vistades i South Carolina.

När Harriet Beecher Stowes enormt betydelsefulla roman *Uncle Tom's Cabin* publicerades var det inte i den egna omgivningen i Södern, där romanen utspelas, som Rosalie Roos först fick höra talas om den utan i ett brev från Sverige. Hennes far hade hemma i Stockholm läst boken som kom i svensk översättning redan året efter att den 1852 gavs ut i USA. Nu ville han veta vad hans dotter tyckte om en roman som – även om den beskylldes för sentimentalitet och för att förstärka stereotyper – var banbrytande i sättet att skildra slaveriet från en slavs eget perspektiv. Boken kom att bli 1800-talets största bästsäljare och bidrog till att stärka opinionen mot slaveriet på ett högst påtagligt sätt. När Abraham Lincoln mitt under brinnande inbördeskrig mötte författaren ska han ha sagt till Harriet Beecher Stowe: »Så ni är den lilla kvinnan som skrev boken som orsakat detta stora krig.«

Rosalie Roos svarade i ett brev till sin far, daterat den 4 april 1853, att hon till slut lyckats komma över ett exemplar från fru Perronneaus syster. Trots att romanen då var uppmärksammad långt utanför USA:s gränser, och i allra högsta grad läst även i Södern, var det inte möjligt att köpa *Uncle Tom's Cabin* i en bokhandel i Charleston. Om man ändå talade om romanen var det i fördömande eller förlöjligande ordalag. Men hon hade nu läst boken och hon tyckte att mycket stämde med verkligheten: »Negrernas och äfven plantageegarnas seder och språk äro troget skildrade.« Men hon var förvånad över att boken hade kunnat översättas, »emedan negrerna tala mycket illa och deras språk är omöjligt att förstå för den, som ej varit tillsammans med dem«.

Samtidigt som hon senare skulle bli en av de mer radikala förkämparna för kvinnornas rättigheter i Sverige var Rosalie Roos försiktig med att döma slavägarna i sin omgivning i South Carolina. Det var, menade hon, bättre att vara tyst än att argumentera mot en företeelse som hon inte kunde göra något åt, för slavägarna och även andra – »ja, våra egna landsmän« – tror att slaveriet är »stiftadt av Gud och kommer att fortvara i evig tid«.

Hon försäkrade samtidigt att hon inte sett någon sådan grymhet som beskrevs i romanen och hävdade istället den bland svenska invandrare inte helt ovanliga uppfattningen att slavarna levde under bättre förhållanden än vad som kunde gälla för tjänstefolk i Sverige. Det fanns åtminstone delar i beskrivningen av slavägare i *Uncle Tom's Cabin* som hon inte kände igen: »Några sådana egare, som ett par af dem som der finnas beskrifna, har jag dock Gud sje lof, ej sett, ej heller den ringaste misshandling; tvertom bemötas de vänligare och äro frispråkigare än de hvita tjenarna hemma.«

Rosalie Roos fann till och med skäl att i brev till Sverige framhålla att slaveriet är »långt, långt bättre än vi kunna föreställa oss«. Slavsystemet må ha varit omänskligt och orättfärdigt men plantageägarna var, förklarade hon, ändå mer intresserade av slavarnas välfärd än vad svenska godsägare var för sina underlydande. Innan hon återvände till Sverige sommaren 1855 upprepade Rosalie Roos återigen att själva idén bakom slaveriet var vidrig och oacceptabel, men betonade ändå att hon var fullkomligt övertygad om att det var många svarta slavar som hade det bättre än sina »hvita, fattiga bröder«.

*

Det fanns också svenska invandrare som blev slavägare. Den mest kände är sannolikt Swen Magnus Swenson från Barkeryds socken i Småland. Han var en av pionjärutvandrarna och bröt upp från Sverige redan 1836, när han var tjugo år gammal. Av allt att döma var det mest ungdomlig äventyrslystnad som fick honom att ta det då högst ovanliga steget att emigrera till Amerika. De första två åren tillbringade han i New York och Baltimore men hamnade sedan ända nere i Texas, som då var en självständig nordamerikansk republik efter att ha brutit sig loss från Mexiko. Det var ett jobb vid järnvägen som tog honom så långt söderut. Han var inte förste svensken på plats. Några hade till och med deltagit i upproret mot Mexiko, och varit med vid det berömda slaget vid San Jacinto.

Swen Magnus Swenson slog sig ned i södra delen av Texas, inte så långt från vad som då var ett nyligen grundat litet samhälle vid namn Houston. Efter att först ha etablerat sig som affärsman kunde han snart även bli markägare, och hans innehav utvidgades avsevärt efter att han gift sig med den välbeställda änkan

Harriet Beecher Stowes roman *Uncle Tom's Cabin*
fick ett enormt genomslag och stärkte opinionen mot slaveriet.

Jeanette Long. I den småländske invandrarens ägor ingick snart flera bomulls- och sockerrörsplantager i Texas och Louisiana, samt minst fyrtio svarta slavar. Swenson startade också en handelsrörelse och fick en svensk affärspartner 1844 när hans nästan jämnårige morbror Swante Palm anslöt från Småland. Några år senare, efter att Texas införlivats som en av USA:s delstater, flyttade de verksamheten till huvudstaden Austin. De förvärvade fastigheter och avsevärda markegendomar. Sin egen stora ranch döpte Swenson till *Govalle*, från svenskans »god vall«.

Elva år efter ankomsten till Amerika kunde Swenson 1847 återvända till Småland som en mycket framgångsrik man med stora tillgångar. Men han hade aldrig någon avsikt att stanna i det gamla hemlandet. Han behövde arbetskraft och sökte villiga emigranter och var som en tidig pr-agent som lockade med goda framtidsmöjligheter i den nya världen. En bror som var kvar i Småland, Johan i Långåsa, kunde hjälpa till med de praktiska arrangemangen. Det var åtskilliga som tog beslutet att fara över Atlanten och hela vägen till Texas. 1860, före inbördeskrigets utbrott, fanns drygt 150 svenskar i delstaten, nästan alla smålänningar som lockats över av Swenson, och de kom att utgöra den största svenska bosättningen i vad som sedan blev sydstatskonfederationen. Regeln var att utvandrarna fick resan och andra kostnader betalda. Men det var ett lån och skulden måste betalas tillbaka genom arbete under en angiven period på Swensons rancher eller andra egendomar. I praktiken var utvandrarna till Texas alltså kontraktstjänare som åtminstone för en tid gett upp sin egen frihet, även om de senare ofta kunde skaffa sig egna markinnehav.

Swenson lämnade själv Texas under inbördeskriget och tillbringade en tid i Mexiko. Han återvände aldrig efter kriget utan slog sig istället ned i New York där han kom att tjäna stora pengar som bankman. Samtidigt hade han kvar betydande egendomar i Texas som i huvudsak sköttes av Swante Palm, som stannade kvar i Austin där han även hade politiska förtroendeuppdrag och under många år dessutom innehade posten som svensk-norsk konsul.

Historien om Swen Magnus Swenson, som blev mycket förmögen i USA, är i flera avseenden en framgångssaga som kan bekräfta uppfattningen, eller myten, om hur en fattig bondson och invandrare kunde förverkliga praktiskt taget vilka drömmar som helst i Amerika. Det hör också till berättelsen att skeppet som han anlände med råkade ut för en brand och att alla hans ägodelar försvann. Han ska därmed bokstavligen inte ha haft mer än kläderna på kroppen när han kom till det nya landet.

Det var alltså möjligt att komma med två tomma händer, arbeta hårt, vara företagsam och bli mycket rik. I det sammanhanget blir hans tid som slavägare mer än en skönhetsfläck. Kanske är det ett skäl till att det i hans eftermälen regelmässigt har betonats att han egentligen var emot slaveriet och att det var hans stöd för unionen som tvingade honom att lämna Texas. Situationen kunde ha blivit hotfull om han inte betraktades som en lojal sydstatare.

Det kan säkert ha varit så att han fann slaveriet ovärdigt, att det var ett system som var dömt att försvinna, och det har till och med gjorts gällande att hans emigrantrekrytering grundades i att han hellre ville ha smålänningar än slavar som arbetskraft. Det var trots allt åtskilliga slavägare – inga mindre än George Washington och Thomas Jefferson – som brottades med den moraliska aspekten men ändå inte förmådde ta sig ur sin situation av olika skäl, traditioner såväl som snäva vinstintressen.

Men Swenson var ändå inte född in i systemet. Även om hans slavar – helt eller delvis – följde med hans giftermål måste han själv ha fattat ett aktivt beslut att behålla dem, och en del av de ekonomiska vinster han gjorde måste ha kommit från slavarbetskraft. När han innan inbördeskriget gjorde sig av med sina slavar gav han dem heller inte sin frihet utan sålde dem vidare, uppenbarligen missnöjd med den avkastning de gav.

Dessutom fann hans släkting Swante Palm skäl nog att fatta pennan och protestera mot hur svenska invandrare i nordstaterna tog ställning mot slaveriet. Palm blev särskilt upprörd över att den svenskamerikanska tidningen *Hemlandet* närmast drev en kampanj mot slaveriet under ledning av dess utgivare. Tufve Hasselquist, den lutheranske prästen som just grundat tidningen i Illinois, hade under sommaren 1855 publicerat flera artiklar som var mycket kritiska till slaveriet som institution.

I den utgåva av *Hemlandet* som var daterad den 28 augusti

samma år – långt innan Swen Magnus Swenson lämnat Texas – upplät Hasselquist utrymme för svar. Samtidigt fann han anledning att beklaga att han i egenskap av utgivare i högsta grad måste motsätta sig den uppfattning som framfördes i ett brev som kommit från Texas.

I artikeln, daterad Austin, Texas, berättar Swante Palm om den småländska kolonin i Texas och att alla kommit från Jönköpings län, innan han går till motangrepp: »I slaffrågan äro wi hel och hållet af annan uppfattning än Eder. Wi bo i en slafstat, äro dagligen i umgänge både med husbönder och slafwar, och finna slafwarna försedda med bättre föda, bättre behandlade, och bättre omhuldade än de arbetande klasserna i Swerge. Några af oss ega slafwar, och wi wilja ega sådana så fort wi äro i stånd att köpa några. Det är en fördel i slafstaten att wara hwit man. Wåra landsmän skrifwa till oss från Norden, och de äro wärre behandlade, och de lida stundom mera än våra slafwar göra här.« Han tillade att han kunde försäkra att de slavar som ägdes av svenskar i Texas »lida i allmänhet icke af någon slags brist eller wanskötsel«.

Alla Texassvenskar delade säkert inte Palms åsikt i slavfrågan. En av dem skickade till och med in en protest till *Hemlandet* och förklarade att Palm inte kunde uttala sig som företrädare för alla svenskar i delstaten. Men faktum kvarstår trots allt att det fanns svenska invandrare i Södern som ägde slavar och som försvarade systemet, inte bara i Texas utan även i andra sydstater där det fanns svenska emigranter, om än inte samlade i större kollektiva bosättningar. Även om de var långt färre än på nordsidan fanns det även svenska sydstatssoldater. När inbördeskriget bröt ut var det omkring tjugofem av Texassvenskarna som anslöt sig till sydstatsarmén och lojalt kämpade för konfederationen och därmed också för slaveriets bevarande.

*

Vad som gällde för svenskarna i Amerika före inbördeskriget skilde sig säkert inte från andra invandrargrupper. De som nyligen anlänt från Europa tog oftast ställning utifrån om de hade slagit sig ned i norr eller i söder. Det var därmed naturligt att många fler svenskar deltog i kriget på nordstaternas sida än som stred för konfederationens sak.

Men när kampen var avgjord blev det viktigt att framställa det som att svenskarna tveklöst tagit ställning mot Södern och slaveriet. När inbördeskriget pågick fick det trots allt relativt begränsad uppmärksamhet i Sverige, jämfört med i flera andra europeiska länder. En studie som gjorts av svenska dagstidningar under perioden visar dessutom att inbördeskriget gavs mindre utrymme i tidningarna än mer närliggande militära kriser, som de polska upproren, kampen om Schleswig-Holstein och även Garibaldis försök att ena Italien.

Även om opinionen, som den uttrycktes i pressen, till stor del fördömde slaveriet var inte stödet för unionssidan givet. Sverige intog också officiellt en neutral position mellan nord och syd under hela kriget. Ledande liberala svenska dagstidningar ställde sig bakom nordsidan, men det fanns undantag. Den annars liberala *Borås Tidning* kom att rikta mycket hård kritik mot nordstaternas krigföring, och det berodde av allt att döma på att tidningen företrädde den lokala textilindustrin som drabbats hårt av det handelsembargo som hindrade importen av bomull från USA.

Men redan ett par år efter inbördeskrigets slut spreds i Sverige en emigrantballad av oklart ursprung med namnet »Amerika« där det svenska engagemanget för kampen mot slaveriet nog överdrivs en aning. Det berättas om hur slaveriet orsakat den »wilda striden«, att det finns svenskar som är beredda komma nordsidan till undsättning, kämpa för en god och ärofull sak, för att »få slafwen fri«:

> *De sig rusta uti Söder,*
> *Dock för Nordens fria land,*
> *Till att kämpa finnes bröder,*
> *Komna från Sweas strand;*
> *Främst likwäl, bland dem som tåga,*
> *Uppå ärans, krigets stråt,*
> *Drog en swensk, blott eld och låga,*
> *Med en fana djerft framåt.*

När slaveriet i USA fortsatte att utvidgas före inbördeskriget – både genom en växande slavbefolkning och genom en territoriell expansion – var det som en tickande bomb. Det var bara frågan om när den skulle explodera. Motsättningarna mellan nord och syd blev alltmer oförsonliga.

Rätten för slavägare att kunna återta sina slavar, sin egendom, från norr utlöste vrede. Misstankarna i nordstaterna om att det fanns en sammansvärjning för att sprida slavsystemet fick ytterligare näring när USA:s högsta domstol 1857 – i ett domslut som idag ses som den värsta skamfläcken i den högsta rättsinstansens historia – i fallet *Dred Scott* slog fast att slaveriet kunde rättfärdigas enligt konstitutionens skydd av äganderätten. Slaven Dred Scott hade tagit sin sak till domstol eftersom han tillsammans med sin ägare levt i områden i vad som då var nordvästra USA där slaveriet förbjudits. Högsta domstolen avvisade hans begäran att bli fri med motiveringen att han inte kunde åberopa medborgarskap och därmed inte hade rätten att föra talan i federal domstol.

Men den kanske enskilt mest betydelsefulla händelsen kom lite tidigare, i maj 1854 när kongressen antog en lag – *Kansas– Nebraska Act* – som innebar att de två nya territorierna, med dess vidsträckta och bördiga jordbruksmarker, gavs rätten att själva i demokratisk ordning bestämma om slaveriet skulle tillåtas. Det var helt i strid med Missourikompromissen från 1820, då slaveriet bannlystes från territorierna norr om en given breddgrad väster om Missouri. Lagen – som initierats av Stephen Douglas, en demokratisk senator från Illinois med presidentambitioner – fick långtgående konsekvenser när en konfrontation ryckte närmare.

Det fanns visserligen vid tidpunkten en bred opinion för en fortsatt expansion västerut. Stephen Douglas företrädde en stark rörelse som var övertygad om att det var USA:s fastställda öde – *Manifest Destiny* – att utöka sitt territorium över kontinenten. Nu började också planerna ta form för en transkontinental järnvägslinje som skulle binda samman nationen hela vägen från Atlanten till Stilla havet. Om ett så stort projekt skulle förverkligas var det högst rimligt att områdena utefter järnvägen befolkades, att nybyggare flyttade in för att bruka jorden och grunda nya samhällen. Inte minst var det många invandrare, även svenska, som var beredda att söka sin lycka längre västerut.

Men när det också kunde innebära en utvidgning av slaveriet var det många i norr som reagerade med ursinne. Järnvägen kunde inte tillåtas gå fram där människor var förslavade. Även om den i huvudsak skulle finansieras med privat kapital, kunde det bara ske genom att de federala myndigheterna som motprestation erbjöd mark som kunde exploateras runt järnvägsspåren. Kansas kom att bli närmast ett slagfält för våldsamma sammandrabbningar när anhängare och motståndare till slaveriet kom tillresande för att göra upp om territoriets framtid som delstat. Kansas blev »Bleeding Kansas«, skådeplatsen för ett slags minikrig som pågick till och från fram till inbördeskrigets utbrott.

Våldsamma konfrontationer förekom också på andra håll. Även inne i USA-kongressen i landets huvudstad. Charles Sumner, en senator från Massachusetts, hade i ett retoriskt utbrott fördömt Kansas–Nebraska-lagen som ett uttryck för spridningen av slavmakt; det var med hans ord inget mindre än en våldtäkt på ett jungfruligt territorium. South Carolina pekades särskilt ut som en delstat som gjorts »skamligt imbecill« av slaveriet. Två dagar senare, den 22 maj 1856, konfronterades Sumner inne i senatens kammare av Preston Brook, en kongressledamot från South Carolina som var ute efter att försvara den egna delstatens heder och ära. Med en guldknoppsförsedd käpp slog Brook sin antagonist blodig och medvetslös.

*

En inte lika våldsam men på sikt mer betydelsefull konfrontation kom att utspelas i Stephen Douglas hemstat Illinois, den delstat som då var på väg att bli ett nytt hem för så många svenska invandrare. Slaveri hade etablerats i Illinois under den franska ko-

---

Inför inbördeskriget växte kraven i norr på att Söderns slavar
skulle friges. Abolitioniströrelsen vände sig även till
unga amerikaner för att stärka opinionen mot slaveriet.

356

A

PICTURE OF SLAVERY,

FOR YOUTH.

BY

THE AUTHOR OF "THE BRANDED HAND" AND "CHATTELIZED
HUMANITY."

Philanthropy imploring America to release the Slave and revive Liberty.

Undo the heavy burthen, let the oppressed go free, break every
yoke.

———◆———

BOSTON:

PUBLISHED BY J. WALKER AND W. R. BLISS,

AND FOR SALE AT THE ANTI-SLAVERY OFFICE, 21 CORNHILL; BELA
MARSH, 25 CORNHILL; ALSO AT THE ANTI-SLAVERY OFFICES
IN NEW YORK, 142 NASSAU ST.; AND IN PHILA-
DELPHIA, 31 NORTH FIFTH ST.

lonialtiden, men det hade bannlysts redan 1787 – när *Northwest Ordinance* införlivade vad som då räknades som nordvästra USA som ett nytt territorium – även om det inte eliminerades omedelbart. Det var i alla fall inte ovanligt att slavägare medförde sin »egendom« när de kom söderifrån. Många rörde sig mellan Illinois och de angränsande slavstaterna Kentucky och Missouri. I södra Illinois fanns också starka band till sydstaterna, vilket bidrog till att det även fanns en relativt stadig opinion för slaveriet i delstaten, samtidigt som motståndet kunde vara kraftfullt i de norra delarna. Även om det var mer eller mindre självklart att Illinois hörde till nordsidan under inbördeskriget, understryker den splittring som fanns i delstaten hur komplex frågan om slaveriets framtid ändå var i 1800-talets USA.

Efter att Kansas–Nebraska-lagen antagits 1854 blev slaveriet den dominerande politiska frågan i Illinois. Framförallt kom frågan att dominera kraftmätningen mellan Stephen Douglas, då en av de mest inflytelserika ledamöterna av USA-senaten, och Abraham Lincoln, en självlärd advokat som trodde sig kunna vinna Douglas senatsplats. De två blev hårda politiska rivaler under åren fram till inbördeskrigets utbrott.

Deras kraftmätning skedde mot bakgrund av en tilltagande politisk instabilitet. Inom det demokratiska partiet fanns redan starka regionala spänningar mellan nord och syd och de förstärktes till bristningsgränsen av slaverifrågan. Whigpartiet, det ledande politiska alternativet, hade av olika skäl kommit att spela ut sin roll och var på väg att upplösas.

Den politiska oreda som rådde vid tiden för Kansas–Nebraska-lagen ledde till en ny partibildning, byggd kring resterna av whigpartiet och missnöjda nordstatsdemokrater. Det nya republikanska partiet kom att företräda näringslivets intressen i norr, nybyggare i de västra pionjärområdena som ville ha tillgång till mark och den växande opinion som krävde ett slut på slaveriet. Den första republikanske presidentkandidaten – John Frémont, en omstridd militär hjälte i kriget mot Mexiko – förlorade i valet 1856. Men i bakgrunden fanns redan Abraham Lincoln som trevande inlett sin politiska karriär inom whigpartiet och nu som republikan började ställa in siktet mot högre politiska mål.

Född 1809 utan pengar eller anor kunde Abraham Lincoln senare, som presidentkandidat, vinna många anhängare bland de nya invandrargrupperna i Mellanvästern, inte minst svenskar som slog sig ned i nya jordbruksområden i Illinois, Iowa, Wisconsin och Minnesota. För dem som kommit över havet var Lincoln en levande påminnelse om det hoppfulla löftet att det i Amerika gick att starta med två tomma händer och arbeta sig uppåt, hur högt som helst. Lincoln personifierade det alltmer spridda idealet om *the self-made man*.

Han talade ogärna om sin enkla bakgrund. Det fanns inte mycket att säga, tyckte han, och i efterhand har det framkommit att släkten Lincoln tidigare nog hade haft det lite bättre ställt än vad som kom fram i den blivande presidentens version. Men det var som om han hade bestämt att vad han än skulle göra, så skulle han gå sin egen väg. Föräldrarna hade lämnat Virginia och kommit som pionjärer till Kentucky där han själv föddes. När han var sju år flyttade de till Indiana, främst i jakt på ny mark och bättre möjligheter, men kanske också delvis för att hans far, Thomas Lincoln, inte ville bo i en slavstat.

*

Med en minimal skolgång i bagaget lämnade Abraham Lincoln hemmet som sjuttonåring. Hans far och styvmor – modern hade avlidit i sjukdom – hade då flyttat vidare till södra Illinois. Det var mest slumpen som gjorde att han själv hamnade i den lilla nybyggarstaden New Salem vid Sangamonfloden. Lincoln lärde sig navigera vattenvägen ut till Mississippi och tog sig ända ned till New Orleans ombord på en flodbåt. Istället för att bli jordbrukare gav han sig med varierande framgång in i olika affärsverksamheter, studerade intensivt på egen hand för att bli advokat, inledde en politisk bana som ledamot av delstatsförsamlingen, flyttade 1837 till den blivande delstatshuvudstaden Springfield och företrädde under en tvåårsperiod sitt distrikt i USA-kongressens representanthus. Han drevs av mycket höga ambitioner och var väl medveten om sin egen intelligens och förmåga i förhållande till andra, såväl rivaler som vänner.

Lincoln kom att utveckla en benhård tro på juridiken, på lagen som det goda samhällskitt som kunde hålla samman nationen och skapa förutsättningar för en demokratisk stabilitet och en ekonomisk utveckling. Lincoln var i och för sig en troende kristen, men han var inte religiös som sina föräldrar som var bibeltrogna baptister. Han anslöt sig aldrig till någon kristen församling. I viss mening var juridiken hans religion.

Ändå gav lagen, som den såg ut, inget klart svar om slaveriets framtid när frågan alltmer splittrade nationen. Söderns slavägare var övertygade om att de hade lagen på sin sida och att konstitutionen garanterade ett skydd av deras äganderätt. Motståndarna till slaveriet kunde samtidigt hämta stöd i såväl författningen som i självständighetsförklaringens försäkran om att alla människor hade samma rätt till liv, frihet och strävande efter lycka.

Motsättningen blev central när Abraham Lincoln på allvar började utmana Stephen Douglas, med siktet inställt på att erövra hans senatsplats i valet 1858. Efter att deras inbördes kamp inletts redan när Kansas–Nebraska-lagen antagits fyra år tidigare drevs de båda, delvis av debattens egen dynamik, att inta alltmer kompromisslösa positioner. Den uppskruvade retoriken kunde dölja att de egentligen inte stod så väldigt långt ifrån varandra.

Douglas var ingen vän av slaveriet utan försvarade i första hand delstaternas rätt till självbestämmande gentemot den federala makten. Om invånarna i en delstat röstade för slaveri var det inget som andra hade med att göra. Det var en uppfattning som delades av många även i norr. Lincoln var tidigt en närmast intuitiv motståndare till slaveriet, men det var inte någon fråga som engagerade honom särskilt djupt. Även om han motsatte sig en utvidgning av slaveriet västerut enligt Kansas–Nebraska-lagen, var han före inbördeskriget knappast ute efter att avskaffa systemet i de existerande slavstaterna i Södern. Han hade själv haft en mycket begränsad direktkontakt med svarta individer, slavar såväl som fria, och när han talade om svarta människor var det ofta på ett sätt som idag säkert skulle anses rasistiskt.

Dessutom höll Lincoln under lång tid fast vid den på en gång märkliga och orealistiska föreställningen att problemet skulle lösas med en koloni i Afrika, dit USA:s svarta invånare kunde föras. Länge trodde han inte att svarta och vita skulle kunna leva sida vid sida, och tycktes inte ens förstå att de flesta svarta amerikaner var just amerikaner och helt saknade intresse av att bryta upp och bosätta sig i Afrika.

Douglas drevs mot en även för sin tid mer extrem rasistisk ståndpunkt efter att USA:s högsta domstol 1857 avvisat slaven Dred Scotts begäran om frihet. I hopp om att kunna utnyttja de vitas rädsla för svart emancipation, instämde Douglas i domstolsordföranden Roger Taneys uppfattning att den svarta befolkningen medvetet exkluderats från självständighetsförklaringen och konstitutionen. Det var, förklarade Douglas, för att de svarta utgjorde en underlägsen ras. Det låg i linje med att slaveriets försvarare alltmer hävdade uppfattningen att systemet egentligen var för de svartas bästa. De var inte kapabla att hantera sin egen frihet.

Vad som fick Lincoln att reagera var framförallt att det för honom var uppenbart att Douglas, liksom Taney, feltolkat lagen utifrån det politiska syftet att både utvidga och permanenta slaveriet. Det var en kränkning av självständighetsförklaringen och konstitutionen, handlingar som borde vara heliga för alla amerikaner. Skälet till att grundlagsfäderna valt att inte explicit inkludera de svarta invånarna var att de utgick från att slaveriet var något som skulle upphöra med tiden.

Uppfattning stod mot uppfattning och de egentliga avsikterna bakom formuleringarna i självständighetsförklaringen och konstitutionen var knappast något som nu gick att utläsa och slå fast. Efter en serie dueller, debatter som följdes även på andra håll i USA och med tiden kommit att räknas som klassiska uppvisningar i retorik, lyckades Stephen Douglas också behålla sin senatsplats. Hans budskap om delstaternas självbestämmanderätt, om den egna majoritetens rätt att styra, vann gehör.

Lincoln var stukad efter förlusten men han gav inte upp. Han började snart lyssna på locktoner om Vita huset. Allt fler i det egna partiet började se honom som en lämplig kompromisskandidat i presidentvalet 1860. Lincoln hörde definitivt inte till de mest konservativa i det republikanska partiet, men han räknades heller inte till den radikala falangen som helt ville avskaffa slaveriet, även i Södern.

När han vann den republikanska nomineringen kom han återigen att stå mot Stephen Douglas. Men det demokratiska partiet hade splittrats och försvagats och sydstatsdemokrater nominerade en egen kandidat, dåvarande vicepresidenten John Breckinridge.

Sedan självständigheten hade slaveriet bara fortsatt att växa. Vid folkräkningen 1860 fanns närmare 4 miljoner slavar i en befolkning som med en stark naturlig tillväxt och en tilltagande invandring ökat rekordsnabbt till drygt 31 miljoner invånare. Sedan den första folkräkningen 1790 hade alltså antalet slavar på sjuttio år ökat dramatiskt från nivån på knappt 700 000.

Men Lincolns främsta mål var inte att avskaffa slaveriet utan att hålla ihop unionen. Samtidigt insåg han också alltmer tydligt att USA inte på en gång kunde vara både en slavnation och en fri nation, »till häften slav, till hälften fri«. Det skulle visa sig att motsättningen inte kunde lösas med mindre än ett blodigt krig.

Sommaren 1863 utbröt våldsamma upplopp i New York.
Mängder av invandrare, främst irländska arbetare,
protesterade mot att de tvingades in i ett inbördeskrig
för att frige svarta slavar som sedan kunde ta deras jobb.

FRANK LESLIE'S
ILLUSTRATED
NEWSPAPER

Entered according to the Act of Congress in the year 1863, by FRANK LESLIE, in the Clerk's Office of the District Court for the Southern District of New York.

No. 409—Vol. XVI.]   NEW YORK, AUGUST 1, 1863.   [Price 8 Cents.

BROADWAY CONVEYANCES DURING THE RIOT.

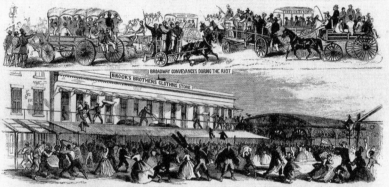

THE RIOT IN NEW YORK.—THE CLOTHING STORE OF MESSRS. BROOKS, BROS., CATHARINE STREET, PILLAGED BY THE MOB.

ESCAPING RIOTER STOPPED BY THE POLICE.

BURNING OF THE GRAIN ELEVATOR, ATLANTIC DOCK, BROOKLYN, JULY 15.

ANDRA NATIONERS ARMÉER HA VUNNIT LIKA LYSANDE SEGRAR SOM VÅR, ANDRA SOLDATER ÄN VÅRA HA VARIT TÅLIGA, LYDIGA, IHÄRDIGA OCH TAPPRA, MEN INGEN ARMÉ I VÄRLDEN HAR LAGT I DAGEN SÅDANA STORARTADE DRAG AF MEDBORGERLIG DYGD SOM UNIONS-SOLDATERNA FRÅN DET STORA UPPRORETS DAGAR.

Överste Hans Mattson

TILL VAPEN
FÖR UNIONEN

Svenska invandrare
och officerare bakom Lincoln

Det amerikanska inbördeskriget kom att vara i fyra år, från april 1861 till april 1865. Enligt tidigare uppskattningar förlorade mer än 620 000 soldater sina liv, i strid eller i de sjukdomar som följde med kriget. Men senare beräkningar som gjorts tyder på att dödssiffran kan ha varit betydligt högre, 750 000, till och med långt över 800 000. Därtill kommer ett okänt antal civila dödsoffer, främst i sydstaterna. Det är därmed möjligt, rentav sannolikt, att inbördeskriget krävde fler amerikanska liv än USA:s alla övriga krig sammantagna. Med tanke på att antalet invånare då inte ens var en tiondel av dagens befolkning var konsekvenserna minst sagt förödande.

Landsman ställdes mot landsman, ibland till och med broder mot broder. Två söner till Bernhard Ulrik Dahlgren – som i början av 1800-talet utvandrat från Uppsala och slagit sig ned i Philadelphia där han etablerat sig som framgångsrik handelsman och också blev svensk konsul – kom att spela ledande roller på var sin sida i kriget. Av allt att döma fanns inga andra skäl än att de slumpmässigt hamnat på olika platser, den ene i norr, den andre i söder.

Båda var födda i Philadelphia. John Dahlgren, som var född 1809 och äldst, gjorde militär karriär i USA:s flotta samtidigt som han arbetade med egna vapenkonstruktioner. Han kom att tjänstgöra på departementet för USA:s sjöstridskrafter i Washington där han utvecklade en ny typ av träffsäkra och lätthanterliga kanoner för sjöartilleriet, effektiva vapen som kom att gå under namnet »Dahlgren guns«.

Efter krigsutbrottet fick president Lincoln upp ögonen för den svenskättade uppfinnaren och officeren. Dahlgren kom att

bli en av Lincolns favoritmilitärer och de två blev goda vänner, så goda att Dahlgren kunde passera överordnade och gå direkt till presidenten med sina ärenden, något som i hög grad kom att irritera marinminister Gideon Welles. Lincoln utnämnde Dahlgren till konteramiral och gav honom befälet över unionens södra flottstyrkor som hade till uppgift att upprätthålla den blockad som förklarats mot sydstaternas hamnar. Under krigets senare del understödde Dahlgrens sjöstyrkor unionssidans stora markattacker mot hamnstäderna Charleston och Savannah.

Hans yngre bror Charles Dahlgren, som var född 1811, blev istället bankman och fick förflyttning från Philadelphia till ett avdelningskontor i staden Natchez i Mississippi. Han blev tillräckligt förmögen för att kunna investera i plantager och blev därmed också slavägare. Vid krigsutbrottet var han redo att försvara slaveriet och tvekade aldrig i valet av sida. Han ställde till och med upp med egna pengar för att rekrytera soldater till det regemente han gick i spetsen för, och utnämndes senare till brigadgeneral i sydstatsarmén av konfederationens president Jefferson Davis. Medan hans äldre bror, när kriget var över, hyllades som hjälte i norr innebar sydstaternas kapitulation att Charles Dahlgren förlorade alla tillgångar; plantagerna konfiskerades och hans slavar blev fria.

Dramatiken förstärktes av att Ulric Dahlgren, en son till John Dahlgren, blev ett av krigets många offer. Han hade ännu inte fyllt tjugotvå år men var redan överste när han under våren 1864 sköts till döds. Han ledde då en kavalleristyrka mot konfederationens huvudstad Richmond i Virginia och det officiella målet med attacken var att befria nordstatsfångar från det beryktade fängelset Belle Isle. Men när hans döda kropp omhändertogs på slagfältet upptäcktes handlingar som pekade mot att Ulric Dahlgren hade en avsevärt mer långtgående order om att, när han tagit sig igenom fiendelinjen, bränna ned Richmond och mörda Jefferson Davis.

Adelsmannen Ernst von Vegesack var en av de svenskar som reste till USA för att delta i inbördeskriget. I *Harpers Weekly* hyllades han som en av nordsidans hjältar efter det blodiga slaget vid Antietam.

När handlingarna blev kända utlöste de mycket upprörda reaktioner, inte bara i sydstaterna utan även på olika håll i Europa. I propagandakriget utnyttjades de för att anklaga nordsidan för hänsynslös brutalitet. Eftersom handlingarna senare förstördes, möjligen medvetet, har deras autenticitet aldrig riktigt kunnat styrkas. Från nordsidan – och inte minst av John Dahlgren – hävdades att det rörde sig om förfalskningar. Handlingarna kunde i vilket fall aldrig kopplas direkt till president Lincoln. Men det tumult som uppstod var sådant att det, i alla fall enligt olika konspirationsteorier, satte igång en kedja av händelser, och det har spekulerats om att John Wilkes Booth kan ha påverkats av handlingarnas påstådda innehåll när han efter krigsslutet året därpå planlade mordet på Abraham Lincoln.

Det var ett i flera avseenden komplicerat krig, och än idag finns olika meningar om varför det egentligen utkämpades. Det var inte enbart slaveriet som hade lett till allt starkare spänningar mellan nord och syd. Det fanns också motstridiga ekonomiska intressen som yttrade sig i olika syn på frihandel och protektionism. Södern slog vakt om delstaternas självbestämmanderätt gentemot en starkare federal makt som i norr ansågs nödvändig för en industriell utveckling. Dessutom var det många i sydstaterna som såg sig som företrädare för en speciell kultur med både sociala och politiska värderingar som skilde sig från vad som gällde i norr. Södern hade en separat och egen identitet. Det var därmed bara följdriktigt om staterna i söder bildade en egen nation.

*

Abraham Lincolns seger i presidentvalet 1860 kunde uppfattas som ett mycket påtagligt hot mot inte bara slaveriet som institution utan även mot Söderns livsstil och kultur. Av olika skäl hade sydstaterna dessförinnan kunnat utöva ett oproportionerligt stort politiskt inflytande. Av de femton presidenter som kom före Lincoln hade nio kommit från de sydstater som sedan anslöt sig till konfederationen och de hade alla varit slavägare, i eller utanför ämbetet. Sammantaget hade Södern innehaft presidentposten mer än två tredjedelar av den tid USA existerat som nation. Politiker från sydstaterna hade också regelmässigt ledarpositionerna i kongressen och majoriteten av ledamöterna i USA:s högsta domstol hade alltid kommit från Södern. Nu hade det nya republikanska partiets kandidat Abraham Lincoln – visserligen hjälpt av det demokratiska partiets splittring – segrat i presidentvalet, trots att han fått mindre än 40 procent av det totala antalet röster och hans namn inte ens hade funnits på någon valsedel i många sydstater.

Mary Boykin Chesnut – vars man, senator James Chesnut, kom att bli nära rådgivare till konfederationens president Jefferson Davis – förde dagbok och beskrev de chockartade reaktionerna i South Carolina när beskedet kom att Lincoln valts till president: Alla talade upphetsat i munnen på varandra, någon ropade att »tärningen var kastad«, från ett annat håll hördes ett rop om att de »svarta republikanerna« tagit över. Unga män kom springande med South Carolinas egen Palmettoflagga och hävdade lite väl tidigt att den egna delstaten redan brutit sig loss från unionen.

Men det dröjde inte länge innan varningarna om en utbrytning blev verklighet. Bara drygt en månad efter valdagen beslutade South Carolina att lämna unionen. Redan den 1 februari 1861 hade ytterligare sex stater – Mississippi, Florida, Alabama, Georgia, Louisiana samt Texas – gjort samma sak. Amerikas konfedererade stater utropades. Jefferson Davis blev president efter att han avsagt sig sin plats i USA:s senat där han representerat delstaten Mississippi. Ytterligare fyra stater – Virginia, Arkansas, North Carolina och Tennessee – kom snart att ansluta sig och konfederationens huvudstad flyttades från Montgomery i Alabama till Richmond i Virginia.

När South Carolinas militära styrkor den 12 april attackerade den federala militäranläggningen Fort Sumter i Charlestons hamninlopp, och krigsutbrottet var ett faktum, var båda sidor redo att gå i strid. Fortet hade i sig inte så stort strategiskt värde. Men när de federala trupperna på plats kapitulerade hade Lincoln fått ett skäl att gripa in mot vad som nu var en väpnad revolt mot statsmakten. För presidenten var det av avgörande betydelse att det inte var Amerikas förenta stater som först gick till attack och utlöste en väpnad konflikt. Konfederationens utbrytning var aldrig något som erkändes i Washington. Det var inte en fiendestats soldater, utan rebeller som gjorde uppror mot den egna nationen som måste slås ned. Freden var därmed från början inte förhandlingsbar.

Både i norr och söder väntade många med stor entusiasm på att få gå ut i strid. Optimismen var utbredd på bägge sidor. Vad som närmast liknade uppdämda glädjescener utspelades över hela landet. Nordstaterna hade ett övertag, både befolkningsmässigt och ekonomiskt. Unionen skulle bevaras. I sydstaterna fanns en spridd uppfattning att motståndaren var moraliskt svag, inte lika krigisk och därmed möjlig att besegra trots att konfederationen hade ett numerärt underläge. Den nyss utropade statsbildningen, rätten till självbestämmande och invånarnas egendom, som förstås inkluderade slavarna, måste till varje pris försvaras. Men det var knappast slaveriet i sig som trappade upp krigsviljan. Snarare var det så att båda sidor, utifrån olika tolkningar, var helt övertygade om att ett krig var nödvändigt för att försvara de republikanska frihetsideal som varit ledstjärna för den amerikanska revolutionen. Det fanns ingen anledning att tro att kriget skulle bli långvarigt. Optimismen var stark i både norr och söder.

*

Attacken mot Fort Sumter hade inletts i gryningen och sent samma dag, den 12 april, nådde nyheten befolkningen i den lilla staden Red Wing i Minnesota, långt uppe i norr. Den svenske invandraren Hans Mattson fick beskedet av en vän som kom springande på gatan. Som han mindes det senare var uppståndelsen omedelbar: »Nyheten spridde sig hastigt och det var ett ögonblick af allmän hänförelse och förbittring. Männen rusade från sina bostäder ut på gatorna och begärde att få ingå i armén. Arbetare bortkastade sina spadar och verktyg, hantverkare lemnade sina arbetsmaskiner, och unga farmare spände från sina hästar, qvarlemnande plogarne på fälten, och redo in till närmaste stad för att anhålla om att bli inregistrerade i hären.«

Inbördeskriget grep oundvikligen in i de många nyanlända

invandrarnas liv, men det var anmärkningsvärt hur många det var som kände sig kallade att ta till vapen för vad de uppfattade som en god och rättfärdig sak. Även om det också kunde finnas materiella motiv – krigstjänsten gav trots allt en lön – var det påtagligt att de invandrare som anmälde sig som frivilliga ändå försäkrade att de gjorde det för att försvara en politisk ordning, landets enhet och dess konstitution. Det var många som fyllda av engagemang hävdade att det nu gällde att kämpa för att upprätthålla vad de kallade världens bästa politiska system. Oavsett var de bosatt sig var invandrarna som regel goda patrioter.

Mer än tretusen svenskar deltog i inbördeskrigets strider, en handfull på sydstaternas sida men merparten anslöt sig till unionens styrkor, vilket var en naturlig följd av att de flesta svenska invandrarna slagit sig ned i nordstaterna. Den svenska siffran kan tyckas relativt hög i och med att det enligt folkräkningen 1860 fortfarande inte fanns mer än drygt 18 600 svenskfödda invånare i USA och bara en del av dessa var män i militär ålder. Men med tanke på att invandrare beräknas ha utgjort en fjärdedel av alla nordsidans soldater bör den svenska andelen ha varit någorlunda i linje med genomsnittet.

Hans Mattson hade lämnat Sverige redan 1851, då han ännu inte fyllt nitton år. Han hade växt upp på en bondgård i Skåne och tycks ha haft det relativt väl förspänt. Föräldrarna hade, förklarade han, »talrika vänner i de högre samhällsklasserna« och de var måna om att han skulle få en bra utbildning. Efter konfirmationen – hos prästen Tufve Hasselquist som sedan skulle bli en ledande företrädare för den svenska lutherska kyrkan i USA – skickades han till latinskolan i Kristianstad med planen att han skulle studera vidare på universitetsnivå.

Det dansk-tyska kriget kom dock i vägen och i hopp om att kunna rädda Schleswig-Holstein åt danskarna bestämde han sig för en militär bana. Han kom dock aldrig länge än till Wendes artilleriregemente i Kristianstad, där han snabbt blev uttråkad och inte kunde se någon framtid, »som jag väl insåg att jag såsom afkomling af bondeståndet icke hade några utsigter till befordran inom den svenska armén i jämförelse med de yngre adelsmännen«. Trött på vad han tyckte var ett enformigt garnisonsliv beslutade

371

Hans Mattson att istället »söka min lycka i ett land, hvarest ärfda namn och titlar icke voro villkoret för framgång«. Som många andra av de tidiga svenska utvandrarna var det inte fattigdom och misär som drev honom över havet, utan snarare en kombination av äventyrslusta och missnöje med det statiska klassamhället i Sverige. Det fanns vid tidpunkten bara ett fåtal personer i hans omgivning som emigrerat, och som han själv konstaterade: »Amerika var på den tiden icke mycket kändt i den delen af Sverige.« Vad han själv visste var att det var ett »nytt land med ett fritt och oberoende folk« och det räckte för att han skulle ge sig av och sommaren 1851 förde briggen *Ambrosius* honom till Boston.

*

Den första tiden i Amerika var strapatsfylld. Han hamnade så småningom bland andra emigranter i Illinois. Därifrån sökte han sig, i jakt på bättre mark, vidare norrut mot Minnesota, som då fortfarande bara var ett territorium och ännu mycket glest befolkat. Under hans ledning grundades en svensk bosättning som gavs namnet Vasa. Han började läsa juridik vid sidan av skötseln av sitt jordbruk och efter att ha drabbats hårt av finanskrisen 1857 kunde han tack vare studierna få ett jobb som skatterevisor. Det var en politisk befattning i stadsförvaltningen i Red Wing dit han då redan flyttat med sin hustru, svenskan Cherstin Peterson som han träffat i Amerika men som kom från samma trakter i Skåne som han själv.

Karriären gynnades säkert också av att han blivit aktiv i det republikanska partiet. Inför presidentvalet 1860 arbetade han för att mobilisera sina landsmän att rösta för Abraham Lincoln samtidigt som han framgångsrikt etablerade sig inom både näringslivet och den offentliga sektorn. Så när inbördeskriget bröt ut var Hans Mattson redan en man att räkna med i Minnesota, som då nyligen blivit en fullvärdig delstat och nu lockade allt fler europeiska invandrare.

När några månader gått efter den inledande upphetsningen vid attacken mot Fort Sumter kom det dystra beskedet om inbördeskrigets första stora markslag, *Battle of Bull Run*, nära

Manassas i Virginia. Nordsidans förlust och panikartade reträtt krossade alla förhoppningar om att det skulle bli ett kortvarigt krig och en enkel seger för unionssidan. Det var i juli 1861 och »man hoppades icke längre att hela upproret skulle undertryckas i ett enda slag eller inom några få månader utan insåg tydligt och klart att kriget skulle bli bittert och långvarigt«.

Nybyggarna i Minnesota nåddes av rapporter om hur svenskar i Illinois och Wisconsin tagit värvning. Även om det var många Minnesotabor som omedelbart anmält sig till krigstjänst var behovet stort. Hans Mattson kände ett ansvar och tyckte det var dags att göra något. Han formulerade ett upprop riktat till skandinaverna i Minnesota och det kom att publiceras i både svensk- och engelskspråkiga tidningar. Det var en vädjan att ta till vapen: »Det är hög tid för oss att som *ett* folk resa oss till försvar för vårt adoptivland och för frihetens sak. Detta land sväfvar i fara, en jättelik makt har gripit till vapen, hotande själfva dess lif och på samma gång friheten.«

Det var nu inget mindre än en invandrares plikt att stå upp för det nya hemlandet eftersom »vi äro i åtnjutande af samma rättigheter som de infödde, vägen till ära och framgång står öppen för oss lika väl som för dem, och vi hafva svurit detta land vår trohetsed«. Hans Mattsons maning till svenskarna var både kraftfull och dramatisk när den vädjade till såväl deras amerikanska patriotism som till en nationalistisk stolthet över deras svenska arv: »Landsmän stån upp! Till vapen, till vapen! Vårt land kallar oss. Låtom oss visa oss värdiga det land och de förfäder, hvarifrån vi härstamma.« Invandrarna han vände sig till kunde vid det laget uppfatta sig själva som både amerikaner och svenskar.

När han själv lämnade sin hustru och deras två barn i hemmet och begav sig till mönstringsstationen vid Fort Snelling, kunde han glädja sig åt att ha sällskap med ett sjuttiotal svenskar och omkring trettio norrmän, alla från hans amerikanska hemtrakter. De kom att bilda ett eget svensk-norskt kompani inom Minnesotas tredje regemente med Hans Mattson som dess kapten.

*

373

En av medlemmarna i Mattsons kompani var trettioårige Olof Liljegren som några år innan krigsutbrottet utvandrat från sitt hem i Sundsjö socken i Jämtland. I ett brev hem till sin far – som tidigare tycks ha motsatt sig sonens emigrationsbeslut – berättar Liljegren att han anslutit sig till USA:s armé, »för tre år eller så lång tid kriget tar«, eftersom hans vänner gått med och för att de litade på honom och räknade med att han skulle göra samma sak. Hans liv var, konstaterade han, inte värt mer än någon annans, »så om jag dör eller stupar, vet jag att jag kämpat och dött för en rättfärdig sak«. I själva verket, det var han övertygad om, fanns ingen mer helig sak att offra sitt liv för. Unionen måste till varje pris skyddas mot sydstatsrebellernas tyranni. Han uttryckte sin förhoppning om att snart vara i strid på slagfältet.

Brevet, daterat den 1 december 1861, var skrivet i Kentucky där Minnesotas tredje regemente slagit sitt första läger under den förflyttning söderut som inletts efter en kortare utbildning. Regementet fortsatte sedan söderut till Tennessee och Olof Liljegren beskrev optimistiskt i nya brev hur nordstatstrupperna ryckte fram mot de fasansfulla sydstatsbarbarerna.

Men det skulle dröja till sommaren 1862 innan han fick stå öga mot öga med den förhatlige fienden och det blev inte alls som han tänkt sig. I gryningen söndagen den 13 juli attackerades Minnesotatrupperna av ett sydstatskavalleri vid Murfreesboro i Tennessee. Redan efter några timmars strid gav regementets officerare upp och de kapitulerade senare samma dag. I ett brev som Olof Liljegren skickade till sin far några veckor senare berättade han om hur förtvivlade mannarna hade varit när de tvingats överlämna sina vapen; »det var många som grät för att vi inte fick slåss och som hellre ville dö än att bli krigsfångar«.

Beslutet att kapitulera kom också senare att ifrågasättas och utsättas för hård kritik på högre militär nivå. Liljegren fann kapitulationen ofattbar. Han hade inte sett någon soldat som varit rädd för att kämpa vidare utan alla hade, som han konstaterade, muntert stått upprätt även när kulorna ven om öronen. Det var en skam, det som nu hade hänt.

Hans Mattson slapp att själv vara med om förnedringen på slagfältet i Tennessee. Han hade insjuknat och varit borta på permission när attacken kom. Vid återkomsten fick han se sina egna soldater på väg in mot Nashville i tvångsmarsch. De var, åtminstone tillfälligt, krigsfångar, en tilltryckt samling trashankar som nu måste vänta på att bli utväxlade mot tillfångatagna sydstatssoldater. Mattson var förskräckt: »De voro ömfotade, uttröttade, hungriga och alldeles vilda av raseri samt liknade mera en hop trasiga tiggare än de väl disciplinerade soldater de varit endast några dagar förut.« Deras officerare hade förts till sydstatsfängelser där de kvarhölls i flera månader.

Men trots alla umbäranden – det rådde brist på både mat och dryck under den hårda marschen – tycktes Liljegren ändå ha fått en mer positiv syn på sydstatssoldaterna som medmänniskor när han väl kommit i direkt kontakt med dem. Han berättade också att han träffat flera svenska fiendesoldater från Texas som varit vänliga nog att låta några utmattade nordstatssvenskar rida på deras hästar under fångmarschen.

*

Sommaren 1862 var annars fylld av bakslag, inte bara för de svenska soldaterna från Minnesota, utan för hela nordstatsarmén. Det var flera försök till framryckningar västerut, med målet att ta kontroll över Mississippifloden, som hade misslyckats. De ekonomiska avbräcken var avsevärda för bönder och handelsmän norröver som inte längre kunde forsla sina varor vattenvägen ned till New Orleans. I öster rådde militärt dödläge och den försiktige generalen George McClellan, som förde befäl över Potomacarmén, avvaktade av olika skäl med att inleda en offensiv attack. I Vita huset började Abraham Lincoln misströsta. Det var så mycket som hade gått fel och kritiken mot hans ledarskap växte när hoppet om en snar seger för nordsidan försvann.

För Lincoln förvärrades situationen ytterligare när han nåddes av rapporter om ett våldsamt uppror bland siouxindianerna i Minnesota. Den tändande gnistan kom i augusti när fem vita nybyggare dödades av en grupp siouxindianer på jakt efter mat. De federala myndigheterna hade, i strid med ingångna avtal, inte betalat ut en utlovad ersättning för mark som indianerna gått med

Nybyggare på flykt undan indiankrigen i Dakota.
Trots ett fördrag som slöts 1868
fördrevs siouxindianerna från sina marker.

på att ge upp. Siouxerna var nu nära svältgränsen och desperata. Vreden spred sig snabbt och upproret ledde till att hundratals vita invånare – varav många nyanlända invandrare – dödades. Reaktionerna blev kraftfulla, inte minst för att många kvinnor och små barn fanns bland offren. Paniken fick fäste bland den vita befolkningen. Så samtidigt som sydstatsgeneralen Robert E. Lee ryckte fram med sin Virginiaarmé, och det började bli svårare att rekrytera soldater till unionssidan, tvingades Lincoln avdela resurser för en helt annan konflikt i norr.

I väntan på utväxling hade Olof Liljegren och de övriga soldaterna i Minnesotas tredje regemente förts från Tennessee till en militärförläggning utanför Saint Louis i Missouri. Hans Mattson, som tidigare befordrats till major, gavs nu överstelöjtnants rang. När utväxlingen var genomförd utrustades hans soldater med nya vapen och uniformer och var redo att återgå i strid när en order kom att de skulle ta sig tillbaka till Minnesota för att hjälpa till att kväsa siouxupproret.

Indianerna hade inte mycket till chans mot en övermäktig militärmakt när soldaterna anlände till Minnesota. Efter en avgörande batalj vid Wood Lake senare under hösten lade de flesta indianrebellerna ned sina vapen och frigav hundratals av de vita nybyggare som tidigare tagits som fångar.

I Olof Liljegrens beskrivning var de frigivna nybyggarna så lyckliga att de »grät av glädje och prisade oss och Gud, fast de blivit så illa behandlade att de knappt kunde gå«. Han tillade att det bland de fritagna fångarna fanns många svenska och norska kvinnor, de flesta unga, en del inte mer än fjorton eller sexton år. Även om Liljegren i sina brev uttryckte medkänsla med de svarta slavarna i Södern – de var förtryckta och måste befrias – visade han ingen förståelse för att indianbefolkningen i hans hemtrakter kunde ha behandlats illa och orättvist när de drivits bort från sin mark. Indianerna blev i hans redogörelse brutala bestar och han ifrågasatte inte att de vita invånarna i området var beredda att ta lagen i egna händer för att utkräva hämnd.

Så småningom utfärdade militärtribunaler mer än trehundra dödsdomar mot enskilda individer bland indianinvånarna. När Lincoln – som själv medgav att han inte var särskilt väl oriente-

377

rad i ursprungsbefolkningens villkor – av humanitära skäl valde att reducera listan kraftigt, skedde det till ett politiskt pris. Hans beslut ledde till att det republikanska partiet åtminstone tillfälligt tappade en del av sitt vid det laget starka stöd i Minnesota. Men Lincoln förklarade att han inte kunde bära ansvaret för att »hänga män för röster«. Likafullt straffades trettioåtta siouxindianer med döden den 26 december 1862 i den största offentliga massavrättningen i USA:s historia.

*

I början av det följande året var det tredje Minnesotaregementet och dess skandinaviska kompani D tillbaka i Södern, och det kom att delta i general Ulysses Grants långa belägring av staden Vicksburg i Mississippi. Slaget om Vicksburg var av avgörande betydelse men Hans Mattson hade trots allt tid över att författa en rapport som han skickade till den svenskamerikanska tidningen *Hemlandet* i Chicago. I brevet, som var daterat den 24 juni 1863, berättade han om den goda moral som rådde bland de egna trupperna, och inte minst bland de många landsmän som fanns runtom honom: »Angående svenskar i armén nära oss kan jag nämna att utom vårt kompani D. äro här i samma afdelning kapten Arosenius kompani i Illinois 43:dje regemente och kapten Corneliesons kompani i Wisconsins 23:dje regemente, förutom flere svenskar i de andra regementena från Illinois och Wisconsin samt i Minnesota 4:dje och 5:te regementen.« Det fanns ingen anledning att känna tvivel om vad han menade. En svensk hade anledning att vara stolt.

På nationaldagen den 4 juli fick Abraham Lincoln så beskedet att Robert E. Lees invasionsstyrka dagen innan besegrats och slagits tillbaka i det blodiga slaget vid Gettysburg. Samma dag, den 4 juli, kapitulerade sydstatstrupperna i Vicksburg. General Grants uthållighet hade gett resultat. Kriget hade kommit till en vändpunkt. Segern i Vicksburg – som Hans Mattson storslaget kallade en av de största i »nya tidens krigshistoria« – innebar inte minst att nordsidan nu åter kunde kontrollera båttrafiken utefter Mississippifloden, hela vägen ned till New Orleans.

Det tredje Minnesotaregementet blev efter segern i Vicksburg kvar i Södern tills kriget var över. Det sändes vidare till Arkansas där det deltog i erövringen av staden Little Rock och kommenderades sedan – under befäl av Hans Mattson som nu utnämnts till överste – till en förläggning i Pine Bluff, en liten stad i Arkansasdeltat med ett synnerligen ohälsosamt klimat, särskilt för ovana nordstatssoldater. Hans Mattson tvingades bevittna hur många av hans mannar insjuknade och noterade att hans regemente därigenom led betydligt större förluster än vad som orsakats något av Minnesotaregementena i strid.

Pine Bluff var, konstaterade han, »en fullkomlig pesthåla, vattnet hade en grönaktig färg och var alldeles odrickbart, luften var full av sjukdomsfrön och giftiga dunster«. Samtidigt fanns fortfarande en fiende och det krävde stora arbetsinsatser. Befästningsverk måste byggas av alltmer överansträngda och utmattade soldater. Många gick under. Det fanns inte tillräckliga resurser för att ta hand om de sjuka, knappt ens för att hinna begrava de döda. Olof Liljegren hade klarat sig på slagfältet, men blev liksom så många andra av inbördeskrigets soldater offer för en av de många sjukdomar som spreds i lägren. Efter att han insjuknat avled han den 26 september 1864. Hans besparingar på några hundra dollar sändes till hans far i Jämtland.

*

Vintern innebar en lättnad och Minnesotasoldaterna var kvar i Arkansas även en tid efter att general Lee i april 1865 kapitulerat vid rådhuset i Appomattox i Virginia. När beskedet sedan kom om att president Lincoln hade mördats var det Hans Mattsons uppgift att vidarebefordra nyheten till sina soldater. Väldiga känslor kom till uttryck: »Aldrig, hvarken förr eller senare, har jag sett ett sådant skådespel som det, hvilket nu följde. Somliga män blefvo alldeles vilda af sorg, väderbitna veteraner togo hvarandra i famn, högljudt gråtande, andra svoro och förbannade. På fånggården, kring hvilken män under mitt befäl stodo på vakt, tog en tillfångatagen rebell af sig mössan, svängde den i luften och hurrade för mördaren Booth, då han förnam nyheten. En ung

379

ENTERED ACCORDING TO ACT OF CONGRESS, IN THE YEAR 1883 BY JOHN C. W.

EXECUTION OF THE THIRT

AT MANKATO MINNESOT

F CONGRESS AT WASHINGTON.

HAYES LITHO.CO.⊛ BUFFALO N.Y.

T SIOUX INDIANS

26. 1862.

Den 26 december 1862
straffades trettioåtta sioux-
indianer med döden, den
största massavrättningen i
USA:s historia.

man vid namn Stark af tredje regementet sänkte då genast sitt gevär och sköt mannen död på fläcken.«

Hans Mattson kunde återvända till Minnesota där han mönstrade av den 16 september 1865 vid Fort Snelling, på samma plats som hans krigsbana inletts. Han var inte den ende svensken som hade getts en hög rang i nordstatsarmén under inbördeskriget. Andra nådde lika högt eller högre. Charles Stohlbrand, som var född i Skåne och liksom Mattson en gång tagit värvning vid Wendes artilleriregemente i Kristianstad, blev utnämnd till brigadgeneral av president Lincoln under ett besök i Vita huset. Men Hans Mattson var likväl mäkta stolt över att ha blivit överste, en titel han fortsatte att använda långt senare, även när han gick vidare i en mycket framgångsrik civil karriär.

De flesta svenskarna som deltog i det amerikanska inbördeskriget tog värvning frivilligt. Skälen kan ha varierat. Några gjorde det av äventyrslusta, andra behövde pengarna. Men även om sådana faktorer spelade in verkar det som om många kan ha känt på samma sätt som Hans Mattson, som betonade att det var hans medborgerliga plikt att »skydda landets regering och upprätthålla dess institutioner«.

Men alla var ändå inte patriotiskt sinnade invandrare som gick i kamp för sitt nya hemland. Liksom under självständighetskriget nästan ett sekel tidigare, fanns det också nu en grupp svenska yrkesmilitärer, som regel adliga officerare, som tog sig över Atlanten för att vinna såväl krigserfarenhet som ära och berömmelse på slagfältet. Något som inte längre var möjligt i fredens Sverige. När de anslöt sig till president Lincolns trupper var den amerikanska kampen mot slaveriet eller för unionens och demokratins fortlevnad i sammanhanget av underordnad betydelse.

*

Officerare som reste ut i kriget hade inga problem att få tjänstledigt från sina svenska regementen. Några fick till och med ett kungligt stipendium på ettusen riksdaler per år under tiden de var i krigstjänst i Amerika. Även om Sverige officiellt förhöll sig neutralt, kunde USA:s nyanlände Stockholmsambassadör Jacob

Haldeman i juni 1861 rapportera att det verkade finnas starka svenska sympatier för nordsidan i inbördeskriget. Hans främsta förklaring var att de flesta svenskar som emigrerat till USA slagit sig ned i de norra staterna. Det fanns därmed en vilja att ge stöd till släktingar, vänner och andra landsmän som utvandrat.

Redan den 4 juli riktade Haldeman en förfrågan till USA:s utrikesminister William Seward. Haldeman hade då kontaktats av åtskilliga svenska officerare som undrade om USA var villigt att ta deras tjänster i anspråk och vad det i så fall var för villkor som gällde. Flera hade hört sig för om möjligheten att få ersättning för sina reseutlägg vid ankomsten. I sitt svar, daterat Washington den 30 juli, var Seward noga med att inte ge några konkreta löften. Han noterade bara med glädje att intresset för USA:s sak var så stort och att han gärna skulle rekommendera de officerare som den svenska regeringen hade att föreslå. Rekommendationsbrev skrevs och trots neutraliteten kom det svenska utrikesdepartementet därmed i praktiken att bistå nordsidan med officerare som förde befäl i flera av inbördeskrigets stora slag.

När Seward året därpå i sitt kontor tog emot det svenska sändebudet, greve Edvard Piper, överlämnade han en låda med ett par Coltpistoler som en vänskapsgåva till Oscar I. Den svenske kungen verkar ha varit nöjd. Han svarade med en gengåva till president Lincoln, en bok som beskrev kungens privata vapensamling. Skriften hade bara tryckts i begränsad upplaga.

*

Friherren Ernst von Vegesack hörde till de svenska officerare som skyndade sig över till Amerika nästan direkt efter att ha hört om de första skotten vid Fort Sumter. Född på Gotland hade han enligt familjetraditionen inlett en militär bana. Han hade deltagit på danskarnas sida i kriget mot Tyskland om Schleswig-Holstein och han hade tjänstgjort som officer på den svenska kolonin Saint-Barthélemy i Karibien. Det hade, tyckte han, varit ett fint äventyr, men verkar sedan inte ha lett till de befordringar Vegesack räknat med i Sverige. När inbördeskriget bröt ut framstod Amerika som en möjlighet. Han var fyrtioett år gammal när han kom till Washington. Med rekommendationsbrev i handen och vägledd av greve Piper togs han emot på högsta nivå i utrikes- och krigsdepartementen och i Vita huset. Efter att utrikesminister Seward lagt några goda ord undertecknade president Lincoln den 11 september ett introduktionsbrev till sin chefsgeneral Winfield Scott med förhoppningen att det skulle finnas en plats för Vegesack i USA:s armé.

Kort därefter utnämndes Vegesack till kapten vid Ohios 58:e volontärregemente. Av olika skäl kom han istället att inledningsvis ha olika stabstjänster och han befordrades till major innan han till slut tog befäl över egna trupper. Han anlade snabbt både aristokratens och den professionelle militärens perspektiv och han förskräcktes av vad han såg.

Det första stora bakslaget för nordsidan, slaget vid Bull Run, visade både att det inte fanns tillräcklig ordning och disciplin och att det krävdes mer offensiva militära initiativ. De amerikanska officerarna var i hans ögon som regel inkompetenta, rentav oanvändbara. Ändå hade de som var militära ledare ett hyfsat material att arbeta med. Nordstatsarméns soldater var visserligen inte på europeisk nivå men ändå utvecklingsbara.

Samtidigt hade Vegesack uppenbara svårigheter att acceptera hur informellt soldater av lägre rang kunde tilltala sina överordnade. Det fanns ingen respekt för uniformen, ingen riktig officersanda. Amerika var, konstaterade han, det märkligaste landet under solen och han började så småningom längta hem till Sverige. I slutet av 1862, efter drygt ett år i amerikansk krigstjänst, medgav han i ett brev till Sverige hur trött han var på den miserabla tillvaron och att han bara längtade därifrån. Det var hans heder och ära som höll honom kvar. Han kunde helt enkelt inte lämna armén innan det tidsbundna avtal han ingått löpt ut.

Ändå hade Ernst von Vegesack då uppmärksammats och hyllats för hjälteinsatser i flera av de bataljer där han deltagit. Efter slaget vid Gaines Mill uppfylldes hans önskan att bli befordrad till överste, och sommaren 1862 hade han getts befälet över New Yorks 20:e volontärregemente. Eftersom det till övervägande del bestod av tyska invandrare räknades det till en av hans meriter att han själv var tyskspråkig, och det var också till hans fördel att hans anfäder en gång utvandrat från Westfalen. Regementet sattes in i slaget vid Antietam nära staden Sharpsburg i Maryland, den 17 september 1862, det datum som blev ihågkommet som inbördeskrigets blodigaste dag. Mer än 23 000 soldater från båda sidor anmäldes som döda, sårade eller saknade när striderna mattades av under natten. General Lees sydstatsarmé var inte utslagen, men tvingades retirera från försöket att invadera gränsstaten Maryland. Vegesack och hans regemente fick ta emot stark eldgivning under en lika djärv som betydelsefull framryckning. Dagen efter konstaterade den svenske officeren att han bara hade fyrahundratjugo soldater i effektiv tjänst. Femhundra hade dödats eller sårats. Priset var högt, men Vegesack hade fått visa vad han gick för.

Efter en kort tids återhämtning deltog Vegesack i flera andra viktiga slag, som Fredericksburg i Virginia i december samma år och Chancellorsville i samma delstat under den följande våren. Han var även med som adjutant till general George Meade när denne tog befälet över Potomacarmén inför det stora slaget om Gettysburg i södra Pennsylvania.

Ernst von Vegesack hade nu vunnit den ära på slagfältet han eftersträvade. Kanske var han besviken över att ytterligare befordran uteblev, kanske var han så trött på krigets oreda att han bara ville hem till Sverige. Efter att ha återvänt till New York i triumf – tidskriften *Harper's Weekly* hade publicerat en illustration av hans hjältemodiga framryckning vid Antietam – mönstrade han av den 3 augusti 1863 och gav sig av tillbaka mot Sverige där han fick ett varmt mottagande.

För Vegesack gav två års krigstjänst på andra sidan Atlanten god utdelning. Hyllningarna av hans tapperhet i slaget vid Antietam hade fått sådan spridning att de uppmärksammats även i hans hemland. Det fanns till och med en och annan som tyckte att han nog bidragit till att åtminstone i viss mån ha återupprättat Sveriges förlorade militära heder. Han befordrades snabbt till regementschef, först i Västerbotten och sedan i Jämtland, och upphöjdes senare till generalmajor. Vid sidan av den lysande militära karriären valdes han in som företrädare för adeln i den sista ståndsriksdagen och blev efter parlamentsreformen medlem

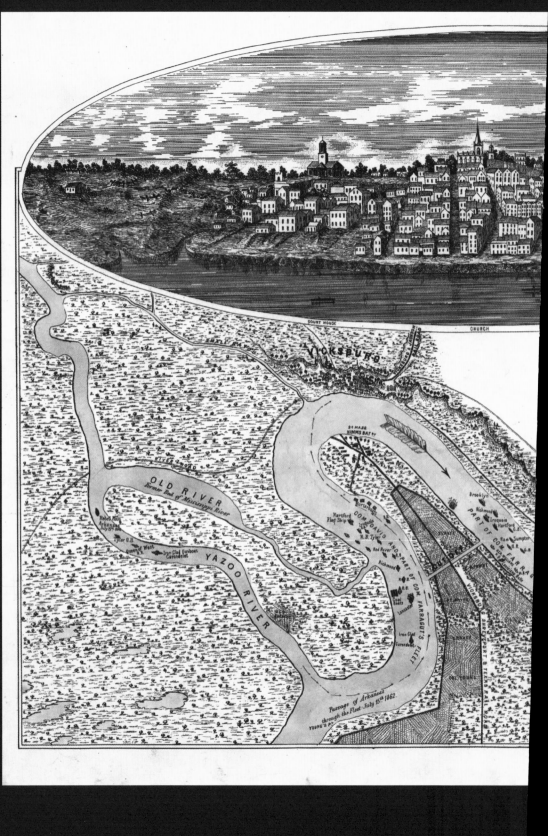

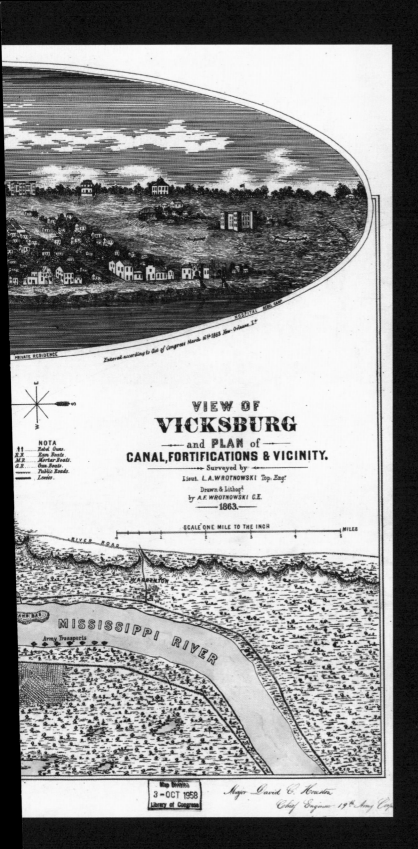

Ett skandinaviskt kompani under befäl av Hans Mattson deltog i slaget vid Vicksburg. Segern gav nordsidan kontroll över båttrafiken på Mississippifloden.

av riksdagens nya första kammare ända fram till 1887. Förutom de olika medaljer och ordnar som han förärades i Sverige visade USA sin uppskattning genom att vid inbördeskrigets slut ge honom en amerikansk hederstitel som brigadgeneral.

Men Vegesack utgjorde snarare undantaget än regeln. För de flesta av de officerare som gett sig ut i inbördeskriget var resultatet alls inte lika gynnsamt. Det fanns en tendens bland såväl svenska som andra europeiska militärer att avfärda inbördeskriget som mindre relevant i meningen att det inte fanns så många lärdomar att dra för eget militärt bruk. Det amerikanska inbördeskriget hade betraktats som ett annorlunda krig, och därmed var deltagandet i detta krig inget som självklart belönades med befordringar. Så vid återkomsten till Sverige fanns i många fall inget annat att göra för de återvändande officerarna än att gå tillbaka till en slentrianmässig fredstillvaro vid det gamla regementet.

*

Det enda skäl som Adolf C:son Warberg angav när han gav sig av till Amerika var att han som officer ville utbilda sig i krigets tjänst. Efter att han sedan hade lyckats avancera till överstelöjtnant i nordstatsarmén var det kanske inte så konstigt att han hade svårt att dölja sin besvikelse när han vid hemkomsten till att börja med bara återinsattes som löjtnant vid Elfsborgs regemente.

Warberg anlände senare än Vegesack. Det var redan april 1862 när han efter en stormig överresa anmälde sig hos greve Piper, det svenska sändebudet i Washington. I handen hade han rekommendationsbrev både från sin regementschef och från Sveriges utrikesminister, greve Ludvig Manderström. Det var också till Warbergs fördel att han hade en utbildning till topografisk officer från Karlbergs krigsskola i bagaget.

Med Piper vid sin sida togs den observante Warberg emot av den amerikanske utrikesministern Seward, »en äldre man med mjukt silfversprängt hår och intelligenta drag, ädelt och välbildadt hufvud, bred panna, lifliga, genomträngande ögon, böjd näsa, något stor men välformad mun, omkring hvilken spelar ett godmodigt drag af humor, på samma gång den vittnar om kraft, beslutsamhet och karaktersfasthet«. Efter en stunds samtal skickades Warberg vidare till krigsministern Edwin Stanton där mottagandet blev mer bryskt. Den upptagne krigsministern – som, erinrade sig Warberg, av vissa benämndes »barbaren Stanton« – hade ingen tid för småprat eller andra krusiduller: »Med republikansk enkelhet – hos honom dock högmod – hvilket bjert stack af emot våra kruserliga bockningar, gick han oss till mötes och, innan grefve Piper hunnit framsäga ett ord än mindre föreställt mig, yttrade han i det mest kortfattade språk, liksom om hvarje ord han utgaf vore dollars och synbarligen med en brådska, som röjde hans obenägenhet för den sak hvarom var fråga.« Varken Warberg eller Piper behövde bry sig om hur de bäst skulle lägga fram sin sak för krigsministern. Stanton förklarade att han redan hade fått all information från Seward. Warberg skulle få sitt kontrakt.

Uppenbarligen räckte det sedan med att Stanton klottrade något på ett papper som han gav till en expeditionschef i uniform. Warberg fördes därefter till ett annat kontor för att vänta på kontraktet. Efter att senare ha erlagt den avgift på en dollar som krävdes för att få svära trohetseden inför en fredsdomare, var löjtnanten från ett regemente i Västergötland i ett slag major i USA:s armé. Han hade order att inställa sig som adjutant i staben hos general Frémonts trupper i västra Virginia. Ambassadör Piper kunde nöjt rapportera till utrikesminister Manderström i Stockholm att uppdraget var utfört.

*

Inträdet i den amerikanska armén kanske var väl informellt för de svenska aristokraterna. Men till skillnad från Vegesack gillade Warberg det mesta han kom att se i Amerika; även den mer demokratiska ordningen utan de tydliga klassgränser han var van vid. Han njöt av det natursköna landskapet på sin järnvägsfärd västerut och lät sig inte ens nämnvärt nedslås när han framme i Wheeling – i den delstat som nyligen brutit sig loss från Virginia och blivit West Virginia – fick beskedet att general Frémonts trupper lämnat staden redan en vecka tidigare. Han fick vända tillbaka med nästa dags tåg för att inte utan umbäranden bege sig till den lilla staden Franklin längre österut, i södra Virginia.

På rätt plats presenterades Warberg till slut för John Frémont, generalen som var en av nordsidans mer kontroversiella befälhavare under kriget. Frémont hade först gjort sig ett namn som stigfinnare och upptäckare i västra USA, där han hade blivit en av de första senatorerna för den nya delstaten Kalifornien och sedan den förste republikanske presidentkandidaten i valet 1856.

Frémont hörde till det republikanska partiets radikala falang och försökte som general under kriget på egen hand bannlysa slaveriet i Missouri utan att först informera president Lincoln. I kombination med flera andra militära och administrativa misstag ledde det till att han inte befordrades till högre rang och till att han så småningom lämnade sin post som befälhavare. Warbergs intryck av generalen var blandat. Den svenske officeren reagerade i alla fall negativt på att Frémont verkade angelägen att hålla en distans, kanske rentav visa en överlägsen attityd: »Ehuru republikanare, kan icke vår general tillräkna sig alla en sådans utmärkande egenskaper, eller åtminstone hafva icke flärdlöshet och enkla seder följt honom i fält, och jag är övertygad, att det är med en viss känsla af storhet, som denne man från privata lifvets yrken, i ett nu gifven så absolut makt som den, hvilken en general, kommenderande en armée-corps af 16 000 man, kan förfoga öfver, räknar i sin stab den ganska betydliga siffran af 95 officerare.«

Som en av dessa stabsofficerare kom Warberg att delta i ett misslyckat fälttåg mot den legendariske sydstatsgeneralen Stonewall Jacksons trupper i Shenandoahdalen i Virginia. Trots ett numerärt överläge gick det inte att stå emot en förkrossande eldgivning från en fiende som visste att bättre utnyttja terrängen. Unionssidan led förfärliga förluster. Det var bara att beordra reträtt och under återmarschen, då han skilts från den egna huvudstyrkan, tvingades Warberg bevittna vad han kallade ett förfärligt skådespel: »Sårade, döde och döende artillerister, demonterade pjeser, i trasor sönderskjutna hästar, hvilkas inelfvor lågo omkring, de lidandes klagan och jemmer, kanonernas dån, granaternas nedslag – och der stod vi nu i detta elände skiljde

Adelsmannen Ernst von Vegesack reste till Amerika för att
delta i inbördeskriget och samla stridserfarenheter.

från de våra, och utan utsigt att få veta, hvar de befunno sig.« Han kunde inte annat än uttrycka beundran för motståndaren, det var skillnad att se »Jacksons soldater i elden, dit de gingo med den mest glödande entusiasm, det mest oförskräckta lugn, förlitande sig på ett befäl, som förstod att leda dem«.

Fälttåget avbröts, och general Frémont tog senare sitt avsked. Men Adolf C:son Warberg klarade sig ändå väl. Han fick en ny tjänst som topografisk officer hos general Nathaniel Banks vid arméstaben i Washington. Även om det fanns en oro för att sydstatsarmén var på väg att närma sig stadsgränsen blev Warberg omedelbart förtjust i tillvaron i huvudstaden. Inte minst imponerades han av en mottagning i Vita huset, då president Lincoln med hustrun Mary under en kväll tog emot tusentals gäster, och där samtliga dörrar stod öppna när individer ur alla samhällsklasser gavs lika rätt till inträde.

Det fanns, noterade Warberg inte utan beundran, en respekt för »det slags menniskovärde, som icke sitter utanpå rocken«. Det innebar att en »medlem af Senaten hade icke större prerogatif att skänka Presidenten sin hyllning denna afton än en medlem av hökaresocieteten, Boston-oratorn visste, att hans lägre kollega, den å en tunna i gathörnen skrikande och på mobbens passioner ockrande industririddaren och folktalaren också skulle vara der och hafva rätt till en handskakning med presidenten«.

Lincoln liknade själv de öppna mottagningarna i Vita huset vid att han tog »ett bad i den allmänna opinionen«. Han var övertygad om att mötena med väljare gav honom en möjlighet att skapa sig »en klarare och mer skarp bild av den stora folkförsamling« som gett honom hans position; de påminde honom om hans ansvar och skyldigheter. Även om det säkert kunde innebära en del påfrestningar var det demokrati i praktisk handling.

*

Warberg ville gärna tillbaka ut till slagfältet men fick istället förflyttning från Washington till en annan stabsbefattning i New York, och det verkar som om han trivdes minst lika bra i »Nya verldens huvudstad«. I hans beskrivning var staden hjärtpunkten för landets bildning, kunskaper och talanger, den var framtiden:»Se detta lif och rörelse, hör detta aldrig minskade buller, och du skall lika litet kunna frånkänna denna stad dess nuvarande rang av verldsstad, som du är mäktig förutse den roll, densamma, genom sin alltjemnt fortgående snabba tillvext, sitt läge, sina förbindelser med tvenne verldshaf, är kallad att intaga i ett kommande århundrade.«

Efter några månader i New York var det dags att på nytt gå ut i fält. Warberg deltog under 1863 först i belägringen av Charleston, sedan i en expedition ner till New Orleans och tillbaka uppför Mississippifloden innan han anslöt sig som topografisk officer vid Potomacarmén i Virginia. Han gjorde väl ifrån sig vid flera insatser, framförallt i operationen mot konfederationens huvudstad Richmond. Så när Ulysses Grant utnämnts till nordsidans chefsgeneral inför de sista avgörande striderna, hade Warberg befordrats till överstelöjtnant och getts en befattning som tillförordnad biträdande generalinspektör, »en tjenst som vi Gudilof ej veta af i vår armé« i Sverige. Han kände sig mycket hedrad, men berättade också att han kände sig orolig. Uppdraget var inte lätt:»Jag är, om jag kan förtydliga det, ett slags kronans ombud vid armécorpsen, och har under min speciella *uppsigt* hvarje regementes utrednig, beklädnad, beväpning m.m. såväl som disciplinära och sanitära förhållanden samt skyldighet att månadtligen göra inspektioner inom regementen och corpser rörande allt detta och lika ofta insända rapporter därom till krigsstyrelsen. Du ser således hvilken vigtig och tillika obehaglig post jag tilldelats.«

När han i oktober 1864 deltog i de attacker som i krigets slutskede gjordes mot Richmond i Virginia kunde han se att slutet var nära för de desperata sydstatssoldaterna. De var inte redo att ge upp, men utgjorde en märklig syn när de tog sig fram genom den täta krutröken och den smattrande gevärselden på slagfältet: »Gråklädda likt våra fästningsfångar, med plymagerad slokig filthatt nedtryckt öfver pannan, trasiga, utsvultna och brunbrända som indianer, med yvigt hår och vildt skägg fladdrande för vinden, gifva dessa Söderns heroer med antikens hjeltemod i bröst och arm, till sitt yttre en föreställning om Abruzzernas herrskares, den grymme och okuflige Rinaldo Rinaldinos röfvareskaror.«

393

Adolf C:son Warberg blev kvar i Amerika till efter krigets slut och sydstaterna hade kapitulerat. Under tre år hade han deltagit i olika strider och skaffat sig avsevärd erfarenhet innan han återvände hem till Sverige. Det var inte så konstigt om det gick att märka en viss bitterhet hos honom när han var tillbaka vid Elfsborgs regemente, där han kom att tillbringa resten av sin militära karriär. Han blev visserligen så småningom befordrad till överstelöjtnant innan han tog avsked 1884, men det hade inte funnits något större intresse av att utnyttja de kunskaper han förvärvat på andra sidan Atlanten. Det var, menade han, ett uttryck för fördomsfullhet och okunnighet: »I Europa säger man med en viss förnäm axelryckning ungefär så här: I Amerika förer man ett eget slags krig. Huru mycket man än skjuter ihjäl varandra der, så hafva vi likväl ingenting deraf att lära.«

Warberg var övertygad om att även om man valde att bortse från krigets viktigaste syfte och resultat – den svarta befolkningens frigörelse från »det barbariska slaveriets bojor« – så fanns det ändå viktiga lärdomar att dra ur ett rent militärt perspektiv. Det gällde även, och här tänkte han säkert på sina överordnade officerare, »den af kejserlig Fransysk eller kunglig Preussisk vapenglans mest förblindade«.

Inbördeskriget var kanske ett annorlunda krig, men det var också det första moderna kriget. I inget tidigare krig hade vetenskap och ny teknik på samma sätt utnyttjats och blivit en del av krigföringen. Eller som Warberg själv uttryckte det: »Huru har icke här, för första gången, mekanikens och andra tekniska vetenskapers tillämpning på krigsmachinerna till lands och vatten gått hand i hand med krigsoperationerna! Här skörda ju mången gång mekanici och civil-ingenieurer af en vunnen seger lika mycken ära som generalen och soldaterna.«

Warberg nämnde inga namn. Men rimligtvis måste han ändå ha tänkt på en landsman, en lika målmedveten som egensinnig uppfinnare som åtskilliga år tidigare invandrat till USA från Sverige via Storbritannien. Utan att bära någon uniform kom denne visionär att från ritbordet i sin bostad på nedre Manhattan spela en betydelsefull roll i det amerikanska inbördeskriget.

TEXAS ★ POSTEN.

NYHETS- OCH ANNONS-TIDNING FÖR SVENSKARNE I TEXAS.

I Arg.   Austin, Texas, Fredagen den 22 Jan., 1897.   Vol. I. No. 41.

Kläder! Kläder!

För män, gossar och barn,

YTTERROCKAR EN SPECIALITET.

Vi äro nu redo att samtaga och i och att sälja äfven färdiga rockar, gossars och herrs kläder till de lägsta priser som utgöratts existerat i vår stad Vårt lager är nytt och rikhaligt, som ni får tillgå att bli på pris visa, samt dessa händelnfull vid de allra senaste moderna. Vår prissen här nu äfverträffas i billighet i staden Austin. Kommen o och gifven ett besök hos os.

DON WILSON,

Hopaktningsfullt.

THE LIST OF HIS INVENTIONS IS TREMENDOUS, AND THEIR INFLUENCE ON THE CIVILIZATION OF THE WORLD AND THE DEVELOPMENT OF SCIENCE IS ALMOST INCALCULABLE.

New York Times

GENIET
FRÅN VÄRMLAND

John Ericssons Monitor
leder in i järnets tidsålder

När president Calvin Coolidge reste sig och tog plats i talarstolen såg han tusentals människor som samlats i den grönskande parken intill Potomacfloden denna dag, den 29 maj 1926. Han kunde blicka upp mot Lincoln Memorial, det imponerande monument som invigts fyra år tidigare för att föreviga den president som på 1860-talet lett USA genom inbördeskriget och försvarat unionen som en enhet.

Coolidge tyckte det var passande att nu inviga ett nytt monument i den amerikanska huvudstaden, inte långt från det »majestätiska tempel« som rests för den »odödlige Lincoln«, presidenten som den svenske invandraren John Ericsson hade tjänat så väl. För även om Ericsson var »en stor son av Sverige« hedrades han nu för att han blivit en stor amerikan. Det pansarklädda stridsfartyget *Monitor*, som den svenskfödde uppfinnaren konstruerat, hade avgjort slaget vid Hampton Roads och, förklarade Coolidge, till havs varit lika betydelsefullt för unionens sak som slaget vid Gettysburg senare var på land.

Det var åtskilliga dignitärer som lyssnade i publiken. Bland hedersgästerna kunde Coolidge se William Howard Taft, ordföranden i USA:s högsta domstol och också en av Coolidges företrädare i Vita huset, kongressens talman Nicholas Longworth samt den svenske kronprinsen Gustaf Adolf med hustrun Louise.

Ingen annan svensk invandrare har hyllats på samma sätt i USA som John Ericsson. Monumentet i Washington – *The John Ericsson National Memorial* – kan visserligen tyckas blygsamt i förhållande till Lincolntemplet, men det är ändå beläget i det parkområde där USA satt sina största hjältar på piedestal, från

Thomas Jefferson till Martin Luther King. Skulptören James Earle Fraser hade avbildat en allvarsam John Ericsson i tänkarpose, sittande under tre figurer, en kvinna, en viking och en stålarbetare som var för sig symboliserade vision, äventyr och arbete. Det fanns också ett livets träd, hämtat från gammal nordisk mytologi.

I USA finns idag, vid sidan av minnesmärket i Washington, en Ericssonfontän i Philadelphia, nära stadens konstmuseum, och redan några år efter hans död förärade hans hemstad New York John Ericsson med en bronsstaty som är placerad i Battery Park vid Manhattans sydspets. Statyn finns där »till minnet av en medborgare vars geni bidragit till republikens storhet och världens utveckling«. Det kvarter av Beach Street i New York där han länge var bosatt har döpts om till Ericsson Place.

Det finns inget som tyder på att han hade tänkt sig en framtid i Amerika, men han hade redan som liten pojke visat stort intresse för matematik och allt som hade att göra med mekaniska konstruktioner. Född 31 juli 1803 i det lilla gruvsamhället Långban nära Filipstad i Värmland, kunde John Ericsson på nära håll studera de maskiner som användes i gruvan där hans far var inspektör. Han var inte mer än i åttaårsåldern när hans far tog anställning vid det stora arbete som då inletts för att bygga Göta kanal. Familjen Ericsson bröt upp och flyttade till Forsvik i Västergötland, där John och hans två år äldre bror Nils redan som unga tonåringar började arbeta vid det enorma byggprojektet. De fick därmed förmånen att gå i lära hos flera av tidens ledande svenska ingenjörer, som gav dem en handfast utbildning och berättade om de omvälvande tekniska förändringar som var på gång.

Långt senare var John Ericsson noga med att tillbakavisa en spridd uppfattning om att han skulle ha kommit från en enkel bondemiljö i Sverige. Pappa Olof hade trots allt fått studera vid läroverket i Karlstad och mamma Sofia kom från en relativt välbärgad familj. De hade båda varit mycket måna om att deras barn skulle lära sig så mycket som möjligt. John Ericsson försäkrade

---

John Ericsson levde ett halvsekel i Amerika och kom att hyllas
mer än kanske någon annan svensk utvandrare.

att han och syskonen – förutom brodern Nils, systern Anna Carolina – hade växt upp bland bildat folk.

Tekniska högskolor grundades vid denna tid runtom i Europa, men han förklarade sig nöjd med att ha sluppit en sådan formell högre utbildning; den skulle bara ha bundit honom vid auktoriteter och begränsat honom så att han inte skulle ha kunnat utveckla de originella idéer som gjort honom till en stor uppfinnare.

Brodern Nils, som stannade i Sverige, kom att fortsätta som kanalbyggare och blev sedan känd som den svenska järnvägens fader när han ledde utbyggnaden av stambanenätet. John var mer rastlös och bröt upp från Göta kanal, trots att han genom projektledaren Baltzar von Platens försorg blivit kadett och getts en möjlighet till en karriär inom flottan. Han ville gå sin egen väg, reste norrut och anslöt sig istället till fältjägarkåren i Jämtland. Där träffade han sin stora ungdomsförälskelse, Carolina Lilliesköld, dotter till en adlig officer som definitivt inte kunde acceptera att hon skulle gifta sig med en man av så enkel bakgrund, dessutom utan vare sig förmögenhet eller goda framtidsutsikter. Det var först efter att förbindelsen brutits som Carolina Lilliesköld upptäckte att hon var gravid. För att hindra en öppen skandal beslutade hennes far att barnet skulle födas i hemlighet och sedan adopteras bort. John Ericsson fick inget veta om sin son förrän långt senare.

Kanske bidrog den olyckliga kärleken till uppbrottet från Sverige. Men han hade också konstruerat en ny värmemotor i en strävan efter att finna ett alternativ till ångmaskinen och han tyckte inte att han fått det erkännande han förtjänade för sin uppfinning. Det var nog snarast så att han drevs av sin passion, sitt eget geni. Han var under hela sin livstid besatt av möjligheten att lösa problem och det var hans arbete som alltid kom i första hand. I vilket fall beslutade han sig för att söka sin lycka i Storbritannien. Det var knappast så att han planerat att lämna Sverige för gott, men han kom därefter att aldrig mer sätta sin fot i hemlandet.

*

John Ericsson hade ännu inte fyllt tjugotre år när han i maj 1826 anlände till London och, med ett stort mått av självförtroende, surskt stegade upp till Institute of Civil Engineers på Buckingham Street för att demonstrera sin uppfinning. Det gick inget vidare. Han hade tvingats ersätta den vedflis han använt i Sverige med stenkol, vars häftiga värmeutveckling förstörde maskinen inför de kritiska åskådarnas ögon.

Som tur var – han hade finansierat resan genom att ta ett lån i Sverige – fanns bland åskådarna en man vid namn John Braithwaite som ändå var tillräckligt imponerad för att erbjuda den tillreste svensken ett jobb vid sin mekaniska verkstad. Snart var de två affärspartners och företaget hade bytt namn till Braithwaite & Ericsson.

Under de följande åren kom John Ericsson att söka patent för en rad uppfinningar. Den viktigaste var hans utveckling av skruvpropellern, men han konstruerade också en ångbrandspruta och en ytkondensor för ångmaskiner på fartyg; han vidareutvecklade varmluftsmaskinen och när järnvägstrafiken fick sitt genombrott hade han sitt eget bidrag med i konkurrensen om att bygga de bästa nya ångloken.

John Ericsson kunde med rätta hysa höga förhoppningar om sitt arbete med skruvpropellern. Även om han inte var ensam om att utveckla propellern blev han först med att ge den en fungerande praktisk tillämpning. Det första stora experimentet gjordes när han byggde det ångdrivna fartyget *Francis B. Ogden*, uppkallat efter USA:s dåvarande konsul i Liverpool som bidragit till finansieringen. Premiärturen på Themsen var av allt att döma lyckad. Det fjorton meter långa fartyget nådde god fart och många åskådare var mäkta imponerade. Men de höga officerare från den brittiska flottan som särskilt bjudits in var inte alls entusiastiska. Kanske var det som Ericssons förste levnadstecknare William Church konstaterade, att konceptet var så nytt att det »förvirrade den genomsnittlige engelsmannen, som hatar något bara för att det är nytt«. Flottans företrädare förklarade att de inte var intresserade.

Det var ett hårt slag. Trots många framgångar hade hans uppfinningar inte genererat de intäkter som krävdes för att upprätthålla en tämligen extravagant livsstil. Han tyckte sig inte ha särskilt mycket tid över att ägna åt sin privatekonomi, men han ville ändå bo flott intill Hyde Park och hans skräddarsydda kostymer förde med sig ett antal obetalda räkningar. Det gick så illa att han 1837, kort efter förevisningen på Themsen, hamnade i ett gäldenärsfängelse på Fleet Street.

Det var kanske inte så konstigt om han tyckte att han hade fått nog av livet i England. Hans blickar kom att vändas mot Amerika när han presenterades för Robert F. Stockton, en löjtnant i USA:s flotta som kom från en anrik familj och som hade en förmögenhet att använda till nya riskfyllda projekt. Han hade nyligen investerat betydande belopp i ett kanalbygge i sin hemstat New Jersey, som i första hand syftade till att underlätta koltransporter mellan Philadelphia och New York. När han fick se Ericssons propellerdrivna sjöfarkost beställde han genast en större modell som skulle kunna fungera som pråmdragare på kanalen. Den nybyggda *Robert F. Stockton* skickades iväg över Atlanten och anlände till New York i maj 1838 där den väckte stor uppmärksamhet, sannolikt mer för att det var det minsta fartyg som dittills korsat det stora havet än för att det var utrustat med den nya skruvpropellern.

*

När Stockton lockade med att det fanns stora beställningar att hämta hos den amerikanska flottan, beslutade sig John Ericsson för att följa efter sin båt. I november 1839 reste han med fartyget *British Queen*. När han efter en färd i hårda vindar några veckor senare klev av på kajen i New York föresvävade det honom inte att han anlänt till vad som skulle bli hans hemstad för de återstående femtio åren av hans liv. Han räknade med att besöket bara skulle bli tillfälligt och han valde att ta in på Astor House, lyxhotellet på nedre Broadway som då var en favorit bland tidens rika och berömda. Det låg helt enkelt inte för honom att bekymra sig över pengar.

Snart var han åter uppslukad av sitt arbete, sina idéer och visioner. Det var arbetet som styrde hans liv, och vad som fick honom att stanna. Han kände sig vid gott mod och trivdes också i ett samhälle med en mindre stel social rangordning, även om han själv kunde vara både formell och lite brysk i sina relationer med andra människor. Nu tycktes det äntligen som att det var hans talang och begåvning som var avgörande, inte hans bakgrund.

Snart anslöt hans hustru Amelia, som först stannat kvar i London, och de flyttade till en permanent bostad på Franklin Street, i det område på Manhattan som idag kallas Tribeca. John Ericsson hade gift sig med Amelia Byam i oktober 1836, när han var trettiotre år och hon nitton. Men även om hon beskrevs som en vacker och intelligent kvinna fanns det ingen riktig plats för henne som John Ericssons hustru i New York. Hon återvände snart till London, trött på den isolering som följde med en make som, uppfylld av sitt eget arbete vid ritbordet, självupptaget avfärdade henne som »svartsjuk på en ångmaskin«.

Även om John Ericsson sände över pengar och brev såg han aldrig sin hustru igen. I vad som kunde tyckas som ett ögonblick av klarsyn förklarade han många år senare att han aldrig varit i kyrkan efter att han lämnat Sverige, förutom en enda gång i London, då han inte bara »klivit in i det heliga rummet utan också stått framför altaret och där gett ett löfte som var svårt att hålla«. Han måste ha anat redan då att det alltid var arbetet, problemlösningarna, som skulle komma i första hand.

Sin svenske son – som fått namnet Hjalmar Elworth och först adopterats bort men så småningom tagits om hand av John Ericssons mor och syskon – såg han bara vid ett tillfälle. Det var 1876, när den då femtiotvåårige sonen, som blivit en hög chef vid Statens Järnvägar i Sverige, kom till USA för att besöka världsutställningen i Philadelphia, och för att inhämta lärdomar från det expanderande amerikanska järnvägssystemet.

Det fanns just inget utrymme för familjeliv. Det var så mycket som skulle hinnas med, så lite tid. John Ericsson kunde visserligen tala om att han någon gång skulle göra ett besök i Sverige, men det blev aldrig något av med de resplanerna.

Han hade alltid fullt upp i New York. Hans nu förbättrade ångbrandspruta togs emot bättre än i London, han fortsatte att arbeta med varmluftsmaskinen som kom att få en rad tillämpningar, och hans propellerdrivna fartyg sattes med framgång in i trafik runtom i USA, i olika kanaler och i de stora sjöarna i Mellanvästern.

Men vad som framförallt upptog hans tid under de första åren i New York var konstruktionen av det stridsfartyg som kom att få namnet *Princeton,* efter Robert Stocktons hemstad i New Jersey. Stockton närde högtflygande planer om beställningar från USA:s flotta och han såg John Ericsson som mannen som kunde förverkliga hans ambitioner. Resultatet blev den första propellerdrivna krigsfregatten och den invigdes under högtidliga former i Washington. Ericsson hade – avsiktligt eller inte – blivit kvar i New York när fartyget seglade iväg på sin jungfrufärd.

Några dagar senare, när *Princeton,* onsdagen den 28 februari 1844, låg förankrat i Potomacfloden strömmade gäster ur huvudstadens högsta elit till. Där fanns president John Tyler, ministrar, kongressledamöter och höga officerare. Det hölls tal och skålades. Robert Stockton beskrev lyriskt fartygets alla förtjänster och lyckades närmast få det att låta som om det var han själv – inte Ericsson – som var konstruktören bakom verket. Det fanns mycket att stoltsera med, som att fartyget var det första med maskinrummet under vattenlinjen och därmed skyddat från fiendesidans eldgivning. Allt avlöpte väl tills det kom en begäran om ännu en demonstration av den stora kanonen på däck, ett vapen som getts namnet *Peacemaker*.

Det kunde ha slutat ännu värre. Det var trots allt många, inklusive USA:s president, som höll sig på avstånd när kanonen exploderade. Men även i det kaos som rådde måste Stockton ha insett vidden av katastrofen. Sex människor, inklusive utrikesministern Abel Upshur och marinministern Thomas Gilmer, låg döda och det var många som var allvarligt skadade.

Det var en olycka som uppmärksammades världen över. I Washington avstannade huvudstadens politiska verksamhet. De döda sörjdes över hela USA. Det var oundvikligt att syndabockar skulle utpekas.

Efter att tidigare ha försökt tona ned hans betydelse, blev Stockton nu mån om att skjuta över ansvaret på John Ericsson som vägrade att komma till undsättning. Vad som hänt kunde knappast vara hans fel, han kunde inte ha någon kontroll över hur kanonen laddades och avfyrades. Istället för att resa till Washington – sociala konventioner hade aldrig intresserat honom – skickade John Ericsson in en räkning för arbetet med *Princeton*. Med tvåhundratrettio arbetsdagar och diverse utlägg slutade notan på 15 080 dollar. USA:s flotta, som beställt fartyget, betalade aldrig och kongressen beviljade aldrig några pengar, inte ens när en domstol senare gav Ericsson rätt i hans fordran.

Det är ingen överdrift att säga att John Ericsson och USA:s flotta därefter inte ville ha något med varandra att göra, inte ens när inbördeskriget kom och ställde nya krav på krigföring. Det stod nu helt klart att tiden höll på att passera för stridsfartyg byggda i trä. Järnet skulle ta över som material i de nya krigsfartygen som utrustades med propellrar och ångmaskiner. Pansarklädda fartyg hade redan kommit i bruk i Krimkriget. Det första, *La Gloire*, hade konstruerats i Frankrike och en kapprustning hade satts igång. Krimkriget hade visat att nya och mer kraftfulla artillerivapen kunde få förödande effekter. Det räckte inte längre med att ett krigsfartyg var utrustat med kraftfulla kanoner. Det måste också finnas ett starkt skydd som kunde stå emot inkommande beskjutning. USA var snarast på efterkälken när kampen mellan nord- och sydstaterna utlöste en efterfrågan på ny, mer modern vapenteknik.

*

När USA:s flotta sökte leverantörer av nya pansarklädda fartyg brydde sig John Ericsson inte ens om att komma med något förslag, trots att han tidigare fått ett positivt gensvar för en modell han presenterat för Frankrikes kejsare, Napoleon III. Men blygsamhet hörde inte till hans egenskaper och han var med sina egna ord övertygad om att han kunde åstadkomma vad ingen annan levande konstruktör kunde göra. Så han skrev istället ett brev direkt till president Lincoln, daterat den 29 augusti 1861. Det fanns ingen anledning att gå via några mellanhänder. Han erbjöd sig att bidra med ett nytt fartyg som kunde få stor betydelse för nordsidan i kriget. Det var inte för pengarnas skull utan för att han älskade sitt nya hemland som han ville göra en insats.

Det skulle inte råda någon tvekan om att det var en sann patriot som ville vara till hjälp som nu valde att vända sig till Vita huset.

Det är oklart om brevet ens nådde fram till president Lincoln. Något svar kom i alla fall aldrig. Här kunde också John Ericssons medverkan i inbördeskriget ha nått sitt abrupta slut, om det inte hade varit för att Cornelius Bushnell just i samma veva sprungit på en man med samma förnamn, Cornelius Delamater, i lobbyn på The Willard, hotellet nära Vita huset på Pennsylvania Avenue som blivit en mötesplats för huvudstadens beslutsfattare. Den trettioettårige Bushnell var en förmögen affärsman och investerare. Som delägare i en järnväg i sin hemstat Connecticut hade han lärt sig vikten av goda relationer med politiker och var i praktiken en tidig lobbyist som rörde sig hemtamt i maktens korridorer. Han hade nu gedigna insikter i de diskussioner som fördes om att utrusta nordstatsflottan med nya bepansrade fartyg. Han hade själv ett skepp att sälja, *Galena*, och väntade på klartecken för att sätta igång arbetet på skeppsvarvet. Det hade uttryckts tvivel om fartygets stabilitet och de måste först undanröjas.

Det var just detta spörsmål som Bushnell tog upp med Cornelius Delamater, ägaren till ett järnverk som låg intill Hudsonfloden på Manhattan. Delamater hade sedan länge haft ett nära samarbete med John Ericsson och kände honom väl. Ericsson var, konstaterade Delamater, den rätte mannen att rådfråga.

Redan nästa dag anlände Bushnell till Ericssons kombinerade kontor och bostad på Franklin Street i New York. Han möttes av Ericssons irländska hemhjälp, Ann Cassidy, som visade in honom till arbetsrummet. Efter att ha överlämnat ritningarna på *Galena* återkom Bushnell dagen därpå och fick till sin lättnad ett positivt utlåtande om fartygets stabilitet. Det var först när han var på väg därifrån som han hejdades av Ericsson som plötsligt, som av en ingivelse, ville visa gästen sin egen vision av ett nytt krigsfartyg. Ur en dammig låda tog han upp den modell som han tagit fram utifrån de ritningar han tidigare skickat över till Napoleon III. Bushnell var imponerad, anade kanske till och med instinktivt att Ericsson var något stort på spåren.

Övertygad om att något borde göras bad Cornelius Bushnell att få låna modellen. Han återvände till Washington, nu närmast

som en lobbyist för John Ericsson, trots att det kunde innebä-
ra konkurrens mot hans eget fartyg när beslut om beställningar
skulle fattas. Rimligtvis kände Bushnell också till vad som hade
hänt med *Princeton,* och att det fortfarande fanns en misstro mot
Ericsson bland höga officerare i USA-flottan. För att mobilisera
stöd tog han in två affärspartners, John Griswold och John Win-
slow, som inte bara var beredda att dela en finansiell risk utan
dessutom hade etablerade kontakter på hög politisk nivå, inte
minst med den inflytelserike utrikesministern William Seward.
Det gav resultat. När modellen presenterades för ministrar och
amiraler var även president Lincoln själv närvarande. Även om
Lincoln kanske inte hade tekniska expertkunskaper för att ut-
värdera förslaget, fick han ett positivt intryck och valde, sin vana
trogen, att göra sin bedömning i den folkliga anekdotens form och
konstaterade att »allt jag kan säga är det som flickan sade, när
hon stack sin fot i strumpan. Det verkar vara något i den.«

Men inte ens presidentens bifall räckte för att få över de mi-
litära beslutsfattarna på Ericssons sida. En skepsis fanns kvar.
För Bushnell och hans partners återstod nu bara att få konstruk-
tören själv att resa ned till Washington för att i ett sista försök
övertyga den kommitté som skulle fatta det slutgiltiga beslutet.
Det var lättare sagt än gjort. Efter allt som hänt tidigare hade
han svurit på att aldrig sätta sin fot i Washington. Det krävdes
massiva övertalningskrafter – och inte minst en vädjan till hans
svaga punkt, hans fåfänga – för att Ericsson skulle ändra sig.
Själv hävdade han att han blivit så uppretad över att hans exper-
tis som konstruktör ifrågasatts att han blev på stridshumör och
kände att han måste göra något.

På plats och fylld av engagemang var han i vilket fall en ena-
stående förespråkare för sina egna idéer samtidigt som han åter
försäkrade att han drevs av en äkta patriotism. »Jag älskar det-
ta land, dess lagar och dess människor«, förklarade han. Fram-
ställningen var en så övertygande genomgång att hans belackare
tvingades ge upp sitt motstånd. De visste också att tiden var dyr-
bar. Det fanns säkra uppgifter om att sydstatskonfederationen
hade rustat upp den beslagtagna fregatten *Merrimack,* ett träfar-
tyg som varit illa åtgånget när USA:s flotta tidigare under kriget

hade tvingats överge den stora örlogsbasen Gosport vid Hampton Roads i Virginia. *Merrimack*, som mätte åttiofyra meter från för till akter, hade varit ett av USA-flottans främsta krigsfartyg. Med ett skyddande pansar av järn kunde det nu bli ett formidabelt vapen mot unionens sårbara träskepp.

Närmast panikartade stämningar, om än lite förhastade, hade börjat få fäste i Washington – tänk om sydstaterna snart skulle anfalla huvudstaden med *Merrimack*. Nu fick de styrande i huvudstaden ett optimistiskt löfte om att Ericssons pansarfartyg skulle vara färdigbyggt och klart att sättas in i strid inom bara hundra dagar. Det lät mycket lovande, även om det kanske inte innebar att medlemmarna i den beslutande kommittén var helt redo att skriva under på Ericssons inte särskilt anspråkslösa slutord: »Gentlemän, efter vad jag sagt anser jag det vara er plikt mot ert land att innan jag lämnar rummet ge mig en order att bygga fartyget.«

Den då femtioåttaårige men hyperenergiske John Ericsson var redan van vid arbetsdagar på fjorton timmar. Så snart ett klartecken getts satte han omedelbart igång att jobba praktiskt taget dygnet runt med projektet. Han var inte bara hemma vid ritbordet utan övervakade produktionen vid flera av de järnverk som levererade material till skeppsvarvet i Brooklyn, där han sedan gjorde noggranna inspektioner. Han var så upptagen av arbetet att han aldrig bekymrade sig särskilt mycket när han upptäckte att villkoren för beställningen var synnerligen hårda. Kontraktet stipulerade ett test inom nittio dagar efter leverans. I praktiken innebar det att Ericsson och hans samarbetspartners bara kunde räkna med att få betalt om fartyget klarade att stå emot fiendeeld under ett sjöslag. Ett misslyckande skulle bli dyrbart i flera avseenden.

*

Döpt till *Monitor* blev det nya bepansrade krigsfartyget ändå klart med bara en mindre fördröjning utifrån den strikta tidsplanen. Det första mottagandet var fyllt av misstro. *Monitor* liknade inget annat skepp av sitt slag. Det var inte bara för att det var en revolutionerande ny konstruktion med järn, ångmaskin och

Johns Ericssons *Monitor* utgjorde inte en självklart
imponerande syn och beskrevs nedlåtande som en ostkupa.

skruvpropeller. Fartyget gick så lågt – med maskiner, propeller och roder under vattenytan – att det knappt syntes på avstånd. Vad som stack upp var det vridbara kanontornet. Det fanns de som inte bara tvivlade på att fartyget skulle kunna hålla sig flytande, utan som också tyckte att det såg direkt lustigt ut. »Ostkupa på en flotte«, var bara ett av flera spydiga tillmälen. Mer oroande, tyckte en del, var att *Monitor* bara var utrustat med två Dahlgrenkanoner. Hur skulle det förslå mot de tio kanoner som fanns på *Merrimack*? Det var en fråga som fick än större tyngd efter att det stora sjöslaget vid Hampton Roads i Virginia inletts den 8 mars 1862.

Merrimack – som sydstatsflottan nu döpt om till *Virginia* – visade sig helt överlägset. Det nya pansarjärnet gav ett starkt skydd mot inkommande eldgivning samtidigt som *Merrimack* – som hon fortsatte att benämnas i norr – kunde gå till attack med förödande kraft. Två av nordstatssidans fartyg sänktes. *Cumberland* och *Congress*, två segelfartyg av trä som tidigare hört till USA-flottans främsta skepp, visade sig vara obarmhärtigt passerade av tiden. Ett tredje fartyg skadades, och det såg ut som om fler offer skulle skördas, när striderna skulle återupptas dagen därpå.

Tidigt söndagen den 9 mars kallade en skakad president Lincoln till krismöte i Vita huset med sina närmaste rådgivare, utrikesministern William Seward, krigsministern Edwin Stanton, marinministern Gideon Welles och finansministern Salmon Chase. Stanton var den som var mest upprörd i församlingen. Han varnade för att *Merrimack* snart skulle vara på väg uppför Potomacfloden och rikta sina kanoner mot Vita huset för att sedan fortsätta norrut mot New York, Boston och andra storstäder. Panik skulle spridas bland befolkningen och kriget skulle snart vara förlorat.

Då hade *Monitor* redan torsdagen den 6 mars, sent på kvällen i det kylslagna mörkret, lämnat skeppsdockan i Brooklyn och inlett färden utefter East River, genom New Yorks hamn och ut i Atlanten. Det var nära att hon aldrig kom fram till platsen för det väntande sjöslaget i sydöstra Virginia. Resan söderut var så stormig att det nya fartyget vid ett par tillfällen var en hårsmån från att gå under. Det var en härjad och uttröttad besättning som på

410

avstånd kunde höra den sista eldgivningen för dagen från *Merrimack,* när *Monitor* först sent under lördagseftermiddagen stävade in i Chesapeake Bay mot Hampton Roads, en naturlig djupvattenshamn där flera vattendrag förenas. Det var för sent för att försöka komma till undsättning. Striden fick vänta till nästa dag.

Så snart söndagsmorgonens dimma lättat var *Merrimack* tillbaka för nya attacker mot unionssidans kvarvarande fartyg. Besättningen tycks närmast ha blivit konfunderad vid åsynen av John Ericssons *Monitor.* Det betydligt mindre och lågt liggande fartyget utgjorde en märklig uppenbarelse, säkert även för de tusentals nyfikna åskådare som nu skyndat till stridsplatsen efter att nyheten om det förfärliga slaget dagen innan spridits i området. Krigsfartygen var nära land. Det var nästan som på en teaterscen där en marin kamp mellan David och Goliat skulle utspelas. Det var kanske inte så konstigt att det även fanns en publik.

En rasande strid mellan de två fartygen kom att vara i åtskilliga timmar. Eldgivningen var så intensiv att krutröken skymde sikten för åskådarna på land. Vid ett par tillfällen försökte *Merrimack* ramma sin motståndare. Men *Monitor* var kvickare, mer lättrörlig och kunde inta nya positioner. Det råkade vara så att flera svenskar var på plats. Tillfälligt placerad i Newport News i närheten blev Ernst von Vegesack vittne till striden, liksom den värmländske löjtnanten Hjalmar Edgren som tagit värvning för unionens sak. Edgren, som dagen innan varit ombord på *Congress,* berättade senare om hur hotfull *Merrimack* verkade tidigt på morgonen, när det stora fartyget, »hemsk som en avgrundsande«, stolt skred mot sitt mål, »utan att värdigas uppmärksamma några tjutande kulor som vi sänder mot honom«.

Vad som kom att utspelas under söndagen var det första sjöslaget någonsin mellan två pansarklädda fartyg. Det kom att för alltid förändra krigföringen till havs. Stridsfartyg byggda av trä var i ett slag föråldrade. Järnets tidsålder hade gjort sitt intåg.

Eldgivningen från fartygen kunde fortsätta timme efter timme. Artillerikanoner som annars skulle ha orsakat förödande skador hade inte längre samma effekt. När ett avgörande ändå kom i den utdragna duellen mellan de två bepansrade fartygen, var det möjligen för att två svenska matroser i kanontornet på *Monitor*

411

valde att bryta mot en order som getts. Missnöjda med att deras eldgivning inte gett önskvärda resultat beslutade Charles Peterson och Hans Andersson att lägga in dubbla ransoner krut. Rekylen var så kraftfull att de tappade både balans och sinnesnärvaro, men när de väl tittade ut genom kanongluggen kunde de se att ett stort hål slagits upp i *Merrimack*.

Efter en stund retirerade vad som varit konfederationens trumfkort i sjökriget in mot skyddat vatten. *Monitor* följde aldrig efter, men för unionssidan var motståndarens sorti tillräckligt för att seger skulle utropas. Det var många som drog en lättnadens suck, inte minst i de stora kuststäderna norrut där varningarna utfärdats om annalkande marina attacker.

John Ericsson möttes med jubel och han hyllades som en nationell hjälte. Han överöstes med beröm i tidningarna. USA-kongressens båda kamrar uttalade sin uppskattning och hans namn spreds nu över världen. Från Stockholm rapporterade USA:s ambassadör Jacob Haldeman till utrikesminister Seward att det var omöjligt att beskriva de väldiga glädjestämningar som utbrutit när nyheten om slaget mellan *Monitor* och *Merrimack* nått det gamla hemlandet. Det fanns en stolthet över att Ericssons geni hade sin grund i Sverige.

*

I efterhand har den första historieskrivningen – utformad av krigets vinnare – ifrågasatts. *Merrimack* sänktes trots allt inte utan kunde ta sig vidare av egen kraft. Besättningen visste dessutom att man fått in flera goda träffar mot *Monitor*. Från sydsidan hävdades också att det i själva verket var motståndarskeppet som dragit sig tillbaka till grunt vatten och att det därmed var omöjligt att ta upp en jakt. Med tiden har det blivit en mer vanlig uppfattning att slaget vid Hampton Roads nog slutade oavgjort, åtminstone i en mer snäv militär bemärkelse.

Det blev heller aldrig någon ny kraftmätning mellan de två kombattanterna. Efter det första historiska slaget gick båda fartygen istället i sammanhanget snöpliga öden till mötes. Redan den 11 maj körde *Merrimack* på grund i en av floderna som mynnade ut i Hampton Roads. Besättningen övergav skeppet som antändes och förstördes för att det inte skulle hamna i fiendens händer. *Monitor* klarade sig lite längre, men gick under på nyårs-afton, den 31 december 1862, i en svår storm utanför Cape Hat-teras vid North Carolinas kust.

Invändningar har också rests mot själva idén att slaget vid Hampton Roads hade en så stor betydelse. Inbördeskriget av-gjordes trots allt knappast till sjöss. Sydstaterna hade just ingen egen flotta när kriget inleddes. Kombinationen av låg industri-ell kapacitet i förhållande till nordstaterna och en blockad som hindrade import från Europa, gjorde det svårt, närmast omöjligt, att införskaffa nya krigsfartyg i större skala. Det kan heller inte råda någon tvekan om att det var på land som de stora slagen utkämpades och de flesta offren i kriget krävdes.

Men ändå var Calvin Coolidge kanske inte helt fel ute när han jämförde sjöslaget vid Hampton Roads med markslaget i Gettys-burg. Det finns trots allt olika uppfattningar även när det gäller Gettysburg, i vad mån slaget militärt verkligen var en klar seger för nordsidan. Men hur som helst innebar den blodiga konfronta-tionen i Pennsylvania att en vändpunkt nåddes i och med att kon-federationens invasionsförsök i norr hejdades. Om det inte hade skett vid just detta tillfälle hade utgången av kriget varit mer öppen. Det går att dra en parallell till Hampton Roads. Om kon-federationens flotta hade fått kontroll över det strategiskt vär-defulla området, med inloppen till flera floder, som James River och Elizabeth River, hade viktiga transportleder till unionssidans trupper blivit avskurna. Richmond, konfederationens huvudstad, skulle ha varit mindre utsatt och sydstaterna hade kanske getts möjlighet att sätta in större resurser norrut.

Vid tidpunkten var det heller inte riktigt klart hur de europe-iska stormakterna skulle ställa sig i förhållande till parterna i inbördeskriget. Den blockad som Abraham Lincoln utfärdat mot konfederationen kort efter krigsutbrottet, var inte bara svår att

---

Slaget vid Hampton Roads, mellan *Monitor* och *Merrimack*, bidrog till nordsidans seger i inbördeskriget.

PUBLISHED BY CURRIER & IVES,
MINNESOTA.

Entered according to act of Congress, in the year 1862, by Currier

THE FIRST FIGHT BET

TERRIFIC COMBAT BETWEEN THE

IN HAMP'T

In which the little "Monitor" whipped th

...D SHIPS OF WAR.

R" 2 GUNS & "MERRIMAC" 10 GUNS.

...H 9TH 1862.

...and the whole "School" of Rebel Steamers.

upprätthålla med tanke på att sydstaternas kuststräcka var mer än 5 600 kilometer lång, den var därtill en nagel i ögat på Storbritannien, Frankrike och andra europeiska länder som inte längre kunde försörja sina textilfabriker med billig bomull från sydstaterna. Ekonomiskt var det ett betydande avbräck.

Det var också ett ordentligt bakslag för unionssidan när Storbritannien den 13 maj 1861 förklarade sig neutralt till inbördeskriget och andra europeiska länder, Sverige inkluderat, följde efter. Med neutralitetsförklaringen accepterades i Europa, åtminstone informellt, att det fanns två stridande parter medan Lincoln under hela kriget aldrig behandlade sydstaterna som en statsbildning som kunde vara skild från USA. För presidenten handlade konflikten definitionsmässigt bara om att slå ned ett inre uppror som startats av en samling individuella rebeller.

Om Storbritannien gått i spetsen för ett officiellt erkännande av sydstatskonfederationen som en egen nation, skulle förutsättningarna ha ändrats radikalt. Inte minst genom andra möjligheter att upprätthålla handelsförbindelser. Det hade räckt med att Storbritannien och Frankrike svarat på sydstaternas inviter om att gå in som medlare i kriget. Det hade lett till att två parter erkänts och sannolikt till att det blivit svårare att bevara unionen.

*

Neutralitetsfrågan hade ställts på sin spets när konfederationen i sin jakt på diplomatiskt erkännande beslutade att skicka två nya sändebud till de ledande huvudstäderna i Europa. James Mason från Virginia fick London på sin lott, John Slidell från Louisiana fick Paris. De lämnade Charleston tillsammans och lyckades ta sig genom nordstaternas blockad fram till Havanna, där de gick ombord på det brittiska ångfartyget *Trent* för att fortsätta resan till Europa. När denna information nådde Charles Wilkes, kapten på unionssidans kanonslup *San Jacinto*, beslutade han att gå till handling. Wilkes bordade *Trent* och satte Mason och Slidell i häkte.

I och med att internationell lag inte följts var en svår diplomatisk kris under uppsegling. Det illegala omhändertagandet av de två sändebuden på ett brittiskt fartyg var ett *casus belli*, ett skäl till krigsförklaring. Storbritannien kunde därmed inte bara erkänna konfederationen utan också intervenera för att bryta den blockad som ströp tillförseln av bomull. Britterna hade också ett annat vapen till förfogande; möjligheten att stoppa de leveranser av salpeter från kolonin i Indien som unionssidan var i akut behov av för att kunna tillverka krut. Utan en uppgörelse var framtidsutsikterna mörka för nordstaterna.

Den diplomatiska aktiviteten var febril på båda sidor av Atlanten, även i Stockholm. I en rapport till utrikesminister Seward beskrev USA:s ambassadör Haldeman hur incidenten med *Trent* orsakat upprörda reaktioner i »denna tysta stad«. Det var det stora samtalsämnet bland både diplomater och näringslivsföreträdare. Starkt kritiska artiklar i den franska pressen hade påverkat den svenska opinionen och det fanns en spridd uppfattning att USA gjort sig skyldig till en krigshandling.

Oron var sådan att Ludvig Manderström, den svenske utrikesministern, skrev till ambassadör Piper i Washington och varnade för att tiden höll på att rinna ut för en fredlig uppgörelse. Manderström föreslog en ansiktsräddande uppgörelse där USA släppte sydstatssändebuden fria utan att det framstod som en eftergift mot Storbritannien. Lite senare enades Lincolns kabinett, inte utan vedermödor, om att frisläppa Mason och Slidell med motiveringen att kapten Wilkes agerat på egen hand, utan att ha en förankring hos sina överordnade. Därmed kunde arrangemanget utåt framställas som att USA fattat beslutet om frisläppandet på egen hand, utan att ha tvingats ge efter för brittiska påtryckningar och hot. Lösningen var acceptabel för båda parter.

Olja hade gjutits på vågorna. Exakt vilken betydelse som kan tillskrivas den svenska diplomatin i sammanhanget är inte helt klart. Men Haldeman fann i alla fall anledning att rapportera från Stockholm till Seward att beskedet om en fredlig uppgörelse »hade mottagits med stor tillfredsställelse«.

Nordstaternas blockad kunde upprätthållas. Sydstaternas ekonomi pressades än mer. När *Monitor* ett par månader senare visade sin styrka i slaget vid Hampton Roads, var det dödsstöten mot alla planer som Storbritannien och Frankrike kan ha hyst om att intervenera i kriget. »Om några av de europeiska länderna hade seriösa tankar på att ansluta sig till Södern, så övergavs de avsikterna snabbt«, förklarade president Coolidge i det tal han höll vid Ericssonmonumentet 1926. *Monitor* hade visat att krigsfartyg av trä inte längre var till någon större nytta. Coolidge valde att citera *Times* i London, som efter Hampton Roads slagit fast att Storbritannien innan slaget hade haft en flotta av etthundrafyrtionio förstklassiga krigsfartyg. Dagen efter återstod i praktiken endast två pansarklädda fartyg. »Den marina krigföringen hade revolutionerats«, konstaterade Coolidge. »Ericssons stora geni hade fört örlogsfartygen in i en ny era.«

*

Monitor gav John Ericsson berömmelse och goda inkomster. Efter inbördeskriget var han relativt välbeställd. Även om *Monitor* gått under gjordes många beställningar på liknande fartyg utifrån hans ritningar. Han stannade kvar i New York och redan 1864 köpte han ett elegant nytt hus på Beach Street, ett par kvarter norrut från den tidigare bostaden. Det var ett förnämligt läge. Huset vette mot Saint Johns Park, en privat park för invånarna i det då fashionabla området. Han hade råd att betala en ordentlig summa för sin nya bostad.

Även om han knappast sökte offentlighetens ljus var John Ericsson uppenbarligen inte opåverkad av alla hyllningar. I ett brev till brodern Nils, som han skrev 1867, konstaterade han storslaget att det var »kanonerna i det roterande järntornet vid Hampton Roads som sönderslet fjättrarna på fyra miljoner slavar«. Det var förstås inte hela sanningen. Men Hampton Roads var ändå en av de militära framgångar som president Lincoln behövde för att få det opinionsstöd som krävdes för att vid det kommande årsskiftet kunna utfärda sin emancipationsförklaring.

Under åren efter inbördeskriget fortsatte John Ericsson oförtrutet att arbeta med nya uppfinningar. Han ägnade mycket tid åt avancerade idéer om hur solvärme skulle kunna utnyttjas som en ny energikälla och han höll fast vid sin hårda arbetsdisciplin. I samband med sin åttioårsdag blev han föremål för en uppskattande artikel i *New York Times* som beskrev hur han inte gjorde något undantag för att fira bemärkelsedagen: »Vid 36 Beach Street, i ett gammaldags hus i ett tidigare fashionabelt grannskap, firade veteraningenjören John Ericsson sin åttionde födelsedag genom att utföra sitt arbete med sin sedvanliga energi. Han steg upp klockan sju och åt sin vanliga frukost med ägg, bröd och isvatten. Innan frukosten gjorde han gymnastiska övningar. Efteråt gick han upp på övervåningen och ägnade sig åt sitt arbete fram till sena eftermiddagen, då middag serverades. Därefter var det mer arbete. Vid tiotiden tog Ericsson en promenad som varade ungefär en timme och dagen var över. Han har följt samma rutin varje dag de senaste tio åren.«

John Ericsson hade goda vänner i New York och lämnade nog även visst utrymme för kvinnor i sitt liv. Deras relation har visserligen aldrig klarlagts, men hans testamente visade att han ägt ett hus vid Abingdon Square – inom promenadavstånd från hans egen bostad – där en kvinna vid namn Sarah Thorn var bosatt. Med åldern blev han alltmer isolerad. Hans strikta tillvaro, fylld av arbetsrutiner som även tidigare dominerat hans liv, hade vid det här laget passerat gränsen till det excentriska.

Trots att han tillbringade femtio år av sitt liv i USA gjorde han inga större ansträngningar att på allvar lära känna det land han sa sig älska. Han gjorde inga resor förutom några arbetsrelaterade besök i Philadelphia och Washington. Det verkar inte ens som om han brydde sig om att lära känna den snabbväxande metropol som var hans hemstad. Under de fem decennier som han bodde i staden ökade befolkningen inom vad som idag är New Yorks stadsgräns från knappt 390 000 till mer än 2,5 miljoner invånare. Staden måste ha förändrats mitt framför hans ögon, men han rörde sig inom allt snävare geografiska cirklar. Sannolikt besökte han aldrig ens Central Park som, även om den ännu inte var färdiganlagd, öppnades för allmänheten redan 1853.

När hans tidigare eleganta bostadsområde helt ändrade karaktär och förlorade sin tidigare förnäma prägel och blev en arbetarstadsdel, stannade Ericsson ändå kvar. Smutsiga och bullriga industrier fanns nu i hans närhet. Det kunde tyckas märkligt att han inte flyttade i och med att både hans arbete och nattsömn stördes av allehanda ljud och oljud. Istället vidtog han långtgående, rentav smått bisarra, mått och steg för att kontrollera omgivningen. Grannar fick till exempel betalt för att hålla sina skällande hundar på avstånd.

Efter Ericssons död återfanns bland hans kvarlämnade papper ett dokument som skrivits under av en granne vid namn Charles Herbert, bosatt på 37 North Moore Street. Herbert hade skrivit under ett avtal där han försäkrade att han mot en ersättning på fem dollar inte skulle ha någon hund i sitt hem under ett år framåt. Uppenbarligen fanns det åtskilliga andra uppgörelser av liknande slag.

Ericsson ingick också ett samarbete med en annan granne för att köpa upp alla kacklande kycklingar som fanns på bakgårdarna i området. Han lyckades utverka ett tillstånd att på egen hand få ljudisolera ett rum i grannhuset så att han slapp att höra störande pianospel. Två unga kvinnliga sopraner kunde ta emot fina guldklockor mot löftet att inte öva sina sångskalor innan Ericsson hade vaknat och var klar att stiga upp på morgonen.

I vilket fall levde John Ericsson upp till sin uttalade föresats att fortsätta arbeta »så länge jag kan stå vid ritbordet«. När han avled i sitt hem den 8 mars 1889 – några månader innan han skulle ha fyllt åttiosex år och på dagen tjugosju år efter att slaget vid Hampton Roads inletts – hyllades han i USA som en av 1800-talets största tekniker och uppfinnare.

Året därpå, den 23 augusti 1890, hedrades han med en stor parad i New York när hans stoft på Sveriges begäran fördes till hans födelseland för en begravning i Långban, den lilla ort i Värmland som han lämnat som liten pojke. Dagen därpå beskrev *New York Times* avskedsceremonin som en unik händelse i stadens historia, »en av de mest enastående hyllningar som ett folk gjort till minnet av en stor man«. Enligt tidningen var mer än hundratusen New York-bor ute på gatorna för att visa sin hedersbetygelse. En officiell procession hade startat vid Brooklyn Navy Yard,

---

John Ericssons död uppmärksammades i *New York Times*
som hyllade den svenske uppfinnarens insatser.

DEATH OF JOHN ERICSSON

A REMARKABLE AND USEFUL CAREER ENDED.

THE INVENTOR OF THE MONITOR BREATHES HIS LAST AT HIS HOME IN THIS CITY—HIS ACHIEVEMENTS.

John Ericsson, the designer of the famous gunboat Monitor, and one of the most remarkable mechanical geniuses of the nineteenth century, died yesterday morning at 12:39 o'clock, at his residence, 36 Beach-street, in this city. The immediate cause of his death was an affection of the kidneys, combined with a general exhaustion of nature, for Capt. Ericsson was in the eighty-sixth year of his age.

The death of the great inventor was painless, and he passed away as though he had only fallen asleep. He was attended in his last moments by his attending physician, Dr. Joshua C. Boullee; his superintending engineer, V. F. Lassoe, and his secretary, S. W. Taylor. His last words were: "Give me rest," which followed an inquiry if he must die. Up to the last he retained his wonderful mental energy, his mind being concentrated on the work he had in hand.

The first symptoms of the fatal attack manifested themselves about three weeks ago. Dr. Boullee was called in and saw that his patient was breaking up. The physician engaged the services of a professional nurse, but even this precaution could not stay the progress of the disease and two weeks ago Capt. Ericsson was compelled to take to his bed. Subsequently Dr. Boullee took up his residence in the sick man's house and later still called in Dr. Markoe for a consultation. Medical skill and affectionate attention were exhausted in the care of the patient, but the end could not be staid.

Capt. Ericsson disliked the idea of his illness being generally known, because he wished to avoid being bothered by visitors. His whole life was given up to his work, and his only desire in living was to complete a task that he had set for himself. For this reason he retained his residence in Beach-street so long after the locality had been encroached upon by business structures and tenement houses. This residence originally faced on St. John's Park, but is now shadowed by the gloomy walls of the freight depot of the New-York Central Railroad. Its form, however, is the same as when Beach-street was one of the most aristocratic neighborhoods in the city. Capt. Ericsson had lived there for 30 years, and his devotion to his work had made him almost a recluse, although he practiced open-air exercise and calisthenics up to the time of his last illness. The deceased labored where he lived. His work-

där *Monitor* byggts, den hade färdats med båt över East River och fortsatt nedför Manhattan, utefter Broadway ned till Battery Park. Vid frihetsgudinnan i hamnen väntade det amerikanska krigsfartyget *Baltimore* för den sista resan, tillbaka till det gamla hemlandet.

*

Det var inte han själv som hade bestämt att hans stoft skulle återföras till Sverige och det är omöjligt att säkert veta hur John Ericsson mot slutet av sitt liv betraktade sina två hemländer. Han var född och uppväxt i Sverige men hade inte satt sin fot i landet sedan våren 1826, då han ännu inte fyllt tjugotre år. Han hade tillbringat femtio år – långt mer än halva livet – i USA. Det är tveksamt om födelseplatsen i Långban, där han nu blev begravd, verkligen kan ha haft så stor betydelse för honom efter alla år. Men sannolikt var han som så många andra som flyttat kluven i sin inställning.

Han hade blivit amerikansk medborgare redan 1848 och uppnått nationell hjältestatus som en stor patriot i det nya landet. Men han hade samtidigt kvar rötter i Sverige och upprätthöll gamla kontakter, även om han aldrig ansåg sig ha tid över för att besöka sina anhöriga, som han dessutom kunde behandla med en viss känslokyla. Han blev i alla fall mycket upprörd när han tyckte sig ha blivit misstänkliggjord för att aktivt uppmuntra utvandring från Sverige till Amerika. Redan när den svenska utvandringen började öka kraftigt, under åren efter inbördeskrigets slut, fann Ericsson anledning att skriva till Sveriges nye utrikesminister Carl Wachtmeister. Han ville på sitt formella vis bemöta vad han uppfattade som djupt orättvisa anklagelser: »Med Eders Excellens tillåtelse begagnar jag detta tillfälle att vederlägga det osanna ryktet att jag tillstyrker och befrämjar utvandring till Amerika. Förhållandet är att under de trettio år jag vistats i detta land, jag icke i *ett enda fall* inrätt en landsman att komma hit«.

Han tillade för säkerhets skull att visserligen var det så att han hade blivit amerikansk medborgare, »men det oaktat anser jag det som den största ära att vara svensk undersåte«.

422

Oavsett vad han tyckte om utvandringen hade John Ericssons olika uppfinningar gjort att det blivit lättare att göra den långa resan över havet. Vid sidan av att ha fört in den marina krigföringen i järnets era, hade han bidragit till att mer allmänt utveckla nya transportsystem, inte minst den civila sjöfarten med snabbare och mer bekväma ångfartyg som gick enligt tidtabell och korsade Atlanten på kortare tid. De tekniska framstegen gjorde att det blev billigare att resa och det var inte längre förenat med så stora vedermödor att ta sig till Amerika.

Samtidigt hade många svårare att klara sig i Sverige. Skördar slog fel, det fanns inte tillräckligt med odlingsbar mark och stora och ofta svåra förändringar kom med industrialiseringen och en påtvingad flytt från landsbygden in till städerna. När det gamla bondesamhället, som med alla sina brister ändå gett tillvaron en stabilitet, nu var på väg att upplösas kunde det också vara lättare att ta beslutet att emigrera.

Under 1867 kunde John Ericsson i New York ta emot ett brev från historieprofessorn Clas Odhner – son till hans syster Anna Carolina – som för sin morbror berättade om de försämrade förhållandena i Sverige: »Det sista året har varit svårt för landet i ekonomiskt hänseende och i år liksom i fjor strömma hopar av folk över Oceanen till det förlovade landet i väster. Orsaken till den betryckta ställningen har varit missväxt på några orter, arbetslöshet i hela landet men enligt min tanke lika mycket vår nations brist på företagsamhet och omtanke.«

Ett växande missnöje med situationen i Sverige förenades med upplyftande och lockande rapporter om vilka möjligheter som fanns för den som var beredd att börja om på nytt i Amerika. Man behövde inte vara bördsaristokrat för att lyckas. Den som var beredd att arbeta hårt och göra rätt för sig kunde inte bara räkna med att tjäna sitt uppehälle utan hade också möjligheten att bli rik. Om inte annat fanns det – till skillnad från i Sverige – mark tillgänglig för den som ville bruka jorden.

DE ÄMNADE SIG TILL MINNESOTA, ALLA DE SOM KOM FRÅN LJUDER. DÄRBORTA SKULLE DET FINNAS GOD JORD TILL LÄGLIGT PRIS FÖR DEN SOM HADE ONT OM PENGAR ATT KÖPA FÖR.

Vilhelm Mobergs *Invandrarna*

NYBYGGARE
I MINNESOTA

Homesteadlagen lockar
invandrare västerut

Jacob Fahlström kom till Minnesota långt före alla de andra svenska invandrarna. Uppgifterna om hans tidiga liv är inte helt samstämmiga men han föddes i Stockholm, sannolikt 1793. Efter att ha förlorat sina föräldrar kom han först till Storbritannien och därifrån reste han – möjligen i sällskap av en släkting – med ett engelskt handelsfartyg till Kanada. Han var då inte mer än tolv år.

Framme vid Hudson Bay gick han vilse i vildmarken, hamnade efter stora umbäranden hos en grupp chippewaindianer och tog till sig deras språk och levnadssätt. Han slog sig på pälshandel och började så småningom arbeta för Hudson Bay Company, det stora halvofficiella handelsbolag som under en tid kontrollerade enorma markområden i Kanada.

Efter några år, den exakta tidpunkten är oklar, tog han sig söderut och slog sig ned i vad som senare skulle bli delstaten Minnesota. Det var en region som hört till siouxindianerna fram till att de första franska kolonisatörerna anlände i slutet av 1600-talet. Tidigt under 1800-talet fanns det fortfarande bara några få europeiska invånare och området dominerades ännu av olika indianstammar, varav en del var i konflikt med varandra. Siouxerna hade utmanats av chippewaindianerna, som tillhörde algonkinfolket och som hade tvingats västerut av de engelska invandrare som koloniserat New England, en process som intensifierades när USA 1830 fastslog som officiell politik att alla indianer skulle fördrivas till områden väster om Mississippifloden.

Den norrifrån vandrande Fahlström fann en fast punkt i närheten av det nyupprättade Fort Snelling, en armébas i det område där Minnesotafloden möter Mississippi, nära platsen där staden Minneapolis skulle byggas. Han gifte sig 1823 med en indiankvinna, en dotter till en chippewahövding. De fick nio barn tillsammans. Fahlström kunde området, kände dess geografi och talade inte bara chippewaindianernas språk utan kunde även göra sig förstådd på engelska och franska.

På plats i Minnesotaterritoriet kom han senare att anlitas av American Fur Company, som blivit Hudson Bays främsta rival om den lönsamma pälshandeln i Nordamerika. American Fur Company hade grundats av John Jacob Astor, en slaktarson från den tyska staden Waldorf som utan tillgångar invandrade till USA 1783 och med pälshandeln som grund kom att bygga upp en av sin tids största amerikanska förmögenheter. Ett av hans snilledrag – innan han gick vidare mot mark- och fastighetsförvärv i New York – var att verka för ett förbud för utlänningar att handla med indianer inom USA:s gränser. När kongressen 1816 införde ett sådant förbud utestängdes hans kanadensiska konkurrenter från pälshandeln i USA. Jacob Fahlström, som var förtrogen med både omgivningarna och med indianbefolkningen, måste ha varit en tillgång i kampen om den lönsamma pälshandeln.

Efter åtskilliga år i Minnesotaterritoriet blev han, vid ett väckelsemöte vid Fort Snelling 1836, i ett slag en omvänd metodist och snart började Jacob Fahlström predika bland indianerna. Bland tidiga svenska invandrare fanns några som stötte på den »svenske indianen«, och till och med kunde se att han hade en svensk bibel i handen. Men hans svenska var, om inte obegriplig, ändå uppblandad med allehanda främmande ord och fraser som inte alltid var helt lätta att förstå. Det var å andra sidan inte så konstigt. Fahlström kan under åren i Amerika inte ha haft många möjligheter att öva sitt modersmål, och han var ju mycket ung när han lämnade Sverige. Bortsett från honom själv var det inte förrän i början av 1850-talet som ett fåtal svenska invandrare började slå sig ned i Minnesota.

Han blev inte rik som sin uppdragsgivare John Jacob Astor, men innan han dog 1859 hade Fahlström ändå kunnat förvärva en del markområden i Saint Paul, som då just blivit huvudstad i den nya delstaten Minnesota. Det var, som redan de svenskar som träffade honom kunde konstatera, ett märkligt levnadsöde.

*

Många svenskar skulle följa i hans fotspår och göra Minnesota till sitt hem. Vid folkräkningen 1920, då större delen av den svenska utvandringen till USA gjorts, fanns där fler svenskfödda invånare än i någon annan delstat, närmare 113 000. Räknades barn som fötts av en eller två svenska föräldrar in steg siffran till drygt 280 000, nästan 12 procent av delstatens totala befolkning. Med tanke på att Minnesota var relativt glest befolkat kunde svenskarna sätta en prägel på delstaten på ett mer tydligt sätt än någon annanstans i USA. Vid sidan av Chicago, som hade den största enskilda koncentrationen av svenska invandrare, blev Minnesota mer eller mindre synonymt med »Svensk-Amerika«, en bild som kom att förstärkas och leva vidare med berättelsen om Karl Oskar och Kristina i Vilhelm Mobergs utvandrarserie.

Redan Fredrika Bremer, som 1850 blev en av de första svenskarna som besökte Minnesota, hade ju förtjusats av det nordiska landskapet och entusiastiskt utropat: »Hvilket herrligt *Nytt Skandinavien* kunde ej Minnesota bli!« Det har också funnits en spridd uppfattning att de svenska utvandrarna verkligen gjorde det medvetna valet att bosätta sig i Minnesota eftersom de kände sig hemma i naturen och landskapet. De djupa skogarna och de många sjöarna påminde om det gamla hemlandet. För många som utvandrade blev Minnesota som ett nytt Sverige.

Tidvis har även ett slags nationalromantisk myt närts om att det var upp till just svenskar att tämja vildmarken så att jorden kunde brukas. Underförstått var en del andra nationaliteter inte riktigt av samma tuffa virke; de klarade inte så svåra påfrestningar, kunde inte jobba riktigt lika hårt och disciplinerat som de präktiga svenska nybyggarna.

Ändå är det tveksamt om det egentligen finns så stor anledning att tro att de svenska emigranterna verkligen styrdes av andra faktorer än vad som mer allmänt gällt för invandringen till USA. Klimatet i sydstaterna kan säkert ha varit avskräckande för en del och Minnesota kan mycket riktigt påminna om Sverige. Men mer tungt vägande skäl var nog att Minnesota helt enkelt var rätt plats vid ett specifikt tillfälle. Minnesota erbjöd möjligheter

När den stora utvandringen inleddes sökte sig
många svenskar till Minnesota där
det fanns gott om mark. Nels och Anna Olson
kunde bygga en gård på egen mark i Thomson
där deras barn växte upp.

just när framtidsutsikterna i Sverige förmörkades för många.

De flesta som lämnade Sverige när den första riktigt stora utvandringsvågen inleddes efter det amerikanska inbördeskriget var bönder som mest av allt ville ha egen jord att bruka. I Minnesota fanns vid denna tidpunkt mark och den var praktiskt taget gratis. När de första svenskarna var på plats var det inte konstigt om de lockade andra att följa efter. De skrev brev till det gamla hemlandet och berättade entusiastiskt om tillvaron i den nya världen. För en utvandrare med begränsade kunskaper om USA var det naturligt att söka sig till områden där det redan fanns andra svenskar. Delstaten Minnesota, som behövde jordbrukare såväl som annan arbetskraft, marknadsförde samtidigt sig själv som den rätta destinationen för svenska emigranter, och det bästa lockbetet var nog intyg som kom direkt från svenska invandrare på plats.

I ett brev daterat Chisago Lake den 1 maj 1856 svarade Mathias Bengtson, som kommit till USA som skräddare men som sadlat om till jordbrukare i Minnesota, på en förfrågan han fått från Nelson Graf, en svensk skräddargesäll som slagit sig ned i Pittsburgh men nu hörde sig för om möjligheterna längre västerut, i Minnesota. Det var ett bra land, förklarade Mathias Bengtson, men det passade nog bättre för jordbrukare än för skräddare: »Här är ett ganska stort settlement av svenskar vid denna Chisagosjön. Antalet uppgår till mellan 5 och 600 personer. Här är folk från alla trakter av Sverige så inom kort hava vi Sverige just här. Klimatet liknar det svenska så mycket det kan men det är kallare om vintern och varmare om sommaren men jag tror att här icke finnas någon bättre plats för svenskar i Amerika än Minnesota. Här är tjänligt odlingsland och här finns land till salu överallt.«

Klimatet var nog ett plus, om än inte riktigt som i Sverige, men mer betydelsefullt var att det fanns billig och god mark samt andra svenskar på plats.

Från 1850 till 1860 hade visserligen befolkningen – indianerna som vanligt oräknade – ökat kraftigt från inte mer än 6 000 till 172 000 invånare. Men det fanns fortfarande gott om plats och väldiga, ännu oexploaterade markområden som kunde röjas för produktivt jordbruk.

*

Möjligheten att börja om med egen mark på andra sidan havet måste också ha lockat Ola Månsson, även om han knappast var någon typisk utvandrare. När han, via Kanada, anlände till USA sommaren 1859 tillsammans med sin unga älskarinna Lovisa Jansdotter Carlén och deras nyfödde son Carl, passerade de genom Illinois och Iowa. Men de valde sedan ändå att vända tillbaka norrut, utefter Mississippifloden upp till Minnesota.

Efter att ha gått iland i den lilla nybyggarstaden Minneapolis fortsatte de västerut till byn Litchfield, av allt att döma av det enkla skälet att bekanta från Sverige redan slagit sig ned där. Månsson byggde sedan för egen hand en första enkel bostad för sin nya familj i USA i Melrose, en bit norrut. Han hade kommit till Amerika för att skapa en ny tillvaro, vilket underströks av att han samtidigt ändrade sitt namn till August Lindbergh.

I Sverige hade han lämnat hustrun Ingar Jönsdotter och deras sju barn på den gård han ägt vid Österlen i Skåne. Ola Månsson hade varit en välbärgad bonde, så framgångsrik att han valts till ledamot av ståndsriksdagen. På plats i Stockholm, med övriga familjen på avstånd, hade han svårt att värja sig mot alla frestelser och distraktioner. Han behövde pengar för ett alltmer utsvävande liv och kom att misstänkas för förskingring, något han getts en möjlighet till genom en förtroendepost vid Riksbankens filial i Malmö. När hans ärende hamnade hos Svea hovrätt blev det också känt att han hade en utomäktenskaplig relation med en nittonårig servitris han träffat på restaurangen Lennströms källare. Skandalen var ett faktum. Han började ta lektioner i engelska. Det fanns goda skäl att lämna landet och den gamla tillvaron bakom sig.

Men nybyggarlivet var hårt för en utvandrare på drygt femtio år. Förhållandena var enkla, det var mycket arbete som måste utföras och siouxindianerna i närheten utgjorde ett återkommande hot. Två år efter ankomsten råkade han dessutom ut för en svår olycka vid ett sågverk och hans ena arm måste amputeras. Men som så många andra nyanlända invandrare bet han ihop, fortsatte arbeta. Nästa generation skulle få det bättre.

Den långa resan över Atlanten kunde vara fylld av strapatser.
Det var många som trängdes på ett litet utrymme.

Han son Carl – som blev Charles i Amerika – kunde utbilda sig till jurist och var verksam som både advokat och bankman i Minnesota innan han valdes in i USA:s kongress, som republikansk ledamot av representanthuset. Han var sedan kandidat i både senats- och guvernörsval i delstaten. I nästa generation blev Charles Lindbergh Jr – född 1902 och Ola Månssons sonson – världsberömd som den förste Atlantflygaren och en av 1900-talets allra största celebriteter.

Det var en framgångssaga som bekräftade den amerikanska drömmen. Vem som helst, som var beredd att arbeta hårt, kunde skapa sig en ny framtid, även en ny identitet. Men det är inte säkert att alla förhoppningar infriats om det inte varit för det stora statliga program som blev känt som Homesteadlagen. För några år efter ankomsten kunde August Lindbergh, som nu var Ola Månssons nya namn, säkra sin framtid genom att göra anspråk på 160 acres – knappt 65 hektar – i det område där han först slagit sig ned. Han ägde nu sin egen jord och som alla andra som drog nytta av lagens bestämmelser betalade han endast avgifter på totalt arton dollar – tio dollar när marken intecknades plus två dollar i kommission till markagenten samt sex dollar när transaktionen formellt slutförts och äganderätten definitivt överförts.

Motprestationen var att röja och bruka jorden under fem år, då det också var nödvändigt att visa att förbättringar gjorts för att erhålla det slutliga ägarbeviset. Alla som hade fyllt tjugoett år och räknades som överhuvud i ett hushåll kunde lämna in en ansökan. För invandrare krävdes dessutom en avsiktsförklaring om att bli amerikansk medborgare.

*

I praktiken underlättade, rentav möjliggjorde, Homesteadlagen både en ökad invandring till USA och en fortsatt expansion mot Stilla havet. För att locka fler invandrare översattes lagtexten i *Homestead Act* till flera språk, även svenska. Höga födelsetal räckte inte för att klara den utveckling som var på gång. USA behövde mer folk. Det fanns så mycket ny mark att befolka och röja på de stora vidderna mot väster, järnvägar skulle byggas, kana-

433

ler grävas. Industrialiseringen krävde transportsystem över hela landet och de nya fabrikerna behövde arbetskraft.

Med inbördeskriget hade de sista tvivlen om att USA verkligen var en nation – inte bara en samling samverkande delstater – till sist undanröjts. Det kom till uttryck även språkligt. Innan kriget betraktades substantivet Amerikas förenta stater – *United States of America* – i regel som pluralis. När freden kom var det singularis. Vad som kallats unionen blev nationen. Den federala makten stärktes och förväntades ta ett större ansvar för hela nationen och dess medborgare. Det krävdes nya lagar och regler för att möta och hantera utvecklingen mot en modern industriell ekonomi, den starka befolkningsökningen och den territoriella utvidgningen västerut. Delstaternas rätt till självbestämmande fick ge vika på en rad områden; det gällde försvaret och domstolarna såväl som finanssystemet och sociala reformer.

Stora politiska beslut togs redan under kriget, vid sidan av förbudet mot slaveriet med emancipationsförklaringen och konstitutionens trettonde tillägg. Början av 1860-talet har i själva verket kunnat beskrivas som en av USA-kongressens mest effektiva perioder någonsin – trots att det pågående kriget rimligtvis tog ledamöternas uppmärksamhet i anspråk. Kongressen fann ändå tid att besluta om att finansiera en transkontinental järnväg som sedan kom att bli en transportled som band samman landet från öst till väst. Morrillagen – *Morrill Land-Grant Acts* – gav delstater federal mark om de etablerade allmänna jordbruksuniversitet, vilket gav nya möjligheter för nybyggarfamiljerna samtidigt som det på lång sikt stärkte det högre utbildningsväsendet i USA även på andra områden. Homesteadlagen, som även den antogs 1862, ledde till att mängder av egendomslösa jordbrukare kunde äga sin mark.

Kongressens produktivitet kan förstås delvis förklaras med att viktiga motsättningar avlägsnats när sydstaternas ledamöter lämnade sina platser för att istället ägna sig åt den nya konfederationen. Södern hade fungerat som en bromskloss för nya lagar som reglerade de nya territorierna västerut, eftersom det fanns en oro för att de skulle befolkas av småbrukarpionjärer som var motståndare till slaveriet.

Frågan om hur den federala marken skulle ägas och fördelas

Utvandraren Andrew Peterson framför sin
enkla bostad i Vaconia i Minnesota.

hade i själva verket varit ett politiskt svårlöst problem ända se-
dan den amerikanska revolutionen. I och med att USA hela ti-
den blev större – stora territorier hade tillkommit i Parisfördra-
get med Storbritannien 1783, med Louisianaköpet och efter det
mexikanska kriget – blev det federala markinnehavet mycket
omfattande utanför det område som utgjordes av de tretton ur-
sprungliga kolonierna. En rad initiativ hade tagits och så sent
som 1860, året innan inbördeskriget inleddes, hade ett lagförslag
som kongressens båda kamrar antagit stoppats av den demokra-
tiske presidenten James Buchanans veto.

Även om den inte levde upp till alla förväntningar – »En gård
till varje fattig man« var ett av tidens mer optimistiska slagord
– blev Homesteadlagen en enorm framgång och den har beskri-
vits som en av de viktigaste reformerna i USA:s historia. Fram
till trettiotalsdepressionen kunde mer än en och en halv miljon
hushåll, varav många var nyanlända invandrare, tillsammans
kvittera ut 270 miljoner acres, eller knappt 110 miljoner hektar,
en areal mer än dubbelt så stor som Sveriges hela yta. Mycket
av landområdena gick till privata hushåll och en hel del även till
spekulanter. Den mörkare delen av historien har att göra med att
indianbefolkningen drevs bort från sina marker och till stora de-
lar förintades. Det var en process som med all sannolikhet skulle
ha ägt rum i vilket fall, men Homesteadlagen bidrog säkert till
att den påskyndades när stora markområden under en relativt
kort tidsperiod togs över av vita nybyggare.

Men för en nyanländ invandrare var det obestridligt att möjlig-
heterna att skaffa egen mark ökade dramatiskt, och lagens effekt
på immigrationen till USA kan knappast överskattas. Mängder
av nyanlända svenskar var med och bröt ny mark med hjälp av
Homesteadlagen, först i Minnesota och andra delar av Mellan-
västern, sedan västerut i North och South Dakota, Nebraska,
Kansas och Colorado. Med alla invandrare som slog sig ned på
för dem okända platser stärktes också en framväxande nations-
känsla. Den tidigare regionala förankringen – det kunde vara
New England eller Virginia – blev mindre betydelsefull när både
infödda amerikaner och europeiska invandrare av olika nationa-
liteter rörde sig västerut. Alla var nu amerikaner.

Kort efter att president Lincoln skrivit under lagen förutspådde *New York Times*, helt korrekt, att en stor våg av invandrare skulle anlända från Europa när inbördeskriget var över. Med Homesteadlagen kunde de som övervägde att flytta över Atlanten vara förvissade om att USA inte bara, i enlighet med självständighetsförklaringen, stadgade rätten till liv, frihet och sökande efter lycka, utan även kunde erbjuda medel för att klara en självständig försörjning. USA kunde därmed med fördel locka fler av vad tidningen i både optimistisk och patriotisk anda kallade de »vanliga människorna« i Europa, människor som var för unionen och för frihet, som inte var lika »ignorant fördomsfulla som de aristokratiska och snobbokratiska klasserna«.

Fortfarande fanns då en djup oro, en misstrogenhet om att de styrande skikten i Storbritannien, Frankrike och andra europeiska länder inte hade något till övers för utvecklingen av en amerikansk demokrati, utan trots allt skulle gripa in i kriget med någon form av stöd till sydstatskonfederationen.

*

Samtidigt som den direkt bidrog till att öka invandringen kunde Homesteadlagen även fungera som en säkerhetsventil i USA. Ett missnöje bland arbetarna i det nu alltmer industrialiserade nordöstra USA kunde avledas på ett annat sätt än i Europa. Det fanns andra möjligheter för den som var beredd att bryta upp och flytta vidare västerut. I en mening var lagen en gigantisk privatisering av offentliga tillgångar, helt i marknadskapitalistisk anda. Men den var på samma gång ett jättelikt federalt omfördelningsprogram, där staten omdirigerade resurser och välstånd till grupper som saknade egna tillgångar.

Även Atterdag Wermelin, en tidig svensk socialist som funnits i kretsen kring Hjalmar Branting, såg Homesteadlagen som en god möjlighet. Som invandrare hade han blivit besviken på de amerikanska arbetarnas bristande radikalism och fått finna sig i att vara »arbetsslav« på många ställen, inklusive ett stål- och valsverk som han beskrev som »den djävligaste plats jag haft«. Mycket av den bästa marken som gjorts tillgänglig med Homesteadlagen var då redan tagen så han gav sig av längre västerut, till Klippiga bergen i Colorado.

Därifrån skrev den då trettiofyraårige Wermelin till »broder Branting« och berättade om hur han nu hade en gård som lämpade sig väl för potatisodling och djurskötsel. Det gick att livnära sig och han planerade att gå samman med andra Homesteadägare i ett kooperativ, baserat på socialism och samarbete. Kanske skulle Branting ända borta i Sverige snart få höra talas om Progressive Cooperative Association i Colorado.

Men de flesta närde nog inte så långtgående ambitioner. Många invandrare var nöjda med att Homesteadlagen gav en chans till ett eget stycke mark och ett jordbruk som kunde försörja en familj. En svenskfödd jordbrukare i Minnesota kunde 1907 – ombedd av den statliga Emigrationsutredningen – vittna om vad Homesteadlagen betytt för hans möjligheter till en bättre tillvaro. Han hade utvandrat 1870 från Hälsingland, där han tjugofem år tidigare fötts »i en fattig torparstuga på en sandhed«. Hans familj hade kommit på obestånd, det fanns ingen möjlighet att skaffa egen mark och han hade tvingats börja slita ont hos en hemmansägare redan vid åtta års ålder. Skolgången varade inte mer än två månader. Han mindes sin barndom som »en tid af svält, nöd, köld och försakelser af alla slag«. Som vuxen kunde han inte tjäna mer än en dränglön: sextio riksdaler om året plus arbetskläder. När han till slut lyckats spara ihop tillräckligt reste han till Amerika, där han först tog sig till Illinois och sedan till Iowa, varifrån han 1876 flyttade norrut och året därpå kunde få »Homestead land på södra Minnesotas sköna och bördiga slättmark«.

Trettio år senare brukade han och hans hustru fortfarande jorden på samma egendom, där de kunde odla vete, korn, havre, råg och majs samt »aflat hästar, nötkreatur, får, svin och höns«. 1896 hade det blivit möjligt att utvidga den egna gården genom att förvärva ytterligare ett stycke mark i och med att den ursprungliga Homesteadägan stigit i värde. »Denna Förenta staternas Homesteadslag«, konstaterade han, »har varit till ofantlig nytta och välsignelse för en väldig skara obemedlade människor. Tusen sinom tusen af våra landsmän ha begagnat sig av densamma. Och det var ett kraftfullt, anspråkslöst, arbetsamt och isynnerhet bland vårt eget folk i lifvets strid för sitt uppehälle härdadt släkte, dessa nybyggare, som gingo ut att röja mark på 1870-talet.«

Det fanns bland de första svenska invandrarna i Minnesota en utbredd uppgivenhet inför möjligheterna att någonsin kunna bygga en bättre framtid i Sverige, samtidigt som de i Amerika såg möjligheten att bli markägare. En torparson från Västergötland som utvandrat till Minnesota berättade att han, som andra, »drifvits af fattigdom och misströstan om att någonsin kunna få en egen torfva i Sverige«. Etablerad i Minnesota konstaterade han att de flesta svenskar han kände till i den nya hembygden kommit över som fattiga, »med två tomma händer«, att de i det nya landet blivit välbärgade och hade fina och till och med eleganta hem. De hade arbetat hårt men också belönats för sina insatser, och de var nu av uppfattningen att de »aldrig hade kunnat komma till en sådan ställning i Sverige«.

*

Homesteadlagen kom också att få mycket stor betydelse för Minnesotas utveckling. Östra Minnesota hade varit en del av vad som kallades USA:s Northwest Territory efter att Storbritannien gett upp sina koloniala territorier som en del av fredsuppgörelsen efter självständighetskriget. Gränsdragningarna kunde vara oklara, men ur detta område utkarvades i tur och ordning sex olika delstater: Ohio, Indiana, Illinois, Michigan, Wisconsin och, till sist, Minnesota, som också inkluderade områden väster om Mississippifloden som senare följde med Louisianaförvärvet. Fast Minnesota betraktades länge som en mer avlägsen vildmark som under en tid utgjorde den norra delen av Iowaterritoriet, fortfarande med få europeiska invandrare. Minnesota blev ett eget territorium först 1849, efter att Iowa blivit en delstat, och

---

Daniel Justus och hans familj slog sig ned vid
Swede Lake i Minnesota under enkla förhållanden.

antalet invånare uppskattades då, vid sidan av den indianska ursprungsbefolkningen, till knappt fyratusen, ett par tusen färre än vad som registrerades i folkräkningen året därpå. Även om tillväxten var stark under 1850-talet fanns det helt klart utrymme för mer folk; det var till och med nödvändigt för att få igång en ekonomisk utveckling. Homesteadlagen gjorde det i ett slag lättare att locka dit invandrare, och efter att Minnesota 1858 blivit USA:s trettioandra delstat, var det immigranter som stod för en betydande del av tillväxten

Andelen utlandsfödda var betydligt högre i Minnesota än i USA som helhet. Redan 1860 var nästan trettio procent av Minnesotas invånare födda utanför USA, jämfört med tretton procent för hela nationen. Tjugo år senare, 1880, låg andelen utlandsfödda på en nästan oförändrad nivå både för nationen och för delstaten. Minnesotas befolkning hade då flerfaldigats till 780 000 invånare. Antalet Minnesotabor som fötts i Sverige ökade under samma period från drygt 3 000 till nästan 40 000.

De svenska invandrarna utgjorde vid denna tidpunkt inte den största gruppen som kommit från Europa. Det fanns fler tyskar, fler norrmän och många irländare. Men skandinaverna hade nu tillsammans blivit den största invandrargruppen i delstaten. Ett »Svensk-Amerika« – med egna kyrkor, tidningar och andra institutioner – hade nu fått fäste i Minnesota, och under den tidiga emigrationen kunde ingen förkroppsliga bilden av den framgångsrike svenskamerikanen bättre än Hans Mattson, invandraren som blivit överste i det amerikanska inbördeskriget. Efter att han lämnat Sverige och i de sena tonåren rest till Amerika, blev han några år senare, 1853, en av de första svenska nybyggarna i Minnesota när han nära staden Red Wing var med och grundade bosättningen Vasa, som under en tid till och med gick under namnet »Hans Mattson's Settlement«. Ytterligare en svensk bosättning upprättades vid samma tid i Minnesota kring Chisagosjön, »Ki-Chi-Saga« som sjön kallades av ursprungsbefolkningen i området som var Karl Oskars och Kristinas hemtrakter

*

Hans Mattson berättade själv senare om de framtidsdrömmar om frihet, välstånd och oberoende som föddes på Minnesotas prärie, trots att pionjärlivet var tufft och att de som nybyggare visste att de måste arbeta hårt. Även Mattson konstaterade att det var mest fattiga svenskar som kom till Minnesota. Merparten av de nyanlända invandrarna från Sverige och övriga Skandinavien kunde inte räkna ihop mer än några enstaka dollar i startkapital. De var optimister men såg också realistiskt på tillvaron: »Vi satte oss icke ned och väntade på att guldgrufvor skulle öppna sina skatter inför våra blickar eller att stekta grisar skulle komma springande till vår koja, utan med yxan och spaden i handen gingo vi lugnt till vårt arbete för att lemna vårt lilla bidrag till det stora verket, uppbyggandet af nya verldsvälden.«

De första åren i Vasa var fyllda av umbäranden och strapatser. De befann sig trots allt i otämjd vildmark. De tvingades till hårt arbete och dessutom spreds kolera och andra sjukdomar. Det kunde vara ont om föda. Efter vad Hans Mattson beskrev som en kunglig måltid bestående av stuvad koltrast och stötta bönor, var det tomt i lagren. Han var tvungen att ge sig iväg till Red Wing för att skaffa proviant. Efter tre dagars väntan i staden kom en ångbåt lastad med livsmedel och han kunde inhandla en rökt skinka, mjöl, en gallon sirap, kaffe, salt och socker. Han tog sedan hela packningen på ryggen och vandrade utefter en indianstig hela vägen hem, en sträcka på ungefär två svenska mil, »men i trots af den tunga bördan tillryggalade jag denna vägsträcka på mycket kort tid, vetande att hungern stod för dörren hos de kära i hemmet. Måhända påskyndades också min gång mot slutet af vägen genom tjutet af prärievargar, som hördes icke långt från min stig.«

Men som nykomlingar i Amerika var nybyggarna i Vasakolonin ändå förvissade om att de genom »ihärdigt arbete och godt uppförande en dag skulle ernå den beqvämlighet, det oberoende och den ställning i lifvet, hvarefter våra själar törstade«. Snart skördades också goda mängder spannmål på gårdarna i Vasa, och den tidigare nämnde prästen Eric Norelius anlände för att upprätta en luthersk församling. Alla förhoppningar infriades förstås inte för de första svenska pionjärerna i vad som fortfarande var Minnesotaterritoriet. Men för en del gick det mycket bra. Sven

Hans Mattson lockade många svenskar
att utvandra till Amerika.

Olofsson var bara åtta år när han kom till svenskkolonin i Vasa med sina föräldrar, som 1868 lämnade sin gård i nödens Småland för att utvandra till USA. Som Swan Turnblad blev han senare en av de mer kända svenska invandrarna i Minnesota, gjorde en förmögenhet som ägare till tidningen *Svenska Amerikanska Posten* och kunde bygga en ståtlig palatsliknande egendom på Park Avenue i Minneapolis, en byggnad som idag, sedan många år, är hem för American Swedish Institute. För Hans Mattson, som var på plats långt tidigare, gick det så bra att han kom att bli något av en mönsterinvandrare vars framgångar kom att påverka många andra svenskar att följa efter och emigrera till Amerika.

Efter att ha återkommit från inbördeskriget med sin överste-titel, den tidigare juristutbildningen och sitt medlemskap i det republikanska partiet öppnade sig nya möjligheter. Tillsammans med en amerikansk kompanjon startade han först en egen advo-katbyrå i Red Wing under namnet Mattson & Webster. Snart fick han en förfrågan om att vara med och starta en ny svenskspråkig tidning i Chicago. *Svenska Amerikanaren* – både en konkurrent och ett komplement till den redan etablerade och mer kyrkliga *Hemlandet* – kom ut med sitt första nummer i september 1866 med Hans Mattson som redaktör. I en programförklaring, riktad till de svenska invandrarna i Mellanvästern, försäkrade han att tidning-en skulle göra allt för att »lära och upplysa den stora forskande och frågande mängden, hvars tid har varit mera egnad åt arbete i verkstaden eller vid plogen än åt studier i dagens vigtiga frågor, ja i allt som kan lända till deras nytta, välmåga och verkliga lycka«.

Mattson kom snart att lämna *Svenska Amerikanaren* eftersom han vid tidpunkten inte ville flytta på heltid från Minnesota till Chicago. Men han grundade snart andra tidningar, först *Minnesota Stats Tidning*, sedan *Svenska Tribunen*, som han sedan sålde efter en tid för att ägna sig åt andra verksamheter.

Det fanns möjligheter att förvärva markegendomar och att göra andra affärer i Minneapolis och i den närbelägna delstats-huvudstaden Saint Paul. Han inledde en politisk karriär, valdes i två omgångar till en förtroendepost som delstaten Minnesotas statssekreterare och engagerade sig i de nationella valen för att mobilisera väljare till det egna partiets kandidater. Ingen annan svensk invandrare hade då nått samma politiska höjder i Minnesota. När han 1881 belönades av den republikanske presidenten James Garfield genom utnämningen till USA:s generalkonsul i Indien, med placering i Calcutta, var han en invandrare som verkligen hade lyckats i det nya landet. Han var en svensk som blivit amerikan.

*

I och med att invandringen ökade så snabbt spreds en misstänksamhet i USA mot nya nationaliteter, till och med en rädsla för att de nya invandrargrupperna skulle förändra, rentav fördärva det egna landet. Främlingsfientliga stämningar hade stärkts redan under mitten av 1800-talet. Så när Mattson först valdes till posten som statssekreterare gav han en avsiktsförklaring som syftade till att undanröja allt tvivel som kunde finnas om att svenskarna som kommit var annat än fullt lojala amerikaner. Målet var inget annat än att assimileras: »Det är sant att vi hafva lemnat vårt älskade Fädernesland – vi hafva strött de sista blommorna på våra förfäders grafvar – och hafva kommit hit för att stanna här, för att lefva här och för att dö här. Vi äro icke ett folk av isolerade claner, ej heller önska vi bygga upp en skandinavisk nationalitet midt bland Eder.«

Redan långt tidigare, när fler invandrare skulle lockas till Minnesota, hade både lokala myndigheter och företag insett att Hans Mattson hade en attraktionskraft. Han hade börjat med att bistå nyanlända invandrare, han kunde möta dem vid tågstationen i Chicago och sedan på olika sätt hjälpa dem tillrätta när de skulle slå sig ned i Minnesota.

Hans Mattson var tveklöst en sann Minnesotapatriot. Han lockade inte bara svenskar till USA, utan även från andra ställen i USA till sin egen hemstat. När han senare, under vintern 1871, nåddes av vad han uppfattade som ett nödrop från en grupp värmländska invandrare, som enligt hans uppfattning gjort misstaget att bosätta sig i delstaten Mississippi, tvekade han inte att omedelbart ingripa. En del av de vilsekomna invandrarna hade redan avlidit, många var sjuka »och stor nedslagenhet och ett skriande elände rådde bland dem«. Mattson utnyttjade sitt lokala politiska inflytande till fullo och såg till att värmlänningarna kunde få järnvägstransport norrut till Minnesota, där de av allt att döma återhämtade sig.

Exakt vad som låg bakom misären i Mississippi var oklart. Men Mattsons slutsats var given: »Denna lilla koloni från Mississippi blef i sanning ett bevis på att det nordiska klimatet är det ojämförligt bästa och mest passande för nordens folk. De hade lemnat Sverige såsom friska, starka och hoppfulla män och quinnor, och efter att ha vistats endast ett år i södern anlände de till Minnesota bleka, utmagrade, fattiga och nedbrutna, utan kraft och energi och nästan hopplösa.« Vad kunde vara bättre reklam för Minnesota än att dessa stackare nu piggnade till, redo att på plats bygga en bättre tillvaro?

Järnvägsbolaget Saint Paul and Pacific Railroad blev först med att utnyttja hans försäljartalanger. I praktiken blev han företagets marknadsförare gentemot Sverige. Senare kom han att anlitas av Northern Pacific Railroad som gav honom en hög lön för att rekrytera emigranter i Europa, med Sverige som bas. Han var då tillsammans med sin familj tillbaka i sitt gamla hemland under flera år som emigrationsagent. Som sådan var han en effektiv förespråkare för ökad utvandring som spred broschyrer om en ljus framtid i USA, och uppmuntrade redan utvandrade svenskar att stötta kampanjen genom att redovisa sina egna positiva erfarenheter i brev till släktingar och bekanta i Sverige. För att få fart på brevskrivandet betalade han till och med nödvändiga portokostnader.

Järnvägsbolagen behövde mycket arbetskraft när nya spår skulle läggas. Stora krav ställdes på ett utvidgat transportsystem och svenska invandrare var efterfrågade som arbetare. Det var trots allt Minnesotas egen järnvägskung James J. Hill – som så småningom slog samman flera bolag till Great Northern Railway – som ska ha sagt: »Ge mig bara snus, brännvin och svenskar, så kan jag bygga en järnväg till helvetet.«

*

447

Men när Hans Mattson första gången återvände till Sverige var det som företrädare för delstaten Minnesotas immigrations-myndighet. Det var 1868, närmare arton år efter att han lämnat Sverige, och han kunde inte bara besöka sina gamla hemtrakter kring Kristianstad utan även se andra delar av Sverige. Han gjorde sitt första besök någonsin i Stockholm. Det var en på många sätt, men ändå inte odelat, positiv upplevelse att vara tillbaka i hemlandet efter så många år på andra sidan Atlanten.

Han mötte stor gästvänlighet och kunde återse släktingar och vänner. Men han påmindes också om vad det var som bidragit till att han en gång valt att överge sitt gamla hemland, det oböjliga klassamhället och dess orättvisa privilegier. Inte heller nu kände han sig riktigt accepterad, trots att han togs emot på högsta nivå: »Jag mottogs med hjärtlighet öfverallt bland folket af medel-klassen, under det de aristokratiska klasserna på vederbörligt avstånd betraktade mig med köld och misstro, såsom de alltid göra med en man af folket, som lyckats genom egna ansträng-ningar lyfta sig öfver gränserna av hvad de skulle kalla hans rätt-mätiga eller lagliga ställning, eller med andra ord vad vi kalla en self-made man. Mitt enkla namn och mina ringa förfäder och härstamning voro i deras ögon ett större fel än att det någonsin skulle kunna glömmas.«

För Hans Mattson var det en bekräftelse på att han aldrig hade kunnat nå samma framgångar i Sverige som han gjort i USA. Han visste nu att den ringaste amerikanske medborgare kunde kräva sin rätt, medan den vanlige medborgaren i Sverige och andra län-der, i vad han kallade ett falskt och förvänt system, måste buga och böna inför överheten för sina rättigheter, »såsom en gunst i *nåder* gifven«. När han senare fick närvara vid den svenska riksdagens högtidliga öppnande, var han föga imponerad av ett framträdande han tyckte kunde liknas vid en amerikansk cirkus. Det var en sorglustig tillställning som han gärna hade beskrivit i mer detalj om han bara hade kunnat komma ihåg titlarna på alla de »olika embetsmännen, härolderna, drabanterna pagerna o.s.v., alla utstyrda i de mest prunkande drägter, somliga gående före och andra efter konungen och de kungliga prinsarna, som voro utpyntade med medeltidens kungliga utmärkelsetecken och betäckta med ofantliga mantlar i lysande färger och med långa släp, uppburna af hofmän eller pager«. Det var, tyckte han, som en föreställning, ett spektakel, från en svunnen tid.

Men Hans Mattson kunde ändå glädja sig över att hans närvaro i Sverige var något som väckte både uppståndelse och entusiasm bland »de landtbrukare och de medlemmar av arbetsklassen« som han i första hand ville nå med sitt budskap om att Minnesota var platsen för den som övervägde att emigrera till Amerika. Minnesotahistorikern Theodore Blegen har beskrivit Mattson på sitt Sverigebesök som att han var som en modern Marco Polo, en långväga resenär som kommit tillbaka från sagans riken bortom den kända horisonten, och som nu aldrig tröttnade på att tala om sitt utvalda land som en plats av mjölk och honung.

Hans Mattson kunde själv konstatera att han inte behövde anstränga sig särskilt hårt för att nå sin målgrupp. Han bemöttes ibland som en dåtida celebritet: »Vid den tiden hade ännu icke så många till Amerika utvandrade landsmän återvändt hem, hvarföre det särskildt för landtbefolkningen måtte ha legat något lockande uti att få se en man, som hade vistats 18 år i Amerika och varit öfverste i amerikanska armén, ty hvarhelst folket fick reda på att jag skulle färdas fram, strömmade de flockvis ut från sina hus ned till vägar och stigar för att uppfånga en skymt av den återvände långväga resanden.«

Det var inga problem för Hans Mattson att locka med sig stora skaror av utvandrare till Minnesota. Han var, konstaterade han själv, »formligen öfverlupen af folk« som ville göra honom sällskap till Amerika. Det var nödår i Sverige under 1860-talets sista år. Skördarna hade slagit fel. Det var många som for illa. Under en period på tre år – 1868–1870 – lämnade 80 000 svenskar sitt hemland för Amerika, långt fler än någonsin tidigare.

Många fler skulle följa efter, inte bara till Minnesota utan även till andra delar av USA. I Sverige kom det att sägas att folket drabbats av Amerikafeber. De gav sig av för att söka den närmast mytiskt omspunna amerikanska drömmen.

THE AMERICAN DREAM, THAT DREAM OF A LAND IN WHICH LIFE SHOULD BE BETTER AND RICHER AND FULLER FOR EVERY MAN, WITH OPPORTUNITY FOR EACH ACCORDING TO ABILITY OR ACHIEVEMENT.

James Truslow Adams

AMERIKAFEBER

Drömmen om ett bättre liv
på andra sidan havet

Det var Esaias Tegnér, prosten och poeten, som formulerade beskrivningen som blev bevingad. Det var, förklarade han, »freden, vaccinet och potäterna«, som gjort att svenskarna fått det bättre under 1800-talet. Barnadödligheten minskade och folk levde längre. Befolkningen ökade kraftigt, från endast 2,3 miljoner invånare vid seklets början till 3,5 miljoner 1850, och 5,1 miljoner när 1900-talet inleddes. När den stora utvandringen gick mot sitt slut ett par decennier senare och mer än en miljon svenskar lämnat landet – när nästan var femte svensk fanns i Amerika – nådde den svenska befolkningen ändå för första gången över gränsen 6 miljoner invånare.

Efter freden med Ryssland 1809, då Finland gavs upp, var Sverige inte längre i krig, med några mindre undantag under Napoleonkrigen de närmast följande åren. Förutom att soldater nu inte dog på slagfälten minskade de många sjukdomsepidemier som följt i de militära konflikternas spår och som skördat otaliga offer även bland civilbefolkningen. Det vaccin som den brittiske läkaren Edward Jenner upptäckte i slutet av 1700-talet hejdade de dödliga smittkoppsepidemierna, och snart fanns det också vacciner mot andra smittsamma infektionssjukdomar. Förebyggande hälsovård blev ett vapen mot kolera och liknande farliga epidemier. Potatis hade visserligen börjat odlas i Sverige redan tidigare, men det var först på 1800-talet som den blev populär basmat i de flesta hem. Det bidrog till en mer närande kosthållning, med ett vitamintillskott som gav ökad motståndskraft mot sjukdomar.

Det kan ha funnits flera skäl, men effekten blev en dramatisk ökning av folkmängden, något som Sverige var illa rustat för vid denna tid. Även om adeln tappade inflytande kvarstod en strikt klassindelning som omöjliggjorde en nödvändig social rörlighet, samtidigt som jordbruket fortfarande var den helt dominerande näringsgrenen. Industrialiseringen skulle först senare leda till en ny arbetsmarknad. Det var inte så enkelt som att den som tog ansvar och arbetade hårt också kunde gå vidare till nya verksamheter eller avancera uppåt till en högre klass. Ett växande jordbruksproletariat uppstod när det inte fanns tillräckligt med mark för den växande landsbygdsbefolkningen, samtidigt som fattigdom och misär spreds i städerna som börjat växa även om de ännu inte hade nått några stora invånartal.

Trots den begynnande inflyttningen till städerna var Sverige – med sin relativt sena industrialisering – ett utpräglat jordbruksland ännu under början av 1900-talet. 1830 var 90 procent av alla invånare bosatta på landsbygden. Den andelen hade, den höga befolkningstillväxten till trots, knappast förändrats alls trettio år senare, när det amerikanska inbördeskriget inleddes och den svenska utvandringen snart skulle ta fart. Det var inte förrän under 1800-talets två sista decennier som en förskjutning mot städerna egentligen inleddes.

Arealen av produktiv jordbruksmark utvidgades visserligen – från 1,5 till 2,6 miljoner hektar under första hälften av 1800-talet – men det räckte inte. När stenig skogsmark omvandlades till åkrar kunde dålig jordkvalitet dessutom begränsa avkastningen på många nya odlingar. Flera reformer, storskifte och enskifte, hade initierats redan under 1700-talet för att slå ihop ägor till sammanhängande och mer effektiva enheter. 1827 års reform om laga skifte bidrog sedan än mer till ökad produktivitet, men också till att en gammal bygemenskap upplöstes. Och det fanns inte tillräckligt med gårdar för en växande bondebefolkning.

Tidigare hade landsbygden i huvudsak befolkats av självägande bondefamiljer. Även om söner och döttrar i unga år hade fått ta tjänst på andra håll som drängar och pigor, hade de som regel fått ärva eller så småningom kunnat gifta sig till egendom. Större barnkullar – i första hand en följd av den fallande barnadödligheten – bröt det mönstret. Föräldrarnas gård kunde inte delas upp hur mycket som helst så att alla kunde ärva. Om det bara var den äldste sonen som hade rätt att ta över en egendom tvingades yngre syskon ut på en arbetsmarknad där villkoren var mycket hårda.

Istället för att domineras av bönder som ägde sin jord fylldes landsbygden nu alltmer av ett fattigt proletariat – torpare, statare, backstugsittare, daglönare och inhyseshjon. En del arrenderade jord och betalade sin husbonde med sitt arbete. Andra levde som permanenta inneboende och arbetade mot mat och husrum men utan egentlig lön.

Proletariseringen innebar att den stabilitet som ändå funnits i det gamla klassamhället undergrävdes och en rådande ordning hotades. En medelklass började visserligen växa fram, men det fanns som sagt fortfarande många hinder för en social rörlighet. I den mån klassresor kunde göras var det snarare mer vanligt att de gick nedåt än uppåt på samhällsstegen. En tillvaro som tidigare hade kunnat framstå som mer eller mindre given kunde nu, även med alla dess begränsningar, tyckas ouppnåelig.

*

När livet blev tuffare för många hade de heller inte ens klimatet på sin sida. Under hela 1800-talet var det kallt jämfört med andra sekler under de senaste tusen åren. Under 1860-talet blev det riktigt bistert. Våren kom sent, sommaren var kort. Under maj 1867 föll medeltemperaturen i Stockholm från över tio grader till bara drygt fyra grader. I Norrland kom frosten så tidigt att spannmålen aldrig hann mogna. Sverige drabbades av missväxt med katastrofalt dåliga skördar. Bristen på spannmål innebar att priserna rusade i höjden. Om baslivsmedel ens fanns att uppbringa kunde de vara oåtkomligt dyra för lågavlönade arbetare på landsbygden.

Människor svalt ihjäl. Det var många som tvingades äta bröd som bakats med bark och ta till andra nödlösningar för att över-

Emigrationsagenter lockade utvandrare och upprättade kontrakt för resa från Göteborg till New York.

N:r 2267

UTVANDRARE-KO

emellan

C. W. HÄLLSTRÖM, Göteborg, befullmäktigad utvandrare-a

Jag C. W. HÄLLSTRÖM, förbinder mig härmed att, på sätt här nedan närmare omförmäles, från

Göteborg till *Newyork* i Nord-Amerika befordra nedan

antecknade utvandrare mot en redan till fullo erlagd och härmed kvitterad afgift af Kr. *118:00*

hvari jemväl inräknats de vid landning i Amerika förekommande afgifter af allmän beskaffenhet.

Resan sker från Göteborg den **NOV 14 1902** med

ångfartyg å mellandäcksplats till Hull i England och därifrån, senast inom 48 timmar efter slutad tullexpedition, med järnväg å 3:dje klass till Liverpool samt från Liverpool senast inom 12 dagar efter utvandrarens ankomst dit, med oceanångare å mellandäcksplats till New-York i Nord-Amerika. Från New-York befordras utvandraren genast efter slutad tullexpedition och

öfriga formaliteter med järnväg å 3:dje klass till

För ofvansagde afgift erhåller utvandraren, utan vidare ersättning, god och tillräcklig kost jämte vård från Göteborg till landstigningsplatsen i Amerika, logis under uppehållen i England samt befordran och vård af reseffekter till 10 kubikfots utrymme å ångfartyg och 150 skålp. vigt å järnväg. För barn mellan 1 och 12 år befordras reseffekter fritt endast till hälften af hvad nu sagts till Amerika, hvarest ingen fri befordran af reseffekter för barn under 5 år äger rum.

Utvandraren är berättigad att bekomma kontramärke å de effekter, som han ej själf har om hand och erhåller för desamma,

som utgöra *1* kolly och äro märkta med N:r

3606 ersättning till ett belopp af högst Kronor femtio, för hvarje passagerare öfver 12 år, samt högst tjugufem kronor för barn mellan 1 och 12 år, därest effekterna icke vid landstigningsplatsen i Amerika riktigt utbekommas mot återlämnande af sagde kontramärke, dock lämnas ingen ersättning för effekterna om skada eller förlust förorsakas genom sjöolycka.

Skulle utvandraren vid ankomsten till den främmande verldsdelen varda af vederbörande myndighet därstädes förbjuden att invandra och kan det icke ådagaläggas att detta förbud är föranledt af förhållanden, som inträffat efter det detta kontrakt upprättats, utfäster jag C. W. Hällström mig att återgälda utvandraren betalning för bortresan samt på min bekostnad besörja utvandrarens återresa till (Göteborg) i Sverige tillika med underhåll till återkomsten samt befordrande och vård af medförda reseffekter.

Härjämte förbinder jag mig att, om sådant från utvandrarens sida påkallas, låta alla tvister om detta kontrakts tydning och utvandrarens rätt till ersättning för öfverträdelse af detsamma afgöras af fem gode män, utaf hvilka utvandraren utser två, jag eller, i händelse jag tredskas, Konungens Befallningshafvande här i länet två och bemälde Konungens Befallningshafvande den femte.

Anser sig utvandraren äga anledning till klagan däröfver att han icke åtnjutit den rätt och de förmåner, som på grund af detta kontrakt bort honom tillkomma, bör anmälan därom göras hos vederbörande Konsul, så fort omständigheterna medgifva.

Utvandrarnes namn	Åld
Ester Hilma Maria Magnuson	*2*

Antages:

Ester Hilma Maria Magnuson

Uppvisadt och godkändt såsom upprättadt i ö

Göteborg den NOV 1

Göteborg i Poliskamm ren d

I C. W. H

to *C*

named below f

includes all ord

If the emi
contract, a rep

Agent i Hull: Hufvudkontor i Liverpool: Kontor i New-York:
Wilson, Sons & Co. Ismay, Imrie & Co. White Star-Line,
30 James Street. 9 Broadway.

N:r 2267

TRAKT

samt nedanstående utvandrare.

M, hereby undertake, upon the following terms, to forward from Gothenburg

ork _____ in North-America, the emigrant

of _118:00_ Kronor, which amount has been duly paid and

ges upon landing in America.

The journey takes place from Gothenburg the _____

naste vistelseort NOV 14 1902 by steamer steerage passage to Hull in England and thence, within 48 hours after having passed the customs, to Liverpool by rail 3:rd class, and from Liverpool within 12 days after arrival there, by Ocean steamer steerage passage, to New-York in North-America. From New-York the Emigrant will be forwarded, immediately after having passed the customs and complied with other formalities, by rail

Stockholm _____ 3:rd class to _____

At the above mentioned fare the emigrant will be supplied with good and sufficient provisions and attendance from leaving Gothenburg until arrival at place of landing in America, lodging during the stay in England and coveyance and care of effects not exceeding 10 cubicfeet space by steamer and 150 Lbs weight by railway. Effects of children between 1 and 12 years are carried free at the rate of half of what has been beforestated for effects to America, where no free conveyance of effects of children under 5 years is allowed.

The emigrant is entitled to a check for such effects, as are not under his own care, and will receive or same consisting of _1_ packages and numbered _____

_3606_ a compensation not exceeding Kronor 50 pr adult, in the event of non-delivery of the effects on surrender of said check upon arrival at place of landing in America, but no compensation will be allowed for loss or damage of effects caused by sea accident.

Should the emigrant at arrival in foreign country be refused by the authorities to immigrate and if it cannot be proved that this prohibition has been caused by circumstances come to pass after this contract was made out. I C. W. Hällström do hereby agree to repay the emigrant for the passage and at my expense have him returned to Gothenburg, Sweden; likewise his maintenance on his return and forwarding and care of his baggage.

Likewise do I agree to, if so required by the emigrant, to let all controversies about this contract's explication and the emigrants justice of compensation for non-fulfillment of the same to be decided by five arbiters, of whom the emigrant appoints two, I or in case I refuse, the Kings governor in this government two, and the before said governor the fifth.

ason for complaint of not being treated in accordance with the terms stipulated in this be made to the nearest Consul as soon as circumstances admit.

_____ _190_ _____

stiom

helse med Kongl. förordningen den 4 Juni 1884, intygas:

1902.
_190_
Björkman

Oceanic Steam Navigation
Company

Limited

White Star-Line.

Gothenburg Agency

Mess:rs ISMAY, IMRIE & Co.

30 James Street, Liverpool.

Will please give passage to _____

Ester Hilma

Maria Magnuson for

Adults _one_

Children _____

Infant _____

Making _one_

full passengers from Liverpool to

New-York.

Gothenburg the NOV 14 1902 190_____

C. W. Hällström.

leva. Snårig byråkrati och outvecklade transportsystem gjorde att hjälpsändningar till avlägsna och utsatta landsbygdsområden i Norrland inte kom fram i tid.

Det var så illa att svenskar som redan emigrerat till Amerika försökte få till stånd hjälpsändningar till det gamla hemlandet. Rapporterna som kom från Sverige vittnade om ett sådant elände att svenska invandrare övertygades om att det inte var tillräckligt med bara frivilliga insatser. Initiativ togs för att få USA-kongressen att besluta om en nationell biståndsaktion till den utsatta befolkningen i Sverige. I ett brev till redaktören, infört i *New York Times* den 18 januari 1868, varnade signaturen »Swedish-American« för att de pengar som samlats in bland svenska invandrare inte räckte för att lindra nöden bland deras »lidande och utblottade landsmän«. Insändarskribenten uttryckte sin förhoppning om att USA som nation skulle gripa in och sända skepp med förnödenheter till Sverige. En sådan generositet från den amerikanska staten skulle inte bara resultera i en långvarig tacksamhet från det nödlidande folket i Sverige, utan dessutom utgöra »ett bevis i det monarkistiska Europa att republikanismen är en grund för folkens välfärd«.

Värst var det i Sverige under 1867, som gått till historien som »Storsvagåret«, men även 1868 och 1869 var svåra nödår, och knappast någon del av landet besparades. En smålänning, vars föräldrar »lefde som torparfolk« utan möjlighet att skaffa eget hem, mindes hur allt blev så mycket sämre under missväxten 1868. Sådden gav just ingenting: »Det jag skördade dugde inte till utsäde, utan jag måste köpa utsädesråg för 28 kr. tunnan. Jag bad min husbonde att få låna pengar för att köpa utsäde men fick det inte, ej heller ville han låta mig få någon lindring i arrendet.« Utan att direkt råda honom att emigrera förklarade hans redan utvandrade bror att »nog hade den fattige det bättre i Amerika än i Sverige«.

När utvandraren sålt sina ägodelar och förnödenheter användes pengarna för att köpa biljett till USA. För många framstod beslutet att emigrera till Amerika som den enda lösningen som kunde ge någorlunda goda framtidsutsikter. Som en fattig torparson från Värmland uttryckte det när han förklarade varför han emigrerat: »En fattig arbetare i Värmland kunde aldrig förbättra sin ställning, utan den som var fattig förblef fattig.«

Efter att den svenska emigrationen till Amerika nått en rekordnivå på mer än femtusen människor under 1867, ökade den sedan ännu mer. Under de följande tre åren lämnade 70 000 svenskar sitt hemland för att resa över Atlanten. Om klasshat, flykt från politisk ofrihet och religionsförtryck i kombination med vanlig äventyrslusta tidigare varit vanliga motiv för utvandring, var det nu en ekonomisk misär som fick betydligt större skaror att överge Sverige. Möjligheter till en bättre framtid verkade saknas i Sverige och det såg så mycket ljusare ut borta i Amerika.

Emigrationen kom också att åtminstone till viss del följa konjunkturerna. Utvandringen minskade när en period av tillväxt i USA bröts i och med 1873 års finanspanik och landet föll ned i en djup ekonomisk nedgång. Men antalet Amerikaresenärer ökade återigen kraftigt mot slutet av decenniet när det svenska jordbruket hamnade i en ny kris, den här gången orsakad av att det blivit möjligt att importera billigare vete från andra delar av världen, även från de utvandrade svenskar som slagit sig ned i den amerikanska Mellanvästern och nu börjat få god avkastning på sina spannmålsodlingar.

Under hela 1870-talet talet utvandrade mer än hundratusen svenskar, under det följande decenniet nåddes den högsta nivån för en specifik tioårsperiod. Inte mindre än 325 000 invånare lämnade Sverige för Amerika mellan 1880 och 1890. Det enskilda rekordåret var 1887, då mer än 46 000 svenskar utvandrade.

*

Utvandringsvågen utlöste inte oväntat en stor politisk debatt i Sverige, även om den aldrig kom att leda till någon lagstiftning för att göra det svårare att lämna landet. För den liberala vänstern blev emigrationen ett argument för politiska reformer syftande till demokrati och folksuveränitet, för frihandel och ökad social rörlighet, helt enkelt en nödvändig modernisering när det gamla och föråldrade ståndssamhället inte längre klarade att tjäna medborgarna. Men för de konservativa krafterna var USA

Aid for the Starving Swedes.

NEW-YORK, Saturday, Jan. 18, 1868.

To the Editor of the New-York Times:

The article in the TIMES of to-day, (Saturday,) stating, "If anything practical can be done in a national way, under the resolution offered in Congress of sympathy and aid to the suffering Swedes, it will be for the credit of the country to do it," is responded to with gratitude, I am free to say, by the Scandinavian population of this country. All over our country may be found this peaceable and orderly people; and in our marine they do honor to our flag and to their adopted country. The Swedes in this country are doing their utmost to send relief to their suffering and destitute countrymen; but the call for aid and sympathy is vast and urgent. Subscriptions have been made in this City and elsewhere, but the money raised is inadequate for the maintenance of such a multitude through this, terrible and trying Winter. I hope something will be done in a national way; and this hope is shared in by every Swede in this country. If even a national ship be loaded, it will not only be creditable to our Government, but such generosity will have a marked effect—in the everlasting gratitude of the suffering population, and in the proof to monarchial Europe that republicism is instituted for the welfare of peoples.

SWEDISH-AMERICAN.

fortfarande något avskräckande, som det också varit när Amerika diskuterades i Sverige i början av 1800-talet. USA var en traditionslös, materialistisk och ytlig nation som med sin heterogena befolkning inte vilade på någon riktig nationalistisk grund. Den gamla samhällsgemenskapen som bundit samman överhet och undersåtar var upplöst på ett farligt sätt. För konservativa krafter i Sverige blev emigrationen därmed en opatriotisk handling. Sverige förlorade sina människor, sina bästa tillgångar.

Även om USA uppmuntrade till en ökad invandring uppstod även inhemska motrörelser, grupper som var kritiska till en ohejdad inflyttning. Protester blossade upp till och från med varningar om att inflödet av olika etniska grupper kunde undergräva nationens kulturella identitet. Men tills vidare ledde sådana yttringar inte till några restriktioner för europeiska invandrare.

När missväxten i Sverige fick allt fler att emigrera under åren efter det amerikanska inbördeskriget, kunde det till och med väcka oro i vissa svenskkretsar i Amerika. Företrädare för den svenska lutherska kyrkan i USA befarade att de kanske inte skulle klara att hantera anstormningen, och att många själar skulle gå förlorade när de anlände till det nya landet.

Prästen Tufve Hasselquist, som då ledde Augustanasynoden i Illinois, uttryckte våren 1869 sina farhågor i ett brev till pastor Peter Wieselgren i Sverige, som varnades för att emigrationen »kommer utan tvifvel att detta år blifva fruktansvärdt stor och bestå till största delen av kyrkofientliga människor«. Istället för att hoppas på ett tillskott såg Hasselquist floden av invandrare som ett hot mot de lutherska församlingar som han själv och andra svenska präster byggt upp i Amerika. Nu var det bara att förbereda sig för en kamp för att hindra de svenska invandrarna från att söka sig till andra rivaliserande kristna läror, eller se till att de inte helt övergav sin Gud, oklart vilket som var värst.

När allt fler lämnade Sverige blev det en allmän uppfattning att Amerikafeber brutit ut. Det var så många som reste iväg att

En invandrare vädjade 1868 i en insändare i *New York Times* om hjälp till svältande svenskar i det gamla hemlandet.

det blev fler och fler hemma i Sverige som kände någon eller några som nu slagit sig ned i Amerika. Det fick en smittoeffekt. Emigrationen blev ett vardagligt samtalsämne mellan grannar och bekanta. Det var inte längre bara en fråga om att fly en eländig tillvaro och söka en bättre framtid. Det kunde också framstå som om det var något fel på alla som blev kvar, som om de saknade den initiativkraft och vilja som krävdes för att göra något åt sina egna liv. Nu var det ju också lättare att ge sig av med nya järnvägstransporter och säkrare, mer bekväma och billigare ångfartyg som avgick på bestämda tider. Resan var inte längre lika strapatsfylld som förr och det fanns en trygghet i vetskapen om att det fanns andra svenskar att söka sig till på plats i Amerika.

Det kunde bli än svårare att stå emot när släktingar eller vänner som redan lyckats väl i USA skickade över en betald biljett. Bara det faktum att någon som rest till Amerika hade kunnat skrapa ihop så mycket pengar på kort tid utgjorde i sig en utmaning. Under sin första Amerikaresa, efter att han i slutet av maj 1872 lämnat Göteborg mot Hull i England, mötte den trettiofemårige journalisten Hugo Nisbeth ombord på ångfartyget *Orlando* »en ung, kraftig bonddräng från Småland«. Den unge utvandraren berättade att han både tagit lån och sålt allt han ägde för att få råd att emigrera. Ändå hade han inte haft det så illa i Sverige, med en årslön på 150 riksdaler. Men det var svårt att spara och lägga undan för framtiden, och det var vad som hade fått honom att lämna Sverige.

När den småländske bondpojken fick frågan varför han trodde att det skulle gå lättare i Amerika kom svaret snabbt: »Jo, flere bekanta från min socken, hvilka farit dit för några år sedan, hafva skickat penningar och biljetter till slägtingar och vänner. Har herrn någonsin« – här fortsatte drängen med ett »illparigt leende«, observerade Nisbeth – »sett någon svensk beroende jordbruksarbetare kunna skicka pengar till anhöriga utomlands, eller bringa sig i en sådan ställning, att han kunnat taga flera af dem till sig?«

Hugo Nisbeth – som själv var på väg till USA för att rapportera för *Aftonbladet* – tvingades medge att han stod svarslös inför denna enkla fråga.

PASSAGERARE-BILJETT

MED

ÅNGSKEPPET ERNST MERCK.

har med .... Riksdaler Riksmynt betalt
passagerareafgift för .... plats ....
        i Första klass eller kajut
        i Andra klass eller poopdäck
        i Tredje klass eller mellandäck
till ....

Obs.! Den i Förenta Staterna betalbara person-skatt, s. k. headmoney, erlägges här-
städes med .... Riksdaler Riksmynt.

                         Stockholm den .... Juli 1864.

En biljett med ett av de nya ångfartygen
kunde förverkliga drömmen om Amerika.

Han fann också åtskilliga svenska utvandrare ombord på fartyget som reste på »fribiljetter« som betalats av någon tidigare emigrant på plats i Amerika. Där fanns såväl äldre män som hustrur med barn, men också yngre, ogifta kvinnor som hade fått biljetten tillsänd av fäder, bröder eller en trolovad fästman. Det var relativt få som bara reste iväg på egen hand, »på spekulation«, utan att ha fått en betald biljett eller i alla fall råd och anvisningar från släkt eller vänner som gjort resan tidigare.

*

Med tiden blev lockropen allt starkare även från utomstående. Det fanns utsända emigrationsagenter – Hans Mattson var långt ifrån den ende – som presenterade erbjudanden om mark, som var praktiskt taget gratis enligt Homesteadlagen, och andra möjligheter till en bättre framtid i Amerika. Värvningsagenternas uppdragsgivare kunde vara såväl myndigheter i delstater som Minnesota som privata järnvägsbolag och fartygslinjer. Arbetskraft söktes och det fanns biljetter att sälja. Den information som spreds var en blandning av råd och reklam. Praktiska anvisningar gavs för hur resan skulle planeras och förberedas, vilka tillhörigheter som skulle medföras och hur de skulle skyddas under färden. Ofta betonades också vikten av att ha realistiska förhoppningar och att det krävdes en beredskap att jobba hårt i det nya landet.

Hugo Nisbeth, som var en Värmlandsbördig sjökadett som sadlat om till tidningsman, samlade efter flera år i Amerika sina erfarenheter till en bok med utvandrarråd: *Emigrantens vän – Hjelpreda för den swenske utwandraren af hwarje klass: efter 4 års resor och studier i Förenta Staterna.* Han gav konkreta råd om olika resrutter, om inreseregler och om de bästa sätten att skaffa mark eller söka anställning i det nya landet. Han inkluderade geografisk information, en liten engelsk språklära, uppgifter om amerikanska mynt, mått och vikter samt en översättning av den amerikanska konstitutionen.

Men mer än de informationsskrifter – varav åtminstone en del kunde beskrivas som propaganda – som distribuerades i Sverige var det Amerikabreven som fick så många att längta över Atlanten. Breven kunde få en relativt stor spridning i och med att de ofta lästes högt för bekanta och spreds bland grannar i den egna bygden. En del trycktes i svenska tidningar.

De svenska utvandrarna var som regel relativt skrivkunniga jämfört med emigranter från många andra länder. Den svenska folkskolereformen hade fått sitt genomslag. Bland de olika invandrargrupperna i USA hörde svenskarna till de mest litterata. Det skrevs miljoner brev som skickades till släkt och vänner hemma i Sverige. Bara en mindre del har bevarats, och som den svenskättade historikern Arnold Barton konstaterat var de flesta breven heller egentligen inte särskilt intressanta. I själva verket var många av Amerikabreven fyllda av simpla kommentarer om vädret, religiösa plattityder, allmänt skvaller, information som hämtats från amerikanska dagstidningar, priser på varor och långa listor med hälsningar från och till anhöriga och bekanta.

Men tillräckligt många av breven har ändå, långt senare, bidragit till att ge en ökad förståelse både av emigranternas liv i Amerika och hur deras rapporter påverkade dem som blivit kvar i Sverige. En del som inte lyckats så väl på andra sidan Atlanten kunde svartmåla situationen i det nya landet. Det var Amerikas fel att deras drömmar inte förverkligats och de varnade andra från att komma efter. Men det var säkert betydligt mer vanligt att breven gav en överdrivet positiv bild av livet i USA. Även om det inte var helt oåterkalleligt var det ett oerhört stort och viktigt beslut som tagits. Det kunde vara svårt att medge att det inte blivit som det var tänkt, och även om många verkligen lyckades var det säkert frestande att beskriva jordens bördighet, inkomsterna från skördarna och den nya tillvaron i övrigt i lite extra ljus dager.

*

En rad skrifter gavs ut i Sverige med praktiska råd till utvandrare, som en förteckning över livsmedel på engelska.

463

TREDJE AFDELNINGEN.

Några i dagligt tal allmänt förekommande ord.

Lifsmedel.

Svenska.	Engelska.	Uttal.
Bröd,	bread,	bredd.
hwitt bröd,	white bread,	hvejt bredd.
swart bröd (groft rågbröd),	brown bread,	braun bredd.
färskt bröd,	new bread,	njuh bredd.
gammalt bröd,	stale bread,	stehl bredd.
warmt bröd,	hot bread,	hått bredd.
inkråmet,	the crum,	dhe krömm.
skorpan,	the crust,	dhe kröst.
öfwerskorpan,	the upper crust,	dhe öpper kröst.
underskorpan,	the under crust,	dhe önder kröst.
ett bröd, en limpa,	a loaf,	ä lohf.
ett stort bröd, (limpa),	a great loaf,	ä greht lohf.
ett litet bröd,	a small loaf,	ä smål lohf.
ett stycke bröd,	a bit of bread,	ä bitt ov bredd.
mjölet,	the meal,	dhe mihl.
det fina mjölet,	the flower,	dhe flau'r.
kli,	bran,	bränn.
deg,	dough,	doh.
rått kött,	flesh,	flesch.
kokt kött,	meat,	miht.
oxkött.	beef,	biff.

fårkött,	mutton,	mötten.
kalfkött,	veal,	vihl.
lammkött,	lamb,	lämm.
svinkött,	pork,	pohrk.
fläsk,	bacon,	bähken.
skinka,	ham,	hämm.
en fjerndel,	a quarter,	ä kvårter.
lårstycke af kalf,	a leg of veal,	ä lägg ov vihl.
lårstycke af får,	a leg of mutton,	ä lägg ov mötten.
ett njurstycke,	a loin of veal,	ä låin ov vihl.
ett stycke kött,	a piece of meat,	ä pihs ov miht.
kokt kött,	boiled meat,	boil'd miht.
stekt kött,	roasted meat,	rohsted miht.
warmt kött,	hot meat,	hått miht.
kallt kött,	cold meat,	kålhd miht.
färskt kött,	fresh meat,	fresch miht.
magert kött,	lean meat,	lihn miht.
fett kött,	fat meat,	fätt miht.

Wildt,	venison,	vennisen.
en hare,	a hare,	ä hähr.
en ung hare,	a leveret,	ä levvret.
en kanin,	a rabbit,	ä rabbit.
en hjort,	a hart,	ä hart.
en åkerhöna,	a partridge,	ä pahrtridsch.
en snäppa,	a snipe,	ä snejp.
en waktel,	a quail,	ä kvähl.
en lärka,	a lark,	ä lahrk.
en kapun,	a capon,	ä kehp'n.
en kyckling,	a chicken,	ä tschicken.
en tupp,	a cock,	ä kåck.

Det var inte lätt att bli lämnad kvar och heller inte lätt att lämna någon bakom sig. I Gustaf Frödings dikt »Farväll« hade en utvandrare tvingats ta ett bitterljuvt avsked av en käresta som inte följt med på resan och nu gift sig med någon annan. Emigranten kanske kände sig ensam i Amerika. Men nu tjänade han pengar, tre dollar om dagen, hade blivit »mister Johansson« och tyckte sig ha avancerat från gesäll till »herrkar«. Han ville gärna förklara för sin gamla fästmö vad hon gick miste om hemma i Värmland:

Du kunde gått i hatt och handsker
ibland tjangtila amerkansker
och lefft på gås och rebbenspjäll,
men faderväll, men faderväll!

En värmlänning som utvandrat till Minnesota skrev hem till sin bror i Mangskog och uppmanade honom att följa efter: »Om du vill arbeta ned ifrån ock upp, så kom hit till oss, här är rätta platsen för rätta mannen. Här kan man göra goda affärer med litet kapital. Här i Landet är det tusen utvägar men man kan inte gå och drömma sig till något, utan man får spotta i händerna många gånger innan man får till det rätta taget.«

Det var en variation på ett mycket vanligt tema i emigrantbreven. Amerika var möjligheternas land, men det krävdes hårt arbete för att lyckas och det beskrevs oftast som något i sig positivt. Arbetet visade sig ha ett högre värde än i Sverige och andra europeiska länder. När Hans Mattson värvade svenska emigranter till USA kunde han entusiastiskt tala om »nyckeln till detta lands storhet: arbetet är aktadt, då det däremot i de flesta andra länder betraktas som en vanära och en förnedring«.

Även om inkomstskillnaderna kunde vara mycket stora så var regeln, enligt den dåtida uppfattningen, att alla i Amerika skulle arbeta i någon bemärkelse. En del av Söderns plantageägare tillägnade sig nog aristokratiska attityder, men det fanns ändå inte en formellt upphöjd klass av adelsmän som i europeisk tradition slagit sig till ro med sina ärvda tillgångar, höll sig för goda för ett dagsverke och lättjefullt överlät arbetet till de lägre klasserna. Trots att Mattson gjort mycket bra ifrån sig och tjänat goda pengar var det en för honom obehaglig upplevelse att på besök i Sverige konfronteras med de sociala hierarkierna. Han kände det, säkert med rätta, som att han i sitt gamla hemland föraktfullt blev betraktad som en uppkomling som inte riktigt visste sin plats.

Efter att ha rest runt i USA en tid som korrespondent för *Aftonbladet,* kom även Hugo Nisbeth fram till att arbetet i Amerika i sig utgjorde ett steg mot en positiv social rörlighet, även om han också betonade att det verkligen gällde att slita ont för att lyckas, tjäna pengar och skapa en bättre tillvaro. Men det viktiga var att möjligheten fanns för den som ville utnyttja den. När många invandrare, en tid efter att den stora emigrationen inletts, redan slagit sig ned i vad som dittills räknats som USA:s västra delar – Minnesota, Iowa, Nebraska, Kansas och Missouri – var han tidigt ute med att uppmana nya svenska emigranter att »go west«, där det ännu fanns oröjd mark för pionjärsinnade nybyggare.

Inspirerad av republikanen Horace Greeley, både politiker och inflytelserik redaktör för *New York Tribune,* förklarade Nisbeth att ännu längre västerut »ligger ett rikt och väldigt land omfattande staterna och territorierna Dakota, Montana, Washington, Oregon, Idaho, Wyoming, Colorado, Utah, Nevada, Kalifornien m.fl., som ännu till största delen ligga öppna för arbete med bördig jord och nästan outtömliga mineralrikedomar af nästan hvarje slag, bland andra ofantliga kollager«. Det hade visserligen funnits svenskar som tidigare, under den första guldruschen, tagit sig ända bort till Kalifornien, och en del som omvänts till mormoner hade bosatt sig i Utah, men vid denna tidpunkt var kännedomen om Amerikas västra delar ännu ganska begränsad i Sverige.

Oavsett om USA beskrevs som möjligheternas land, även för den med knappa tillgångar, gällde fortfarande regeln att det var nödvändigt att hugga i ordentligt: »För den ihärdige mannen«, förklarade Nisbeth, »som kan och vill försaka, som icke medför mera än ett par kraftiga armar, ett sundt omdöme och en för ingenting svigtande energi, är också vestern platsen, och han blir aldrig i saknad af sin rikliga utkomst; – för de emigranter deremot, som tro att stekta sparfvar flyga i munnen på dem bara de sätta foten på Amerikas jord, som gå med händerna i fickorna i de stora städerna och, istället för att arbeta, svälta eller ligga landsmän till last och sedan fylla de svenska tidningarnas spalter med jämmervisor öfver Amerika och den behandling som der kommit eller kommer dem till del – för dem är lika litet vestern som östern platsen, de göra i alla hänseenden bättre uti att stanna hemma; ty detta stora, fastän unga land, stadt i en utveckling vilken är häpnadsväckande för en europé, som är van vid ett i bästa fall långsamt framåtkrypande, fordrar arbete af hvarje dess innebyggare.«

Men arbetets innehåll och villkor var på väg att förändras drastiskt. USA var, som Nisbeth konstaterade, inne i en omvälvande tid. Under 1800-talets sista decennier öppnades slussportarna till den industrialisering och inflyttning till städerna som redan inletts i Storbritannien och flera andra europeiska länder. Inbördeskriget hade inte bara lett till att unionen bevarats och till att slaveriet avskaffats. När sydstaterna kapitulerade var det också slutet för ett ekonomiskt system och en social ordning som med traditionellt konservativa värderingar kan ha påmint mer om Europas patriarkaliska och familjebundna klassamhällen. Det var den nya världen, med en framrullande industrialisering, som svenskarna och andra européer anlände till. Om sydstaterna innan inbördeskriget tagit emot ett stort antal invandrare – inte minst de som gick under beteckningen scotch-irish – minskade immigrationen till Södern drastiskt efter inbördeskriget och för lång tid framåt.

*

Även om det inte existerade någon adel i formell mening i sydstaterna, fanns en jordägande klass vars mäktiga familjer ofta beskrevs som medlemmar av en plantagearistokrati. Bortsett från New Orleans fanns knappast någon riktig storstad. Södern var ett jordbrukssamhälle där det kunde verka naturligt att i Thomas Jeffersons anda slå vakt om både delstaternas självbestämmande och ett decentraliserat landsbygdsideal. Det var

Amerikabreven som sändes till släktingar och bekanta
i Sverige lockade många att utvandra.

Mr Olof Bronen

Care Ashley Welly & Co Bankers Exchange Bank

Andreal Estafez Agency

Anna Jonsdotter Hestine Tu C.R.R. Union Co Su

Nordra Amerika

SEX SKILL B:co

FRIMÄRKE

inte konstigt om den nya industrikapitalismens framsteg i nord-
staterna sågs som ännu ett hot att bekämpa. Det fanns skäl att
slå vakt om det lugnare tempot, möjligheten för välbärgade vita
att leva ostörda av en utveckling som kunde tyckas kaotisk, även
om den med tiden skulle vara ofrånkomlig.

Med inbördeskriget slogs Söderns ekonomi i ett slag i spillror,
och därmed underlaget för dess livsstil. För många var allt bor-
ta. Stora egendomar var ödelagda, infrastrukturen förstörd. Två
tredjedelar av regionens tillgångar var utraderade. Som histori-
kern James McPherson visat, skedde en enorm omfördelning av
resurser. Före kriget hade Södern 30 procent av USA:s samlade
tillgångar; 1870 var andelen bara 12 procent. Den genomsnittliga
inkomsten hade före kriget varit två tredjedelar jämfört med den
i norr, och i verkligheten var det dåvarande inkomstgapet mindre
i och med att slavarna var medräknade i sydstaternas befolkning.
Efter kriget, när slavarna befriats, var inkomsten per capita inte
ens 40 procent av den i norr. Det var inte möjligt att snabbt åter-
uppbygga ekonomin. Trots att den ekonomiska aktiviteten tog
ordentlig fart i norr efter kriget, blev 1860-talet det sämsta till-
växtdecenniet i USA:s historia, fram till 1900-talets trettiotals-
depression. Södern skulle fortsätta att vara en underutvecklad
del av USA under mycket lång tid framöver.

Om en del av de tidiga svenska emigranterna avskräckts av Sö-
derns brutala klimat, fanns det heller inga ekonomiska framtids-
utsikter som lockade när den stora utvandringen kom igång. De
många svenskar som kom till Amerika efter inbördeskriget bosat-
te sig i första hand i Mellanvästern, men också i nordöstra USA
och längre västerut. I den mån emigration till sydstaterna alls fö-
rekom var den försumlig. Södern fanns inte i framtidsdrömmarna.

*

Nordstaternas seger i inbördeskriget innebar också att deras
framtidsvision hade fått överhanden. Industrialiseringen accele-
rerade, städerna växte, arbetare från olika nationer och etniska
grupper anlände i en strid ström. Det var en genomgripande om-
vandling. När USA:s första folkräkning gjordes 1790 levde bara

5 procent av befolkningen i städer, som i de flesta fall inte var mer än lite större byar. Det fanns bara tre städer – New York, Philadelphia och Boston – som hade över femtontusen invånare. Hundra år senare levde 35 procent av befolkningen i snabbt växande städer som nästan uteslutande fanns i norr.

Den snabba dynamiska utvecklingen innebar att skillnaderna mellan nord och syd blev större, och det kunde förefalla som om Södern nu lämnades åt sitt eget öde. I vilket fall tappade den segrande sidan i inbördeskriget mer eller mindre intresset för den svarta befolkningens situation i sydstaterna. Trots att slaveriet var avskaffat kunde den vita överheten fortsätta att utöva en institutionell rasism med segregationslagar och legaliserad diskriminering under ytterligare hundra år framåt.

Det republikanska parti som Abraham Lincoln stått i spetsen för under inbördeskriget, och som lett kampen mot slaveriet, kom alltmer att företräda näringslivets och storfinansens intressen. Om de politiska ledarna stått på folkets sida mot pengamakten under den Jacksonska eran några decennier tidigare, blev den politiska styrningen nu snarare ett medel för att underlätta och uppmuntra kapitalismen som utvecklingsmotor. Kapitalägarna befriades från regleringar och andra restriktioner. Det var ett stort politiskt skifte som följde med inbördeskriget.

De jämlikhetsideal som trots allt funnits sedan självständighetsförklaringen trängdes tillbaka av nya starka vinstintressen. En modern kapitalism fick allt större spelrum och nya spänningar uppstod, både i form av en ökad social rörlighet och en ny typ av klassmotsättningar. Det fanns möjligheter för den enskilde individen att arbeta sig upp. Men konkurrensen kunde också vara stenhård när marknadskrafterna släpptes fria. Inkomstklyftorna växte. I de nya storstäderna skapades väldiga förmögenheter på kort tid samtidigt som tillvaron blev alltmer föränderlig och osäker och många levde i fattigdom och misär.

Övergången till industrikapitalism kom också att påverka invandringen. Emigrantdrömmen som tidigare handlat om att röja ny mark på en egen gård riktades nu mer och mer mot fabrikerna och städerna. När industrialiseringen tog fart i Sverige under slutet av 1800-talet var det många unga landsbygdsbor som i en mening redan tagit ett steg mot en ny värld även om de inte lämnat hemlandet. För den som redan tvingats bryta upp från landsbygden och flyttat till staden och dess fabriker, kunde nästa steg över Atlanten te sig naturligt när den konjunkturkänsliga svenska industrin drabbades av dåliga tider. Det var heller inte konstigt om målet blev städer i Amerika, som Chicago eller Minneapolis.

Emigrationen hade med tiden blivit en närmast vardaglig företeelse. För en ung människa som sett syskon, släktingar och bekanta utvandra kunde det vara självklart att följa efter. Amerikafebern hade blivit ett i stort sett permanent tillstånd.

För unga män tillkom också en annan faktor. Som tidigare nämnts var militärtjänsten en, om inte avgörande så i alla fall bidragande orsak till att delar av den manliga befolkningen lämnade landet. En form av värnplikt hade visserligen funnits i Sverige sedan tidigt 1800-tal, då det indelta systemet kompletterades med den allmänna beväringsinrättningen. Men det var först i samband med den stora utvandringsvågen som lagen fick en strikt tillämpning. Vad som kallades exercisen kom sedan att gradvis utökas till längre tidsperioder och i början av 1900-talet till en allmän värnplikt.

Eftersom Sverige sedan länge var i fred och de flesta inte såg några allvarliga yttre hot mot riket, kom värnplikten att uppfattas som något som huvudsakligen fanns för att stärka överhetens makt över undersåtarna. En smålänning som utvandrat och slagit sig ned i Massachusetts förklarade att han i USA fått höra att den skrämmande värnplikten fått många andra svenskar att emigrera: »Hur många unga män träffar man icke här, som bekänna att de lämnat Sverige emedan de icke ville gå och exercera beväring.«

*

Men Amerikafebern i Sverige kan inte enbart förklaras utifrån ett missnöje med värnplikt, social stagnation, fattigdom och avsaknad av framtidsmöjligheter. Amerika utgjorde också en lockelse i sig. Det var den amerikanska drömmen som obestridligen hade en dragningskraft. Historikern James Truslow Adams, som senare bidrog till att popularisera begreppet som sådant, var noga med att betona att drömmen gällde mer än bara ekonomiska möjligheter och materiella förbättringar. Den dröm som kan spåras tillbaka ända till 1600-talets tidiga amerikanska invandrare handlade också om den enskilda människans möjligheter att utvecklas till sin fulla potential som män och kvinnor, obehindrade av de barriärer och det sociala förtryck som fanns i vad han kallade »de gamla civilisationerna«. Framgång i Amerika var inte bunden till klass, utan en följd av hårt arbete och individuell ansträngning. Drömmen hade sina brister och dess framtid var ingalunda garanterad, men ändå hade den – Adams skrev detta 1931 – förverkligats i större utsträckning i Amerika »än någon annanstans«.

Den amerikanska drömmen blev i flera avseenden en metafor för »löftets land«, för möjligheter som ännu inte uppnåtts. Det var en både hoppfull och i hög grad modern tanke att allting skulle bli bättre, såväl samhället i stort som den enskilde individen. I den meningen kan också den amerikanska drömmen kopplas till den amerikanska exceptionalismen som, även om det utgör ett omstritt begrepp, varit central för invandrarnas syn på sina egna möjligheter i den nation de gjort till sin.

När svenska utvandrare rapporterade tillbaka till hemlandet om sin tillvaro i USA var det också uppenbart att det fanns åtskilliga som, medvetet eller inte, anammat idén om både den amerikanska drömmen och om en exceptionalism. De var övertygade om att de hade getts möjligheter i den nya världen som aldrig skulle ha förunnats dem i den gamla.

En man som 1887 utvandrade till Kansas, efter att ha varit bonddräng på en herrgård utanför Stockholm och båtsman i flottan, berättade i ett brev till den statliga Emigrationsutredningen att både han själv och hans barn lyckats väl i Amerika. De hade kunnat spara och lägga undan så att de nu hade goda tillgångar, medan det i Sverige knappast hade varit möjligt att »föda både hustru och barn«. Utvandringen var den fattiges chans: »Tack vare Gud för Amerika! Om man i Sverige arbetar så att man svettas blod, så är det ett fåtal som kan få sig en egen

473

torfva på livstid. Det är bara att arbeta för bättre folk och ingenting för sig själf.«

En utvandrare från Skaraborg – som kommit till Pennsylvanias kolgruvor 1872 där han slitit hårt för att sedan slå sig ned i Nebraska – tycktes än mer övertygad om att det fanns en gudomlig hand med i spelet och som han hade att tacka för den värdefulla egendom han nu byggt upp. Det var Gud och Amerika i samverkan som gett honom möjligheter till framgång: »Först och främst stå vi därför i tacksamhetsskuld till honom, men sedan ock till det land i hvilket vi bo. Jag kan icke se annat än att det är Herren som öppnat detta land för oss fattiga emigranter och gifvit oss en tillflyktsort undan förtryck och fattigdom.«

En östgöte som utvandrat 1871 berättade om hur han från nästan ingenting lyckats arbeta sig upp till byggmästare i Pennsylvania, där han drev en egen affärsverksamhet, ägde ett stort jordbruk med sågverk på landet samt en rad tomter och fastigheter i närliggande städer. »Hade jag varit kvar i Sverige«, konstaterade han, »så hade jag väl varit statkarl eller på sin höjd torpare.«

Det var i stor utsträckning sådana rapporter som närde drömmar och utlöste Amerikafeber hos så många i Sverige. En skånsk utvandrare som lämnade hemlandet 1869, när missväxten slog till mot jordbruket och det var svårt att hitta en försörjning, berättade hur det gått till när han plötsligt fick impulsen att överge sitt hemland när han bara vara arton år gammal: »Så erhöll jag en bok att läsa om Amerika, och så fick jag som det heter Amerika-feber.«

*

För år 1888 rapporterade Statistiska centralbyrån i Sverige att 45 561 svenskar utvandrat till USA. I den officiella amerikanska statistiken var siffran över svenska invandrare för samma år något högre, 48 845. Hur som helst var det ett av rekordåren för den svenska Amerikaemigrationen. Det var åter nödår i det svenska jordbruket, medan det var stark ekonomisk tillväxt i USA med gott om arbetstillfällen.

Det hade då gått exakt tvåhundrafemtio år sedan de två skeppen *Kalmar Nyckel* och *Fogel Grip* hade seglat över Atlanten och kolonin Nya Sverige hade grundlagts vid Delawarefloden. Även om den svenska kolonin inte blev långvarig utgjorde den starten på de svenskamerikanska förbindelser som sedan dess haft en enormt stor betydelse.

Efter att kolonin övergetts hade den svenska statskyrkan utsända präster på plats i över ett sekel. Tidiga Amerikaresenärer som Pehr Kalm och Israel Acrelius hade under 1700-talet fört med sig kunskaper och erfarenheter tillbaka till hemlandet. Svenskar som rest till den nya världen hade deltagit i såväl revolutionskriget som i inbördeskriget. En handel som inletts under kolonialtiden hade befästs kort efter den amerikanska revolutionen. Sverige blev då det första landet som inte varit med i självständighetskriget som slöt ett handelsavtal med den nya nationen. När Sverige gick från jordbruksekonomi till industrikapitalism, mot modernisering och demokrati, kom många av impulserna från USA.

Band över Atlanten var alltså sedan lång tid etablerade när den stora emigrationen från Sverige till Amerika tog fart under senare delen av 1800-talet. Den väldiga folkrörelse som då drogs igång kom sedan att sätta djupa spår i Sverige samtidigt som de invandrande svenskarna blev en av många grupper som kom att vara med och forma det framväxande USA.

Om många svenska utvandrare först – som Vilhelm Mobergs Karl Oskar och Kristina – var familjer och par som utvandrat för att få chansen att odla sin egen jord, blev det efterhand allt fler unga ensamstående som tog beslutet att resa till Amerika. Det fanns gott om jobb för den som var kapabel och beredd att arbeta hårt. Unga män sökte sig till industrierna och byggarbetsplatserna. Unga kvinnor blev hembiträden i amerikanska familjer.

Drömmen om Amerika flyttades från Mellanvästerns obrutna präriemark in till städerna, i första hand Chicago, som mer än någon annan stad blev svenskarnas storstad i Amerika. Under den stora invandringen var tillväxten fenomenal. Under bara ett halvsekel, mellan 1850 och 1900, ökade antalet invånare från mindre än 30 000 till nästan 1,7 miljoner invånare, en befolkningsutveckling som saknade motsvarighet någon annanstans i USA.

Under en period in på 1900-talet var Stockholm den enda staden där det fanns fler svenskar. En del hade kommit till Chicago direkt från den svenska landsbygden, andra hade tagit omvägen via en svensk stad och ytterligare andra hade lämnat den amerikanska landsbygden där de bosatt sig när de först anlänt från Sverige till Amerika.

För många var den nya tillvaron i storstaden hård, ett byte från ett proletariat till ett annat, från en misär till en annan. Men åtskilliga av emigranterna lyckades väl, en del långt över förväntan. De var också, liksom andra invandrare, i hög grad med om att forma det USA som förändrades och moderniserades i mycket snabb takt. Även om flertalet av de tidiga emigranterna röjt mark och funnit hem i vildmarken, var det ändå flyttvågen in till städerna som mer kom att prägla tillvaron för de många svenskar som under några decennier bröt upp och skapade sig en ny tillvaro på andra sidan Atlanten. Det var i vilket fall fler svenskar som slog sig ned i Chicago än på någon annan enskild plats i USA, och när den gamla jordbruksekonomin gav vika för en ny industrikapitalism var de med om att bygga den nya staden.

LITTERATUR

Acrelius, Israel. *Beskrifning om de Swenska Församlingars forna och när- warande tilstånd, uti det så kallade Nya Swerige*. Harberg & Hesselberg, 1759. (*A History of New Sweden – The Settlements on the River Delaware.* The Historical Society of Pennsylva- nia, 1874.)

Adams, James Truslow. *The Epic of America*. Atlantic Monthly Press/ Little, Brown & Co, 1931.

Anderson, Philip J. & Blanck, Dag. *Swedes in the Twin Cities – Immigrant Life and Minnesota's Urban Frontier.* Acta Universitatis Upsaliensis, 2001.

Bailyn, Bernard. *The Barbarous Years – The Peopling of British North America: The Conflict of Civilizations, 1600– 1675.* Alfred A. Knopf, 2012.

Barton, H. Arnold (red). *Letters from the Promised Land – Swedes in America, 1840–1914.* University of Minnesota Press, 1975. (*Brev från löftets land – Svenskar berättar om Amerika 1840– 1914.* Askild & Kärnekull, 1979.)

Barton, H. Arnold. *Count Axel von Fersen – Aristocrat in an Age of Revolution.* Twayne Publishers, 1975.

Barton, H. Arnold. *Scandinavia in the Revolutionary Era, 1760–1815.* University of Minnesota Press, 1986.

Barton, H. Arnold. *A Folk Divided – Homeland Swedes and Swedish Ame- ricans, 1840–1940.* Southern Illinois University Press, 1994.

Beijbom, Ulf. *Amerika, Amerika! – en bok om utvandringen.* Natur & Kultur, 1977.

Bellman, Carl Michael. *Samlade skrifter, tredje delen.* Adolf Bonniers förlag, 1861.

Berg, A. Scott. *Lindbergh*. Putnam, 1998.

Blegen, Theodore C. *Minnesota – A History of the State.* University of Minnesota Press, 1963.

Borneman, Walter R. *1812 – The War That Forged a Nation.* HarperCollins, 2004.

Boudreau, George W. *Independence – A Guide to Historic Philadelphia.* Westholme Publishing, 2012.

Bremer, Fredrika. *Hemmen i den Nya verlden, del I, II & III.* P. A. Norstedt & Söner, 1853, 1854.

Bruun, Erik & Crosby, Jay. *The American Experience – The History and Culture of the United States through Speeches, Letters, Essays, Articles, Poems, Songs, and Stories.* Black Dog and Leventhal Publishers, 1999, 2012.

Burman, Carina. *Bremer – En biografi.* Albert Bonniers Förlag, 2001.

Burrows, Edwin G. & Wallace, Mike. *Gotham – A History of New York City to 1898.* Oxford University Press, 1999.

Chernow, Ron. *Alexander Hamilton.*
Penguin Press, 2004.
Chernow, Ron. *Washington – A Life.*
Penguin Press, 2010.
Church, William Conant. *The Life of John Ericsson, volume I & II.* Charles Scribner's Sons, 1911.

Dahlgren, Stellan & Norman, Hans. *The Rise and Fall of New Sweden – Governor Johan Risingh's Journal 1654–1655 in its historical context.* Almqvist & Wiksell International, 1988.
Daniels, Roger. *Coming to America – A History of Immigration and Ethnicity in American Life* (second edition). Harper Perennial, 2002.
Deák, Gloria. *Picturing New York – The City from its Beginnings to the Present.* Columbia University Press, 2000.
Dickens, Charles. *American Notes for general circulation.* Chapman & Hall, 1843.
Donald, David Herbert. *Lincoln.* Simon & Schuster, 1995.
Draper, Theodore. *A Struggle for Power – The American Revolution.* Vintage Books, 1997.

Ekendahl, Staffan. *Abraham Lincoln – Hans liv och tid.* Norstedts, 2011.
Ellis, Joseph J. *American Sphinx – The Character of Thomas Jefferson.* Vintage Books, 1998.
Elovson, Harald. *Amerika i svensk litteratur 1750–1820, en studie i komparativ litteraturhistoria.* CWK Gleerups Förlag, 1930.

Fersen, Hans Axel von. *Diary and Correspondence of Count Axel Fersen.* Hardy, Pratt & Company, 1902.
Flach, F. F. *Grefve Hans Axel von Fersen – Minnesteckning jemte utdrag ur hans dagbok och brefväxling.* C. E. Fritzes, 1896.

Franklin, Benjamin. *The Autobiography of Benjamin Franklin.* P.F. Collier & Son, 1909. (Första fullständiga amerikanska utgåva 1868.)
Friman, Axel; Stephenson, George M. & Barton H. Arnold (red). *Amerika – Verklighet och dröm: De frimanska breven från Amerika och Sverige 1841–1862.* Föreningen för Västgötalitteratur, 2006.
Fur, Gunlög. *Colonialism in the Margins – Cultural Encounters in New Sweden and Lapland.* Brill Academic Publishers, 2006.
Fur, Gunlög. *A Nation of Women – Gender and Colonial Encounters among the Delaware Indians.* University of Pennsylvania Press, 2009.

Goldkuhl, Carola. *John Ericsson – Mannen och uppfinnaren.* Bonniers, 1961.
Goodwin, Doris Kearns. *Team of Rivals – The Political Genius of Abraham Lincoln.* Simon & Schuster, 2005.
Gray, Francine du Plessix. *The Queen's Lover.* Penguin Press, 2012.
Guelzo, Allen C. *Fateful Lightning – A New History of the Civil War & Reconstruction.* Oxford University Press, 2012.

Hamilton, Alexander; Jay, John & Madison, James. *The Federalist Papers.* (Först utgivna av J.&A. McLean 1788.)
Handlin, Oscar. *The Uprooted – The Epic Story of the Great Migrations That Made the American People.* University of Pennsylvania Press, 2002. (Little, Brown and Company, 1951.)
Harrison, Dick. *Slaveri. 1500 till 1800.* Historiska Media, 2007.
Harrison, Dick. *Slaveri 1800 till nutid.* Historiska Media, 2008.
Henricson, Ingvar & Lindblad, Hans. *Tur och retur Amerika – Utvandrare som förändrade Sverige.* Fischer & Co, 1995.

Hoffecker Carol E.; Waldron, Richard; Williams, Lorraine E. & Benson, Barbara E. (red). *New Sweden in America*. University of Delaware Press, 1995.

Hokanson, Nels. *Swedish Immigrants in Lincoln's Time*. Harper & Brothers, 1942.

Howe, Daniel Walker, *What Hath God Wrought – The Transformation of America, 1815–1848*. Oxford University Press, 2007.

Isaacson, Walter. *Benjamin Franklin – An American Life*. Simon & Schuster, 2003

Isaksson, Olov. *Historien om Bishop Hill*. LT:s Förlag, 1995.

Janson, Florence E. *The Background of Swedish Immigration*. University of Chicago Press, 1931.

Jefferson, Thomas. *Notes on the State of Virginia*. John Stockdale, 1787.

Johanson, Klara & Kleman, Ellen. *Fredrika Bremers brev, del I & II*. P.A. Norstedt & Söners Förlag, 1915, 1916,

Johnson, Amandus. *The Swedes on the Delaware 1638–1644*. The Swedish Colonial Society, 1915.

Johnson, Amandus. *Contributions by Swedes to American Progress, 1638–1921*. Committee of the Swedish Section of American Making, 1921.

Kalm, Pehr. *Pehr Kalms Resa till Norra Amerika, del I, II & III*. Svenska Litteratursällskapet i Finland, 1904–1915. (Första utgåvor 1753–1761.)

Keegan, John. *Fields of Battle – The Wars for North America*. Alfred A. Knopf, 1996.

Kraft, Herbert C. *The Lenape – Archaeology, History and Ethnography*. New Jersey Historical Society, 1986.

Laurell, Sigrid (red). *Rosalie Roos resa till Amerika 1851–55*. Almqvist & Wiksell, 1969.

Lindqvist, Herman. *Axel von Fersen – Kvinnotjusare och herreman*. Fischer & Co, 1991.

Ljungmark, Lars. *Den stora utvandringen – Svensk emigration till USA 1840–1925*. Sveriges Radio, 1965.

Mansén, Elisabeth. *Sveriges Historia 1721–1830*. Norstedts, 2011.

Mattson, Hans. *Minnen*. CWK Gleerups Förlag, 1890.

McCullough, David. *John Adams*. Simon & Schuster, 2001.

McCullough, David, *1776*. Simon & Schuster, 2005.

McPherson, James M. *Battle Cry of Freedom – The Civil War Era*. Oxford University Press, 1988.

Meacham, Jon. *Thomas Jefferson – The Art of Power*. Random House, 2012.

Middlekauf, Robert. *The Glorious Cause – The American Revolution, 1783–1789*. Oxford University Press, 1982.

Moberg, Vilhelm. *Utvandrarna*. Bonniers, 1949.

Moberg, Vilhelm. *Invandrarna*. Bonniers, 1952.

Nelson, Helge. *The Swedes and the Swedish Settlements in North America*. CWK Gleerup, 1943.

Nelson, James L. *Reign of Iron – The Story of the First Battling Ironclads, the Monitor and the Merrimack*. William Morrow, 2004.

Nisbeth, Hugo. *Två år i Amerika (1872–1874)*. Aftonbladets Aktiebolags Tryckeri, 1874.

Nisbeth, Hugo. *Emigrantens vän – Hjelpreda för den svenske utvandraren af hwarje klass: Efter 4 års resor och studier i Förenta Staterna*. C.E. Fritze, 1881.

479

Nordhoff, Charles. *The Communistic Societies of The United States – From personal visit and observation.* Harper & Brothers, 1875.

Norelius, Eric. *De svenska luterska församlingarnas och svenskarnes historia i Amerika.* Lutheran Augustana Book Concern, 1890.

Ohlsson, Per T. *Over There – Banden över Atlanten.* Timbro, 1992.

Paine, Thomas. *Common Sense.* 1776.

Proschwitz, Gunnar von. *Gustaf III, Mannen bakom myten – Ett självporträtt i brevform.* Wiken, 1992.

Rakove, Jack. *Revolutionaries – A New History of the Invention of America.* Houghton Mifflin Harcourt, 2010.

Rosenberg, Göran. *Friare kan ingen vara – Den amerikanska idén från Revolution till Reagan.* Norstedts, 1991.

Schutt, Amy C. *Peoples of the River Valleys – The Odyssey of the Delaware Indians.* University of Pennsylvania Press, 2007.

Shorto, Russell. *The Island at the Center of the World – The Epic Story of Dutch Manhattan & the Forgotten Colony That Shaped the World.* Doubleday, 2004.

Smith, Adam. *The Wealth of Nations.* P.F. Collier & Son, 1902.

Stephenson, George M. *The Religious Aspects of Swedish Immigration.* Arno Press/The New York Times, 1969. (University of Minnesota Press, 1932.)

Stephenson, George M. *Letters relating to Gustaf Unonius and the early Swedish settlers in Wisconsin.* Augustana Historical Society, 1937.

Stråth, Bo. *Sveriges historia 1830–1920.* Norstedts, 2012.

Söderberg, Kjell. *Den första massutvandringen – En studie av befolkningsrörlighet och emigration utgående från Alfta socken i Hälsingland 1846–1895.* Acta Universitatis Umensis/Almqvist & Wiksell International. 1981.

Taylor, Alan. *American Colonies – The Settling of North America.* Viking Penguin, 2001.

Tegnér, Esaias. *Samlade skrifter, andra bandet, skrifter på prosa.* P.A. Norstedt & Söner, 1876.

Tocqueville, Alexis de. *Democracy in America* (översättning: George Lawrence). Harper & Row, 1966.

Trollope, Frances. *Domestic Manners of the Americans.* Whittaker, Treacher & Co, 1832.

Unonius, Gustaf. *Minnen från en sjuttonårig vistelse i nordvästra Amerika.* Gidlunds, 1983. (W. Schultz Förlag, 1862.)

Villstrand, Nils Erik. *Sveriges historia 1600–1721.* Norstedts, 2011.

Warberg, Adolf C:son. *Skizzer från Nord-amerikanska kriget 1861–1865 – Bref och anteckningar under en fyraårig vistelse i Förenta Staterna af en i detta krig deltagande svensk officer.* Oscar L. Lamm, 1867.

White, Ruth. *Yankee from Sweden – The Dream and Reality in the Days of John Ericsson.* Henry Holt & Co, 1960.

Widén, Albin. *Amerikaemigrationen i dokument.* Prisma, 1966.

Wilentz, Sean. *The Rise of American Democracy – Jefferson to Lincoln.* W.W. Norton, 2005.

Winik, Jay. *April 1865 – The Month That Saved America.* HarperCollins, 2001.

Winik, Jay. *The Great Upheaval – America and the Birth of the Modern World 1788–1800*. HarperCollins, 2007.

Wollstonecraft, Mary. *Letters written during a short residence in Sweden, Norway and Denmark*. J. Johnson, 1802.

Wood, Gordon, S. *The Radicalism of the American Revolution*. Alfred A. Knopf, 1992.

Wood, Gordon S. *Empire of Liberty – A History of the Early Republic, 1789–1815*. Oxford University Press, 2009.

Wright, Robert L. *Swedish Emigrant Ballads*. University of Nebraska Press, 1965.

Åberg, Alf. *Drömmen om Vinland – Svenskarna och Amerika 1637–1800*. Natur & Kultur, 1996.

Åberg, Alf. *Svenskarna under stjärnbaneret – Insatser under nordamerikanska inbördeskriget 1861–1865*. Natur & Kultur, 1994.

Artiklar

Acrelius, Israel. Den Swenska Mercurius, september 1759 och december 1759.

Anderson, Carl L. »Rosalie Roos: Three Years in South Carolina, 1851–1855«. Swedish-American Historical Quarterly, SAHQ, nr 3, juli 1981.

Barton, H. Arnold. »Sweden and the War of American Independence«. The William and Mary Quarterly, nr 3, juli 1966.

Barton, H. Arnold. »The Eric-Janssonists and the Shifting Contours of Community«. SAHQ, nr 3, juli 1996.

Barton, H. Arnold. »Pre-Dawn of the Swedish Migration: Before 1846«. SAHQ, nr 3, juli 1997.

Benson, Adolph B. »Benjamin Franklin's Contact with Swedes«. SAHQ, nr 1, januari 1955.

Bondestad, Kjell. »The American Civil War and Swedish Public Opinion«. SAHQ, nr 2, april 1968.

Johnson, E. Gustav. »A Prophet Died in Illinois a Century Ago«. SAHQ, nr 1, juli 1950.

Kvist, Roger. »America is, However, the Most Curious Country under the Sun – The Civil War Letters of Colonel Ernst von Vegesack, 1861–1863«. SAHQ, nr 3, juli 1997.

Melloh, Ardith K. »Life in Early New Sweden, Iowa«. SAHQ, nr 2, april 1981.

Mörner. Magnus. »The Swedish Migrants to Texas«. SAHQ, nr 2, april 1987.

Norton, John E. »For it flows with milk and honey – Two immigrant letters about Bishop Hill«. SAHQ, nr 3, juli 1973.

Olsson, Nils William. »Abraham Lincoln's Swedish Photographer«. Swedish American Genealogist, nr 1, 2004.

Peterson, Daniel Alfred. »From Östergötland to Iowa«. SAHQ, nr 4, oktober 1971.

Proescholdt, Kevin. »The Demography of the New Sweden Settlement in Iowa, 1845–1880«. SAHQ, nr 2, april 1981.

Proescholdt, Kevin. »Eric Corey's New Sweden, Iowa«. SAHQ, nr 2, april 1992.

Proescholdt, Kevin. »Religious Life and Controversy in New Sweden, Iowa, 1845–1860«. SAHQ, nr 2, april 1996.

481

Proescholdt, Kevin. »America's Letters and Iowa's First Swedish Settlements«. SAHQ, nr 3, juli 1998.

Scott, Franklin D. »Mr. Klinkowström's America: A Swedish appraisal from the years 1818–1820«. SAHQ, nr 1, 1952.

Scott, Larry E. »The Cultural Life of the Swedish Texans«. SAHQ, nr 3, juli 1998.

Setterdahl, Lily. »Peter Cassel's America«. SAHQ, nr 2, april 1981.

Springer, Ruth L. & Wallman, Louise. »Two Swedish Pastors Describe Philadelphia, 1700–1702«. The Pennsylvania Magazine of History and Biography, nr 2, april 1960.

Stephenson, George M. »When America Was the Land of Canaan«. Minnesota History, nr 3, september 1929.

Swanson, Alan. »The Civil War Letters of Olof Liljegren«. SAHQ, nr 2, april 1980.

Vallinder, Torbjörn. »The Impact of the American Constitution in Sweden since 1787«. Vetenskapssocieteten i Lunds Årsbok, 1987.

Wachenfeldt, Curt von. »Background to Peter Cassel's Emigration«. SAHQ, nr 2, april 1981.

Widén, Carl T. »Texas Swedish Pioneers and the Confederacy«. SAHQ, nr 3, juli 1961.

Swedish-American Historical Quarterly (SAHQ) *hette från 1950 till 1983 Swedish Pioneer Historical Quarterly.*

Andra källor

Benjamin Franklins korrespondens, som citeras i kapitel 4, finns samlad i det digitala arkivet www.franklinpapers.org.

Diplomatpost mellan USA och Sverige, som citeras i kapitel 12 om inbördeskriget, finns i University of Wisconsins digitala samlingar under titeln »Foreign Relations of the United States«, http://digital.library.wisc.edu/1711.dl/FRUS.

Artiklar från svenska dagstidningar och svenskspråkiga tidningar utgivna i USA finns tillgängliga i Kungliga bibliotekets mikrofilmsamlingar.

Citat från anonyma invandrare i kapitel 9, 11, 14 och 15 har hämtats från den statliga Emigrationsutredningen, bilaga 7. Emigrationsutredningen, som utfördes mellan 1907 och 1913, utgör också mer allmänt ett mycket omfattande bakgrundsmaterial.

BILDKÄLLOR

s. 14–15. *Nicholaes Jansz. Visscher, Novi Belgii Novaeque Angliae Nec Non Partis Virginiae Tabula*, ca 1655. Privat samling.

22–23. Edwin Willard Deming, *Treaty Between Indians and the Dutch with Jonas Bronck at Spuyten Duyvil Creek 1642*. Museum of the City of New York.

27. *Nieuw Amsterdam*, ca 1700. Museum of the City of New York.

33. Ur *Nordisk familjebok*, 1914.

37. Ur *The American Continent and its Inhabitants Before its Discovery by Columbus,* av Annie Cole Cady, 1890. New York Public Library.

43. Anonym gravyr, 1800-tal. Wikipedia Commons.

51. Okänd konstnär, 1600-tal. Atwater Kent Museum of Philadelphia/IBL bildbyrå.

62–63. Ur *The American Continent and its Inhabitants Before its Discovery by Columbus,* av Annie Cole Cady, 1890. New York Public Library.

68. Hendrick Couturier, ca 1660. New-York Historical Society.

81. Charles Willson Peale, ca 1781–1782. Independence National Historical Park, Philadelphia.

88–89. Foto: Kungliga biblioteket.

95. Okänd konstnär, 1731. Foto: Svante Nyberg. Hosjö kyrka.

100–101. Vykort, ca 1900. New York Public Library.

106–107. Benjamin West, *Treaty with the Indians in November 1683*, ca 1771.

Pennsylvania Academy of the Fine Arts/Bridgeman Art Library/IBL bildbyrå.

117. Joseph-Siffred Duplessis, 1700-tal. Privat samling/Bridgeman Art Library/IBL bildbyrå.

121. Foto: Kungliga biblioteket.

126. Peter Newark American Pictures/Bridgeman Art Library/IBL bildbyrå.

135. Okänd konstnär, ca 1750. Uppsala universitetsbibliotek.

147. Miniatyr av Noël Hallé. Privat samling/IBL bildbyrå.

154. Adolf Ulrik Wertmüller, ca 1794. Davis Museum and Cultural Center, Wellesley College/Bridgeman Art Library/IBL bildbyrå.

161. Library of Congress.

166–167. Auguste Couder, *Siege de Yorktown*, 1836. Château de Versailles.

181. Bridgeman Art Library/IBL bildbyrå.

192–193. Currier and Ives, 1800-tal. Yale University Art Gallery, New Haven/Bridgeman Art Library/IBL bildbyrå

198–199. Jennie Brownscombe, *Wall Street in 1790*. Museum of the City of New York.

209. Johan Gustaf Sandberg, 1840-tal. Privat samling.

213. Théodore Chassériau, 1844. Musée Carnavalet, Paris

220–221. Manuskriptsida *De la démocratie en Amérique*, ca 1840. Beinecke Rare Book & Manuscript Library, Yale University.

229. Auguste Hervieu, ca. 1832. National Portrait Gallery, London.

242. Wikipedia Commons.

251. Stockholms stadsmuseum.

256. Foto: Polycarp von Schneidau/ Library of Congress.

267. Joseph Keppler. Peter Newark American Pictures/Bridgeman Art Library/IBL bildbyrå.

272–273. Gravyr av Worcester & Pierce. New York Public Library.

278–279. Ur *Ny Illustrerad Tidning*, 23 juni 1866. Historisk bildbyrå.

284–285. Kungafamiljen 1875. Ur *Oscar I*, av Alma Söderhjelm, 1944.

300–301. Olof Krans, *Bishop Hill in 1855*, 1911. Bishop Hill State Historic Site, Historic Sites Division, Illinois Historic Preservation Agency.

306–307. Olof Krans, *Sowing*, okänt årtal. Bishop Hill State Historic Site, Historic Sites Division, Illinois Historic Preservation Agency.

312–313. Foto: Oneida Community, New York.

319. Olof Krans, *Hilman and the Indian*, okänt årtal. Bishop Hill State Historic Site, Historic Sites Division, Illinois Historic Preservation Agency.

330. Nyhetsannons, ca 1780, South Carolina. Library of Congress.

336–337. Plantage i Georgia, okänt årtal. New York Public Library.

347. Dagerrotyp, av S. F. Beurling. Olivecronska familjearkivet, Riksarkivet Marieberg.

350. Reklamaffisch 1852. Bridgeman Art Library/IBL bildbyrå.

357. Ur *A Picture of Slavery, for Youth*, av Jonathan Walker, ca 1840. Library of Congress.

363. Internet Archive.

366. Ur *Harpers Weekly*, 5 oktober 1862. Kungliga biblioteket.

376. Foto: Adrian John Ebell. Minnesota Historical Society, E91.4S r16.

380–381. *Frank Leslie's Illustrated Newspaper*, 24 januari 1863. Internet Archive.

386–387. A. F. Wrotnowski. Privat samling.

391. Okänd fotograf, ca 1863. Library of Congress.

395. *Texas Posten*, 22 januari 1897. Kungliga biblioteket.

399. Carte de Visite, 1862. Naval Historical Center, Washington.

409. Foto: History Photo 101.

414–415. Currier and Ives. Library of Congress.

421. Ur *New York Times*, 9 mars 1889. Kungliga biblioteket.

428–429. Minnesota Digital Library/American Swedish Institute, Chicago.

432. Foto: Percy Claude Byron, *SS Pennland* 1893. Museum of the City of New York.

435. Foto: Andrew Peterson-sällskapet.

440–441. Minnesota Digital Library/American Swedish Institute, Chicago.

444. Ur *En skånsk banbrytare i Amerika*, av Trued Granville Pearson, 1937.

454–455. Gjenvick-Gjønvik Archives.

458. Ur *New York Times*, 25 januari 1868. Kungliga biblioteket.

461. Foto: Göteborgs Sjöfartsmuseum.

464–465. Ur *The little American: en lättfattlig vägledning för utvandrare till Amerika*, av F. W. Günther, 1852.

469 Foto: Postmuseum, Stockholm.

PERSONREGISTER

489

Av Lennart Pehrson har tidigare utgivits:
Ni har klockorna – vi har tiden 2011

Den nya världen är första delen i en trilogi. *Den nya staden*
berör urbaniseringen och invandringen till Chicago som under
en tid hade fler svenska invånare än någon annan stad vid sidan
av Stockholm (utkommer hösten 2014). *Den nya tiden* tar upp
invandringsströmmen västerut i Amerika och utvecklingen
under 1900-talet, från guldrushens Klondike till Hollywood
(utkommer våren 2015).

Lennart Pehrson har tidigare varit verksam som journalist i USA
under ett trettiotal år, och har bland annat gett ut den kritiker-
hyllade och Augustnominerade boken *Ni har klockorna – vi har
tiden* om hur USA påverkats av 11 septemberattacken 2001. Han
är bosatt i New York.

www.albertbonniersforlag.se

Andra tryckningen
ISBN 978-91-0-013191-3
© Lennart Pehrson 2014
Grafisk form: Johannes Molin
Omslagsbild & försättsbild: Nya Sverige, ur *Kort beskrifning
om provincien Nya Swerige uti America, som nu förtiden af
the Engelske kallas Pensylvania*, av Thomas Campanius Holm,
1702. (Foto Kungliga biblioteket)
Eftersättsbild: Wrigley Building i Chicago (Illinois) uppförd
1919–1925 av Graham, Anderson, Probst & White, vykort, 1927.
(Foto Apic/Getty Images)
Typsnitt: New Century Schoolbook, Franklin Gothic
Papper: Multi Offset 120 g
Repro: BOP, Göteborg
Tryck: Livonia Print, Lettland 2014

FLER SVENSKAR SLO
ÄN NÅGON ANNANSTA
GAMLA JORDBRUKS
FÖR INDUSTRIKAPITA
OM ATT BYGGA